PAUL DE CLERCK

LA "PRIÈRE UNIVERSELLE"
DANS LES LITURGIES
LATINES ANCIENNES

Témoignages patristiques
et textes liturgiques

ASCHENDORFFSCHE VERLAGSBUCHHANDLUNG
MÜNSTER WESTFALEN

LITURGIEWISSENSCHAFTLICHE QUELLEN UND FORSCHUNGEN

BEGRÜNDET VON

DR. P. KUNIBERT MOHLBERG, BENEDIKTINER DER ABTEI MARIA LAACH

IN VERBINDUNG MIT

DR. JOHANNES QUASTEN, O. Ö. PROFESSOR AN DER KATHOLISCHEN UNIVERSITÄT
WASHINGTON

ABT DR. ADALBERT KURZEJA OSB, MARIA LAACH

UND DR. P. ANGELUS HÄUSSLING OSB, MARIA LAACH

HERAUSGEGEBEN VON

DR. P. WILLIBRORD HECKENBACH OSB, MARIA LAACH

VERÖFFENTLICHUNG DES ABT-HERWEGEN-INSTITUTS DER ABTEI MARIA LAACH

ISSN 0076-0048

BAND 62

Ouvrage publié avec l'aide
de la Fondation Universitaire de Belgique

Mit kirchlicher Druckerlaubnis
Nr. 305-6-22/77
Münster, den 15. August 1977
Ketteler, stellv. Generalvikar

D 6

Aschendorffsche Buchdruckerei, Münster Westfalen, 1977

ISBN 3-402-03847-1

SIGLES LES PLUS COURANTS

B	liturgie byzantine + pages de Brightman
Bo	Missel de Bobbio
Bourque	E. BOURQUE, *Etude sur les sacramentaires romains,* 3 vol., Rome et Québec, 1948—1958. Le nombre qui suit renvoie à sa classification des manuscrits.
Br	F. E. BRIGHTMAN, *Liturgies Eastern and Western.* I *Eastern Liturgies,* Oxford, 1896.
CAp	Constitutions apostoliques + pages de l'éd. FUNK
Clavis	E. DEKKERS - A. GAAR, *Clavis patrum latinorum,* Bruges, 1961.
DG	*Deprecatio Gelasii*
E	liturgie égyptienne + pages de Brightman
FG¹	*Dicamus omnes* franco-gallican
FG²	*Kyrie eleison. Domine Deus omnipotens patrum nostrorum* franco-gallican
Gamber	K. GAMBER, *Codices liturgici latini antiquiores,* Fribourg, 1968.
Go	Missale Gothicum
Ha	*orationes paschales* hispaniques, tradition A
Hb	*orationes paschales* hispaniques, tradition B
Irl¹	*Dicamus omnes* du Missel de Stowe
Irl²	intercessions anaphoriques du Missel de Stowe
J	liturgie grecque de saint Jacques + pages de Brightman
M	liturgie de saint Marc + pages de Brightman
M¹	*Divinae pacis* dit milanais
M²	*Dicamus omnes* dit milanais
MGV	Missale Gallicanum vetus
OR	*Ordines romani,* éd. M. ANDRIEU
OS	*orationes sollemnes* du vendredi saint
Tr.Ap.	Tradition apostolique, éd. B. BOTTE (LQF), 1963.

TABLE DES MATIERES

PREFACE

Lorsque la constitution conciliaire sur la Liturgie a rétabli dans la messe romaine la prière universelle, cette décision s'appuyait sur les recherches d'un ensemble d'historiens de premier rang. Voici qu'un jeune savant réétudie le dossier et modifie sur plusieurs points importants les conclusions qu'on considérait comme acquises.

Tout d'abord en ce qui concerne le rapport à la prière universelle des appellations «prière des fidèles» et «prière commune». L'abbé Paul De Clerck prouve que l'expression «prière des fidèles», empruntée par Félix III aux canons pénitentiels grecs, n'est ni chez les Grecs, ni chez saint Augustin, ni à Rome une désignation spécifique de la prière universelle, mais vise de façon générale la prière des baptisés par opposition à celle des pénitents ou des catéchumènes. De même chez Cyprien et Augustin l'*oratio communis* est le Pater, même si l'expression peut avoir une portée plus générale. C'est donc sans fondement historique que l'article 53 de la constitution sur la Liturgie emploie ces deux appellations, et celle de «prière universelle», qui apparaît dans le nouveau missel romain, est préférable.

La *Deprecatio Gelasii* occupe une place centrale dans l'histoire de la prière universelle romaine depuis qu'Edmund Bishop l'a restituée au pape Gélase et que Dom Bernard Capelle l'a liée à l'histoire du Kyrie. Paul De Clerck confirme l'attribution du texte à Gélase, mais le situe de façon neuve dans l'histoire des formulaires litaniques latins pour la prière universelle. Parmi ces formulaires il distingue deux groupes: d'abord le groupe des traductions à partir du grec (fin IVe—Ve s.), le *Dicamus omnes* du missel de Stowe et le *Divinae pacis* des livres ambrosiens; puis le groupe des adaptations (à partir de la fin du Ve s.), avec au premier rang la *Deprecatio Gelasii*. Il estime possible que les deux litanies du premier groupe soient d'origine romaine prégélasienne, mais on ne peut exclure non plus qu'elles proviennent de l'Italie du Nord.

Enfin et surtout l'usage du Kyrie dans ces litanies apparaît sous un jour nouveau: il est utilisé une première fois, non comme réponse mais comme triple invocation isolée à la fin du *Divinae pacis*. Dans la *Deprecatio Gelasii* il n'y a pas de Kyrie, et Dom Capelle a eu tort de vouloir reconstruire à partir de là l'histoire du Kyrie de la messe. Comme réponse répétée après chacune des intentions, le Kyrie est attesté pour la première fois dans le *Dicamus omnes* milanais que Paul De Clerck pense être du VIe s. (et peut-être romain), mais que je situerais aussi bien avant 476, à cause de la prière pour l'empereur. Pour le reste je crois que les conclusions obtenues sont justes et méritent de s'imposer.

B. Capelle et surtout A. Chavasse ont tenté d'éclairer le passage de la litanie au début de la messe. Ici Paul De Clerck souligne la fragilité de leurs arguments peut-être à l'excès en ce qui concerne l'*oratio super sindonem* — sans apporter lui-même de lumière vraiment nouvelle. Pour aller plus loin je crois qu'il faudra chercher dans deux directions. D'une part celle de la litanie des saints, attestée déjà ici ou là dans le sacramentaire gélasien, et qui constitue une troisième vague après celles des oraisons solennelles et des prières litaniques excellemment étudiées par Paul De Clerck. D'autre part il faudrait étudier de façon comparative l'anticipation de la prière litanique dans la messe romaine et dans la messe byzantine; de même le *Typicon de la grande Eglise* de Constantinople nous fait connaître un usage de la grande ecténie dans les processions avant la messe ou indépendamment de celle-ci, analogue à ce que Paul De Clerck a relevé dans les processionnaux latins.

Pour finir je voudrais souligner l'importance théologique de deux données signalées au passage par Paul De Clerck mais qui mériteraient d'être étudiées pour elles-mêmes: en premier lieu la distinction non pas juridique mais, si j'ose dire, mystérique entre la prière des baptisés (notamment le Pater et la prière universelle) et celle des non baptisés. En second lieu, la conviction, si forte dans les premiers siècles, de la puissance de la prière ecclésiale et du rôle de celle-ci dans l'histoire du salut. C'est de là, en fin de compte, que la prière universelle tire son sens et sa nécessité.

P.-M. Gy, o. p.,
directeur de l'Institut supérieur de liturgie de Paris.

AVANT-PROPOS

Le 4 décembre 1963, le pape Paul VI promulguait la Constitution *DE SACRA LITURGIA,* par laquelle les Pères du IIe Concile du Vatican rétablissaient l'usage de la prière universelle dans la liturgie romaine. Le vif succès que rencontra aussitôt cette décision conciliaire nous a encouragé à entreprendre l'étude de cette prière aux premiers siècles. Une ébauche de ce travail, dirigée par Monsieur le chanoine Houssiau, a servi de mémoire de licence à la faculté de théologie de l'Université catholique de Louvain en 1967; nous avons pu l'achever à l'Institut supérieur de liturgie de Paris, sous la direction de Dom B. Botte, et le présenter pour l'obtention du doctorat en théologie et de la maîtrise en liturgie, en juin 1970. Les tâches d'enseignement nous ont empêché d'en mener à bien la publication avant ce jour.

Nous tenons à remercier tous ceux qui nous ont aidé dans la réalisation de ce livre, et d'abord Messieurs les bibliothécaires de l'Abbaye du Mont César à Louvain, des Bibliothèque Nationale et Mazarine à Paris, des Bibliothèques Municipales d'Autun, Besançon, Cambrai, Rouen et Verdun, de la Bibliothèque Royale et de celle des Pères Bollandistes à Bruxelles, de la Stiftsbibliothek de Saint-Gall et de l'Abbaye de Solesmes qui mirent aimablement leurs trésors à notre disposition, ainsi que les bibliothécaires du Corpus Christi College de Cambridge, de la Biblioteca Civica de Bergame et de la Bibliothèque Nationale de Madrid qui nous procurèrent des photographies de leurs manuscrits. L'Institut de recherche et d'histoire des textes à Paris nous a permis d'examiner les microfilms de plusieurs manuscrits. Le centre d'analyse et de documentation patristiques de l'Université de Strasbourg nous a communiqué les références des commentaires des Pères de l'Eglise sur *I Tm* II, 1—4.

Nous remercions particulièrement ceux qui nous ont de diverses façons aidé et encouragé: les Pères Botte et Gy, le chanoine Houssiau, le P. Kannengiesser, le P. Molin, M. Huglo, et bien d'autres. Enfin notre reconnaissance est grande envers le P. Heiming qui nous a fait l'honneur d'accepter cet ouvrage dans la collection qu'il a dirigée, et envers son successeur, le P. Heckenbach, qui a assuré la révision du manuscrit. Merci aussi à l'éditeur pour le soin avec lequel il a exécuté le travail, et à la Fondation Universitaire de Belgique qui a pris à sa charge une partie des frais d'édition.

Au moment de livrer cette étude au public, notre souhait est qu'elle ne serve pas seulement aux historiens de la liturgie, mais qu'elle puisse également apporter une aide, si minime soit-elle, à ceux qui travaillent activement au profond renouveau de la liturgie que connaît notre époque.

Bruxelles, le 4 janvier 1974

INTRODUCTION

La *prière universelle* désigne la prière de demande qui se situe, dans la messe, après l'homélie, entre les lectures et la liturgie eucharistique. Le prêtre ou le diacre qui la fait y associe très directement l'assemblée; elle se range ainsi dans le genre liturgique de la «prière commune», construite de manière à favoriser la participation des fidèles. Les historiens de la liturgie la nomment généralement *oratio fidelium,* que l'on traduit en français par *prière des fidèles;* nous verrons que l'origine de cette terminologie invite aujourd'hui à y renoncer. On l'appelle aussi *prière commune,* expression inadéquate et peu suggestive.

Notre titre impose à l'étude de la prière universelle deux limitations. Géographique d'abord. Ce rite figure en effet dans toutes les liturgies chrétiennes; vu l'immensité du champ et la complexité des problèmes soulevés, nous avons dû réduire nos ambitions et les limiter au domaine latin, en d'autres termes à l'Occident, envisagé lui-même à partir de la liturgie romaine. Nous avons uniquement cité les parallèles orientaux des textes latins, apportant ainsi, s'il en était encore besoin, la preuve que le contenu de nos formulaires aussi bien que leur forme liturgique proviennent du Levant.

Limite temporelle ensuite. Notre titre reste ici volontairement dans le vague, car il est bien difficile de donner des limites chronologiques précises, de nombreux faits liturgiques ne nous étant connus que par des sources assez tardives. Disons que grosso modo nous ne dépassons pas la réforme carolingienne; nous n'avons étudié avec précision que les faits antérieurs à Grégoire le Grand; et comme nous estimons que l'*oratio fidelium* disparut vers le milieu du VIe siècle, nous pourrions intituler notre étude «histoire de la prière universelle à Rome (et en Occident) durant les six premiers siècles».

L'occasion de cette thèse fut fournie par la récente restauration de l'*oratio fidelium.* La Constitution *De sacra liturgia* du IIe Concile du Vatican, promulguée le 4 décembre 1963 par le pape Paul VI, prévoyait en effet en son numéro 53 le rétablissement de l'*oratio communis seu fidelium*. Ainsi se réalisaient les voeux émis à de nombreuses reprises par le mouvement liturgique. Ainsi aboutissaient également les recherches des historiens du culte, des PROBST, des BÄUMER, des DUCHESNE, des BISHOP, des MEYER, et plus près de nous, des CAPELLE, des CHAVASSE et des MOLIN.

La décision conciliaire rencontra un vif succès, et les revues liturgiques publièrent de nombreux articles sur la question. Tous reprennent les travaux des maîtres que nous venons de citer. Comme plusieurs points demeuraient obscurs, il nous a paru utile de réexaminer la question, pour rendre quelques services, si minimes soient-ils, à la praxis liturgique.

L'objet de cette recherche est de retracer l'histoire de la prière universelle en Occident, spécialement dans la liturgie romaine. Elle comporte deux parties. La première est consacrée à la préhistoire de la prière universelle. Elle soumet à la critique les témoignages littéraires que nous en offrent les Pères et les écrivains ecclésiastiques depuis les éventuelles origines juives et Clément de Rome jusqu'à la fin du Ve siècle. Elle envisage d'abord les tout premiers témoins (sans limitation géographique, pour ne faire fi d'aucun renseignement précieux), puis les traces de l'*oratio fidelium* dans les Eglises d'Afrique, de Rome, de Milan et de Gaule. Des conclusions synthétisent ces renseignements.

La deuxième partie présente les formulaires qui nous en sont conservés et les édite sur la base d'un plus grand nombre de manuscrits; elle les commente, et tente de les situer dans l'espace et dans le temps. Ceci requiert la mise au point préalable d'un outil d'analyse, d'un vocabulaire technique qui permette de circonscrire avec précision les formes liturgiques utilisées, les éléments dont elles se composent et leurs modalités.

Le premier texte qui nous retiendra n'est autre que les admirables *orationes sollemnes* du vendredi saint. Nous distinguerons ensuite deux vagues de litanies apparaissant en Occident; la première, qui s'étend sur les trois premiers quarts du Ve siècle, consiste en traductions de formules orientales; nous y avons rangé le *Dicamus omnes* du Missel de Stowe et le *Divinae pacis* de la liturgie milanaise. La seconde, qui commence au quatrième quart du Ve siècle, révise ces matériaux quant à leur forme stylistique et à leur contenu. Le fleuron en est la *Depre-catio Gelasii*; y appartiennent également deux textes franco-gallicans, la seconde litanie milanaise, et un texte très altéré qui figure aujourd'hui dans le Canon du Missel de Stowe.

De manière à fournir un dossier aussi complet que possible, nous présentons ensuite les *orationes paschales* gallicanes et hispaniques, qui ont gardé la thématique des anciennes litanies dans la forme liturgique des «oraisons solennelles».

Nous décrivons encore l'évolution subie par ces textes; par l'addition de versets psalmiques, ils se transformèrent en *preces* de tous genres; les litanies des saints utilisent encore les mêmes matériaux, en les faisant précéder par l'invocation des saints.

Avant de conclure cette deuxième partie, une section plus synthétique tente de préciser les relations qu'entretenaient, dans la liturgie romaine, l'*oratio fidelium*, le *Kyrie eleison* et l'*oratio super sindonem*. Des conclusions rassemblent tout cet apport.

Viennent enfin les conclusions générales et le bilan du travail.

Plutôt que de donner l'impression de maîtriser tous les aspects des problèmes traités, nous avons préféré rendre compte honnêtement des démarches que nous avons faites, des lacunes inévitables qui apparaissent à chaque page, et des pistes que nous n'avons pu suivre par manque de compétence ou de temps. Nous espérons ainsi faciliter la tâche de la critique et de ceux qui voudront poursuivre le travail.

PREMIERE PARTIE

EXAMEN DES TEMOIGNAGES PATRISTIQUES

Introduction

Le but de cette recherche est d'éclairer la préhistoire de l'*oratio fidelium*. Tous les auteurs[1] citent des bouts de phrase, voire quelques mots repris aux Pères de l'Eglise, et prétendent y voir les témoins de la prière universelle. Ces citations ont aiguisé notre curiosité; en les collationnant, nous avons été plusieurs fois surpris, tantôt d'y trouver des traces assez probantes de notre prière, tantôt de constater que le contexte visait tout autre chose.

Ce dossier nous semble revêtir un quadruple intérêt. Tout d'abord, l'*oratio fidelium* existait-elle réellement, comme on se plaît à le répéter, dès les premiers siècles? En second lieu, les différentes Eglises locales utilisaient-elles toutes pour la prière universelle la même forme littéraire, ou bien constatons-nous une certaine variété dans la structure et le contenu de la prière? Troisièmement, ces traces nous font-elles soupçonner l'existence de formulaires fixes aujourd'hui perdus, ou reflètent-elles une prière plus libre, dans laquelle la spontanéité avait sa place?

[1] Voici les principales études qui nous donnent une liste de passages intéressant de près ou de loin l'*oratio fidelium*:

F. Probst, *Liturgie der drei ersten christlichen Jahrhunderte*, Tübingen, 1870.
— *Liturgie des vierten Jahrhunderts und deren Reform*, Munster, 1893.
— *Die abendländische Messe vom fünften bis zum achten Jahrhundert*, Munster, 1896.
E. von der Goltz, *Das Gebet in der ältesten Christenheit*, Leipzig, 1901.
R. H. Connolly, *Liturgical Prayers of Intercession.* I *The Good Friday Orationes Sollemnes*, JTS, t. 21 (1920), p. 219—232.
F. Cabrol, art. *Litanies*, dans DACL 9, 1540—1571.
L. Biehl, *Das liturgische Gebet für Kaiser und Reich*, Paderborn, 1937.
V. L. Kennedy, *The Saints of the Canon of the Mass*, Rome, 1963.
O. Dietz, *Das allgemeine Kirchengebet*, dans *Leiturgia*, t. 2, Cassel, 1955 p. 417—451.
C. A. Bouman, *Communis oratio*, Utrecht-Anvers, 1959.
G. G. Willis, *Essays in Early Roman Liturgy*, Londres, 1964, p. 1—48.
Consilium, *De oratione communi seu fidelium*, Cité du Vatican, 1965.
Il faut y ajouter les *Relliquiae liturgicae vetustissimae* de Dom Cabrol et Dom Leclercq, t. 1, Paris, 1900—1902, qui aux p. 52 à 271 donnent des «fragments» liturgiques tirés des écrits patristiques.
Parmi les nombreux articles de pastorale liturgique parus après Vatican II, cfr. A. Nocent, *La prière commune des fidèles*, NRT, t. 86 (1964), p. 948—964.

Enfin, le vocabulaire utilisé par ces témoins littéraires a-t-il des attaches avec les textes de prière que nous connaissons?

Nous grouperons en une première section les tout premiers textes intéressant notre objet; ensuite nous classerons les témoins d'après leur provenance géographique: l'Afrique, Rome, Milan et la Gaule.

LES PREMIERS TEMOINS

Une origine juive?

Il est aujourd'hui à la mode, dans le milieu des liturgistes, de chercher les sources juives de l'eucologie chrétienne; la science liturgique ne fait en cela que suivre l'exégèse, qui après avoir souligné les influences hellénistiques subies par le Nouveau Testament, montre plutôt aujourd'hui tout son enracinement juif. Ainsi a-t-on souvent indiqué les relations de la prière universelle avec les Dix-huit Bénédictions (*šemōnèh- 'èśréh berākôt*), qui constituent, avec le *šema' Israel*, la partie principale de la prière quotidienne des Juifs; ils la récitent trois fois par jour. On l'appelle aussi *'amidāh*, parce qu'on s'y tenait debout, ou encore *tephillāh*, la prière (par excellence)[1].

Faut-il y voir l'ancêtre, ou l'archétype, de l'*oratio fidelium*? C'est C. Bouman[2] qui a le mieux étudié la question. Il remarque d'abord les fluctuations dans la place qu'a occupée cette prière. Les livres rabbiniques récents la situent après les lectures et la profession de foi (*šema' Israel*); s'il en avait été ainsi aux Ier-IIe siècles, le parallélisme avec la synaxe chrétienne serait parfait. Mais les données anciennes suggèrent que, au matin du sabbat et des jours de fête, une ancienne forme du *šemōnèh- 'èśréh* précédait les lectures. Son contenu a dû varier également; diverses sources de l'époque signalent telle ou telle intention particulière. Mais il est indéniable pour le professeur de Nimègue que les «Dix-huit» ont exercé une influence sur la prière chrétienne ancienne, notamment sur la Didachè 9—10 et sur la première Epître de Clément de Rome; nous y reviendrons à propos de celle-ci.

Nous n'avons pas la compétence qu'il faut pour porter un jugement dans ce domaine très spécialisé. Nous pensons cependant qu'il faut être très prudent dans les rapprochements de ce genre. Bien sûr, les Dix-huit Bénédictions forment une sorte de litanie; les fidèles y répondaient chaque fois *Amen*. Mais le genre littéraire nous paraît fort différent de celui de la prière universelle: les «Dix-huit» sont avant tout des bénédictions, on y loue Dieu. Des prières de demande s'y sont attachées, mais elles ne constituent pas le fond de la prière comme c'est le cas d'une *oratio fide-*

---

[1] On en trouvera différentes recensions dans *Prex eucharistica*, p. 41—54, ou dans J. Bonsirven, *Textes rabbiniques des deux premiers siècles*, Rome, 1955, p. 2; voir aussi L. Bouyer, *Eucharistie*, Tournai, 1966, p. 74—82.

[2] C. A. Bouman, *Communis oratio*, Utrecht-Anvers, 1959, p. 6—12.

lium. Le jour du sabbat d'ailleurs, il n'était pas permis de prier pour des besoins matériels. Ces bénédictions nous font plus songer aux *preces* constituées de versets bibliques qu'à la prière universelle.

Nous avons consulté à ce propos l'abbé Hruby, spécialiste de la littérature rabbinique. Ces relations le laissent sceptique, notamment parce que le christianisme s'est construit en forte opposition au judaïsme. La seule preuve possible serait de trouver des textes de même facture, utilisant le même vocabulaire; sans cela il faut se méfier, à son avis, de rapprochements superficiels.

Ces textes n'existant pas, on ne peut trouver dans la liturgie juive l'origine précise de la prière universelle.

Le Nouveau Testament

Faut-il dès lors en chercher la provenance dans le Nouveau Testament? Le texte principal est celui de la première épître à Timothée:

T 1   «Je recommande donc, avant tout, qu'on fasse des demandes, des prières, des supplications, des actions de grâces pour tous les hommes, pour les rois et tous les dépositaires de l'autorité, afin que nous puissions mener une vie calme et paisible en toute piété et dignité.»[3]

Nous ne prétendons nullement qu'en faisant cette recommandation, l'auteur instituait la prière universelle, au sens technique de cette expression; ceci aurait été tout bonnement impossible, dans l'état embryonnaire du culte chrétien de l'époque. Nous citons ici ce passage parce que toute la tradition s'y est référée en y voyant le fondement scripturaire de sa pratique. Les commentateurs de l'Epître estiment tous qu'il ne faut pas chercher un sens particulier aux quatre termes utilisés pour désigner la prière, sinon peut-être au dernier (action de grâces). Ils soulignent que la piété juive connaissait la prière pour les autorités, fussent-elles païennes (*Baruch* I,11). Ce qui leur paraît plus proprement chrétien est l'universalité qui caractérise cette prière («pour tous les hommes»), et qui se base sur l'universalité du salut, nettement affirmée au v. 4.

Moins éloquent, mais fréquemment cité cependant par les Pères en rapport avec la prière universelle, voici encore un passage du Sermon sur la Montagne:

T 2   «Eh bien! moi je vous dis: aimez vos ennemis, priez pour vos persécuteurs.»[4]

[3] *I Tm* II, 1—2: «Παρακαλῶ οὖν πρῶτον πάντων ποιεῖσθαι δεήσεις, προσευχάς, ἐντεύξεις, εὐχαριστίας, ὑπὲρ πάντων ἀνθρώπων, ὑπὲρ βασιλέων καὶ πάντων τῶν ἐν ὑπεροχῇ ὄντων, ἵνα ἤρεμον καὶ ἡσύχιον βίον διάγωμεν ἐν πάσῃ εὐσεβείᾳ καὶ σεμνότητι».

[4] *Mt* V, 44: «Ἐγὼ δὲ λέγω ὑμῖν· ἀγαπᾶτε τοὺς ἐχθροὺς ὑμῶν καὶ προσεύχεσθε ὑπὲρ τῶν διωκόντων ὑμᾶς».

On ne peut aucunement y voir la référence à un rite liturgique précis; ce verset indique uniquement une dimension de la prière chrétienne.

CLEMENT DE ROME

Le premier texte que nous rencontrons après ces deux passages scripturaires est de grand intérêt; il nous vient d'abord de la plus vénérable antiquité chrétienne, puisque, datant environ de l'année 96, il est à peine plus récent que certains textes du Nouveau Testament. Mais surtout il nous fournit le texte même d'une longue prière d'action de grâces et de supplication. On aura reconnu «la grande prière» de la lettre de Clément de Rome aux Corinthiens[5].

Ce passage nous livre indubitablement un exemple de la prière chrétienne primitive. Mais le contexte ne nous donne aucune indication quant à son utilisation. La plupart des spécialistes s'accordent cependant pour dire que nous nous trouvons ici en présence, sinon d'un texte liturgique proprement dit, du moins d'une prière fortement influencée par les usages liturgiques de la communauté romaine primitive[6]. Ils se plaisent également à y déceler les expressions et les thèmes juifs, et à y voir une chris-

---

[5] Ch. 59,2—61,3; éd. F. X. FUNK, p. 174—180; éd. A. JAUBERT (SC 167), p. 194—201.

[6] L'étude consacrée récemment à cette lettre par O. KNOCH, *Eigenart und Bedeutung der Eschatologie im theologischen Aufriß des ersten Clemensbriefes*, Bonn, 1964 (avec abondante bibliographie), traite de notre prière aux pages 56—63. L'auteur souligne que l'esprit de ce passage diffère du reste de la lettre par son caractère plus mystique et par un vocabulaire repris à la synagogue hellénistique.

Voici ce que S. BÄUMER écrivait à propos de cette «grande prière»: «Ce que nous savons d'elle avec certitude, c'est qu'elle peut être considérée comme une répétition plus ou moins textuelle d'une prière liturgique, dont on ne sait pas très exactement la place dans la liturgie. Dans tous les cas, c'est une des formules primitives, sinon la formule primitive, qui a servi de base à la προσφώνησις ὑπὲρ τῶν πιστῶν des Constitutions Apostoliques» (*Histoire du bréviaire*, t. 2, Paris, 1905, p. 432).

L. DUCHESNE voyait dans ce texte «un morceau d'un caractère liturgique évident. On ne peut sans doute y voir la reproduction d'une formule consacrée, mais c'est un beau spécimen du style de la prière solennelle» écrivait-il dans ses *Origines du culte chrétien*, Paris, 1925, p. 51.

TH. SCHERMANN estimait même que cette lettre était lue à la synagogue et que «la grande prière» tenait la place de la prière universelle, après la lecture (*Die allgemeine Kirchenordnung, frühchristliche Liturgien und kirchliche Überlieferungen. Zweiter Teil: Frühchristliche Liturgien*, Paderborn, 1915, p. 452). Cette hypothèse a été reprise par R. KNOPF, *Die Lehre der zwölf Apostel. Die zwei Clemensbriefe*, Tübingen, 1920, p. 138, après qu'il ait déjà lancé une idée analogue, quoique moins précise, dans le commentaire accompagnant l'édition de la lettre, publiée en 1899 (*Der erste Clemensbrief untersucht und herausgegeben*, TU 20, 1, Leipzig, 1899, p. 188).

tianisation de la prière synagogale; ils la rapprochent fréquemment du *Šemōnèh- 'èśréh* ou prière des Dix-huit bénédictions[7].

A vrai dire, ces indications ne nous permettent pas d'en tirer grand chose pour notre propos, puisque nous ne pouvons pas situer exactement cette prière dans la structure d'une célébration liturgique. Nous nous contenterons de prendre acte des nombreux rapprochements indiqués par Funk entre ce texte et les liturgies postérieures, comme si celles-ci y avaient puisé; il faut citer notamment les expressions αἰτησόμεθα ἐκτενῆ τὴν δέησιν καὶ ἱκεσίαν ποιούμενοι, ὅπως . . .[8] et ἀξιοῦμέν σε, δέσποτα, . . .[9] que nous retrouverons dans de nombreuses litanies orientales; et bien sûr, les séries d'intentions[10].

En résumé, cette prière, influencée dans ses thèmes et sa formulation par la synagogue hellénistique, nous atteste que des demandes étaient faites pour les besoins de tous les hommes, notamment des autorités civiles[10a]; quelle qu'ait été sa fonction exacte, elle peut être considérée comme un chaînon entre *I Tm* II, 1—2 et les descriptions de l'Eucharistie par saint Justin.

LA DIDACHE

Faut-il mentionner ici la Didachè? Un livre récent[11] a voulu y voir comme la source de la prière liturgique d'intercession. Malgré ce que la thèse peut avoir d'artificiel, cette étude contient des éléments intéressants. Citons d'abord le texte en question:

L. CLERICI également pense y trouver l'écho d'une prière d'intentions en usage dans l'Eglise de Rome (*Einsammlung der Zerstreuten*, Munster, 1966 p. 125).

[7] Pour la comparaison avec notre passage, cfr. W. OESTERLEY, *The Jewish Background of the Christian Liturgy*, Oxford, 1925, p. 125—147. A. BAUMSTARK estime que l'on trouve dans ces ch. 59—61 «de longues citations du formulaire romain le plus primitif de cette vénérable prière» (*Liturgie comparée*, Chevetogne, 1953, p. 83, note 5). Il rattache aussi la prière d'intercession du culte chrétien au rite synagogal (p. 51).

C. BOUMAN, *Communis oratio*, Utrecht-Anvers, 1959, p. 10, parle de notre prière comme d'une «tephillāh christianisée». Cet auteur, nous l'avons dit, insiste fort sur les sources juives de l'*oratio fidelium*. Dans l'introduction à sa récente édition, Annie Jaubert estime qu' «on ne peut assigner à ces tournures une origine littéraire précise. Portées et transmises dans un milieu vivant et mouvant, elles manifestent seulement leur enracinement juif. On ne s'étonnera donc pas de découvrir des formules apparentées avec la prière synagogale des dix-huit bénédictions» (p. 40).

[8] 59,2: «nous demandons sans relâche, dans la prière et la supplication, que...».

[9] 59,4: «nous t'en prions, maître,...».

[10] 59,4 à 60,4.

[10a] Lire à ce propos P. MIKAT, *Zur Fürbitte der Christen für Kaiser und Reich im Gebet des I. Clemensbriefes*, dans *Festschrift für U. Scheuner*, Berlin, 1973, p. 455—471.

[11] L. CLERICI, *Einsammlung der Zerstreuten*, (LQF 44), Munster, 1966.

T 3   X,5: «Souviens-toi, Seigneur, de ton Eglise pour la délivrer de
       tout mal et la parfaire dans ta charité; et rassemble-la des quatre
       vents, l'(Eglise) sanctifiée dans ton Royaume que tu lui as pré-
       paré; car à toi appartiennent la puissance et la gloire pour les
       siècles.»[12]

Clerici fait remarquer (p. 48ss) que l'on trouve ici pour la première fois
le fameux ‹souviens-toi› (μνήσθητι), formule type de toutes les commé-
moraisons des liturgies postérieures. Il en étudie la signification biblique;
ce cri ne signifie pas seulement «n'oublie pas»; il évoque beaucoup plus
qu'un rappel, qu'un souvenir: il provoque Dieu à agir, à intervenir dans
l'histoire, en d'autres termes à se révéler. La formule était courante dans
la prière juive[13]; la liturgie chrétienne reprend ainsi à son compte tout
l'héritage de l'Ancien Testament; elle manifeste sa continuité par rapport à la liturgie juive, et la christianise tout à la fois en transposant
l'espoir nationaliste en espérance eschatologique. Dans la dernière partie
de son livre, l'auteur étudie les vestiges de cette prière pour l'Eglise dans
les intercessions anaphoriques des liturgies postérieures.

Ce beau texte ne peut aucunement servir d'indice à l'existence d'une
prière universelle dans la Didachè; il fait partie d'un ensemble littéraire
qui, malgré les difficultés d'interprétation, nous oriente vers les intercessions anaphoriques plus que vers une prière des fidèles[14]. Nous en
retiendrons, outre l'intercession pour l'Eglise, le premier usage du
μνήσθητι et la richesse sémantique qu'il véhicule.

POLYCARPE DE SMYRNE (vers 85 — † vers 170)

Voici les recommandations que Polycarpe, évêque de Smyrne, adres-
sait aux Philippiens (entre 110 et 135):

T 4   XII,3: «Priez pour tous les saints. Priez aussi pour les rois, pour
       les autorités et les princes, et pour ceux qui vous persécutent et
       vous haïssent, et pour les ennemis de la croix; ainsi le fruit que
       vous portez sera visible à tous, et vous serez parfaits en lui.»[15]

---

[12] Did. 10,5, éd. F. X. FUNK, p. 24: «Μνήσθητι, κύριε, τῆς ἐκκλησίας σου
τοῦ ῥύσασθαι αὐτὴν ἀπὸ παντὸς πονηροῦ καὶ τελειῶσαι αὐτὴν ἐν τῇ ἀγάπῃ σου,
‹καὶ σύναξον αὐτὴν ἀπὸ τῶν τεσσάρων ἀνέμων›, τὴν ἁγιασθεῖσαν, εἰς τὴν σὴν
βασιλείαν, ἣν ἡτοίμασας αὐτῇ· ὅτι σοῦ ἐστιν ἡ δύναμις καὶ ἡ δόξα εἰς τοὺς
αἰῶνας».

[13] On trouve dans l'Ancien Testament 37 exemples de μνήσθητι utilisés dans
une prière adressée à Dieu ou à un homme, dont 8 dans les Psaumes, où ils
s'adressent toujours à Dieu.

[14] Voir le commentaire de J. P. AUDET, La Didachè. Instructions des Apôtres,
Paris, 1958, p. 372—433.

[15] Ep. Philip. 12,3, éd. et traduction CAMELOT, p. 220—221. Texte original (il
ne reste pour ce passage qu'une traduction latine): «Pro omnibus sanctis orate.
Orate etiam pro regibus et potestatibus et principibus atque pro persequentibus

Ces mots témoignent du souci de l'Eglise de prier pour différentes classes de personnes. C'est une de ces listes d'intentions dont nous trouverons de nombreux exemples au long de cet inventaire. Notons l'allusion à *I Tm* II, 1—2, le texte classique qui recommande de prier pour les rois et les dépositaires de l'autorité, ainsi qu'à *Mt* V, 44—45. Le contexte ne nous fournit aucun renseignement supplémentaire.

Cette dimension universaliste de la prière se retrouve dans le *Martyre de Polycarpe* (vers 170):

T 5   V,1: «... nuit et jour il ne faisait que prier pour tous les hommes et pour les Eglises du monde entier, comme c'était son habitude.»[16]

T 6   VIII,1: «Quand enfin il cessa sa prière, dans laquelle il avait rappelé tous ceux qu'il avait jamais rencontrés, petits et grands, illustres ou obscurs, et toute l'Eglise catholique répandue par toute la terre, l'heure étant venue de partir, on le fit monter sur un âne, et on l'emmena vers la ville ...»[17].

Remarquons les expressions similaires des deux textes:

— προσευχόμενος περὶ πάντων — μνημονεύσας ἁπάντων;

— τῶν κατὰ τὴν οἰκουμένην ἐκκλησιῶν — τῆς κατὰ τὴν οἰκουμένην καθολικῆς ἐκκλησίας.

Cependant rien ne nous dit que ces formules étaient utilisées dans le culte. De plus, il s'agit expressément d'une prière personnelle; mais à ce propos, notons une fois pour toutes que méthodologiquement nous nous refusons à rejeter hors de ce dossier patristique de l'*oratio fidelium* tout témoignage de prière personnelle, car celle-ci peut refléter la prière liturgique, et reprendre à son compte des formules de la prière publique; la valeur de cette remarque nous paraît corroborée par le fait que nous sommes toujours en présence de textes littéraires, qui ne sont donc pas nécessairement fidèles à la littéralité de la prière du personnage qu'ils exaltent, mais ont très bien pu couler sa prière dans un moule repris à la liturgie. D'ailleurs les Anciens ignoraient la distinction moderne entre liturgique et non-liturgique; la notion même de «formules liturgiques» reste dès lors imprécise.

et odientibus vos et pro inimicis crucis, ut fructus vester manifestus sit in omnibus, ut sitis in illo perfecti».

[16] Mart. Polyc., 5,1: «... νύκτα καὶ ἡμέραν οὐδὲν ἕτερον ποιῶν ἢ προσευχόμενος περὶ πάντων καὶ τῶν κατὰ τὴν οἰκουμένην ἐκκλησιῶν, ὅπερ ἦν σύνηθες αὐτῷ». id. p. 248—249.

[17] Mart. Polyc., 8,1: «Ἐπεὶ δέ ποτε κατέπαυσεν τὴν προσευχήν, μνημονεύσας ἁπάντων καὶ τῶν πώποτε συμβεβληκότων αὐτῷ, μικρῶν τε καὶ μεγάλων, ἐνδόξων τε καὶ ἀδόξων καὶ πάσης τῆς κατὰ τὴν οἰκουμένην καθολικῆς ἐκκλησίας, τῆς ὥρας ἐλθούσης τοῦ ἐξιέναι, ὄνῳ καθίσαντες αὐτὸν ἤγαγον εἰς τὴν πόλιν, ...» id. p. 252—253.

Aristide

Von der Goltz[18] cite comme témoin de l'ancienne *oratio fidelium* un passage de l'*Apologie* d'Aristide, le philosophe athénien de la première partie du second siècle. Au chapitre 16, on y lit que c'est grâce à la prière des chrétiens que le monde subsiste, et au chapitre 17, Aristide rapporte que les chrétiens prient pour leur propre conversion[19].

Ce n'est pas sur pareille attestation que nous pourrons nous baser ...

Justin († vers 165)

Le témoignage le plus important de ce chapitre est celui de Justin l'apologiste; il est le premier à nous assurer de l'existence de l'*oratio fidelium* en nous donnant une description de la liturgie. Voici ce qu'il écrivait, vers le milieu du IIe siècle:

T 7   *I Apol.* 65,1—3: «Quant à nous, après avoir lavé celui qui croit et s'est adjoint à nous, nous le conduisons dans le lieu où sont assemblés ceux que nous appelons nos frères. Nous faisons avec ferveur des prières communes pour nous, pour l'illuminé, pour tous les autres en quelque lieu qu'ils soient, afin d'obtenir, avec la connaissance de la vérité, la grâce de pratiquer la vertu et de garder les commandements, et de mériter ainsi le salut éternel. Quand les prières sont terminées, nous nous donnons le baiser de paix. Ensuite, on apporte à celui qui préside l'assemblée des frères du pain ...»[20].

et encore:

T 8   *ib.* 67,3—5: «Le jour qu'on appelle le jour du soleil, tous, dans les villes et à la campagne, se réunissent dans un même lieu; on lit les mémoires des Apôtres et les écrits des prophètes, autant que le temps le permet. Quand le lecteur a fini, celui qui préside fait un discours pour avertir et pour exhorter à l'imitation de ces beaux enseignements. Ensuite nous nous levons tous et nous prions ensemble à haute voix. Puis, comme nous l'avons déjà dit, lorsque la prière est terminée, on apporte du pain ...»[21].

Cette fois, nous en sommes sûrs: après les lectures, les chrétiens se levaient pour les prières communes. Trois intentions sont nommées: pour nous,

---

[18] E. von der Goltz, *Das Gebet in der ältesten Christenheit*, Leipzig, 1901, p. 333.

[19] Apologie, 16—17, éd. Hennecke, p. 41—42.

[20] I Apol. 65, 1—3, éd.-trad. Pautigny, p. 139. Voici le passage principal en grec: κοινὰς εὐχὰς ποιησόμενοι ὑπέρ ...

[21] I Apol. 67, 3—5, ib. p. 142: ἔπειτα ἀνιστάμεθα κοινῇ πάντες καὶ εὐχὰς πέμπομεν. Il serait plus exact de traduire: «Ensuite nous nous levons tous ensemble et nous prions à haute voix».

pour le baptisé, c'est-à-dire pour un besoin actuel, pour tous les autres; ces demandes sont introduites par le ὑπέρ caractéristique des litanies diaconales de l'Orient[22]. Ensuite on apporte les dons. Notons que dans ces deux passages, Justin utilise les mêmes termes κοινὰς εὐχάς et κοινῇ . . . εὐχάς; n'inférons cependant pas trop de ce rapprochement, car en 67,5 il emploie εὐχή également pour désigner la prière eucharistique, ambiguïté de vocabulaire qui se retrouvera tout au long de l'histoire de la prière universelle[23]. Vu le parallélisme entre T 8 et T 7 (dans lequel le baptême semble remplacer l'office de lectures de T 8), on peut encore préciser que les prières forment ici, avec le baiser de paix, le début de la liturgie eucharistique.

De plus, T 7 semble s'inspirer de *I Tm* II, 1—4 qui, après avoir recommandé les prières, poursuit: «voilà ce qui est bon et ce qui plaît à Dieu notre Sauveur, lui qui veut que tous les hommes soient sauvés et parviennent à la connaissance de la vérité». La communauté dont Justin se fait l'écho veut répondre à cette recommandation apostolique et arriver, par les prières, à la connaissance de la vérité et au salut éternel. S'il n'y a pas citation littérale, la thématique est pareille.

Par ailleurs, dans le *Dialogue avec Tryphon*, Justin atteste que les chrétiens prient de fait pour tous les hommes. Aux faux chrétiens, il écrit:

T 9   *I Dial.* 35,8: «C'est pourquoi nous prions pour vous et pour tous les autres qui se font nos ennemis, afin que changeant d'opinion, d'accord avec nous, vous ne blasphémiez pas . . . Jésus Christ»[24].

Et aux Juifs:

T 10   *II Dial.* 96,3: «En outre de tout cela, nous prions pour vous afin que le Christ vous ait en pitié»[25].

---

[22] par exemple celle de la liturgie de saint Jacques, dans Br p. 36—37.

[23] Les termes κοιναὶ εὐχαί forment-ils une expression technique pour désigner la prière universelle? Le dictionnaire de Lampe ne signale qu'un seul exemple de la tournure, mais il est particulièrement intéressant pour notre propos. Il s'agit d'un passage de Jean Chrysostome: «C'est pourquoi, dans les mystères, nous nous donnons mutuellement le baiser de paix, afin que, nombreux, nous devenions un; et nous faisons les prières communes pour les non-initiés, suppliant pour les malades, pour les fruits de l'univers, pour la terre et pour la mer. Saisis-tu toute la force de la charité»? En grec, le passage principal est le suivant: «καὶ ἐπὶ τῶν ἀμυήτων κοινὰς ποιούμεθα τὰς εὐχὰς, λιτανεύοντες ὑπὲρ νοσούντων, καὶ τῶν καρπῶν τῆς οἰκουμένης, καὶ γῆς καὶ θαλάττης». Homélie 78,4 sur Jean, PG 59, 426.

[24] I Dial. 35,8, éd.-trad. ARCHAMBAULT, t. 1, p. 160—161: «Διὸ καὶ ὑπὲρ ὑμῶν καὶ ὑπὲρ τῶν ἄλλων ἁπάντων ἀνθρώπων τῶν ἐχθραινόντων ἡμῖν εὐχόμεθα, ἵνα μεταγνόντες σὺν ἡμῖν μὴ βλασφημῆτε... χριστὸν Ἰησοῦν».

[25] II Dial. 96,3, éd.-trad. ARCHAMBAULT, t. 2, p. 106—107: «καὶ πρὸς τούτοις πᾶσιν εὐχόμεθα ὑπὲρ ὑμῶν, ἵνα ἐλεηθῆτε ὑπὸ τοῦ Χριστοῦ».

Et aux mêmes encore:

T 11 *II Dial.* 133,6: «Et cependant tous nous prions pour vous et tous les hommes sans exception, comme notre Christ et Seigneur nous a appris à le faire, lorsqu'il nous a ordonné de ‹prier même pour nos ennemis›, d'aimer ceux qui haïssent et de bénir ceux qui maudissent»[26].

Enfin aux pouvoirs publics:

T 12 *I Apol.* 17,3: «Nous n'adorons donc que Dieu seul, mais pour le reste, nous vous obéissons volontiers, vous reconnaissant pour les maîtres et les chefs des peuples, et nous prions Dieu qu'avec la puissance souveraine, on trouve en vous la sagesse et la raison»[27].

C'est là l'exécution des recommandations du Nouveau Testament.

Bref, Justin est le premier écrivain ecclésiastique qui nous atteste avec certitude l'existence de l'*oratio fidelium,* entre les lectures et l'apport des dons; on y priait pour les chrétiens, pour tous les hommes et pour les besoins concrets, et sans doute aussi, comme il en témoigne au hasard de ses écrits, pour les mauvais chrétiens, les Juifs, les ennemis et les autorités civiles.

ATHENAGORE

Athénagore, philosophe chrétien d'Athènes, écrivit vers 177 une apologie adressée à Marc Aurèle et à son fils Commode, et intitulée: *Supplique pour les chrétiens*; en voici la fin:

T 13 37: «En effet, quels hommes ont plus de droit à obtenir ce qu'ils demandent que nous, qui prions pour votre autorité afin que vous receviez par succession, le fils après le père, ainsi qu'il est parfaitement juste, l'empire; et que votre puissance reçoive accroissement et dilatation, tous les hommes étant soumis à votre autorité? Cela est aussi à notre avantage, afin que nous passions une vie calme et tranquille et que nous accomplissions de bon cœur tout ce qui nous est commandé»[28].

[26] II Dial. 133,6, ib. t. 2, p. 278—281: «πάντων ἡμῶν εὐχομένων ὑπὲρ ὑμῶν καὶ ὑπὲρ πάντων ἁπλῶς ἀνθρώπων, ὡς ὑπὸ τοῦ Χριστοῦ ἡμῶν καὶ κυρίου ποιεῖν ἐδιδάχθημεν, παραγγείλαντος ἡμῖν εὔχεσθαι καὶ ὑπὲρ τῶν ἐχθρῶν, καὶ ἀγαπᾶν τοὺς μισοῦντας, καὶ εὐλογεῖν τοὺς καταρωμένους». Cfr. aussi I Apol. 14,3: «καὶ ὑπὲρ τῶν ἐχθρῶν εὐχόμενοι», éd. PAUTIGNY, p. 26.

[27] I Apol. 17,3, ib. p. 36—37: «Ὅθεν θεὸν μὲν μόνον προσκυνοῦμεν, ὑμῖν δὲ πρὸς τὰ ἄλλα χαίροντες ὑπηρετοῦμεν, βασιλεῖς καὶ ἄρχοντας ἀνθρώπων ὁμολογοῦντες καὶ εὐχόμενοι μετὰ τῆς βασιλικῆς δυνάμεως καὶ σώφρονα τὸν λογισμὸν ἔχοντας ὑμᾶς εὑρεθῆναι».

[28] Suppl. 37, trad. BARDY, p. 170: «Τίνες γὰρ καὶ δικαιότεροι ὧν δέονται τυχεῖν ἢ οἵτινες περὶ μὲν τῆς ἀρχῆς τῆς ὑμετέρας εὐχόμεθα, ἵνα παῖς μέν παρὰ πατρὸς κατὰ τὸ δικαιότατον διαδέχησθε τὴν βασιλείαν, αὔξην δὲ καὶ ἐπίδοσιν

L'allusion finale à *I Tm* II, 1—2, est plus nette encore que chez Polycarpe (T 4), puisque l'expression «afin que nous passions une vie calme
et tranquille» en est une citation littérale. Cependant, Athénagore n'emploie pas la préposition ὑπέρ, qui se trouve chez saint Paul et qui carac-
térisera bientôt toutes les intentions de prière, mais περί, utilisée aussi
dans le Nouveau Testament avec la même signification. Sommes-nous ici
en présence d'une allusion à la prière universelle? C'est bien difficile à
établir. Ce qui est sûr, c'est que la communauté que fréquente Athénagore
a coutume de prier pour l'empereur, par fidélité aux prescriptions de
l'Apôtre. Nous pouvons même supposer que cette prière s'étendait à
d'autres personnes qu'à l'empereur, mais le but de cet écrit, adressé à
l'Auguste et à son fils, ne nécessitait pas d'en faire mention. Remarquons
que ni Ubaldi ni Bardy qui présentent le texte, ne songent ici à la
prière universelle, mais tous deux renvoient à d'autres passages des Pères
concernant la prière pour l'empereur.

Parmi les textes fréquemment cités par les auteurs et se rangeant dans
cette section figure encore un passage du *Martyre d'Apollonius*[29], noble
romain mort vers 183—185. Ce texte parle bien de prière, mais il est
illusoire de prétendre qu'il désigne la prière des fidèles.

Conclusion

Quelle conclusion tirer de cette première section? Grâce à Justin, nous
sommes certains que, du moins à Rome, vers 150, on connaissait l'*oratio
fidelium*. Avait-elle la forme longue et assez libre que nous rapporte
Clément, une cinquantaine d'années plus tôt? Nous n'en savons rien.
Ce qui est sûr, c'est que les chrétiens obéissaient aux ordres de *I Tm* II,
1—2 auxquels trois de nos textes (T 4, T 7, T 13) font allusion, et qu'ils
priaient non seulement pour l'Eglise (T 3, T 5, T 6) et pour eux-mêmes
(T 4 et T 7), mais aussi pour les empereurs et les autorités (T 4, T 12, T 13),
pour les Juifs (T 10 et T 11), pour les faux chrétiens (T 9), et même pour
les ennemis et les persécuteurs, comme le Christ le demande (*Mt* V,
44—45 cité par T 4); bref pour tous les hommes (T 5, T 6 et T 7).
Mais toutes ces demandes proviennent-elles de la prière des fidèles?
Rien ne nous en assure. Il est certain que dès ses origines, l'Eglise a connu
des prières de demande, même si nous ne sommes pas sûrs que celles-ci
ont formé dès le début ce qu'on appelle l'*oratio fidelium* telle que Justin
nous l'atteste.

καὶ ἡ ἀρχὴ ὑμῶν, πάντων ὑποχειρίων γιγνομένων, λαμβάνῃ; τοῦτο δ᾽ἐστὶ καὶ
πρὸς ἡμῶν, ὅπως ἤρεμον καὶ ἡσύχιον βίον διάγοιμεν, αὐτοὶ δέ πάντα τὰ
κεκελευσμένα προθύμως ὑπηρετοῖμεν». Ed. Ubaldi, p. 166—167.
[29] Martyre d'Apollonius, 6 et 8, éd. Klette, p. 96 et 98.

L'EGLISE D'AFRIQUE

Nous commençons par l'examen des témoignages des auteurs africains, pour la raison toute simple qu'ils sont les premiers occidentaux à nous parler de notre prière après ceux que nous avons appelés «les premiers témoins».

Nous analysons successivement les œuvres de Tertullien, Cyprien, Arnobe, Marius Victorinus et Augustin[1].

Tertullien (vers 160 — † après 220)

Aucun texte de Tertullien[2] ne nous parle clairement de l'*oratio fidelium*; encore moins utilise-t-il l'expression. Cependant, la convergence des indices nous donne la conviction qu'à cette époque, l'Eglise de Carthage connaissait la prière universelle. Notre argumentation repose sur deux points principaux: la manière dont l'auteur décrit le déroulement de la célébration liturgique, et les séries d'intentions de prière qu'il fournit.

1. La structure de la célébration

Trois passages entrent en considération:

T 1   *Apol.* 39, 2—5: «Coimus in coetum et congregationem facimus, ut ad Deum quasi manu facta precationibus ambiamus. Haec vis Deo grata est. Oramus etiam

   pro imperatoribus,
   pro ministeriis eorum ac potestatibus,

---

[1] La liturgie africaine a fait l'objet de plusieurs études d'ensemble. Signalons: F. Probst, *Liturgie der drei ersten christlichen Jahrhunderte*, Tübingen, 1870, et *Liturgie des vierten Jahrhunderts und deren Reform*, Munster, 1893, p. 272—307, ouvrages qui semblent avoir servi de sources à beaucoup d'auteurs postérieurs. F. Cabrol, *Afrique (Liturgie anténicéenne de l')*, DACL, 1, 591—619.
— *Afrique (Liturgie postnicéenne de l')*, ib. 620—657.
W. C. Bishop, *The African Rite*, JTS, t. 13 (1912), p. 250—277 qui à partir de la p. 270 cite les textes importants.
A. Fortescue, *La messe*, Paris, 1921, p. 51—63.
   [2] Une étude approfondie de la liturgie telle que la reflètent les écrits de Tertullien a été faite par Dom E. Dekkers, *Tertullianus en de geschiedenis der liturgie*, Bruxelles-Amsterdam, 1947.

> pro statu saeculi,
> pro rerum quiete,
> pro mora finis.
> Coimus ad litterarum divinarum commemorationem, ...
> Ibidem etiam exhortationes, castigationes et censura divina ...
> Praesident probati quique viri ...»[3].

T 2   *De Praescr. haer.*, 41,2: «Inprimis quis catechumenus, quis fidelis incertum est, pariter adeunt, pariter audiunt, pariter orant»[4].

T 3   *De Anima*, 9,4: «Est hodie soror apud nos revelationum charismata sortita, quas in ecclesia inter dominica sollemnia per ecstasin in spiritu patitur ... Iamvero prout Scripturae leguntur aut psalmi canuntur aut allocutiones proferuntur aut petitiones delegantur, ita inde materiae visionibus subministrantur»[5].

Bien qu'il date de la période montaniste, ce dernier texte nous paraît décisif; que *dominica sollemnia* désigne ou non une Eucharistie complète[6], l'expression *petitiones delegantur* peut difficilement viser la grande prière

---

[3] *Apol.* 39, 2—5 (PL 1, 532; CC 1, 150) (Fin an 197): «Nous nous réunissons en groupe et nous faisons assemblée, pour assiéger Dieu de nos prières, comme en bataillon serré. Cette virulence est agréable à Dieu. Nous prions aussi pour les empereurs, pour leurs services et leurs pouvoirs, pour la stabilité du temps présent, pour la paix du monde, pour l'ajournement de la fin. Nous nous réunissons pour la lecture des divines Ecritures, ... Là encore (se font) les exhortations, les corrections, la censure divine ... Ce sont des hommes éprouvés qui président ...».
Remarquons cette prière «pour l'ajournement de la fin», qui va à l'encontre des prières eschatologiques du N.T., notamment du *Marana tha* (*I Co* XVI, 22); cfr. *Ac* III, 19—20 et *II P* III, 11—12. J. BERAN, *De Ordine Missae secundum Tertulliani Apologeticum*, dans les *Miscellanea Mohlberg*, t. 2, Rome 1949, p. 11 ss explique que selon l'opinion courante à l'époque, la fin du monde dépendait de la fin de l'Empire romain (cfr. *Apol.* 32,1; CC 1, p. 142—143 et *Ad Scapulam* II, 6; CC 2, p. 1128); en demandant à Dieu de retarder l'échéance, les chrétiens prient donc en même temps pour le maintien de l'Empire; les trois dernières demandes sont donc presque synonymes. L'Empire était considéré comme le κατέχων de *II Thess* II, 7.

[4] *De Praesc. haer.* 41,2 (PL 2,68; CC 1,221) (Vers 200): «D'abord, on ne sait pas qui est catéchumène, qui est fidèle; pareillement ils entrent, pareillement ils écoutent, pareillement ils prient».

[5] *De Anima* 9,4 (PL 2, 700—701; CC 2,792) (Vers 210—211): «Il y a aujourd'hui chez nous une sœur gratifiée du charisme des révélations, qu'elle subit en esprit à l'église durant la liturgie, en tombant en extase ... Et selon qu'on lit les Ecritures ou qu'on chante les psaumes ou qu'on prononce les allocutions ou que des demandes sont faites, cela offre matière à ses visions».

[6] Cfr. F. J. DÖLGER, *Das ungefähre Alter des Ite, missa est. Zu dominica sollemnia bei Tertullianus*, dans *Antike und Christentum*, t. 6 (1940), p. 108—117. Se basant sur la littérature postérieure, notamment les *Acta Sancti Saturni* (vers 300), l'auteur montre que *dominicum* n'a pas le sens du terme actuel «dominical», mais qu'il est l'équivalent du génitif *Domini*; plus précisément le

eucharistique; comme il s'agit d'une description assez précise, nous ne craignons pas d'y reconnaître l'*oratio fidelium*.

Le *pariter orant* du *De Praescriptione* (T 2) peut éventuellement viser l'anaphore; vu les termes qui précèdent, nous lui donnerions volontiers une extension plus large, englobant la prière universelle et la grande prière eucharistique. Remarquons que la mention des catéchumènes et des fidèles ne nous aide pas à identifier la «prière» qu'ils font ensemble (*oratio fidelium* ou prière eucharistique), car dans la Grande Eglise les catéchumènes étaient renvoyés juste avant la prière des fidèles; leur participation à cette dernière, chez les hérétiques, serait donc tout aussi insolite que leur présence à l'anaphore.

Le passage de l'*Apologeticum* (T 1) est considéré par le Père Dekkers comme donnant une description détaillée de la synaxe[7]; celle-ci aurait donc eu la structure suivante: prière commune, lecture de l'Ecriture, exhortations et réprimandes pour la communauté, collecte, le tout sous la direction des *seniores probati*. Il nous semble que cette interprétation ne tient pas suffisamment compte du genre littéraire de l'*Apologeticum*. Cet ouvrage est tout entier une réponse aux objections des détracteurs du christianisme; il ne se pique pas de donner à des chrétiens une description minutieuse de la liturgie, mais réfute des arguments et montre que le culte chrétien ne comporte que de bonnes choses, notamment la prière pour l'empereur. La première phrase du n° 2 désigne, nous semble-t-il, la prière générale qu'est le culte; la deuxième a en vue la prière des fidèles que comporte ce culte. Mais à nos yeux les différents paragraphes de ce ch. 39 ne décrivent pas le déroulement chronologique de la célébration; autrement dit, jusqu'à preuve du contraire, nous ne croyons pas que la liturgie de Carthage ait commencé par une prière d'intercession: ce texte offre une base trop fragile pour construire une telle hypothèse.

Ajoutons que l'on cite parfois comme trace de la prière des fidèles le texte suivant:

T 4   *De Oratione,* 18,1: «Alia iam consuetudo invaluit: ieiunantes habita oratione cum fratribus subtrahunt osculum pacis, quod est signaculum orationis ... Quae oratio cum divortio sancti osculi integra?»[8].

substantif *dominicum,* tout comme *dominica sollemnia,* désignent la célébration eucharistique.

E. DEKKERS, *Tertullianus...*, p. 46 suit DÖLGER et note que si l'eucharistie n'est pas ici mentionnée explicitement, par une expression propre, à côté des lectures, psaumes, prédication et prières, c'est parce que l'anaphore comme telle n'offre pas de matière aux visions, et qu'elle n'avait donc aucune raison d'être mentionnée dans ce contexte...

Remarquons que l'argumentation de DÖLGER se base sur des textes de loin postérieurs.

[7] E. DEKKERS, *Tertullianus...*, p. 23—24.

[8] *De Orat.* 18,1 (PL 1, 1280—1281; CC 1, 267): «Une autre coutume existe: ceux qui jeûnent, après avoir fait la prière avec les frères, se soustraient au

Pour N. M. Denis-Boulet p. ex., «il s'agit sûrement de l'*oratio fidelium*»[9] suivie, au temps de Tertullien, du baiser de paix, qui précédait le Canon, comme chez Justin (I^e section, T 7), dans la Tradition Apostolique[10] et en Orient. Cette interprétation est-elle légitime?

Le contexte nous montre clairement qu'il est question de prière publique: *habita oratione cum fratribus*; et plus loin Tertullien reproche à cette coutume d'être en contradiction avec le précepte du Seigneur qui nous demande de tenir nos jeûnes secrets. Si vous avez des raisons d'enfreindre ce commandement, poursuit-il, faites-le à la maison, où vous ne pouvez quand même pas dissimuler entièrement votre ascèse. Mais partout ailleurs où vous pouvez cacher vos pratiques, vous devez vous souvenir du précepte; ainsi vous honorez et la règle, en public, et la coutume, à la maison.

On peut donc penser que Tertullien fait ici allusion au culte et même précisément à la prière des fidèles suivie du baiser de paix. C'est possible, mais nous n'oserions pas dire que ce soit sûr, faute d'indications liturgiques précises dans le contexte.

2. *Les séries d'intentions de prière*

Il faut ici distinguer les écrits apologétiques et les traités doctrinaux ou ascétiques.

Dans l'*Apologeticum* et l'*Ad Scapulam* revient sans cesse le même argument: les chrétiens prient mieux que les autres pour l'empereur car ils adressent leur supplication non à des idoles impuissantes, mais au vrai Dieu, capable de les exaucer, et maître même de l'empereur. On ne trouve ici d'autre intention de prière que le bien de l'Etat et de son chef: ce qui est exigé par le genre littéraire, mais n'exclut pas que les chrétiens aient prié aussi pour l'Eglise et ses membres, comme l'atteste l'autre série d'ouvrages. Relevons quelques-uns de ces passages:

T 5   *Apol.* 30,1 et 4:

1. «Nos enim pro salute imperatorum Deum invocamus aeternum, Deum verum, Deum vivum, quem et ipsi imperatores propitium sibi praeter ceteros malunt.

4. ... precantes sumus semper pro omnibus imperatoribus,
   vitam illis prolixam,
   imperium securum,
   domum totam,
   exercitus fortes,
   senatum fidelem,

---

baiser de paix, qui est le sceau de la prière... Quelle prière est-elle complète sans le saint baiser?».

[9] N. M. DENIS-BOULET, dans Martimort, p. 435.

[10] Tr. Ap., p. 55.

```
        populum probum,
        orbem quietum,
        quaecumque hominis et Caesaris vota sunt»¹¹.
```

T 6   *Apol. 39,2:* «Oramus etiam
```
pro imperatoribus,
pro ministeriis eorum ac potestatibus,
pro statu saeculi,
pro rerum quiete,
pro mora finis» (= T 1).
```

Les passages généralement cités de l'*Ad Scapulam* (2,6—9) n'ont, d'après nous, qu'un lien fort lâche avec l'*oratio fidelium;* ils attestent uniquement que les chrétiens prient pour l'empereur.

Dans les traités dogmatiques ou ascétiques, écrits pour les chrétiens, Tertullien nous fournit des textes plus circonstanciés. En plus des passages déjà cités, voici un extrait du *De Oratione:*

T 7   *De Orat.* 29,2: «Sed et retro oratio plagas irrogabat, fundebat hostium exercitus, imbrium utilia prohibebat. Nunc vero oratio iustitiae omnem iram Dei avertit, pro inimicis excubat, pro persequentibus supplicat. Mirum si aquas caelestes extorquere novit, quae potuit et ignes impetrare? Sola est oratio quae Deum vincit; sed Christus eam nihil mali voluit operari, omnem illi virtutem de bono contulit. Itaque nihil novit nisi
```
defunctorum animas de ipso mortis itinere revocare,
debiles reformare,
aegros remediare,
daemoniacos expiare,
claustra carceris aperire,
vincula innocentium solvere.
Eadem diluit delicta,
    temptationes repellit,
    persecutiones extinguit,
```

---

¹¹ *Apol.* 30,1 et 4 (PL 1, 504; CC 1, 141): «1. Car nous autres nous invoquons pour le salut des empereurs le Dieu éternel, le Dieu vrai, le Dieu vivant, dont les empereurs eux-mêmes préfèrent la faveur à celle des autres.
4... nous prions toujours pour tous les empereurs, (demandant) pour eux une vie longue, un règne tranquille, un palais sûr, des armées courageuses, un sénat fidèle, un peuple loyal, un monde paisible, et tout ce que peuvent souhaiter un homme et un César».
Remarquons qu'au chapitre suivant de son livre, Tertullien donne les motifs de ces demandes: «Ce nous est un précepte... de prier Dieu également pour les ennemis et de demander le bien de nos persécuteurs... Mais, aussi, explicitement et ouvertement: ‹Priez, dit-il, pour les rois et les princes et les autorités, afin que vous puissiez vivre dans la tranquillité›». On aura reconnu l'allusion à *Mt* V, 43—44 et *I Tm* II, 2.

> pusillanimos consolatur,
> magnanimos oblectat,
> peregrinantes deducit,
> fluctus mitigat,
> latrones obstupefacit,
> alit pauperes,
> regit divites,
> lapsos erigit,
> cadentes suspendit
> stantes continet»[12].

Pareil texte, qui nous fait déjà penser aux litanies postérieures[13], décrit à vrai dire les effets de la prière plutôt que les demandes elles-mêmes; mais les deux choses ne sont pas si différentes.

3. Conclusion

Ces listes, les expressions *oramus pro, precantes pro* de l'*Apologeticum*, ainsi que les indices trouvés en faveur de la prière des fidèles, à sa place traditionnelle, dans les descriptions de la liturgie, nous obligent à estimer pour le moins probable que l'Eglise de Carthage ait connu à la fin du IIe siècle et au début du IIIe une *oratio fidelium*.

Pourtant le relevé du vocabulaire ne révèle aucune constante; à peine trouve-t-on deux fois l'expression *pro salute imperatoris* (T 5 et *Ad Scapulam* 2,9), deux fois aussi une demande pour la paix (*orbem quietum* T 5, *pro rerum quiete* T 6); si *orare pro* est fréquent, on rencontre également *precari pro* (T 5) et *supplicare pro* (T 7).

---

[12] *De Orat.* 29,2 (PL 1, 1303—1304; CC 1, 274): «Mais jadis déjà la prière infligeait des catastrophes, abattait les armées ennemies, empêchait la tombée des eaux utiles. Maintenant certainement la prière juste écarte toute colère de Dieu, monte la garde pour les ennemis, supplie pour les persécuteurs. Est-ce étonnant si elle parvient à obtenir les eaux du ciel, elle qui a pu en décrocher le feu? Il n'y a que la prière pour vaincre Dieu; mais le Christ a voulu ne lui faire opérer rien de mauvais, il lui a donné toute sa force pour le bien. Aussi ne connaît-elle rien sinon rappeler les âmes des défunts du chemin de la mort, redresser les handicapés, guérir les malades, délivrer les possédés, ouvrir les barrières des prisons, délier les liens des innocents. C'est elle aussi qui fait disparaître les fautes, repousse les tentations, éteint les persécutions, console les pusillanimes, séduit les magnanimes, conduit les voyageurs, apaise les flots, frappe de stupeur les brigands, nourrit les pauvres, mène les riches, redresse ceux qui sont tombés, arrête ceux qui tombent, retient ceux qui tiennent bon».

[13] G. F.Diercks, *Tertullianus De Oratione*, Bussum, 1947, p. 288, rapproche ce texte des Oraisons solennelles, notamment de la cinquième demande. Il cite F. Probst, qui estime que Tertullien ne donne pas ici une liste arbitraire, mais «daß seiner Aufzählung der Gebetsobjekte und Gebetswirkungen das liturgische Gebet zu Grunde liegt» (*Liturgie der drei ersten christlichen Jahrhunderte*, Tübingen, 1870, p. 195). Signalons en outre que Novatien cite aussi parmi les intentions de prière les *lapsi* et les *stantes,* cfr. infra p. 62.

Bref, le vocabulaire utilisé ne nous fait pas supposer l'existence de formulaires fixes, ce qui d'ailleurs paraît invraisemblable pour l'époque. Seule une comparaison avec les auteurs postérieurs, notamment Cyprien, serait susceptible de nous en apprendre davantage.

Cyprien de Carthage (200/210 — † 258)

Les écrits de saint Cyprien nous permettent-ils d'estimer que l'Eglise de Carthage connaissait, au milieu du IIIe siècle, l'usage de la prière universelle? Le fait nous paraît moins clair que pour Tertullien, bien que de nombreux auteurs citent, comme preuve de son existence, la fameuse phrase: «Publica est nobis et communis oratio». *Communis oratio!* il s'agit «évidemment» de *l'oratio fidelium!* C. A. Bouman en fait le titre de la leçon inaugurale qu'il consacra à ce sujet lors de sa réception comme professeur à l'Université de Nimègue, en 1959[14]. La Constitution *De sacra liturgia* de Vatican II, qui rétablit l'usage de la prière des fidèles, la désigne par *oratio communis seu fidelium*[15]. Or un regard même superficiel jeté sur le contexte montre à l'évidence que cette citation n'est pas *ad rem!* à lui seul, le titre du traité dont la phrase est extraite, le *De dominica oratione*, devrait suffire à attirer l'attention. Voici le passage:

T 1   8: «Ante omnia pacis doctor adque unitatis magister singillatim noluit et privatim precem fieri, ut quis cum precatur pro se tantum precetur. Non dicimus: Pater meus, qui es in caelis nec: Panem meum da mihi hodie, nec dimitti sibi tantum unusquisque debitum postulat aut in temptationem non inducatur adque a malo liberetur pro se solo rogat. Publica est nobis et communis oratio, et quando oramus, non pro uno sed pro populo toto oramus, quia totus populus unum sumus»[16].

Il est clair que ce passage traite du Notre Père; plus largement, il décrit une caractéristique de la prière chrétienne, qui est par nature publique et communautaire. On ne peut donc pas traduire: «Chez nous existe la prière publique, la prière commune», comme beaucoup semblent le comprendre.

---

[14] C. A. Bouman, *Communis oratio*, Utrecht-Anvers, 1959.
[15] Const. *De sacra liturgia*, n° 53.
[16] *De dominica oratione*, 8, CSEL, III, 1, p. 271; p. 86 de l'édition M. Reveillaud dont nous adoptons ici la traduction: «Avant tout le Docteur de la paix et le Maître de l'unité n'a pas voulu que la prière soit individuelle et privée, en sorte qu'en priant chacun ne prie que pour soi. Nous ne disons pas: Mon Père qui es aux cieux; ni: Donne-moi aujourd'hui mon pain; chacun ne demande pas que la dette lui soit remise à lui seul, et ce n'est pas pour lui seul qu'il sollicite de ne pas être induit en tentation et d'être délivré du Malin. Pour nous, la prière est publique et communautaire; et quand nous prions, nous intercédons non pour un seul mais pour tout le peuple; car nous, peuple tout entier, sommes un».

Aussi passerons-nous en revue les différents textes cités par les auteurs comme témoins de l'*oratio fidelium,* et nous en apporterons quelques autres, pour essayer de trancher la question de son existence[17]. Nous examinerons d'abord, comme pour Tertullien, les textes fournissant des séries d'intentions; puis nous tenterons de découvrir la structure de la célébration que nous décrit l'évêque de Carthage; ensuite nous établirons l'existence de diptyques; avant de conclure, nous examinerons enfin la signification de l'expression *in mente habere.*

1. Les listes d'intentions

1) Dans son traité *Ad Demetrianum* (252), Cyprien explique à ce païen que les chrétiens vivent dans l'espérance du Royaume; mais cependant:

T 2   20: «Et tamen pro arcendis hostibus
        et imbribus impetrandis
        et vel auferendis vel temperandis adversis rogamus semper et pre-
        ces fundimus et pro pace ac salute vestra, propitiantes et placantes
        Deum; diebus ac noctibus iugiter adque instanter oramus»[18].

2) La lettre 11, que Cyprien adresse vers 250 aux prêtres et diacres, ses frères, est tout entière consacrée à la prière. En voici la fin:

T 3   *Ep.* 11,8: «Nos tantum sine cessatione poscendi et cum fide acci-
        piendi simplices et unianimes Dominum deprecemur, cum gemitu
        pariter et fletu deprecantes, sicut deprecari oportet eos qui sint
        positi inter plangentium ruinas et timentium reliquias, inter nu-
        merosam languentium stragem et exiguam stantium firmitatem.
        Rogemus pacem maturius reddi,
            cito latebris nostris et periculis subveniri,
            inpleri quae famulis suis Dominus dignatur ostendere,
            redintegrationem ecclesiae suae,
            securitatem salutis nostrae,
            post pluvias serenitatem,

---

[17] Le travail le plus détaillé sur la question est à notre connaissance la thèse doctorale (inédite) présentée à la Faculté de Théologie de l'Université de Louvain en octobre 1967 par l'abbé B. RENAUD, sous le titre: *Eucharistie et culte eucharistique selon Saint Cyprien.* Etudiant au chapitre 4 «La Messe africaine au IIIe s.», il consacre un § 2 à «La Prière des fidèles», p. 180ss. Cette étude, que nous avons pu consulter grâce à la bienveillante autorisation de l'auteur, nous a fourni plus d'un renseignement. Elle nous paraît prudente.
    Voir aussi V. SAXER, *Vie liturgique et quotidienne à Carthage vers le milieu du IIIe s.,* Cité du Vatican, 1969, p. 211—213.
[18] *Ad Demetr.* 20, CSEL III, 1, p. 365: «Et cependant pour écarter les ennemis et implorer les pluies, et pour ou faire disparaître ou modérer les éléments hostiles nous demandons toujours et nous répandons aussi nos prières pour la paix et pour votre salut, honorant Dieu et l'apaisant; jours et nuits, continuellement et avec insistance, nous prions».

post tenebras lucem,
post procellas et turbines placidam lenitatem,
pia paternae dilectionis auxilia,
divinae maiestatis solita magnalia,
quibus et persequentium blasphemia retundatur,
et lapsorum paenitentia reformetur
et fortis et stabilis perseverantium fiducia glorietur»[19].

3) Dans la longue lettre 59, envoyée vers 251 à Corneille, l'évêque de Carthage parle des persécutions. Dans un contexte qui n'a rien de liturgique, il écrit:

T 4   *Ep.* 59,18: «Oramus ac deprecamur Deum quem provocare illi et exacerbare non desinunt,
ut eorum corda mitescant,
ut furore deposito ad sanitatem mentis redeant,
ut pectora operta delictorum tenebris paenitentiae lumen agnoscant
et magis petant fundi pro se preces adque orationes antistitis
quam ipsi fundant sanguinem sacerdotis»[20].

4) La lettre 76 est adressée vers 257 à un groupe de fidèles, de diacres et d'évêques captifs dans la mine; à ces «confesseurs», il écrit:

T 5   *Ep.* 76,7,3: «Plane quia nunc vobis in precibus efficacior sermo est et ad inpetrandum quod in pressuris petitur facilior oratio est,
petite inpensius et rogate
ut confessionem omnium nostrum dignatio divina consummet,
ut de istis tenebris et laqueis mundi nos quoque vobiscum integros
et gloriosos Deus liberet,

[19] Ep. 11,8, BAYARD I, p. 32—33 (sauf avis contraire, c'est à lui aussi que nous empruntons les traductions): «Nous, cependant, nous ne cessons de demander et d'espérer recevoir. D'un cœur droit et d'un commun accord, supplions le Seigneur, l'implorant avec des gémissements et des larmes, comme doivent l'implorer des gens qui sont entre des malheureux abattus qui se frappent la poitrine et des fidèles qui craignent de succomber à leur tour, entre une foule de blessés qui sont par terre, et un petit nombre qui tient bon . . . Demandons que la paix nous soit promptement rendue, que le secours vienne qui dissipe nos ténèbres et nos périls, que les changements annoncés par Dieu se produisent : la restauration de son Eglise, la sécurité de notre salut; après les ténèbres la lumière, après les orages et les tempêtes la douce sérénité. Demandons-lui que son affection paternelle vienne à notre secours, qu'il opère les merveilles de sa puissance, afin que les blasphèmes orgueilleux des persécuteurs soient confondus, que ceux qui sont tombés se soumettent à une pénitence plus régulière et que la foi ferme et constante de ceux qui persévèrent soit glorifiée».

[20] Ep. 59,18,3, BAYARD II, p. 188: «Nous prions et nous supplions Dieu qu'ils ne cessent de provoquer et d'irriter, pour que leur cœur s'adoucisse; que, délivrés de leur fureur, ils reviennent au calme, que leurs cœurs couverts des ténèbres du péché reconnaissent la lumière de la pénitence, et que, plutôt que de répandre eux-mêmes le sang d'un évêque, ils demandent qu'un pontife répande pour eux des prières».

> ut qui hic caritatis et pacis vinculo copulati contra hereticorum in-
> iurias et pressuras gentilium simul stetimus pariter in regnis
> caelestibus gaudeamus»[21].

5) Les *Acta proconsularia Cypriani*, écrits peu après sa mort, se font
l'écho d'une prière du saint sur le chemin du martyre:

T 6 1: «Cyprianus episcopus dixit: ... huic Deo nos christiani deser-
    vimus: hunc deprecamur diebus ac noctibus
    pro nobis
    et pro omnibus hominibus
    et pro incolumitate ipsorum imperatorum»[22].

Notons enfin que nous ne pouvons accepter comme témoin d'une intention de prière le n° 17 du *De dominica oratione*. Depuis le n° 14, Cyprien
explique la demande: «que ta volonté soit faite sur la terre comme au
ciel». Au n° 16, il identifie terre et corps, ciel et âme; la prière consiste
dès lors à demander que la concorde se réalise entre ces deux parties de
notre être. Mais au n° 17, il propose une nouvelle interprétation:

T 7 17: «Potest et sic intelligi, fratres dilectissimi, ut quoniam mandat
    et monet Dominus etiam inimicos diligere et pro his quoque qui
    nos persecuntur orare, petamus et pro illis qui adhuc terra sunt
    et necdum caelestes esse coeperunt, ut et circa illos voluntas Dei
    fiat ... merito et nos ... Christo monente oramus et petimus, ut
    precem pro omnium salute faciamus ...»[23].

F. Probst[24] y a vu une allusion à la prière d'intercession; il est suivi par
M. Reveillaud[25]. B. Renaud estime qu'à première vue, «l'*oratio fidelium*

---

[21] Ep. 76,7,3, BAYARD II p. 314—315: «Aussi, puisque vos prières en ce
moment ont plus d'efficacité, et que l'on obtient plus facilement ce qu'on demande au milieu des persécutions, demandez avec insistance à la divine bonté de
daigner nous permettre d'achever la confession de son nom et de sortir, nous
aussi, indemnes et glorieux, des ténèbres et des pièges de ce monde : afin qu'unis
ici à vous par le lien de la charité et de la paix, avec vous debout en face des
injures des hérétiques et des persécutions des païens, nous nous réjouissions
encore avec vous dans le royaume céleste».

[22] *Acta proconsularia*, 1, CSEL III, 3, p. CX: «L'évêque Cyprien dit : ... c'est
ce Dieu là que nous, chrétiens, nous servons, c'est lui que nous prions jours et
nuits pour nous et pour tous les hommes et pour le salut des empereurs eux-
mêmes».

[23] *De dominica oratione*, 17, éd.-trad. M. REVEILLAUD, p. 102—103: «Il est
aussi possible, frères bien-aimés, de donner un autre sens à ces paroles : puisque
le Seigneur donne l'ordre et le commandement de pardonner aux ennemis et de
prier pour ceux qui nous persécutent, nous intercédons pour ceux qui sont encore
terrestres et n'ont pas encore commencé d'être célestes, afin que la volonté de
Dieu se fasse en eux ... Selon l'ordre du Christ ... nous devons en conséquence
intercéder pour le salut de tous».

[24] F. PROBST, *Liturgie der drei ersten christlichen Jahrhunderte*, Tübingen,
1870, p. 222s.

[25] M. REVEILLAUD, *Saint Cyprien. L'oraison dominicale*, Paris, 1964, p. 184.

et le Canon sont les deux moments qui peuvent revendiquer avec le plus de probabilité la prière ‹pour le salut de tous›»; et le rapprochement avec le texte du *De bono patientiae,* 16: «ut pro adversariis et persecutoribus precem facias» lui permet «de conclure à une grande probabilité: *De oratione* 17 ferait une allusion consciente à une demande de la prière commune: ‹pour le salut de tous›»[26].

Mais le contexte nous semble montrer clairement, comme la traduction de Réveillaud l'indique d'ailleurs, que Cyprien ne cite pas ici une intention de prière; le *ut precem pro omnium salute faciamus* révèle le contenu de la troisième demande du Pater selon la nouvelle interprétation que Cyprien en propose dans ce paragraphe. Ce passage ne peut donc être retenu dans notre dossier.

Que peut-on tirer des cinq textes précédents? Honnêtement, pas grand chose, du moins à première vue. On n'y retrouve ni un schéma commun, ni un vocabulaire semblable; bien sûr, l'expression *preces fundere* se rencontre en T 2 et T 4; *diebus ac noctibus* apparaît en T 2 et T 6; on lit trois fois le verbe *deprecari* (T 3, T 4 et T 6); trois fois également revient le terme *pax* (T 2, T 3 et T 5); la pluie (*imber* T 2; *pluvia* T 3) est mentionnée deux fois, au sens figuré en T 3.

Mais qu'est-ce que cela prouve? Dans une série d'intentions de prière, on peut s'attendre à priori à rencontrer le terme *pax,* surtout si elle date d'une époque de persécutions; et si l'on sait qu'elle provient d'un pays chaud et sec, on ne s'étonnera pas d'y trouver une demande de pluies ...

On ne peut guère y voir davantage que le souci des chrétiens de prier pour leurs frères en difficulté (T 3, T 4 et T 5) et de prendre en charge les besoins de tous les hommes (T 2 et T 6) suite au conseil de *I Tm* II, 1—2, dont T 6 est d'ailleurs assez proche. Mais ce souci se traduisait-il liturgiquement dans une *oratio fidelium*? On a plutôt l'impression que Cyprien se laisse guider par une manie littéraire.

Cependant il faut remarquer que l'évêque de Carthage a très bien pu utiliser dans la célébration liturgique le même procédé dont il usait en rédigeant ses épîtres. Rappelons-nous que nous avons affaire en grande partie encore à une liturgie «improvisée»; si une prière des fidèles existait, Cyprien la construisait sans doute de la même manière que les listes d'intentions que l'on rencontre dans ses lettres.

Pouvons-nous pousser l'argumentation plus loin encore, en la retournant, et en suggérant que si nous lisons ces séries d'intentions dans sa correspondance, c'est qu'il y reprend tout naturellement la forme de la prière universelle qu'il présidait dans le culte? Pour pouvoir répondre à cette question, examinons une autre série de textes[27].

---

[26] B. Renaud, *Eucharistie . . .,* p. 184.

[27] F. Cabrol et H. Leclercq, *Relliquiae liturgicae vetustissimae,* t. 1, Paris, 1900—1902, p. 175, n⁰ 1894, découvrent dans un passage de Cyprien une expression qui a bien pu être une formule liturgique; voici le texte:

«Rogamus vos ut pro vobis Dominum rogare possimus, preces ipsas ad

2. Structure de la célébration

Alors que les écrits de Tertullien nous fournissent des descriptions plus ou moins précises du déroulement de la célébration liturgique, nous n'avons trouvé rien de semblable chez Cyprien; aucun passage ne nous indique clairement la place de l'*oratio fidelium,* si elle existait.

Nous mentionnerons toutefois une hypothèse qui nous est venue à l'esprit, en lisant et relisant ces textes pour en extraire toute la substance; nous ne pensons pas qu'elle ait grande probabilité, mais nous la livrons cependant; ce ne serait pas la première fois que la critique d'une hypothèse mal fondée ferait progresser les connaissances . . .

Dans sa lettre (synodale) au pape Lucius (253), Cyprien écrit que lui-même et ses frères non seulement lui envoyent cette lettre pour lui exprimer leur joie, mais

T 8   *Ep.* 61,4,2: «hic quoque in sacrificiis adque in orationibus nostris non cessantes Deo patri et Christo filio eius Domino nostro gratias agere et orare pariter ac petere ut qui perfectus est adque perficiens custodiat et perficiat in vobis confessionis vestrae gloriosam coronam»[28].

Si l'on répartit en deux colonnes le passage central de ce texte, on obtient ceci:

in sacrificiis	in orationibus nostris
Deo patri	Christo Filio eius Domino nostro
gratias agere	orare pariter ac petere
qui perfectus est	perficiens
custodiat	perficiat

Peut-on estimer que dans l'idée de Cyprien le sacrifice d'action de grâces s'adresse au Père, et la prière au Christ? La lettre 65 adressée vers 251 à l'Eglise d'Assuras semble nous le confirmer:

T 9a   *Ep.* 65,4,2: «quomodo se putat posse agere pro Dei sacerdote qui obtemperavit et servivit diaboli sacerdotibus, aut quomodo putat manum suam transferri posse ad Dei sacrificium et precem Domini quae captiva fuerit sacrilegio et crimini . . .»[29].

vos prius vertimus quibus *Deum pro vobis ut misereatur oramus», De lapsis,* 32, éd. G. HARTEL, (CSEL 3,1) p. 261.
Nous citons ceci pour mémoire; nous n'avons trouvé aucun indice pour justifier cette assertion.

[28] Ep. 61,4,2, BAYARD II, p. 196: «Nous ne cessons pas, d'ailleurs, ici même dans nos sacrifices et prières de rendre grâces à Dieu le Père et au Christ, son Fils et Notre-Seigneur, et de prier, de demander que lui qui possède et qui donne la perfection daigne garder et parfaire en vous la glorieuse couronne de votre confession».

[29] Ep. 65,4,2, BAYARD II, p. 218: «comment peut-on croire pouvoir agir comme prêtre de Dieu quand on s'est soumis et qu'on a obéi aux prêtres du diable? Comment croire que l'on puisse consacrer au sacrifice de Dieu et à la

Et de même le paragraphe 5 de la lettre 11 dont nous avons déjà lu un extrait (T 3); il s'agit du Christ, qui lui aussi a prié à plusieurs reprises pour ses disciples:

T 10 *Ep.* 11,5,2: «Quod si pro nobis ac pro delictis nostris ille (Christus) et laborat et vigilat et precatur, quanto nos magis insistere precibus et orare et primo ipsum Dominum rogare, tunc deinde per ipsum Deo patri satisfacere debemus!»[30].

Si l'opposition ainsi introduite entre le sacrifice offert au Père et la prière adressée au Fils est pertinente, on pourrait penser que *in sacrificiis* (T 8), *sacrificium* (T 9a), *Deo patri satisfacere* (T 10) désignent l'Eucharistie, tandis que les termes *in orationibus nostris* (T 8), *precem Domini* (T 9a) et *Dominum rogare* (T 10) visent la prière universelle; celle-ci, de fait, est traditionnellement mise en rapport avec le Christ, il suffit de songer au répons *Kyrie eleison* (bien que celui-ci n'apparaisse, même en Orient, qu'à la fin du IVe siècle).

On peut objecter qu'en T 9a Cyprien cite d'abord le sacrifice, et ensuite les prières, ce qui ne correspond pas à l'ordre habituel. Mais rien ne dit que l'auteur suive ici l'ordonnance de la célébration; il peut tout aussi bien mentionner d'abord l'élément le plus important. D'ailleurs le couple *sacrificium-oratio* que nous trouvons en T 8 revient plusieurs fois sous la plume du saint martyr, si du moins nous admettons l'équivalence des termes *oratio, prex* et *preces.* Voici les textes:

a) Lettre 37 adressée vers 250 à des confesseurs emprisonnés:

T 11 *Ep.* 37,1,2: «Et nos quidem vestri diebus ac noctibus memores, et quando in sacrificiis precem cum pluribus facimus et cum in secessu privatis precibus oramus, coronis ac laudibus vestris plenam Domini faventiam postulamus»[31].

Le texte oppose la prière privée et la prière publique, désignée par *in sacrificiis*; bien sûr cette expression peut viser uniquement l'anaphore, mais le contenu de la prière que Cyprien formule pour ces confesseurs ne semble pas correspondre à des intercessions anaphoriques. Le texte paraît plus clair si l'on entend par *in sacrificiis* l'ensemble de la messe. Mais le terme *prex* désigne-t-il alors la prière universelle?

prière du Seigneur une main qui fut livrée au sacrilège et au crime . . .».
B. Renaud, p. 181, rejette ce texte qui désigne à ses yeux «la prière sacerdotale du sacrifice»; cfr. aussi p. 207.

[30] Ep. 11,5,2, Bayard I, p. 31: «C'est pour nous et pour nos péchés qu'il peine et veille, et prie : quelle raison de plus pour nous de persévérer dans les prières et les supplications, et d'invoquer d'abord le Seigneur lui-même, puis, par lui, de donner satisfaction à Dieu le Père!».

[31] Ep. 37,1,2, Bayard I, p. 92—93: «Pensant à vous, et le jour et la nuit, nous demandons à Dieu tant dans la prière que nous faisons en commun au cours des sacrifices, que dans les prières privées que nous lui adressons chez nous, de vous protéger en tout et de vous donner la couronne glorieuse».

b) Lettre 65, dont nous avons déjà cité le passage central plus haut (T 9a):

T 9b   *Ep.* 65,2,1—2: «Cum ergo haec tormenta, haec supplicia in die iudicii Dominus comminetur his qui diabolo obtemperant et idolis sacrificant, quomodo se putat posse agere pro Dei sacerdote qui obtemperavit et servivit diaboli sacerdotibus, aut quomodo putat manum suam transferri posse ad Dei s a c r i f i c i u m et p r e c e m Domini quae captiva fuerit sacrilegio et crimini, quando in Scripturis divinis Deus ad sacrificium prohibeat accedere sacerdotes etiam in leviore crimine constitutos et in Levitico dicat: «Homo in quo fuerit vitium et macula non accedet offerre dona Deo» (Lev. 21,17). Item in Exodo: «Et sacerdotes qui accedunt ad Dominum Deum sanctificentur, ne forte derelinquat illos Dominus» (Ex. 19,22), et iterum: «Et qui accedunt ministrare ad altare Sancti, non adducent in se delictum ne moriantur» (Ex. 19,31). Qui ergo gravia delicta in se adduxerunt, id est qui idolis sacrificando sacrilega sacrificia fecerunt, sacerdotium Dei sibi vindicare non possunt, nec ullam in conspectu eius precem pro fratribus facere, quando in Evangelio scriptum sit: «Deus peccatorem non audit, sed qui Deum coluerit et voluntatem ipsius fecerit, illum audit» (Ioan. 9,31)»[32].

Ici aussi nous estimons pouvoir distinguer entre *sacrificium* et *prex*, d'abord sur la base des génitifs qui les précisent, comme nous l'avons noté plus haut; ensuite, les trois citations d'Ancien Testament s'appliquent à l'anaphore (*ad sacrificium prohibeat accedere*; *offerre dona Deo*; *ministrare ad altare Sancti*) et illustrent donc le terme *sacrificium*, tandis que la citation johannique précise les conditions auxquelles Dieu écoute la prière, et se rapporte donc plus précisément au terme *prex*; est-il permis d'y voir l'*oratio fidelium*?

---

[32] Ep. 65,2,1-2, Bayard II, p. 218: «Puis donc que Dieu menace de tels tourments, de tels supplices, au jour du jugement, ceux qui se soumettent au diable et sacrifient aux idoles, comment peut-on croire pouvoir agir comme prêtre de Dieu quand on s'est soumis et qu'on a obéi aux prêtres du diable? Comment croire que l'on puisse consacrer au sacrifice de Dieu et à la prière du Seigneur une main qui fut livrée au sacrilège et au crime, alors que dans les divines Ecritures le Seigneur interdit le sacrifice aux prêtres même en état de faute légère et qu'il dit dans le Lévitique: «L'homme qui aura un défaut ou une tache ne viendra pas à l'autel faire des offrandes à Dieu». Et de même dans l'Exode: «Et que les prêtres qui s'approchent du Seigneur Dieu soient saints, de peur que le Seigneur ne les abandonne». Et encore: «Ceux qui voudront remplir leur ministère à l'autel du Saint, ne se rendront pas coupables de faute, de peur qu'ils ne soient frappés de mort». Ceux donc qui se sont rendus coupables de fautes graves, c'est-à-dire qui, en sacrifiant aux idoles, ont fait des sacrifices sacrilèges, ne peuvent réclamer l'exercice des fonctions de prêtre de Dieu, ni faire devant lui aucune prière pour leurs frères, puisqu'il est écrit dans l'Evangile: «Dieu

c) La lettre 67, du synode de 254, pourrait bien contredire les conclusions précédentes:

T 12 *Ep.* 67,2,2: «...non nisi immaculatos et integros antistites eligere debemus, qui sancte et digne s a c r i f i c i a Deo offerentes audiri in p r e c i b u s possint quas faciunt pro plebis dominicae incolumitate, cum scriptum sit: ‹Deus peccatorem non audit, sed qui Deum coluerit et voluntatem eius fecerit, illum audit› (Ioan. 9,4). Propter quod plena diligentia et exploratione sincera eos oportet ad sacerdotium Dei deligi quos a Deo constet audiri»[34].

La subordination grammaticale de *digne sacrificia Deo offerentes* à *audiri in precibus possint* semble indiquer qu'il s'agit là d'une seule et même action; c'est l'offrande du sacrifice qui est considérée tout entière comme la prière que Dieu doit écouter. Autrement dit, *in precibus* désigne ici l'anaphore ou même plus largement toute la messe.

A la rigueur, on pourrait imaginer que *sacrificia Deo offerentes* caractérisant l'ensemble de la célébration, *in precibus* vise la prière universelle en particulier. Mais le contexte nous fait plutôt pencher en faveur de la synonymie des deux expressions.

d) On trouve l'expression *in sacrificiis et precibus* dans la lettre 62 (T 16), mais le texte désigne trop nettement les diptyques pour pouvoir être retenu ici.

Une étude approfondie du vocabulaire de Cyprien ne pourrait-elle pas éclaircir les choses? Les conclusions de B. Renaud[35] ne confirment guère la distinction que nous voudrions introduire ici entre *sacrificium* et *prex-preces*; d'après lui, *sacrificium, oblatio, dominicum* désignent la messe dans son ensemble; *prex* vise surtout l'anaphore (il apporte 6 textes sûrs en ce sens), tandis que le pluriel *preces* correspondrait plutôt aux «prières du canon». Il reconnaît pourtant que ni le pluriel *preces*, ni le singulier *prex* ne sont réservés exclusivement à cet usage; en T 1 p. ex., *prex* désigne avant tout le Notre Père.

A nos yeux, comme nous l'avons déjà noté p. 23, le vocabulaire de Cyprien n'est pas encore fixé; ces termes n'ont pas encore suffisamment de sens technique pour nous permettre de trancher en cas de doute.

En conclusion de ce second paragraphe, il nous semble que l'on ne puisse tirer aucune certitude des textes que nous avons lus. Nous l'avons

---

n'écoute pas le pécheur, mais celui qui honore Dieu et fait sa volonté, celui-là Dieu l'écoute».

[34] Ep. 67,2,2, BAYARD II, p. 229: «nous ne devons choisir que des chefs d'une réputation intacte et sans tache qui, offrant à Dieu de dignes et saints sacrifices, puissent être exaucés dans les prières qu'ils font pour le salut du peuple chrétien. Il est en effet écrit: «Dieu n'écoute pas le pécheur, mais celui qui honore Dieu et fait sa volonté, il l'écoute». Voilà pourquoi il faut, par une attention parfaite et un examen loyal, arriver à choisir pour l'épiscopat ceux que nous savons que Dieu exauce».

[35] B. RENAUD, p. 195—196.

dit dès le départ, nous n'avons apporté ces citations que pour essayer d'en extraire le maximum de renseignements, car finalement, on ne trouve jamais que ce que l'on cherche. Cependant, notre hypothèse nous paraît bien fragile; nous n'avons aucune description précise du déroulement de la célébration, nous ne pouvons donc y situer la prière universelle, si du moins l'Eglise de Carthage la connaissait au milieu du IIIe siècle, ce dont nous n'avons jusqu'ici aucune preuve décisive. Voyons si une autre piste pourrait nous en apprendre davantage.

3. Les diptyques

On sait ce dont il s'agit. Dans l'usage profane, les diptyques étaient constitués de deux petites tablettes repliées l'une sur l'autre par une charnière; sur la face interne, couverte de cire, on écrivait des annotations; les diptyques servaient de carnets de notes. On les utilisa dans la liturgie pour écrire les noms de vivants ou de défunts que l'on voulait recommander à Dieu dans la prière; de là, le terme diptyque en vint à désigner la lecture des noms elle-même[36].

Cyprien semble en attester l'usage dans quelques textes que nous allons lire ensemble.

1) Lettre 1 adressée vers 249 par Cyprien aux prêtres, aux diacres et au peuple de Furni. Il s'agit de Victor qui, à sa mort, a désigné comme tuteur de ses enfants le prêtre Geminius Faustinius; or récemment un Concile a défendu de choisir un tuteur ou curateur parmi les clercs.

T 13   *Ep.* 1,2,1—2: «Quod episcopi antecessores nostri religiose considerantes et salubriter providentes censuerunt ne quis frater excedens ad tutelam vel curam clericum nominaret, ac si quis fecisset, non offerretur pro eo nec sacrificium pro dormitione eius celebraretur (vel: non offerretur pro eo sacrificium nec pro dormitione eius celebraretur). Neque enim apud altare Dei meretur nominari in sacerdotum prece qui ab altari sacerdotes et ministros voluit avocari. Et ideo Victor cum contra formam nuper in concilio a sacerdotibus datam Geminium Faustum presbyterum ausus sit tutorem constituere, non est quod pro dormitione eius apud vos fiat oblatio, aut deprecatio aliqua nomine eius in ecclesia frequentetur, ut sacerdotum decretum religiose et necessarie factum servetur a nobis, simul et ceteris fratribus detur exemplum, ne quis sacerdotes et ministros Dei altari eius et ecclesiae vacantes ad saecularem molestiam devocet»[37].

---

[36] Sur cette question, cfr. F. Cabrol, art. *Diptyques (Liturgie)*, dans DACL, t. 4, 1, col. 1045—1094. Pour la liturgie africaine plus particulièrement, cfr. W. C. Bishop, *The African Rite*, p. 257—259; B. Renaud, p. 213—217.

[37] Ep. 1,2, Bayard I, p. 3: «C'est à quoi nos prédécesseurs ont eu égard, quand ils ont pris la salutaire mesure de régler qu'aucun de nos frères ne pourrait, en mourant, nommer un clerc pour tuteur ou curateur, et que si quelqu'un le faisait,

Les expressions *non offerretur pro eo, nec pro dormitione eius, apud altare Dei meretur nominari in sacerdotum prece, deprecatio aliqua nomine eius* nous orientent sans conteste, semble-t-il, vers des diptyques, plus précisément vers la lecture de noms de défunts. La mention de l'autel, de l'oblation, ainsi que l'ensemble du contexte nous interdisent de songer ici à une *oratio fidelium*. Ce n'est d'ailleurs pas le seul texte sur lequel nous nous appuyons; examinons les autres.

2) Dans la lettre 16, qu'il écrit vers 250 aux prêtres et aux diacres, ses frères, Cyprien traite des *lapsi* et s'offusque de ce que

T 14   *Ep.* 16,2,3: «nunc crudo tempore persecutione adhuc perseverante, nondum restituta ecclesiae ipsius pace, ad communicationem admittuntur et offertur nomine eorum, et nondum paenitentia acta, nondum exomologesi facta, nondum manu eis ab episcopo et clero inposita, eucharistia illis datur»[38].

Offertur nomine eorum nous indique probablement l'existence de diptyques qui, le cas échéant, concernaient les vivants, en particulier les *lapsi*. De même la lettre précédente:

T 15   *Ep.* 15,1,2: «... ante actam paenitentiam, ante exomologesim gravissimi adque extremi delicti factam, ante manum ab episcopo et clero in paenitentiam inpositam, offerre pro illis et eucharistiam dare id est sanctum Domini corpus profanare audeant, ...»[39].

Vu la similitude de contexte, on est autorisé à comprendre *offerre pro illis* (T 15) dans le même sens que *offertur nomine eorum* (T 14). On peut encore citer pareillement:

on n'offrirait point le saint sacrifice pour son repos. En effet, celui-là ne mérite pas d'être nommé à l'autel de Dieu dans la prière des prêtres qui a voulu éloigner de l'autel des prêtres et des ministres de Dieu. Voilà pourquoi, Victor ayant osé, contre la règle portée jadis (traduit BAYARD, alors que ‹nuper› signifie le contraire!) par des évêques réunis en concile, établir tuteur le prêtre Geminius Faustus, vous ne devez pas célébrer le saint sacrifice pour son repos, ni faire aucune prière pour lui dans l'Eglise: ainsi sera observé par nous le décret saint et nécessaire que les évêques ont porté, et en même temps l'exemple sera donné à nos frères de ne point détourner les prêtres et les ministres de Dieu du service de son Eglise pour les engager dans les occupations séculières».

[38] Ep. 16,2,3, BAYARD I, p. 47: «Aujourd'hui, alors que les temps sont mauvais, alors que la persécution dure toujours, que la paix n'a pas été rendue à l'Eglise elle-même, on les admet à la communion, on offre le sacrifice pour eux, nommément et sans pénitence préalable, sans confession, sans imposition des mains par l'évêque et le clergé; on leur donne l'Eucharistie».

[39] Ep. 15,1,2, BAYARD I, p. 43: «avant toute pénitence, avant la confession de la plus grande et de la plus grave des fautes, avant l'imposition des mains par l'évêque et le clergé pour la réconciliation, ils ne craignent pas d'offrir le sacrifice pour eux et de leur donner l'Eucharistie, c'est-à-dire de profaner le corps sacré du Seigneur».

Ep. 16,3,2: «... communicent cum lapsis et offerant et eucharistiam tradant».

Ep. 17,2,1: «... cum lapsis communicare ... et offerre pro illis et eucharistiam dare».

Ep. 34,1: «... communicando cum lapsis et offerendo oblationes eorum».

Comme le précise B. Renaud, s'il y a ici mention de noms, elle doit se faire au cours du sacrifice proprement dit[40].

3) La lettre 62, adressée vers 253 à des évêques numides, nous fournit l'argument le plus probant pour affirmer l'existence des diptyques. L'évêque de Carthage envoie à ses collègues une somme d'argent, ainsi que les noms des donateurs.

T 16   *Ep.* 62,4,2: «Ut autem fratres nostros ac sorores ... in mente habeatis orationibus vestris et eis vicem boni operis in sacrificiis et precibus repraesentetis, subdidi nomina singulorum. Sed et collegarum quoque et sacerdotum nostrorum ... nomina addidi..., quorum omnium secundum quod fides et caritas exigit in orationibus et precibus vestris meminisse debetis»[41].

La mention des *nomina* nous semble ici clairement désigner les diptyques[42].

Bref, ces différents passages emportent notre adhésion et nous convainquent de l'existence de diptyques, tant pour les vivants (T 14, T 15 et T 16) que pour les défunts (T 13) dans la messe de l'Eglise de Carthage au milieu du IIIe siècle.

---

[40] et non avant le Canon, comme l'affirme sans preuve W. C. Bishop, *The African Rite*, p. 259.

[41] Ep. 62,4,2, Bayard II, p. 199: «Pour que vous ayez présents à l'esprit dans vos prières nos frères et nos soeurs..., et que vous leur rendiez bon service à votre tour dans vos prières et sacrifices, je joins leurs noms à ma lettre. J'ai mis aussi les noms de nos collègues et des évêques... dont vous devez, selon ce qu'exigent la foi et la charité, vous souvenir dans vos oraisons et prières».

[42] B. Renaud cite encore d'autres textes (p. 213—214): Ep. 12,2,1: «Denique et dies eorum quibus excedunt adnotate, ut commemorationes eorum inter memorias martyrum celebrare possimus...; ... et celebrentur hic a nobis oblationes et sacrificia ob commemorationes eorum».
Ep. 39,3,1: «Sacrificia pro eis semper, ut meministis, offerimus, quotiens martyrum passiones et dies anniversaria commemoratione celebramus».
Mais un certain glissement ne s'opère-t-il pas ici? Ces deux textes parlent de l'Eucharistie célébrée en l'anniversaire des martyrs: est-ce identiquement la même chose que de l'offrir pour le salut des *lapsi*? Lisait-on aux diptyques aussi bien les noms des martyrs en l'honneur de qui le sacrifice était offert, que ceux des vivants pour qui on célébrait l'Eucharistie?

4. L'expression «in mente habere»

Nous venons de la lire dans la lettre 62 (T 16). Le sens en est clair, et l'idée fréquente chez Cyprien; on la rencontre par exemple dans la lettre 37, dont nous avons déjà cité un extrait (T 11):

T 17   *Ep.* 37,4,1: «Nunc est, fratres beatissimi, ut memores mei sitis, ut inter magnas adque divinas cogitationes vestras nos quoque animo ac mente volvatis, simque in precibus et orationibus vestris ...»[43].

La tournure *in mente habere* est classique; le Lexicon de Forcellini signale que le terme *mens* se rapporte également à la faculté de mémoire, et cite plusieurs exemples de la formule *in mente(m) venire* chez Cicéron; il signale *in mente habere* comme une expression courante de la prière dans les *tituli* chrétiens.

Elle est biblique également, la Vulgate en offre quatre exemples[44]; mais, ce qui nous intéresse davantage, elle figure déjà dans les anciennes versions latines[45], et est donc certainement antérieure à saint Jérôme (347?— 420).

L'expression se retrouve dans la lettre 78 envoyée à Cyprien vers la fin de sa vie par Lucius et ses frères:

T 18   *Ep.* 78,2,2: «Hoc totum fiet, dilectissime, si nos orationibus tuis i n m e n t e h a b u e r i s, quod te facere confido, sicut et nos utique facimus»[46].

De même dans la lettre 79 adressée à Cyprien vers 257, dans laquelle des confesseurs détenus dans la mine le remercient de ses encouragements ...

T 19   *Ep.* 79,1,2: «... petentes de animi tui candore ut nos adsiduis orationibus tuis i n m e n t e m h a b e r e digneris ut confessionem vestram et nostram quam Dominus in nobis conferre dignatus est suppleat»[47].

---

[43] Ep. 37,4,1, Bayard I, p. 95: «Il me reste, frères bienheureux, à vous prier de vous souvenir de moi, de vouloir bien, au milieu de vos pensées grandes et divines, nous porter aussi dans votre cœur, et dans votre esprit, et me faire une place dans vos prières et vos oraisons...».

[44] *Tob.* 4,6; *Ps.* 76,6; *II Macc.* 15,8; *Ap.* 3,3.

[45] p. ex. *Tob.* 4,6: «Et omnibus diebus tuis, fili, Deum tuum in mente habe». Cfr. I. Blanchini, *Vindiciae canonicarum Scripturarum*, Rome, 1740, p. CCCLIII (ms. Vatic. Regin. 7, IXe s.).
En plus de ce texte-ci, qu'il omet, le Thesaurus (t. 8, 724, 1.32—55) cite 8 exemples.

[46] Ep. 78,2,2, Bayard II, p. 318: «Tout cela arrivera, très cher, si vous pensez à nous dans vos prières, et nous sommes sûrs que vous le faites, comme nous le faisons nous-mêmes».

[47] Ep. 79,1,2, Bayard II, p. 319: «... demandant à votre bon cœur de penser à nous dans de constantes prières, afin que Dieu complète la confession, dont il a daigné nous honorer, vous et nous».

Elle est utilisée également par le rédacteur des Actes de Fructuosus, évêque de Tarragone, mort le 21 janvier 259; tandis que celui-ci était sur le chemin du martyre,

T 20   «accessit ad eum commilito frater noster, nomine Felix et apprehendit dexteram eius, rogans ut sui memor esset. Cui sanctus Fructuosus, cunctis audientibus, clara voce respondit: In mente me habere necesse est Ecclesiam catholicam, ab Oriente usque in Occidentem diffusam»[48].

Ces Actes ont recours au protocole des archives proconsulaires: leur authenticité est donc bien fondée. Ils semblent dater du IIIe siècle ou du début du IVe siècle, car ils sont repris poétiquement dans une hymne de Prudence (*Peri Stephanon*, 6; début Ve siècle), et cités dans un sermon de saint Augustin comme si l'Eglise d'Afrique les lisait publiquement à son époque[49].

Voici ce qu'en dit P. Allard: «Rien n'empêche de les croire à peu près contemporains des faits qu'ils racontent. Tout y respire le parfum des temps antiques. La simplicité, la gravité du langage, certaines expressions, comme *fraternitas* pour désigner l'ensemble des chrétiens, *in mente habere* pour ‹se souvenir›, dénotent le troisième siècle de préférence à tout autre: on se sent transporté au temps où écrivait Cyprien, où les vieux pèlerins gravaient les premiers proscinèmes sur les murailles de la crypte papale au cimetière de Calliste»[50].

---

[48] «Félix, notre frère et compagnon d'armes, vint à lui, lui saisit la main droite, demandant qu'il se souvienne de lui. Tous écoutèrent saint Fructuosus lui répondre à haute voix: Il me faut avoir à l'esprit l'Eglise catholique, répandue de l'Orient jusques à l'Occident» *Acta Fructuosi*, 3, éd. T. Ruinart, *Acta Martyrum*, Ratisbonne, 1859, p. 266; ou *Acta Sanctorum*, Janvier II, p. 704.
Nous lisons ici l'expression «Ecclesia ab Oriente usque in Occidentem diffusa»; on rencontre plus fréquemment la formule «Ecclesia in toto orbe terrarum diffusa», que les auteurs rapprochent généralement de la tournure analogue du Canon romain: «pro Ecclesia tua... toto orbe terrarum», la rangeant ainsi parmi les intercessions anaphoriques. Cfr. B. Botte, *Le Canon de la Messe romaine*, Louvain, 1935, p. 33, et surtout L. Eizenhöfer, *Canon Missae Romanae. Pars altera. Textus propinqui*, Rome, 1966, qui aux nᵒ 261—298 cite de nombreux exemples d'intercession pour l'Eglise où cette formule est utilisée. Le nᵒ 266 n'est autre que la première demande de la litanie *Divinae pacis* que nous étudierons à loisir dans la deuxième partie, et le nᵒ 284 cite la première oraison des OS; l'origine anaphorique de l'expression n'est donc pas certaine.

[49] Augustin, Serm. 273 (PL 38, 1247 ss). Saint Augustin emploie l'expression à son propre compte également: «Quando celebramus dies fratrum defunctorum, in mente habere debemus, et quid sperandum, et quid timendum sit» Serm. 173,1 (PL 38, 937).

[50] P. Allard, *Les dernières persécutions du troisième siècle*, Paris, 1924, p. 105—106, note 5.

Des inscriptions assez nombreuses utilisant la tournure en question ont été rassemblées par E. Diehl[51]; en voici quelques exemples:

2323   Paule, Petre, in mente habete Sozomenum et tu qui legit (cimetière de Calliste)

2324d   sante Suste, in mente habeas in horationes Aureliu Repentinu! (ibidem)

2329   Marine, in mentem nos habeto duobus (cimetière de Priscille)

2330   Martyres sancti, in mente havite Maria! (Aquilée).

On se demandera quel est le lien de tout ceci avec l'*oratio fidelium*. C'est W. C. Bishop qui l'établit, dans son article sur le rite africain[52], en citant une prière de la liturgie hispanique où se retrouve l'expression *in mente habere*:

T 21   «Dicat sacerdos elevando manus:
        Oremus

        Agyos, Agyos, Agyos. Domine Deus Rex eterne tibi laudes et gratias.

        Ecclesiam sanctam catholicam in orationibus i n m e n t e h a b e a-
        m u s ut eam Dominus fide et spe et charitate propicius ampliare
        dignetur. Omnes lapsos captivos infirmos atque peregrinos i n
        m e n t e h a b e a m u s ut eos Dominus propicius [respicere] redi-
        mere sanare et confortare dignetur.

        Respondeat Chorus: Presta eterne omnipotens Deus»[53].

Dans les notes de son édition, Lesley fait le rapprochement avec les Actes de Fructuosus; et W. C. Bishop estime que nous sommes ici en présence des vestiges d'une litanie ancienne (mention des *lapsi* et des *captivi*) qui utilisait les expressions *in mente habere* et *Ecclesia ab Oriente usque ad Occidentem diffusa,* litanie dont les inscriptions citées ci-dessus nous offrent l'écho, comme certains passages de Cyprien et même d'Augustin. Tout se passe comme si les chrétiens de l'époque, imprégnés de ces formules qu'ils entendaient souvent dans la liturgie, les avaient spontanément utilisées en gravant sur les murs des catacombes leurs prières aux saints ou en répondant, sur le chemin du martyre, à une demande d'intercession. Cette litanie aurait eu une extension géographique assez large puisqu'on en trouve des traces en Afrique (Cyprien, Augustin), en

---

[51] E. Diehl, *Inscriptiones latinae christianae veteres*, Berlin, 1961, t. 1, p. 452 ss, n° 2323—2331.

[52] W. C. Bishop, *The African Rite*, p. 254 ss.

[53] *Missale mixtum*, éd. Lesley, PL 85, 113 ss ou 540 ss; ce passage sera étudié dans la deuxième partie, en appendice à la 4e section, en rapport avec l'*oratio fidelium* en Espagne. Cfr. aussi M. Ramos, *Oratio admonitionis*, Grenade, 1964, p. 71 ss; sa note 46 (p. 72) traite de l'expression *in mente habere*.

Espagne (Actes de Fructuosus), en Italie (Aquilée, Rome). Cette hypothèse est reprise par A. Fortescue[54], par M. Righetti[55].

Qu'en penser? Que *in mente habere* ait été utilisée dans la liturgie,
cela nous paraît certain, vu sa fréquence, le contexte de prière dans
lequel elle apparaît toujours, et sa présence dans la liturgie hispanique;
les parallèles sont d'ailleurs nombreux, comme le *Memento* de la liturgie
romaine ou le Μνήσθητι de la liturgie byzantine[56].

Mais est-ce nécessairement au cours de la prière universelle? On touche
ici une fois encore à l'une des difficultés majeures de cette enquête: l'im-
précision des textes; en l'absence de descriptions minutieuses de la célébration, il est bien présomptueux de vouloir trancher. En tout cas, aucun
des textes que nous étudions dans la deuxième partie n'utilise les tournures *in mente habere* ou *Ecclesia ab Oriente usque ad Occidentem diffusa,* du moins pas littéralement.

B. Renaud a raison quand il affirme qu'«il ne voit pas ce qui autorise
à la (l'expression *in mente habere*) ranger dans la prière des fidèles plutôt
qu'au moment de la lecture des diptyques, par exemple»[57]. En effet, tant
T 16, qui parle des diptyques et de l'intercession sacerdotale dans le
sacrifice, que les T 18 et T 19 ou les inscriptions, qui mentionnent toujours des noms de personne dont on doit se souvenir, nous mèneraient
à penser que *in mente habere* ait introduit les diptyques tout comme le
Memento du canon romain, plutôt que d'avoir servi dans le cadre de la
prière universelle.

Par contre, le passage des Actes de Fructuosus (T 20), rapproché de
la prière hispanique (T 21) citée par Bishop, peut nous orienter vers
l'*oratio fidelium,* puisque l'objet de la mémoire est ici l'Eglise universelle. L'on sait par ailleurs qu'à l'époque les rapprochements sont nombreux entre l'Afrique et l'Espagne; les spécialistes ont remarqué que les
anciens monuments chrétiens d'Espagne sont influencés par l'art «africain»; la liturgie d'Afrique du Nord n'aurait été romanisée qu'à l'époque
d'Augustin[58].

On peut donc conclure qu'il est possible que l'expression *in mente
habere* ait fait partie de la prière universelle à Carthage au milieu du
IIIe siècle, mais qu'il est plus probable qu'elle ait introduit des diptyques.

---

[54] A. Fortescue, *La messe,* p. 58—59.

[55] M. Righetti, *Manuale di storia liturgica,* t. 3, p. 301—302; de sa propre
initiative, semble-t-il, il introduit dans le texte hispanique l'intervention d'un
diacre.

[56] *Missale Romanum, Canon Missae.* Rite byzantin, anaphores de saint Basile
et de saint Jean Chrysostome, intercessions après l'épiclèse, Br. p. 332—336.

[57] B. Renaud, p. 188.

[58] Cfr. J. Pinell, art. *Liturgia hispánica,* dans DHEE, t. 2, p. 1303—1320.

Conclusions

Il est temps de faire le point. Commençons par le plus clair: les diptyques; jusqu'à preuve du contraire, les textes que nous avons allégués nous convainquent de l'existence de listes de noms, tant de vivants que de morts, lus au cours de la célébration eucharistique dans l'Eglise d'Afrique au temps de Cyprien.

Quant à l'*oratio fidelium,* avouons que la moisson n'est pas abondante! Malgré les dires de maints auteurs, aucun texte de l'évêque martyr ne nous permet de mettre le doigt sur elle. Il ne nous offre pas davantage de description du déroulement de la messe, ce qui nous révélerait et l'existence et la place d'une éventuelle prière universelle. Ni les listes d'intentions qu'on trouve au hasard de ses écrits, ni l'expression *in mente habere,* prises isolément, ne constituent une preuve suffisante pour que l'on puisse conclure avec certitude à la présence de notre prière. Enfin, l'étude lexicographique ne nous dévoile aucune relation déterminée et contraignante.

Très souvent, la lecture de ces textes nous a laissé perplexe; et nous nous sommes demandé bien des fois ce que Cyprien entendait par «prière» dans tel ou tel passage ...

Cependant, comme dans le cas de Tertullien, il faut, sans relâcher notre acribie, prêter attention à la convergence des indices. Nous ne pouvons nier la présence dans les écrits du martyr de listes d'intentions, ni la mention fréquente du souci de l'Eglise de prendre en charge, dans la prière, tous les hommes et leurs besoins, suite au conseil de la lettre à Timothée.

De plus, nous avons montré que cinquante ans plus tôt, au temps de Tertullien, l'Eglise d'Afrique connaissait probablement la prière des fidèles, et aucun texte ne nous permet de supposer qu'elle ait été supprimée, ce qui laisse présumer que la communauté de Carthage devait la connaître également. C'est donc avec un préjugé favorable que nous pouvons interpréter les textes, sans pour autant les solliciter.

L'ensemble de ces arguments nous fera conclure, jusqu'à preuve du contraire, que l'Eglise de Carthage devait connaître, au milieu du IIIe s., l'*oratio fidelium.*

Quelle forme liturgique présentait-elle? était-ce une litanie diaconale, ou avait-elle la forme des *orationes sollemnes* romaines? Nous n'en savons rien; remarquons cependant qu'il n'est jamais fait allusion au diacre en rapport avec la prière.

Quant à son contenu, quelques passages nous permettent de nous en faire une idée. En T 2, on prie pour écarter les ennemis et les difficultés, on implore la venue des pluies et le salut des païens. T 3 demande la paix, et, de diverses façons, la restauration de l'Eglise, la pénitence des *lapsi* et la persévérance des *stantes.* En T 6, Cyprien dit que les chrétiens prient pour eux-mêmes, pour tous les hommes et même pour les empereurs. En y mettant un peu d'ordre, on pourrait dire que l'on prie:

— pour l'Eglise, pour sa restauration en cette époque troublée par la persécution (T 3, T 4 et T 5), notamment pour les *lapsi* et les *stantes* (T 3 et T 4);
— pour diverses catégories de personnes:
    les chrétiens eux-mêmes (T 6 et T 12),
    tous les hommes (T 6),
    les empereurs (T 6),
— pour la paix (T 2 et T 3),
— pour les besoins concrets, comme la pluie (T 2).

Fait remarquable, que A. Fortescue avait d'ailleurs noté[59], ces mêmes intentions se retrouvent chez Tertullien: la prière pour l'empereur et les pouvoirs civils est attestée dans l'*Apologeticum* 30, 1 et 4, et 39, 2 tandis que le *De Oratione* 29, 2 mentionne les demandes pour les persécuteurs, les *lapsi* et les *stantes,* ainsi que pour la faveur des éléments naturels. Mais l'étude des textes de Tertullien ne nous a pas conduit à supposer l'existence de formulaires d'*oratio fidelium;* Cyprien, reconnaissons-le, ne nous fournit pas plus d'indices en faveur de cette hypothèse. La similitude des demandes s'explique, selon nous, sans l'intermédiaire d'un texte; nous sommes tout simplement en présence des intentions les plus normales de toute communauté chrétienne.

Nous terminerons en citant une remarque de B. Renaud. «Autant il est légitime et utile de rechercher les traces de l'antique *oratio fidelium,* autant il apparaît illusoire de vouloir en faire comme un domaine tout à fait particulier de la prière primitive. ... il était impensable d'offrir à Dieu la louange et l'action de grâces sans l'implorer de même pour l'Eglise, pour les chrétiens en difficulté, pour tous les hommes. Toute prière était donc également intercession»[60].

---

[59] A. Fortescue, La *messe,* Paris, 1921, dans un premier chapitre sur «L'Eucharistie aux trois premiers siècles» et un paragraphe quatrième sur «Les Pères du IIIe siècle», affirme l'existence de «prières publiques» chez Cyprien (p. 56) et en détaille les intentions (les mêmes, dit-il, que chez Tertullien et dans les plus anciens textes liturgiques):
— l'Eglise et son unité, avec renvoi au *De dominica oratione,* 8 et 17 (T 1 et T 7, qui ne concernent pas la prière universelle, mais le Notre Père);
— le pape, selon la lettre 61 au pape Lucius, § 4 (T 8);
— les autres évêques, les prêtres, les confesseurs en prison;
— les bienfaiteurs, d'après la lettre 62,4,2 (T 16).
L'auteur oublie certaines demandes dont Cyprien parle explicitement, p.ex. la pluie, l'empereur, la protection contre les ennemis (T 2). Mais il va sans dire que ce ne peut être là une liste exhaustive; il nous faut renoncer à l'illusion de reconstituer le formulaire dont se servait l'Eglise de Carthage au IIIe s., d'abord parce que la variété des intentions dont fait preuve Cyprien nous invite à croire que l'on priait pour les besoins réels, toujours changeants, ensuite parce que même si la prière était bâtie sur un schéma, il est utopique de vouloir le restituer d'après les bribes de renseignements que nous possédons.
[60] B. Renaud, p. 189.

ARNOBE

A la charnière des IIIe et IVe siècles, le rhéteur Arnobe nous laisse un témoignage d'un certain intérêt; il pose aux païens la question:

Adv. Nat. 4,36: «Nam nostra quidem scripta cur ignibus meruerunt dari?
cur immaniter conventicula dirui, in quibus
summus oratur deus
pax cunctis et venia postulatur magistratibus
exercitibus
regibus
familiaribus
inimicis
adhuc vitam degentibus
et resolutis corporum vinctione,

in quibus aliud auditur nihil
nisi quod humanos faciat,
nisi quod mites
verecundos
pudicos
castos
familiaris communicatores rei
et cum omnibus vobis solidae germanitatis necessitudine
copulatos»[61].

C'est une attestation du souci de l'Eglise de prier pour tous les hommes; nous avons déjà rencontré ce genre de textes apologétiques où les chrétiens affirment leurs préoccupations civiques et humanisantes (*nisi quod humanos faciat*); non, disent-ils, la religion n'est pas un mal à combattre. elle sert le bien de la société puisque l'Eglise prie pour toutes les catégories de citoyens et fait naître ainsi entre tous une solide fraternité (*solida germanitas*).

Mais sommes-nous en présence d'un reflet de l'*oratio fidelium*? Le fait qu'on n'y prie pas pour l'Eglise ni pour ses ministres ne peut entraîner une réponse négative à cette question, car ce qui est en cause dans le contexte, c'est justement l'utilité de l'Eglise pour la société civile. Mieux vaut cependant reconnaître qu'il n'est pas possible de trancher; ce qui est

---

[61] *Adv. Nationes*, 4, 36, CSEL 4, p. 171: «Pourquoi en effet sont-ce nos écrits qui ont mérité d'être livrés au feu? et les églises sauvagement détruites, où l'on prie le Dieu suprême, où la paix et le pardon sont demandés pour tous: magistrats, armées, rois, amis, ennemis, ceux qui vivent encore et ceux qui sont libérés du lien des corps; où l'on n'entend rien d'autre que ce qui rend les gens humains, ce qui les rend doux, convenables, pudiques, chastes, ce qui les pousse à faire part d'une chose amicale et les lie à vous tous par les liens d'une solide fraternité».

certain, c'est que d'une manière ou d'une autre, l'Eglise prie aux intentions de tous les hommes.

Marius Victorinus (vers 280—363)

Il est permis de porter un jugement plus décisif sur un texte parfois cité par les auteurs: le commentaire de Marius Victorinus sur l'épître aux Ephésiens[62]. A propos d'Ephésiens VI, 19 où Paul demande de prier aussi pour lui, l'auteur explique que les supérieurs doivent prier pour leurs subordonnés, et ceux-ci pour leurs maîtres. Mais l'absence de toute indication d'ordre liturgique ne peut nous faire admettre ce passage comme un témoin de la prière universelle.

Augustin (354—430)

Nous voici en face d'Augustin, le géant dont la personnalité domine tout le christianisme africain. Ici le terrain devient moins mouvant, les allusions à la prière universelle se précisent, le vocabulaire tend à se fixer quelque peu. Après avoir établi l'existence de notre prière, nous indiquerons le titre qu'elle portait, nous essayerons d'en déceler la forme et nous en décrirons le contenu[63].

1. Existence de l'oratio fidelium

L'ensemble des témoignages que nous lirons au cours de cet article augustinien nous convainc sans trop de peine que la liturgie célébrée par l'évêque d'Hippone comportait, outre les diptyques[64], la prière universelle. Pour en persuader le lecteur, nous présentons ici trois catégories de textes: les uns fournissent des listes d'intentions, les autres des descriptions de la messe, les derniers nous confirmeront les citations précédentes par un argument apologétique.

a) Listes d'intentions

C'est la longue lettre 217 à Vital, tenté par le semi-pélagianisme, qui nous en fournit les meilleures:

T 1   *Ep.* 217,2: «quando audis sacerdotem dei ad altare (dei) exhortantem populum dei orare

---

[62] PL 8, 1293.

[63] Outre les ouvrages cités au début de cette section, cfr. l'étude approfondie de W. Roetzer, *Des heiligen Augustinus Schriften als liturgiegeschichtliche Quelle*, Munich, 1930.

[64] Pour les diptyques, cfr. les textes rassemblés par W. C. Bishop, *The African Rite*, p. 272—274, et ses commentaires p. 257 ss.

pro incredulis, ut eos deus convertat ad fidem,
et pro catechumenis, ut eis desiderium regenerationis inspiret,
et pro fidelibus, ut in eo, quod esse coeperunt, eius munere perseverent,
subsanna pias voces ...»[65].

T 2   *Ep.* 217,26: «Numquid et orare prohibebis ecclesiam
pro infidelibus, ut sint fideles,
pro his, qui nolunt credere, ut velint credere,
pro his, qui ab eius lege doctrinaque dissentiunt, ut legi eius doctrinaeque consentiant ...?
Numquid, ubi audieris sacerdotem dei ad eius altare populum hortantem ad deum orandum vel ipsum clara voce orantem, ut incredulas gentes ad fidem suam venire compellat, non respondebis: ‹Amen›?»[65a].

C'est la première fois que nous rencontrons des propositions si bien construites (*orare pro ... ut ...*); contentons-nous pour le moment de noter le parallélisme de ces deux textes (*audis sacerdotem ad altare (ex)hortantem populum orare pro ... ut ...*) et les intentions bien nettes qu'ils expriment.

b) Structure de la messe

Vers 410, Paulin de Nole écrivit à saint Augustin, lui posant diverses questions, notamment à propos du passage de *I Tm* II,1; «expose-moi, demandait-il, quelle différence il y a entre ces divers termes (demandes, prières, supplications, actions de grâces), alors que tout ce qu'on m'y dit de faire paraît s'appliquer au devoir de prier»[66].

La réponse d'Augustin consiste en un véritable exercice de philologie; il note les différences entre les manuscrits et les difficultés d'interprétation; enfin il propose son exégèse:

T 3   *Ep.* 149,16: «Sed eligo in his verbis hoc intelligere, quod omnis vel paene omnis frequentat ecclesia, ut
p r e c a t i o n e s accipiamus dictas, quas facimus in celebratione

---

[65] Ep. 217,2 (PL 33,978; CSEL 57,404): «Quand tu entends le prêtre de Dieu à l'autel exhorter le peuple de Dieu à prier pour les incroyants, afin que Dieu les convertisse à la foi, et pour les catéchumènes, afin qu'il leur inspire le désir de la régénération, et pour les fidèles, afin que par sa grâce ils persévèrent en ce qu'ils ont commencé d'être, moque-toi de ces pieuses paroles...».

[65a] Ep. 217,26 (PL 33,987—988; CSEL 57,421—422): «Empêcheras-tu l'Eglise de prier pour les incroyants, afin qu'ils deviennent croyants; pour ceux qui ne veulent pas croire, afin qu'ils veuillent croire; pour ceux qui s'écartent de sa loi et de sa doctrine, afin qu'ils consentent à sa loi et à sa doctrine...? Lorsque tu entendras le prêtre de Dieu à son autel exhorter le peuple à prier Dieu, ou prier lui-même à haute voix, pour qu'il force les nations incroyantes à venir à la foi en lui, ne répondras-tu pas ‹Amen›?».

[66] Ep. 121,10 (PL 33,465; CSEL 34,2, p. 731).

> sacramentorum, antequam illud, quod est in domini mensa, inci-
> piat benedici;
> o r a t i o n e s, cum benedicitur et sanctificatur et ad distribuendum
> comminuitur, quam totam petitionem fere omnis ecclesia domi-
> nica oratione concludit ...
> i n t e r p e l l a t i o n e s autem sive, ut vestri codices habent, postu-
> lationes fiunt, cum populus benedicitur; ...
> Quibus peractis et participato tanto sacramento g r a t i a r u m
> a c t i o cuncta concludit, quam in his etiam verbis ultimam com-
> mendavit apostolus»[67].

Quoi qu'il en soit de la valeur de son exégèse, l'évêque africain nous présente ici le déroulement d'une célébration eucharistique, où l'on reconnaît aisément en *precationes* la prière universelle; en *orationes* le Canon;
en *interpellationes* la bénédiction, à la même place que dans la liturgie
gallicane et en *gratiarum actio,* cela va de soi, l'action de grâces finale.

Cette interprétation nous est confirmée par le Sermon 227, qui est une
catéchèse de la messe pour le jour de Pâques:

T 4   *Serm.* 227: «Tenetis sacramenta ordine suo. Primo post orationem,
       admonemini sursum cor habere ... respondetis, Habemus ad Do-
       minum ... Deinde post sanctificationem sacrificii Dei ... dicimus
       orationem dominicam»[68].

W. C. Bishop voit en cette prière une *post nomina*[69], comme il en existe
à cet endroit dans les liturgies de Gaule et d'Espagne; mais seule sa thèse
sur la similitude entre les liturgies africaine et hispanique peut expliquer
cette position; aucun des textes africains qu'il cite pour les diptyques ne
permet de situer ces derniers avant le début du Canon et de les faire
suivre d'une *oratio post nomina.* Comme par ailleurs W. Roetzer nous
assure qu'il n'est nulle part question chez Augustin d'une prière sur les

---

[67] Ep. 149,16 (PL 33,636—637; CSEL 44,362—363): «Mais je préfère comprendre par ces termes ce que toute ou presque toute l'Eglise a l'habitude de
faire, de telle sorte que nous entendions par *precationes* les prières que nous
faisons lors de la célébration des mystères, avant que ne commence à être béni
ce qui se trouve sur la table du Seigneur; par *orationes,* (le rite accompli)
lorsqu'on le bénit et le sanctifie et le rompt pour être distribué; presque toute
l'Eglise conclut toute cette prière par l'oraison dominicale... Les *interpellationes,* ou comme portent vos manuscrits, les *postulationes,* se font quand on
bénit le peuple; ... après cela, et après avoir participé à un si grand sacrement,
l'ensemble est conclu par *l'action de grâces* que l'Apôtre recommande en dernier lieu dans ce passage».

[68] Serm. 227 (PL 38,1100—1101; SC 116, p. 238—240): «Considérez les
mystères selon leur ordonnance. D'abord, après la prière, vous êtes invités à
élever votre coeur . . . vous répondez: nous le tournons vers le Seigneur . . .
Ensuite, après la sanctification du sacrifice de Dieu,... nous disons l'oraison
dominicale».

[69] W. C. BISHOP, *The African Rite,* p. 259.

oblats[70], il est raisonnable de voir en T 4 une allusion à l'*oratio fidelium*[71].

c) «L'argument liturgique»

Si notre conviction n'est pas encore faite, elle le sera sans doute après l'examen de différents textes de polémique anti-pélagienne. Un des gros arguments qu'Augustin oppose à ses adversaires, c'est que leur doctrine va à l'encontre de la pratique de l'Eglise, et notamment des prières; si les fidèles implorent de Dieu la foi, c'est bien une preuve de ce que la grâce est nécessaire à l'acte de foi[72]. K. Federer a finement analysé ce raisonnement, fréquent chez Augustin et repris par Prosper d'Aquitaine qui l'a coulé dans l'adage devenu classique *legem credendi statuat lex supplicandi*[73]; Federer le nomme «l'argument liturgique», à l'instar de ce que les théologiens ont coutume d'appeler argument biblique ou argument de tradition. En voici quelques exemples:

T 5   *De Haer.* 88. A propos des Pélagiens, Augustin écrit:
«Destruunt etiam orationes, quas facit Ecclesia,
sive pro infidelibus et doctrinae Dei resistentibus, ut convertantur ad Deum;
sive pro fidelibus, ut augeatur in eis fides, et perseverent in ea»[74].

T 6   *De dono pers.* 15: «A quo enim, nisi ab illo accipimus (haec beneficia), a quo iussum est ut petamus? Prorsus in hac re non operosas

---

[70] W. ROETZER, *Des heiligen Augustinus Schriften...*, p. 117.

[71] Il ne faut pas retenir, à notre avis, ce passage du sermon 49,8 pourtant cité fréquemment, même par Roetzer (p. 113): «Ecce post sermonem fit missa catechuminis. Manebunt fideles. Venietur ad locum orationis». Car Augustin poursuit immédiatement après: «Scitis quo accessuri sumus. Quid prius deo dicturi sumus? Dimitte nobis debita nostra, sicut et nos dimittimus debitoribus nostris» (PL 38,324; CC 41,620).
Ni le contexte antécédent, ni le contexte suivant n'indiquent que le terme *oratio* désigne ici l'*oratio fidelium;* seule la succession des termes *sermo-missa-oratio* nous fait dresser l'oreille. Mais quand l'auteur précise cette prière, il cite un verset du Notre Père! Comme l'on ne peut aucunement supposer que le Notre Père était dit avant le Canon (cfr. T 3), ce passage n'est pas *ad rem*. D'ailleurs Augustin n'y parle pas du reste de la messe, et dans l'ensemble du sermon, ces lignes font plutôt figure d'excursus. Une fois de plus, il semble que les nombreux auteurs qui citent ce passage n'aient jamais lu le contexte...

[72] Sur ce contexte antipélagien de la prière, cfr. C. KANNENGIESSER, *Enarratio in psalmum CXVIII: Science de la révélation et progrès spirituel*, dans *Recherches augustiniennes*, t. 2, Paris, 1962, p. 359—381, spécialement aux p. 376—377.

[73] K. FEDERER, *Liturgie und Glaube*, Fribourg (Suisse), 1950, notamment p. 19—41. Sur l'adage, cfr. H. SCHMIDT, *Introductio in liturgiam occidentalem*, Rome, 1960, p. 130—139.

[74] *De Haeresibus* 88 (PL 42,48): «Ils détruisent même les prières que fait l'Eglise soit pour les incroyants et ceux qui s'opposent à la doctrine de Dieu, afin qu'ils se convertissent à Dieu; soit pour les fidèles, afin qu'augmente en eux la foi, et qu'ils persévèrent en elle».

disputationes exspectat Ecclesia, sed attendat cottidianas orationes suas. Orat ut increduli credant. Deus ergo convertit ad fidem. Orat ut credentes perseverent. Deus ergo donat perseverentiam usque in finem»[75].

C'est toute la lettre 217 qu'il faudrait citer ici; elle est entièrement construite sur l'argument liturgique. A titre d'exemple, voici ce qu'Augustin répondait à Vital, son destinataire, qui prétendait que le début de la foi était l'acte de l'homme:

T 7   *Ep.* 217,1—2: «Quae si dicis, profecto nostris orationibus contra dicis. Dic ergo apertissime nos pro his, quibus evangelium praedicamus, non debere orare, ut credant, sed eis tantum modo praedicare. Exerce contra orationes ecclesiae disputationes tuas et, quando audis sacerdotem dei ad altare ...» (suit T 1)[76].

Et plus loin:

T 8   *Ep.* 217,27: «Sed ideo Deus per orationes credentium nondum credentes credere facit, ut ostendat, quia ipse facit; nemo est enim tam inperitus, tam carnalis, tam tardus ingenio, qui non videat deum facere, quod rogari se praecipit ut faciat»[77].

Résumons, en citant le Docteur lui-même:

T 9   «Ipsa igitur oratio clarissima est gratiae testificatio»[78].

Et cette prière, à notre avis, n'est pas n'importe quelle prière; c'est bien l'*oratio fidelium,* vu la manière dont elle est désignée, le vocabulaire utilisé et les intentions qui y sont énoncées. Voyons cela plus en détail.

---

[75] *De dono perseverantiae,* 15 (PL 45,1002): «De qui en effet recevons-nous (ces bienfaits), sinon de celui qui a ordonné que nous (les) demandions? D'ailleurs en cette matière, l'Eglise n'attend pas (la lumière) de fastidieuses discussions, mais elle se tourne vers ses prières quotidiennes. Elle prie pour que les incroyants croient. C'est donc Dieu qui mène à la foi. Elle prie pour que les croyants persévèrent. C'est donc Dieu qui donne de persévérer jusqu'au bout». Cfr. aussi n° 60, et 63 cité en appendice chez K. FEDERER, *Liturgie und Glaube,* p. 129.

[76] Ep. 217,1—2 (PL 33,978; CSEL 57,404): «Si tu dis cela, tu contredis sûrement nos prières. Affirme donc très ouvertement que nous ne devons pas prier pour ceux à qui nous prêchons l'Evangile, afin qu'ils croient, mais seulement leur prêcher. Emets tes critiques envers les prières de l'Eglise et, quand tu entends le prêtre de Dieu à l'autel ...» (suit T 1).

[77] Ep. 217,27 (PL 33,988; CSEL 57,423): «Aussi Dieu, par les prières des croyants, fait croire ceux qui ne croient pas encore, de manière à montrer que c'est lui qui le fait; car il n'est personne de si ignorant, de si matérialiste, et d'esprit si lourd qu'il ne comprenne pas que c'est Dieu qui accomplit ce qu'il ordonne qu'on demande pour qu'il le fasse».

[78] Ep. 177,4 (PL 33,766; CSEL 44,673): «C'est donc la prière elle-même qui est la preuve la plus évidente de la grâce».

2. Son nom

Dans l'épître 149 (T 3), Augustin commente longuement l'ordre donné en *I Tm* II,1—2; la prière des fidèles y est désignée par le terme *precationes*, tandis qu'*orationes* vise la prière eucharistique. Nous estimons cependant que *precationes* n'était pas le terme technique pour désigner notre prière, car ce vocable ne se retrouve dans aucun des textes que nous avons lus[79]. Par contre *oratio* est très fréquent, et il est souvent déterminé par un possessif ou un génitif, si bien que l'on se rapproche fort de l'expression traditionelle *oratio fidelium*. Voici les textes:

T 10 *Ep.* 217,1: «quae si dicis, profecto n o s t r i s o r a t i o n i b u s contra dicis» (cfr. T 7)

T 11 *id.*, 2: «exerce contra o r a t i o n e s E c c l e s i a e disputationes tuas»

T 12 *id.*, 8: «iussioni Domini et o r a t i o n i b u s E c c l e s i a e contra dicis»

T 13 *id.*, 13: «ut quosdam non credentes ad fidem suam o r a t i o n e s c r e d e n t i u m pro eis exaudiendo convertat»

T 14 *id.*, 27: «sed ideo Deus per o r a t i o n e s c r e d e n t i u m nondum credentes credere facit» (cfr. T 8)

T 15 *id.*, 29: «de o r a t i o n i b u s autem iam f i d e l i u m , quas et pro se et pro aliis fidelibus faciunt, ut ...»

T 16 *Ep.* 179,4: «non solum contradicitur o r a t i o n i b u s n o s t r i s , quibus a Domino petimus quicquid sanctos petisse legimus ...» (PL 33,775; CSEL 44, 693)

T 17 *Serm.* 227: «Primo post o r a t i o n e m , admonemini cor sursum habere» (cfr. T 4)

T 18 *De Haer.* 88: «Destruunt etiam o r a t i o n e s , q u a s f a c i t E c c l e s i a , sive pro infidelibus ...» (cfr. T 5)

T 19 *De dono pers.* 15: «sed attendat (Ecclesia) cottidianas o r a t i o n e s s u a s » (cfr. T 6)

T 20 *id.*, 63: «ut magis intuerentur o r a t i o n e s s u a s , quas semper habuit et habebit E c c l e s i a ».

Bien qu'ils ne soient pas *ad rem*, ajoutons les textes suivants, au bénéfice de la comparaison:

[79] Tout se passe comme si dans l'épître 149 Augustin, pressé par la question de Paulin de Nole, voulait absolument trouver un sens propre aux quatre termes cités en *I Tm* II, 1 et parvenait à distinguer quatre types de prière à l'intérieur de la célébration eucharistique; mais cet exercice philologique le fait s'écarter de sa terminologie habituelle. On trouve cependant encore *precantes* en T 26.

T 21   *Ep.* 55,34: «... cum legitur aut disputatur aut antistites clara voce deprecantur aut c o m m u n i s   o r a t i o voce diaconi indicitur?» (PL 33,221; CSEL 34,2 p. 209)

T 22   *Ep.* 149,16: «o r a t i o n e s, cum benedicitur et sanctificatur et ad distribuendum comminuitur» (cfr. T 3)

T 23   *Serm.* 49: «Ecce post sermonem fit missa catechuminis. Manebunt fideles. Venietur ad locum o r a t i o n i s. Scitis quo accessuri sumus. Quid prius deo dicturi sumus? Dimitte nobis debita nostra ...» (cfr. note 71, p. 41).

Classons maintenant les expressions que nous venons de lire:

— *orationes Ecclesiae* se retrouve 2 fois (T 11 et T 12); il convient d'en rapprocher:

T 18   «orationes quas facit Ecclesia»

T 19   «attendat (Ecclesia) cottidianas orationes suas»

T 20   «ut magis intuerentur orationes suas, quas semper habuit et habebit Ecclesia».

— *orationes credentium*: 2 fois (T 13 et T 14)
— *orationes fidelium*: 1 fois (T 15)[80]
— *orationes nostrae*: 2 fois (T 10 et T 16)
— *oratio*: 3 fois (T 17, T 22 et T 23)
— *communis oratio*: 1 fois (T 21).

Mais attention; *oratio* seul ne désigne la prière universelle qu'en T 17[81] et *communis oratio* (T 21) pourrait bien viser le Notre Père[82]. Il ne reste donc que les quatre premières appellations; l'Eglise étant l'assemblée des croyants, elles sont remarquablement proches les unes des autres au plan de la signification; ce sont bien des synonymes. Mais aucune d'elles ne s'impose comme étant le terme technique. Si le vocabulaire se précise, il n'est donc pas encore fixé, et *oratio* seul désigne aussi bien la prière universelle que le Canon ou l'oraison dominicale. Il ne suffit donc pas de ren-

---

[80] Augustin n'utilise pas le singulier *oratio fidelium* pour désigner la prière universelle; le seul exemple que nous ayons trouvé de cette expression a trait au Notre Père, appelé prière des fidèles parce que les non-baptisés ne peuvent la réciter:

«De cotidianis autem brevibus levibusque peccatis, sine quibus haec vita non ducitur, cotidiana o r a t i o   f i d e l i u m satisfacit. Eorum est enim dicere: Pater noster, qui es in caelis, qui iam patri tali regenerati sunt ex aqua et spiritu», *Enchiridion* 71, éd. O. Scheel, p. 45; PL, 40, 265.

Cfr. dans le même sens *Serm.* 181,7 (PL 38,982) et *Enarr. in ps.* 142,6 (CC 40, 2065; PL 37,1849).

[81] En T 22, *orationes* indique la prière eucharistique (cfr. T 3); en T 23, il s'agit du Notre Père (cfr. note 71, p. 41).

[82] Cfr. infra, III, a) *Le ministre.*

contrer *oratio* dans un texte pour en déduire qu'on y parle de la prière des fidèles.

De plus, d'autres vocables sont encore utilisés pour cette dernière: *precationes* en T 3, et *preces* dans l'Ep. 217,3:

T 24 «Quod si de precibus Ecclesiae ... parum putas esse quod dixi, aude maiora»[83].

Bref, si la prière universelle n'a pas encore de dénomination spécifique chez Augustin, elle est désignée le plus fréquemment par les expressions *orationes Ecclesiae*, *orationes credentium* ou *orationes fidelium*.

3. Sa forme liturgique

Les extraits que nous avons lus jusqu'ici nous ont montré assez clairement quelle pouvait être la forme de la prière universelle dans la liturgie africaine au début du Ve siècle. Un ministre faisait prier pour une catégorie de personnes, afin que Dieu leur accorde telle faveur (*orare pro ... ut ...*) et le peuple répondait: *Amen*[84]. Autrement dit, une intention était proposée (*orare pro*), suivie d'une demande (*ut ...*), le tout étant conclu par le répons *Amen*. Nous en déterminerons le contenu dans l'article suivant. Avant cela il nous faut examiner deux problèmes difficiles: un diacre intervenait-il? existait-il une introduction générale à cette prière?

a) Le ministre

Un ministre faisait prier, disions-nous. Mais de quel ministre s'agit-il? est-ce le prêtre ou un diacre? Un texte semble réserver un rôle à ce dernier; dans sa lettre 55, Augustin parle des psaumes, que beaucoup de chrétiens d'Afrique se montrent paresseux à chanter, si bien que les Donatistes le leur reprochent; et le Pasteur renchérit:

T 25 *Ep.* 55,34: «quando autem non est tempus, cum in ecclesia fratres congregantur, sancta cantandi, nisi cum legitur aut disputatur aut antistites clara voce deprecantur aut communis oratio voce diaconi indicitur?»[85].

---

[83] *Preces* désigne parfois aussi le Canon, p.ex. en Serm. Denis VI: «Et inde iam quae aguntur in precibus sanctis quas audituri estis, ut accedente verbo fiat corpus et sanguis Christi» G. MORIN, *Miscellanea agostiniana*, I, Rome, 1930, p. 31.

[84] Cfr. T 2. On cite aussi, comme témoin du répons Amen, le texte suivant, qui nous paraît moins clair:
De dono pers., 63: «Aut quis sacerdotem super fideles Dominum invocantem, si quando dixit: ‹Da illis, Domine, in te perseverare usque in finem›, non solum voce ausus est, sed saltem cogitatione reprehendere ac non potius super eius talem benedictionem, et corde credente et ore confitente respondit: Amen» ... (PL 45,1031). Les termes *sacerdotem super fideles Dominum invocantem* et *benedictionem* nous font moins songer à une prière qu'à une bénédiction.

[85] Ep. 55,34 (PL 33,221; CSEL 34,2, p. 209): «Quand donc n'y a-t-il pas d'occasion, lorsque les frères sont rassemblés dans l'église, de chanter les saints

Une première interprétation nous est suggérée par le P. Gy; elle consiste à ne pas lire dans ce texte une description de différents moments de la célébration, mais à y voir des actions liturgiques durant lesquelles il ne convient pas de chanter: pendant les lectures, l'homélie, la prière publique du prêtre et la «prière commune» entendue au sens de prière collective de toute l'assemblée, et incluant donc la prière universelle.

Cette interprétation est sans doute la plus simple; elle laisse en suspens le problème du rôle joué par le diacre, qui est précisément l'objet de ce paragraphe.

Interprétation habituelle

La plupart des liturgistes ont voulu y voir une description plus précise, notamment en ce qui concerne l'*oratio fidelium*. Probst en conclut que «l'*oratio pro fidelibus* était annoncée (angesagt) comme une prière commune par le diacre, et qu'elle était dite par le prêtre»[86]. Bouman estime qu'elle était introduite par un invitatoire diaconal[87]. Pour Willis, le diacre l'annonçait et en donnait même les intentions, mais elle était dite par le prêtre ou l'évêque[88]. Roetzer suit Connolly, dont l'article eut un succès trop grand à notre avis[89]. Cet auteur ne doute pas que les prières dont il est question en T 1 et T 2 sont aussi celles qu'Augustin nomme en T 25 *communis oratio*; les intentions et les demandes y étaient prononcées par l'évêque ou le prêtre. Mais quel y était alors le rôle du diacre? que faut-il comprendre par l'expression: «communis oratio voce diaconi indicitur» (T 25)? Connolly estime que le diacre donnait un ordre analogue au *Flectamus genua* des Oraisons solennelles du Vendredi Saint dans le rite romain. Son argumentation repose sur deux points.

D'abord, le verbe *indicere* n'implique de soi pas plus qu'un bref signal de ce genre; il ne serait pas approprié pour décrire le rôle diaconal dans une litanie de type oriental. Mais surtout Césaire d'Arles utilise le même verbe pour désigner explicitement le *Flectamus genua* du diacre[90]. Et

---

cantiques, sauf lorsqu'on lit ou qu'on prêche ou que les prêtres prient à haute voix ou que la prière commune est annoncée par la voix du diacre?».

[86] F. Probst, *Liturgie des vierten Jahrhunderts . . .*, p. 281.

[87] C. A. Bouman, *Communis oratio*, Utrecht-Anvers, 1959, p. 16.

[88] G. G. Willis, *Essays in Early Roman Liturgy*, Londres, 1964, p. 7.

[89] R. H. Connolly, *Liturgical Prayers of Intercession. I. The Good Friday ‹Orationes Sollemnes›*, JTS, t.21 (1920), p. 219—232. Il est encore repris par V. L. Kennedy, *The Saints of the Canon of the Mass*, Rome, 1963, p. 28.

[90] Césaire d'Arles, Serm. 77: «Rogo . . . ut quotienscumque iuxta altarium a clericis oratur, aut oratio diacono clamante indicitur, non solum corda sed etiam corpora fideliter inclinetis. Nam dum frequenter, sicut oportet, et diligenter adtendo, diacono clamante FLECTAMUS GENUA maximam partem populi velut columnas erectas stare conspicio» (PL 39,2285; CC 103,319).
Serm. 76: «Supplico . . . ut quotienscumque oratio indicitur, qui forte pro aliqua infirmitate non potest genua flectere, vel dorsum curvare et cervicem humiliare non differat» (PL 39,2284; CC 103, 316).

Connolly conclut: lorsqu'on compare les passages d'Augustin et qu'on les considère en relation avec ceux des *Auctoritates* et du *De vocatione omnium gentium*[91], il est à peine permis de douter qu'en Afrique aussi, au début du Ve siècle, était déjà établie la pratique de réciter une série de prières «pour toutes espèces et conditions», et que ces prières (tant dans leur contenu que dans la manière de les prononcer) étaient exactement analogues aux *Orationes sollemnes* romaines. Bien sûr, ajoute-t-il, il ne faut pas supposer que ces prières africaines étaient identiques, dans leur littéralité ou dans la série des intentions, aux oraisons romaines; mais il y avait évidemment un accord considérable, et il a dû exister un réel lien historique entre ces deux jeux de prières[92].

Cette argumentation nous laisse perplexe. En effet, s'il est bien établi que Césaire d'Arles (470/471—543) a connu les oeuvres d'Augustin, qu'est-ce qui nous permet d'interpréter les écrits de ce dernier à la lumière de ceux d'un disciple qui vécut un siècle plus tard en une autre province ecclésiastique? Aucun rapport textuel ne peut s'établir entre les écrits d'Augustin et les OS. Les rapprochements que l'on peut faire ne sont pas convaincants; on rencontre bien les termes *convertere* dans le 9e invitatoire, *regeneratio* dans le 5e (à propos des catéchumènes), *perseverare* dans la première oraison, mais ce sont là des vocables trop communs pour prouver une dépendance; de plus on ne trouve pas dans les OS le verbe *credere* si fréquent chez Augustin, ni les termes *infideles* ou *increduli*. Aucun groupement de mots n'apparaît simultanément des deux côtés, et les thèmes évoqués par Augustin sont loin d'épuiser ceux des OS qui prient également pour l'Eglise, le pape, les différents «ordres», les besoins concrets, les Juifs. Enfin, on ne trouve dans les oeuvres de l'évêque d'Hippone aucune trace d'un *Flectamus genua*; cette lacune ne constitue cependant pas à elle seule un argument puisque la tradition gallicane des OS ignore cette monition (cfr. l'édition critique, dans la deuxième partie).

On ne peut donc honnêtement pas s'appuyer sur le seul usage du verbe *indicere* par Augustin et Césaire pour en conclure que si le dernier l'emploie en rapport avec les OS, le premier doit les avoir connues et utilisées également dans la liturgie africaine.

D'autant plus qu'il n'est pas certain que les passages de Césaire désignent les OS! Leur contexte semble bien évoquer la célébration eucharistique, oui; mais nulle part ces deux sermons ne précisent à quel moment a lieu cette prière pour laquelle il faut fléchir les genoux; les mots «humiliter supplicantes et pro se et pro aliis»[93] ne nous éclairent pas beaucoup sur le contenu de la prière. Les deux sermons semblent pourtant situer cette prière après un psaume[94].

---

[91] Oeuvres de Prosper d'Aquitaine, dont certains passages paraphrasent les *Orationes sollemnes* romaines, cfr. infra, 3e section.

[92] R. H. CONNOLLY, *Liturgical Prayers of Intercession*, p. 225.

[93] Césaire d'Arles, Serm. 77,6; CC 103,322.

[94] id., Serm. 76,1: «Quid tibi prodest quod fideliter psallis, si posteaquam

De soi, l'expression *Flectamus genua* indique une prière pénitentielle, mais pas obligatoirement les OS; la tradition gallicane, qui n'y prescrit pas la génuflexion, nous montre que les deux choses ne sont pas nécessairement liées. Et la situation de cette prière après un psaume nous fait songer aux renseignements que nous donne Cassien, bien qu'ils concernent l'Office; il nous apprend qu'en Gaule aussi bien qu'en Egypte, à la fin d'un psaume, les moines fléchissent les genoux et font même la prostration; on trouve la même discipline chez Isidore de Séville et Fructuosus de Braga[95].

Bref, s'il n'est même pas sûr que les textes où Césaire utilise le verbe *indicere* pour introduire l'invitation diaconale *Flectamus genua* traitent des OS, comment la présence de celles-ci dans la liturgie africaine pourrait-elle être déduite de l'emploi du verbe *indicere* par Augustin?

De plus, le rôle du diacre dans l'action liturgique semble fort réduit en Afrique; l'évêque d'Hippone n'en parle guère[96]. En outre, on ne voit pas bien où un *Flectamus genua* pourrait s'intégrer dans la forme littéraire utilisée (*orare pro ... ut ... Amen*).

Mais surtout, cette interprétation de Connolly semble ne pas respecter le texte de l'Ep. 55 (T 25) qu'elle est censée expliquer. Rappelons-le, Augustin y cite les moments de la messe durant lesquels il ne convient pas de chanter les psaumes: «cum legitur aut disputatur aut antistites clara voce deprecantur aut communis oratio voce diaconi indicitur». Le premier verbe ne pose pas de problème; le second désigne l'homélie, qu'Augustin nomme aussi *disputatio*[97]. Mais que signifie la fin de la phrase? Tous les auteurs que nous avons cités semblent aveuglés par l'expression *communis oratio*, qu'ils identifient immédiatement avec l'*oratio fidelium*[98]. Mais que faut-il entendre dès lors par *aut antistites clara voce deprecantur?*[99]. Comme nulle part l'évêque d'Hippone ne parle d'une *oratio post sermonem* qui se situerait entre la prédication et l'*oratio fidelium,* on ne peut voir dans cette *deprecatio* des prêtres que la prière uni-

---

psallere desinis, deo supplicare nolueris? Et ideo unusquisque, quando psallere cessaverit, cum omni humilitate oret et supplicet domino; ut quod verbis protulit ex ore, deo auxiliante implere mereatur in opere» CC 103, 316.

Serm. 77,6: «Sicut enim fideliter psallentes et humiliter supplicantes et pro se et pro aliis ...» CC 103, 322.

[95] Cassien, *De institutis coenobiorum*, II, 7; PL 49,91; SC 109,71. Isidore de Séville, *Regula monachorum*, 6,1; PL 83, 875—876. Fructuosus de Braga, *Regula monachorum*, 3; PL 87, 1101. Sur tout ceci, cfr. H. LECLERCQ, art. *Génuflexion*, dans DACL 6,1, c. 1017—1021.

[96] Les tables des Mauristes ne fournissent que six références pour le terme *diaconus* (PL 46,237).

[97] Cfr. W. ROETZER, *Des heiligen Augustinus Schriften...*, p. 109.

[98] En plus des auteurs cités à la p. 46, cfr. J. A. JUNGMANN, MS 1, p. 614, note 5, qui écrit: «Der Ausdruck *communis oratio* für das in Rede stehende Gebet steht fest bei Augustinus, Ep. 55,34».

[99] La variante *antistes ... deprecatur* du manuscrit m ne paraît guère pouvoir nous éclairer.

verselle elle-même; les troisième et quatrième membres de la phrase seraient donc synonymes.

A quoi l'on peut faire trois objections. Les trois *aut* paraissent exclure que certains membres de cette proposition soient synonymes; mais surtout saint Augustin, en citant les moments de la célébration où les fidèles ne peuvent chanter, a dû, sinon être exhaustif, du moins brosser un tableau de tout le déroulement de la messe; or dans l'interprétation habituelle, il se serait arrêté après l'*oratio fidelium,* sans rien dire de la liturgie eucharistique. Enfin, on ne voit pas l'avantage que le pasteur aurait eu à utiliser des expressions synonymes, alors qu'il songeait à indiquer à son peuple différents moments de la liturgie; il n'aurait abouti qu'à embrouiller les esprits.

Hypothèse personnelle

Comment faut-il donc comprendre ce texte? Il nous semble plus simple de nous laisser mener par le sens obvie que peuvent prendre ces expressions dans le déroulement de la messe: on ne chante ni quand on lit, ni quand on prêche, ni quand les prêtres prient à haute voix, ni quand la prière commune est annoncée par la voix du diacre. Il est aussi légitime, sinon plus, de comprendre par «la prière des prêtres» le Canon de la messe, et par la «prière commune» l'oraison dominicale.

L'objection saute aux yeux: dans ce cas, Augustin est incomplet, puisqu'il ne mentionne pas la prière des fidèles! A quoi nous répondons que sur le plan statistique, il l'est en tout cas moins que ne l'affirme l'exégèse courante, selon laquelle il omet toute la prière eucharistique et le Notre Père. D'ailleurs, Augustin n'est pas l'homme à être aussi précis, et le contexte de la lettre ne nous permet pas d'exiger de lui qu'il soit exhaustif.

Mais poursuivons plus avant notre démonstration. Quant au troisième membre de phrase d'abord. *Deprecari* ne se retrouve dans aucun passage où il est question de l'*oratio fidelium*; dans la lettre 217 (T 1 et T 2), plus développée sur ce point, on lit que le prêtre (*sacerdos*) exhorte (*exhortare* 1 fois, *hortare* 2 fois) le peuple à prier (*orare*) ou qu'il prie lui-même. Quant à *communis oratio,* si l'expression évoque immédiatement la prière universelle aux oreilles des liturgistes actuels, il n'est pas sûr qu'il en ait été de même jadis; nulle part ailleurs Augustin ne l'utilise en parlant de l'*oratio fidelium,* pas même dans la longue lettre 217. De plus, rappelons-nous que pour saint Cyprien, la *communis oratio,* c'est l'oraison dominicale[100]; or nous savons que le *De dominica oratione* était pour Augustin un livre de chevet[101]. Enfin, aucun texte d'Augustin concernant la prière universelle ne fait allusion au diacre.

---

[100] Cfr. supra, p. 19.
[101] Dans la seule lettre 217, Augustin cite 2 fois textuellement le *De dominica oratione* (no 6 et 26); au no 2 il y fait 2 fois allusion; au no 22 il renvoie au *De mortalitate.*

Il ne suffit cependant pas de rejeter l'interprétation courante de cette lettre 55,34; il faut encore montrer que la nôtre rend mieux compte du texte. Un point est déjà acquis: notre hypothèse cadre mieux avec le contexte, en décrivant l'ensemble de la célébration. Personne ne niera que *antistites clara voce deprecantur* puisse s'appliquer aussi bien au Canon. Et la finale? Admettons que *communis oratio* désigne l'oraison dominicale, le problème soulevé par «voce diaconi indicitur» rebondit: le diacre annonçait-il le Notre Père? Les livres liturgiques sont muets sur cette question. On se rappellera cependant qu'avant Grégoire le Grand, l'oraison dominicale ne suivait pas immédiatement l'anaphore: entre les deux se plaçait la fraction[102]. Il est possible que l'*Oremus* qui introduit aujourd'hui la récitation du Notre Père ait été exigé par ce rite intercalaire: après avoir procédé à la fraction, on aura ressenti le besoin de réveiller l'attention. Il se peut qu'au temps d'Augustin déjà, des prières aient existé pendant la fraction[103], prières que le rite ambrosien a conservées[104]. Bref, nous nous trouvons là devant un rite assez complexe, et il n'est pas exclu que le diacre ait pu intervenir pour annoncer au peuple l'oraison dominicale.

Il est indéniable que l'existence de cet invitatoire diaconal au Notre Père ne peut être considéré comme une certitude. Cependant notre interprétation de la lettre 55,34 nous paraît cohérente, suffisamment du moins pour être présentée à titre d'hypothèse. Si la critique devait en dénier le bien-fondé et confirmer l'exégèse habituelle de ce passage, il nous faudrait admettre l'intervention du diacre lors de l'*oratio fidelium*. Pour les raisons exposées plus haut, nous ne pourrions cependant suivre Connolly et penser que le diacre invitait l'assemblée à prier par la formule *Flectamus genua*. «Communis oratio voce diaconi indicitur» signifierait simplement selon nous que le diacre invite à la prière avant que le prêtre en formule les intentions. Laissons cette question un moment en suspens, nous y reviendrons bientôt, peut-être mieux armés, après avoir examiné un autre problème.

b) Signification de la formule «Conversi ad Dominum»

Quelle est donc la signification de la formule *Conversi ad Dominum* que l'on trouve à la fin de nombreux sermons d'Augustin? La formule fait allusion à l'orientation vers l'Est qui était exigée pour la prière[105],

---

[102] Cette ordonnance est attestée explicitement par Augustin, cfr. W. Roetzer p. 128. La fraction précède encore le Pater dans tous les rites orientaux, sauf chez les Byzantins, les Arméniens et les Maronites (ces derniers sous l'influence romaine); de même en Espagne et en Gaule.

[103] C'est l'opinion de W. Roetzer (p. 128) qui se base sur l'Ep. 149,16: «orationes, cum benedicitur et sanctificatur et ad distribuendum comminuitur» (cfr. T 3).

[104] *Missale ambrosianum*, éd. A. Ratti - M. Magistretti, p. 245.

[105] Il n'entre pas dans notre propos d'envisager cette question, pour laquelle l'ouvrage classique est F. J. Dölger, *Sol salutis*, Munster, 1920; pour la biblio-

mais souvent cette expression est suivie d'une prière dont le sens est discuté. Lisons d'abord les textes[106]. On trouve

2 fois *Conversi etc.*[107]

59 fois *Conversi ad Dominum*[108]

5 fois la formule suivante:

T 26 «Conversi ad Dominum Deum Patrem omnipotentem puro corde ei, quantum potest parvitas nostra, maximas atque veras (uberes) gratias agamus; precantes toto animo singularem mansuetudinem eius, ut preces nostras in beneplacito suo exaudire dignetur; inimicum a nostris actibus et cogitationibus sua virtute expellat, nobis multiplicet fidem, gubernet mentem, spiritales cogitationes concedat, et ad beatitudinem suam perducat. Per Iesum Christum filium eius. Amen»[109].

2 fois ceci:

T 27 «Conversi ad Dominum, ipsum deprecemur pro nobis et pro omni plebe sua nobiscum in atriis domus suae, quam custodire protegereque dignetur per Iesum Christum Filium eius (unicum) Dominum nostrum, qui cum eo vivit et regnat in saecula saeculorum. Amen»[110].

1 fois la tournure suivante:

T 28 «Conversi ad Dominum, gratias agamus ei qui vivit et regnat in saecula saeculorum»[111].

graphie récente, voir C. VOGEL, *L'orientation vers l'Est du célébrant et des fidèles pendant la célébration eucharistique*, dans *L'Orient syrien*, t. 9 (1964), p. 3—37.

[106] L'énumération en est donnée par F. J. DÖLGER, *Sol salutis*, p. 255, qui cite tous les endroits où l'on trouve notre formule. Il faut y ajouter les sermons édités par G. MORIN, *Miscellanea agostiniana*, I, Rome, 1930 (cfr. tables, p. 794).

[107] p.ex. Serm. 1 (PL 38,26).

[108] p.ex. Serm. 26 (PL 38,178).

[109] p.ex. Serm. 34 (PL 38,213): «Tournés vers le Seigneur Dieu Père tout-puissant, d'un coeur pur, rendons-lui grâces, grandement et sincèrement, autant que le peut notre petitesse, en suppliant de toute notre âme son insigne mansuétude, pour que dans son bon vouloir il daigne exaucer nos prières; que par sa puissance il chasse l'ennemi de nos actes et de nos pensées, qu'il augmente en nous la foi, qu'il dirige notre esprit, qu'il nous accorde des pensées, spirituelles et nous mène à sa béatitude. Par son Fils Jésus Christ. Amen».

Ce texte figure aussi en fin des *Enarrationes in psalmos* (PL 37,1966; CC 40,2196); la doxologie est parfois plus développée.

[110] Serm. 100 (PL 38,605) et 362 (PL 39,1634): «Tournés vers le Seigneur, prions-le pour nous et pour tout son peuple qui se tient avec nous dans sa maison; qu'il daigne le garder et le protéger par Jésus Christ son Fils (unique) notre Seigneur, qui vit et règne avec lui pour les siècles des siècles. Amen».

[111] Serm. 141 (PL 38,778) selon la plupart des manuscrits. «Tournés vers le Seigneur, rendons-lui grâces, lui qui vit et règne pour les siècles des siècles».

Dans la finale du Sermon Denis II on lit ceci:

T 29 «Conversi ad Dominum *et oratio*: Virtus misericordiae eius confirmet in veritate sua cor nostrum, confirmet et tranquillet animas
nostras; abundet super nos gratia eius, et misereatur nostri, et
auferet scandala a nobis, et ab ecclesia sua, et ab omnibus caris-
simis nostris, faciatque nos placere sibi virtute sua et abundantia
misericordiae suae super nos in aeternum. Per Iesum Christum
filium suum dominum nostrum, qui cum eo vivit et regnat et cum
Spiritu sancto in saecula saeculorum. Amen»[112].

Et enfin ce passage anti-pélagien, le seul qui ne conclue pas un sermon;
c'est un bel exemple encore de l'«argument liturgique»:

T 29a «Benedictiones, fratres mei, benedictiones nostras, quas super vos
facimus, evacuant, exinaniunt, elidunt. Auditis me, credo, fratres
mei, quando dico,
Conversi ad Dominum benedicamus nomen eius, det nobis
perseverare in mandatis suis,
ambulare in via recta eruditionis suae,
placere illi in omni opere bono,
et caetera talia.
Prorsus, inquiunt, hoc totum in potestate nostra est constitutum ...
Defendamus et nos, et vos; ne et nos sine causa benedicamus, et
vos sine causa Amen subscribatis»[113].

---

[112] Serm. Denis II, éd. G. Morin, *Misc. agost.* I, p. 17: «Tournés vers le
Seigneur» et prière: «Que la puissance de sa miséricorde confirme notre cœur
dans sa vérité, qu'elle confirme et apaise nos âmes, que sa grâce abonde en nous,
et qu'il ait pitié de nous, et qu'il écarte les scandales loin de nous et de son
Eglise et de tous ceux qui nous sont chers; que sa puissance et l'abondance de sa
miséricorde sur nous fassent que nous puissions lui plaire pour toujours. Par
Jésus Christ son Fils notre Seigneur qui vit et règne avec lui et avec le Saint
Esprit pour les siècles des siècles. Amen».
Notons que Fulgence de Ruspe nous fournit une formule de *Conversi* ...
à la fin de son sermon 8 (CC 91A, p. 942).

[113] Fragment 3 contre Pélage (PL 39, 1721): «Les bénédictions, mes frères, nos
bénédictions, que nous faisons sur vous, ils les évacuent, les anéantissent, les éli-
dent. Vous m'entendez, je crois, mes frères, quand je dis: Tournés vers le
Seigneur, bénissons son nom, et qu'il nous donne de persévérer dans ses commandements, de marcher dans la voie droite de son enseignement, de lui plaire
en toute bonne oeuvre etc. Mais assurément, disent-ils, tout cela est en notre
pouvoir ... Défendons-nous, nous et vous; afin que ce ne soit pas sans motif
que nous bénissions, ni que vous souscriviez votre Amen.»
Cité par K. Gamber, *Liturgie übermorgen*, Fribourg, 1966, p. 107—108; sur la
base de ce passage, il considère les *Conversi* comme des «bénédictions» situées
entre l'homélie et le renvoi des catéchumènes. Son article *Conversi ad Dominum.
Die Hinweisung von Priester und Volk nach Osten bei der Meßfeier im 4. und
5. Jahrhundert*, dans *Römische Quartalschrift*, t. 67 (1972), p. 49—64, ne traite
que du problème de l'orientation.

Quelle était donc la fonction de ces *Conversi?* W. C. Bishop les considère sans hésitation comme des introductions à l'*oratio fidelium*[114]. De même F. J. Dölger, qui s'occupe davantage, il est vrai, du problème de l'orientation que du nôtre[115], C. Vogel[116] et plus nettement J. A. Jungmann[117]. W. Roetzer se montre très discret et ne soulève même pas le problème[118].

Une prière après le sermon?

Par contre G. Dix[119], suivi par C. A. Bouman[120], en fait une «prière après le sermon», comme on en trouve dans l'Eucologe de Sérapion[121], dans la liturgie égyptienne de saint Cyrille et dans la liturgie éthiopienne[122]. Qu'en est-il?

De fait, ces trois formulaires comportent une prière après le Sermon[123]; mais leur contenu est tout différent de celui des formules augustiniennes. Celles-ci sont adressées au peuple; après l'homélie, il est invité à rendre grâces (T 26, T 28 et T 29a) et à prier à différentes intentions (sauf T 28); la forme la mieux construite est attestée par T 26: «Conversi ad Dominum ... ei ... gratias agamus, precantes ... ut preces nostras exaudire dignetur: ...» suivi de demandes concrètes. Or que trouvons-nous dans les textes cités comme parallèles par G. Dix? La prière des liturgies égyptienne et éthiopienne est une suite de courtes intercessions, introduites par μνήσθητι, concernant aussi bien les choses que les personnes. Cela n'a rien de commun avec les *Conversi.* Quant à la prière de Sérapion, elle s'en rapproche davantage, mais elle s'adresse cependant à Dieu et non au peuple; il s'agit d'une véritable oraison qui commence par

F. Probst, *Liturgie des vierten Jahrhunderts,* Munster, 1893, p. 304, suivi par W. Roetzer (p. 132), y voit une bénédiction avant la communion, analogue à celle du rite gallican. W. C. Bishop admet également l'existence d'une telle bénédiction, sur la base des Ep. 149 (T 3) et 179 (PL 33, 775; CSEL 44, 693). Nous ne voyons pas, pour notre part, ce qui empêche d'interpréter ce texte de la même manière que les précédents.

[114] W. C. Bishop, *The African Rite,* p. 260 et 271.

[115] F. J. Dölger, *Sol salutis,* p. 256 met en apposition les deux membres suivants: «das *Conversi ad Dominum,* die Aufforderung zum Gemeindegebet am Predigtschluß ...».

[116] C. Vogel, *L'orientation vers l'Est ...,* p. 12.

[117] J. A. Jungmann, *MS* 1, p. 614—615.

[118] W. Roetzer, *Des heiligen Augustinus Schriften ...,* p. 89 et 245.

[119] G. Dix, *The Shape of the Liturgy,* Westminster, 1945, p. 472—473.

[120] C. A. Bouman, *Communis oratio,* p. 13.

[121] éd. F. X. Funk, *Didascalia et Constitutiones apostolorum,* II, Paderborn, 1905, p. 160.

[122] Br, respectivement p. 157 et 220.

[123] A vrai dire, seul l'Eucologe de Sérapion contient une prière après le sermon: μετὰ τὸ ἀναστῆναι ἀπὸ τῆς ὁμιλίας εὐχή. Les deux autres textes sont des prières accompagnant l'évangile.

énoncer les attributs divins et passe ensuite à la demande, dans le style habituel. Tandis que les formules introduites par *Conversi* ne sont pas à proprement parler des oraisons; elles s'adressent au peuple pour l'exhorter à prier, et sont donc du type invitatif.

Bref, il ne suffit pas de trouver dans d'autres familles liturgiques des textes situés à la même place que les nôtres pour en faire des parallèles et les expliquer les uns par les autres; il faut encore que leur teneur soit analogue. Jusqu'à preuve du contraire, nous ne croyons pas pouvoir donner à ces *Conversi* l'hypothétique dénomination de «prière après le sermon»[124].

Opinion de Ramos

A quoi donc servaient ces textes introduits par *Conversi*? Nous pensons pouvoir mieux le comprendre à l'aide d'un autre rapprochement, cette fois avec la liturgie d'Espagne. M. Ramos a consacré récemment tout un livre[125] à la *missa,* la première des dix oraisons variables de la liturgie hispanique, qui se place après le chant d'offertoire et est suivie d'une *alia (oratio),* puis des diptyques, des oraisons *post nomina* et *ad pacem,* enfin de la Préface.

Selon le Jésuite espagnol, la *missa* était autrefois un invitatoire sacerdotal à la prière des fidèles; il était suivi d'un formulaire d'*oratio fidelium* dont on trouve encore des vestiges dans la formule *Ecclesiam sanctam catholicam* ... reprise dans l'Ordinaire de la messe du *Missale Mixtum* du Cardinal Ximenez de Cisneros[126]. L'*oratio admonitionis* servant de transition entre l'homélie et la prière des fidèles, le prédicateur aura aimé en certaines circonstances terminer son sermon en prière; c'est là l'origine des déviations que connut cette pièce.

Ramos se permet alors de suggérer, et c'est ici que nos problèmes se rejoignent, que le prototype de cette *missa* pourrait bien se trouver en Afrique, très précisément dans les formules *Conversi ad Dominum.* En effet, la structure de ces *missae* est très proche de celle des formulaires augustiniens; en voici des exemples:

---

[124] Une *oratio post evangelium* se rencontre dans quelques livres liturgiques, notamment dans le Missel de Bénévent (cfr. A. Dold, *Die Zürcher und Peterlinger Meßbuch-Fragmente,* Beuron, 1934, p. XXX—XXXIII). Nous ne croyons pas qu'elle puisse servir à éclairer notre problème.

[125] M. Ramos, *Oratio admonitionis,* Grenade, 1964. «Oratio admonitionis» est une expression plus adéquate pour désigner la «missa».

[126] PL 85, 114 et 540. En voici le texte: «Ecclesiam sanctam catholicam in orationibus in mente habeamus: ut eam Dominus fide et spe et charitate propicius ampliare dignetur. Omnes lapsos captivos infirmos atque peregrinos in mente habeamus: ut eos Dominus propicius redimere sanare et confortare dignetur. Chorus: Presta eterne omnipotens Deus».
Nous avons déjà cité ce texte quand nous avons étudié la formule *in mente habere,* cfr. Cyprien, p. 33; nous en reparlerons encore dans la 2e Partie, p. 267.

— Deum, qui ..., fratres carissimi, suppliciter exoremus: ut ... det ...
donet ... ut nobis proficiat ad salutem[127].

— Deum qui ..., tota poscamus dilectissimi fratres mentis intentione,
ut concedat ... ut ... ut ... celestium Sacramentorum participium consequi mereamur[128].

— Deum Regem omnipotentem ... fratres karissimi, oratione poscamus:
ut preces nostras ... suscipiat. Nos ... liberos paradysi reddat et celo.
Ipse presta[129].

Ramos a la prudence de ne pas se prononcer sur une éventuelle dépendance des *missae* par rapport aux *Conversi*. Il estime cependant que l'on
ne serait pas loin de la vérité en voyant dans la transition entre prédication et prière universelle l'origine des deux formules.

Remarquons que la tradition liturgique gallicane présente le même
schéma de prière; l'invitatoire est nommé *praefatio* et l'oraison *collectio*
ou *collectio sequitur*. Ici l'étude reste à faire[130]. Nous ne nous trouvons
donc pas en face d'une structure particulière à l'Espagne; l'Afrique pourrait bien l'avoir connue également.

Cette hypothèse de Ramos nous semble pouvoir être retenue. Elle est
plus satisfaisante que celle qui fait des *Conversi* une «prière après le
sermon», puisqu'en fait il s'agit d'un invitatoire et non d'une oraison.
Elle présente aussi l'avantage d'expliquer valablement la présence de
ces expressions en fin des sermons d'Augustin, en en faisant une transition entre la prédication et la prière des fidèles. Elle rejoint en ceci
l'opinion de la plupart des liturgistes, comme nous l'avons dit ci-dessus.

Formulaire de prière universelle?

Une autre hypothèse serait que *Conversi* et les formules qui suivent
constituent le texte lui-même de la prière universelle, peut-être aux jours
où elle n'était pas fort développée. Cette opinion peut s'appuyer sur le

---

[127] M. Ferotin, *Le Liber mozarabicus sacramentorum*, Paris, 1912, p. 478, n°
1033; ou PL 85, 960.

[128] *ib.* p. 79, n° 173; ou PL 85, 220.

[129] *ib.* p. 175—176, n° 381; ou PL 85, 331.

[130] Cfr. à titre d'ex. *Missale Gothicum*, éd. L. C. Mohlberg, n° 66—67, 499—
500; *Messes de Mone*, éd. L. C. Mohlberg, n° 24—25, 70—71. Tous les textes
gallicans qui intéressent notre propos sont indiqués et classés systématiquement
par Ramos, p. 165ss. Mgr Duchesne (*Origines* . . ., p. 110—111) avait déjà
signalé l'existence de cette structure eucologique (qu'il appelle «prière collective») d'une *praefatio* suivie d'une *oratio*; il en donne comme exemple l'invitatoire suivi de la *collectio* dans le rite gallican, et à Rome les *Orationes sollemnes* ainsi que l'*Oremus* qui précède les oraisons (*Origines*, p. 110—113). G Dix
y ajoute la *missa* et l'*alia* hispaniques (*The Shape of the Liturgy*, p. 489). Mais
Mgr Duchesne ne signale entre la monition et l'oraison que la prière silencieuse de l'assemblée. Nous estimons pour notre part que ces deux éléments ont
pu encadrer une prière d'intentions.

fait que quatre formules sur cinq comportent une conclusion, qu'elles n'apparaissent donc guère comme une introduction à autre chose; mais ces conclusions ont pu être ajoutées au cours des temps, comme on le constate pour tant d'autres invitatoires; d'autant plus que ces formules terminent les sermons. Autre argument, plus solide: quatre textes sur cinq comportent des demandes; on ne s'attend donc plus tellement à ce que d'autres invitatoires suivent; on a l'impression au contraire d'avoir affaire à un tout.

Nous pouvons maintenant reprendre la discussion sur le rôle du diacre là où nous l'avons quittée, en fin du § a). Au cas où la lettre 55,34 (T 25) nous obligerait à admettre une intervention diaconale lors de la prière des fidèles — ce dont nous ne sommes pas persuadé — il nous semble que l'expression «communis oratio voce diaconi indicitur» s'appliquerait fort bien à l'annonce par le diacre de la monition introduite par le *Conversi ad Dominum*.

Mais d'abord, Augustin ne nous dit jamais que cette monition était faite par le diacre. Au contraire, tout porte à croire que le prêtre terminait ainsi son homélie.

Ensuite, comment harmoniser cette supposition avec ces passages de la lettre 217: «quando audis sacerdotem dei ad altare (dei) exhortantem populum dei orare pro ...» (T 1) et «ubi audieris sacerdotem dei ad eius altare populum hortantem ad deum orandum vel ipsum clara voce orantem ...» (T 2)? Qu'est-ce qui pourrait mieux correspondre à cette exhortation du prêtre que l'invitatoire introduit par *Conversi*? Une fois de plus, le rôle du diacre apparaît fort problématique.

c) Conclusion

Résumons maintenant nos acquisitions. Nous ne sommes pas du tout certain que le passage de la lettre 55,34 (T 25) concerne l'*oratio fidelium*. Si ce jugement est admis, voici comment l'on peut reconstituer le déroulement de la prière des fidèles. En fin du sermon, Augustin invitait l'assemblée à se tourner vers l'Est par les mots *Conversi ad Dominum*, qui étaient suivis d'un invitatoire, dont le texte nous a été parfois conservé (T 26 — T 29 a); puis il énonçait probablement d'autres demandes, coulées dans la forme *orare pro ... ut ...*, auxquelles le peuple répondait chaque fois *Amen*.

Si toutefois il s'avérait que l'épître 55,34 s'applique à la prière universelle, nous suggérerions d'attribuer au diacre la monition introduite par *Conversi*.

En Espagne le prêtre concluait l'ensemble par une oraison (*alia*); nous n'en trouvons pas trace dans les oeuvres de l'évêque d'Hippone. Notons enfin qu'il ne s'agit en aucune manière d'une litanie diaconale comme nous en trouvons dans les rites orientaux.

4. Son contenu

Citons d'abord les textes intéressants:

T 30 *Ep.* 217,2: «Dic ergo apertissime nos pro his, quibus evangelium praedicamus, non debere orare ut credant» (T 7)

T 31 *id.*, 2: «... orare
pro incredulis, ut eos deus convertat ad fidem,
et pro catechumenis, ut eis desiderium regenerationis inspiret,
et pro fidelibus, ut in eo, quod esse coeperunt, eius munere perseverent» (T 1)

T 32 *id.*, 2: «deum pro infidelibus, ut eos fideles faciat, non rogare»

T 33 *id.*, 5: «orare, ut deus ad fidem suam infidelium corda converteret, et conversis proficientem perseverentiam eiusdem suae gratiae largitate donaret»

T 34 *id.*, 13: «Non enim hoc oramus pro infidelibus ut fiat eorum natura ... sed oramus, ut voluntas corrigatur, doctrinae consentiatur, natura sanetur»

T 35 *id.*, 14: «ut perseverent in eo, quod esse coeperunt, etiam pro se ipsis orant fideles»

T 36 *id.*, 16: «scimus pro eis, qui nolunt credere, nos, qui iam credimus, recta fide agere, cum deum oramus, ut velint»

T 37 *id.*, 26: «numquid et orare prohibebis ecclesiam
pro infidelibus, ut sint fideles,
pro his, qui nolunt credere, ut velint credere,
pro his, qui ab eius lege doctrinaque dissentiunt, ut legi eius doctrinaeque consentiant ...» (T 2)

T 38 *id.*, 26: «sacerdotem ... orantem ut incredulas gentes ad fidem suam venire compellat»

T 39 *id.*, 29: «de orationibus autem iam fidelium, quas et pro se et pro aliis fidelibus faciunt, ut proficiant in eo, quod esse coeperunt ...»

T 40 *id.*, 29: «pro infidelibus deum rogari, ut credant»

T 41 *id.*, 30: «orandum esse, ut, qui nolunt credere, velint credere»

T 42 *id.*, 30: «orare nos deum pro nolentibus credere, ut velint credere, et pro eis, qui adversantur et contradicunt legi eius atque doctrinae ut ei cedant eamque sectentur»

T 43 *De dono pers.*, 15: «Orat (Ecclesia) ut increduli credant ... Orat ut credentes perseverent» (T 6)

T 44 *id.*, 63: «Quando enim non oratum est in Ecclesia pro infidelibus atque inimicis eius ut crederent?»

T 45 *De Haer.* 88: «Destruunt etiam orationes, quas facit Ecclesia
sive pro infidelibus et doctrinae Dei resistentibus, ut convertantur ad Deum,

sive pro fidelibus, ut augeatur in eis fides, et perseverent in ea»
(T 5)

T 46   *Contra Maximinum*, 1: «cum scias nobis esse praeceptum orare
pro regibus, ut in agnitionem veniant veritatis» (*I Tm* II,4)

T 47   *De civ. Dei* XXII, 24,1: «Nunc enim propterea pro eis orat, quos
in genere humano habet inimicos, quia tempus est paenitentiae
fructuosae».

Classons ces renseignements, en distinguant les bénéficiaires et l'objet
des demandes.

a) *les bénéficiaires*: Augustin nous cite cinq groupes de personnes pour
   lesquelles prie l'Eglise:

1) les incroyants ou les hérétiques:
   — «pro infidelibus»: 6 fois (T 32, T 34, T 37, T 40, T 44, T 45)
   «ut deus … infidelium corda converteret» (T 33)
   — «pro incredulis» (T 31)
   «ut incredulas gentes … compellat» (T 38)
   «ut increduli credant» (T 43)
   — «pro eis qui nolunt credere»: 4 fois (T 36, T 37, T 41, T 42)
   — «pro his quibus evangelium praedicamus» (T 30)
   — «pro his qui ab eius lege doctrinaque dissentiunt» (T 37)
   — «pro eis qui adversantur et contradicunt legi eius atque doctrinae» (T 42).

2) les croyants:
   — «pro fidelibus»: 4 fois (T 31, T 35, T 39, T 45)
   — «pro conversis» (T 33).

3) les catéchumènes (T 31)

4) les rois (T 46)

5) les ennemis: 2 fois (T 44 et T 47).

Remarquons que cette série ne comporte que des personnes; il n'est
jamais fait allusion à une prière pour la paix ou pour un temps favorable.
W. Roetzer, en se basant sur T 31, n'indique que trois bénéficiaires: les
incroyants, les fidèles, les catéchumènes[131]; nous en avons cité cinq, mais
nous ne prétendons pas pour autant que les chrétiens d'Hippone ne priaient
jamais à d'autres intentions; tous ces textes sont occasionnels, nulle part
l'évêque n'a pris la peine de copier son *Ordo Missae* pour le livrer à la
postérité; les bribes et morceaux qui nous en restent ne peuvent que nous
rappeler l'état fragmentaire de la documentation.

b) *l'objet de la prière*

1) à propos des incroyants, que demande-t-on?
   «ut credant»: 4 fois (T 30, T 40, T 43, T 44)
   «ut velint credere»: 4 fois (T 36, T 37, T 41, T 42)

---

[131] W. Roetzer, p. 114—115.

«ut eos Deus convertat ad fidem»: 1 fois (T 31)

«ut Deus ad fidem suam infidelium corda converteret»: 1 fois (T 33)

«ut incredulas gentes ad fidem suam venire compellat»: 1 fois (T 38)

«ut convertantur ad Deum»: 1 fois (T 45)

«ut eos fideles faciat»: 1 fois (T 32)

«ut sint fideles»: 1 fois (T 37)

«ut voluntas corrigatur, doctrinae consentiatur, natura sanetur»: 1 fois (T 34).

2) pour les fidèles:

«ut in eo quod esse coeperunt perseverent»: 2 fois (T 31, T 35)

«ut in eo quod esse coeperunt proficiant»: 1 fois (T 39)

«ut conversis proficientem perseverentiam eiusdem suae gratiae largitate donaret» (T 33)

«ut credentes perseverent» (T 43)

«ut augeatur in eis fides, et perseverent in ea» (T 45).

3) pour les catéchumènes: «ut eis desiderium regenerationis inspiret» (T 31).

4) pour les rois: «ut in agnitionem veniant veritatis» (T 46).

5) pour les ennemis: «ut crederent» (T 44).

Il est frappant de constater la convergence de toutes ces demandes: on prie toujours en vue d'une réalité proprement chrétienne, très précisément la foi; on demande que les non-chrétiens et même les ennemis s'y convertissent, et que les fidèles persévèrent. La prière pour les catéchumènes, bien qu'elle ait un but spécifique, se situe dans la même ligne, ainsi que la prière pour les rois, dont l'intention est reprise à *I Tm* II,1—2.

Pour la première fois, nous sommes en présence d'un vocabulaire assez unifié. Bien que la grosse majorité (72 %) de ces textes soient extraits de la même lettre 217, où la controverse anti-pélagienne a dû influencer la rédaction, et bien que les expressions identiques aient donc moins de valeur probante que si elles se trouvaient en des oeuvres différentes, nous pensons pouvoir mettre le doigt sur certaines formules liturgiques. Les verbes *credere* (que l'on retrouve 9 fois), *convertere* (4 fois), *perseverare* (4 fois), *proficere* (2 fois), de même que le substantif *fides* (5 fois), devaient faire partie du vocabulaire habituel de la prière universelle; et sans grand risque de se tromper, on peut affirmer que l'expression «ut in eo quod esse coeperunt perseverent (proficiant)» en provient également[132]. Ceci ne suffit sans doute pas pour supposer que l'Eglise d'Afrique utilisait un formulaire fixe. La prière dont la composition était laissée aux bons soins des liturges, avait pourtant des thèmes dominants: la conversion et la foi des incroyants et des ennemis, la persévérance des chrétiens; sans ce canevas et ces thèmes, on ne comprend pas l'argument liturgique.

---

[132] Le thème de la persévérance dans la foi est très fréquent chez Augustin, qui y a d'ailleurs consacré tout un ouvrage, le *De dono perseverantiae*.

Résumé

Les listes d'intentions de prière ainsi que les descriptions de la messe que l'on trouve dans les écrits du docteur africain nous convainquent que la liturgie d'Afrique comportait au début du Ve s. une *oratio fidelium*. Cette conviction est renforcée par l'argument liturgique qu'Augustin utilise dans la controverse anti-pélagienne: la grâce est nécessaire à la foi puisque les chrétiens la demandent dans la prière, entendez: la prière universelle.

Aucun terme technique n'était encore attaché à cette prière; trois expressions étaient en concurrence: *orationes Ecclesiae, orationes fidelium, orationes credentium*. Elle se faisait de la manière suivante: après l'homélie, le prêtre (très probablement, ou peut-être le diacre) invitait les fidèles à se tourner vers l'Est par les mots *Conversi ad Dominum*, suivis d'un invitatoire; puis le prêtre énonçait probablement d'autres demandes auxquelles l'assemblée répondait *Amen*.

Quant au contenu des demandes, il n'était pas lié à un formulaire fixe; nous en connaissons cependant les grandes lignes; on priait surtout pour les incroyants, les fidèles, les catéchumènes, les autorités et les ennemis; pour les chrétiens on demandait la persévérance, pour les autres le don de la foi.

Conclusions de la deuxieme section

Faisons le point de nos acquisitions. La convergence de divers indices relevés dans les œuvres de Tertullien nous a fait estimer pour le moins probable l'existence d'une prière universelle dans la liturgie de Carthage, à la charnière des IIe et IIIe siècles. Cinquante ans plus tard, Cyprien ne nous donne aucune indication directe à propos de l'*oratio fidelium,* mais l'analyse de ses écrits nous convainc cependant de sa permanence. Si ces deux auteurs nous renseignent quelque peu sur le contenu de la prière, leurs informations ne sont pas assez précises pour que nous puissions en connaître la forme liturgique.

Les témoignages d'Arnobe et de Marius Victorinus nous sont de bien peu d'utilité.

Avec Augustin, les renseignements se font plus précis. Il est hors de doute que l'évêque d'Hippone connaissait la prière universelle; après l'homélie, il invitait l'assemblée à se tourner vers l'Est par la formule *Conversi ad Dominum,* suivie d'un invitatoire; on priait notamment pour que les fidèles persévèrent dans la foi, et pour que les incroyants s'y convertissent; tous répondaient *Amen.* Cette pratique sert d'ailleurs d'argument au Docteur africain pour prouver aux pélagiens que la foi est un don de Dieu.

En ce Ve s., le vocabulaire se fait déjà plus stable, mais pas assez cependant pour nous laisser croire à l'existence de formulaires fixes.

TROISIEME SECTION

L'EGLISE DE ROME

HIPPOLYTE († 235)

Le premier texte que nous avons à examiner dans cette section est extrait de la célèbre *Tradition apostolique* d'Hippolyte; on la date des environs de l'an 215, et on la considère comme un règlement ecclésiastique écrit par un prêtre romain, sans qu'on puisse bien distinguer ce qui correspond dans son oeuvre à l'usage de l'Eglise de Rome et ce qui lui est personnel. Comme Justin près d'un siècle plus tôt (1e Section, T 7), Hippolyte nous décrit un baptême suivi d'une eucharistie:

T 1   *Trad. ap.* 21: «Et après l'(le nouveau baptisé) avoir signé au front, il (l'évêque) lui donnera le baiser et dira: le Seigneur (soit) avec toi. Et celui qui a été signé dira: Et avec ton esprit. Il (l'évêque) fera ainsi pour chacun.

Et ensuite ils prieront désormais ensemble avec tout le peuple; car ils ne prient pas avec les fidèles avant d'avoir obtenu tout cela. Et quand ils auront prié, ils donneront le baiser de paix.

Alors l'oblation sera présentée ...»[1].

Cette description correspond exactement à celle de saint Justin. Notons pourtant que ce baptême n'est pas précédé d'une liturgie de la Parole; peut-on dès lors parler d'une *oratio fidelium* au sens strict?

La description de Justin, au ch. 65, était suivie au ch. 67 par celle d'une Eucharistie avec liturgie de la Parole et prière universelle; ces deux passages s'éclairaient l'un l'autre. Hippolyte, par contre, ne nous décrit jamais l'ordonnance d'une messe normale. Lors de l'ordination de l'évêque, il ne mentionne ni lectures, ni prière des fidèles; après la prière consécratoire suivent immédiatement le baiser de paix et l'apport des dons.

Aussi le texte (T 1) que nous venons de citer ne peut-il servir d'argument en faveur de l'existence de l'*oratio fidelium* proprement dite que si l'on accepte de le lire sur le fond de ce que nous a appris Justin, c'est-à-dire si l'on estime que le baptême tenait lieu de liturgie de la Parole, après quoi on passait à la prière universelle, au baiser de paix et à l'apport des dons.

[1] Tr.Ap. no 21, p. 55.

Remarquons qu'Hippolyte fait de la prière des f i d è l e s un rite qui leur est propre; ce passage se comprend bien quand on sait que plusieurs liturgies connaissaient une prière des catéchumènes et leur renvoi avant la prière des fidèles[2].

La *Tradition apostolique* ne nous apprend rien sur la teneur de la prière.

NOVATIEN

Le second texte est une lettre de Novatien, prêtre romain qui vécut au milieu du IIIe siècle; elle est rangée parmi la correspondance de saint Cyprien, où elle porte le n° 30[3]. Elle lui est adressée, vers 250, par les prêtres et les diacres de Rome qui lui parlent des *lapsi* et recommandent la sévérité à leur égard. Sans que le contexte fasse allusion à la liturgie, ils écrivent:

T 2   *Ep.* 30,6,1—2: «Uno igitur eodemque consilio, isdem precibus et fletibus, tam nos qui usque adhuc videmur temporis istius ruinas subterfugisse, quam illi qui in has temporis videntur clades incidisse, divinam maiestatem deprecantes pacem ecclesiastico nomini postulemus. Mutuis votis nos invicem foveamus, custodiamus, armemus.
Oremus pro lapsis ut erigantur,
oremus pro stantibus ut non ad ruinas usque temptentur,
oremus ut qui cecidisse referuntur delicti sui magnitudinem agnoscentes intellegant non momentaneam neque praeproperam desiderare medicinam.
Oremus ut effectus indulgentiae lapsorum subsequatur paenitentiam,
ut intellecto suo crimine velint nobis interim praestare patientiam, nec adhuc fluctuantem turbent ecclesiae statum,
ne interiorem nobis persecutionem ipsi incendisse videantur et accedat ad criminum cumulum quod etiam inquieti fuerunt»[4].

Cette prière paraît commencer par une formule: *pro lapsis ut erigantur*; mais il serait utopique d'y voir tout entier un formulaire de prière universelle; outre les *stantes* mentionnés une fois, les intentions ne concernent d'ailleurs que les *lapsi*. Tout comme pour de nombreux passages de Cyprien, on peut émettre l'hypothèse que Novatien connaît une prière d'intentions dans la liturgie; écrivant à son bureau, il s'en inspire tout naturellement et compose les intentions en fonction de l'objet propre de sa lettre.

---

[2] Cfr. p. ex. CAp, t. 1, p. 478; Br, p. 3—4.

[3] Clavis n° 72.

[4] Ep. 30,6,1—2; L. BAYARD, I, p. 75: «Dans un même sentiment, dans les mêmes prières et les mêmes larmes, nous tous, et ceux qui, comme nous, semblent avoir jusqu'à présent échappé à ces défaillances, et ceux qui sont tombés dans

Ambrosiaster

Voici comment l'Ambrosiaster, qui vécut à Rome durant la deuxième moitié du IVe s., commente le passage de *I Tm* II, 1—4:

T 3   «Haec regula ecclesiastica est tradita a magistro gentium, qua utuntur sacerdotes nostri, ut pro omnibus supplicent

d e p r e c a n t e s pro regibus huius saeculi, ut subiectas habeant gentes, ut in pace positi in tranquillitate mentis et quiete deo nostro servire possimus,

o r a n t e s etiam pro his, quibus sublimis potestas credita est (est credita), ut in iustitia et veritate gubernent rem publicam sub-peditante rerum abundantia, ut amota perturbatione seditionis succedat laetitia — panis enim confirmat cor et vinum laetificat mentem —,

p o s t u l a n t e s vero pro his qui in necessitate varia sunt, ut erepti (eruti) et liberati deum conlaudent incolomitatis auctorem,

r e f e r e n t e s a u t e m (q u o q u e) g r a t i a r u m a c t i o n e s pro his, quae nobis quotidie dei providentia praestantur ad vitam, ut in his omnibus pater conlaudetur deus, ex quo sunt omnia, et filius eius, per quem sunt omnia, ut sopitis omnibus, quae huic imperio infesta et inimica sunt, in affectu pietatis et castitatis deo servire possimus»[5].

cette tempête désastreuse, implorons la divine majesté, et demandons la paix pour l'Eglise et son peuple. En priant les uns pour les autres, aidons-nous, gardons-nous, armons-nous. Prions pour ceux qui sont tombés afin qu'ils se relèvent, prions pour ceux qui sont debout, pour qu'ils ne succombent pas à l'épreuve; prions pour que ceux dont on nous apprend la chute, reconnaissant la grandeur de leur faute, comprennent que ce n'est pas une cure brève et hâtive qu'elle réclame; prions pour que le pardon accordé aux l a p s i soit efficace comme venant après la pénitence, afin que, comprenant bien leur culpabilité, ils consentent à faire preuve de patience en attendant, et n'agitent pas une Eglise encore vacillante; qu'ils craignent de paraître allumer une persécution intestine, et de mettre le comble à leur culpabilité en se montrant incapables de rester tranquilles».

[5] *In 1 Tm*, 2; CSEL 81, 3, p. 259—260; PL 17, 491—492: «C'est la règle ecclésiastique, transmise par le maître des Gentils, dont se servent nos prêtres lorsqu'ils font des supplications pour tous les hommes. Ils prient pour les rois de ce monde, afin que les nations leur soient soumises, pour que, dans la paix, nous puissions servir notre Dieu l'esprit tranquille et à l'aise. Ils prient en effet pour ceux à qui le pouvoir suprême est confié, afin qu'ils dirigent l'Etat dans la justice et la vérité; ainsi, avec l'abondance des biens, et le danger écarté, viendra la joie; car le pain donne force au coeur, et le vin réjouit l'esprit. Ils font aussi des demandes pour ceux qui se trouvent dans divers besoins, afin que délivrés et libérés, ils louent Dieu, l'auteur de leur salut. Ils rendent grâces enfin pour ce que la Providence de Dieu nous offre chaque jour pour vivre, afin qu'en toutes choses soit loué Dieu le Père, «de qui tout provient» (I Co 8,6) et son Fils.

L'auteur affirme d'emblée qu'il s'agit d'une formule sacerdotale; elle est considérée comme une tradition dans l'Eglise, transmise par Paul lui-même. La suite du commentaire ne nous livre aucun indice sur la place ou la fonction d'une telle supplication. L'auteur se laisse guider par les quatre substantifs de *I Tm* II, 1—2; il explicite quelque peu les bénéficiaires de la prière; on ne peut donc pas s'appuyer sur ces quatre propositions pour en faire les quatre demandes d'un formulaire d'*oratio fidelium* de la fin du IVe siècle. V. L. Kennedy affirme, pour sa part, que ce texte est un témoin de la prière des fidèles au IVe siècle[6].

En établissant le relevé de ces textes patristiques et en les étudiant, ce passage ne nous avait guère frappé; nous étions enclin à suivre V. L. Kennedy, bien qu'avec plus de prudence. Mais en le relisant après avoir étudié les textes que nous présentons dans la deuxième partie, nous avons cru constater des rapprochements pour le moins étonnants; l'Ambrosiaster nous livrerait-il le reflet d'un ancien formulaire de prière universelle, de même que les OS, nous le verrons, se laissent deviner dans les oeuvres de Prosper d'Aquitaine? Etablissons d'abord ces parallèles.

1. *pro regibus huius saeculi* se retrouve littéralement, à une inversion près, dans un des formulaires hispaniques (Hb IX): *pro regibus saeculi hujus*. Remarquons que l'expression ne figure pas dans le Nouveau Testament, qui ne peut donc en être la source commune; celui-ci utilise souvent la tournure «reges terrae», qui vient du *Ps* II, 2.

2. *ut subiectas habeant gentes* fait songer au 4e invitatoire des OS: *ut ... subditas illis faciat omnes barbaras nationes*. On peut en rapprocher un autre formulaire hispanique (Ha III a): *ut ... barbaras gentes refrenet*. L'expression se trouve aussi dans les intercessions anaphoriques de la liturgie grecque de saint Jacques (Br 55,16—17, cité dans l'étude des OS).

3. *in tranquillitate mentis et quiete,* tout comme *pro his quibus sublimis potestas est credita,* et à la fin de cet extrait *in affectu pietatis et castitatis,* viennent de *I Tm* II,1—2 que l'Ambrosiaster commente. Notons pourtant que la litanie *Dicamus omnes* du Missel de Stowe, que nous étudions dans la deuxième partie et que nous datons de la fin du IVe siècle ou du début du Ve, prie *pro omnibus qui in sublimitate constituti sunt* (Irl[1] VI)!

4. *pro his qui in necessitate varia sunt* est à rapprocher de *pro his qui variis necessitatibus detenti Paschae interesse non possunt* (Hb I) ou de *pro his quos saeculi necessitas aut inquietudo detentat* (Ha IVa). Cette demande pourrait fort bien résumer les prières que font les litanies pour les veuves, orphelins, voyageurs et autres nécessiteux.

«par qui sont toutes choses» (ib.), et qu'une fois évanoui ce qui nuit à cet Etat et le combat, nous puissions servir Dieu avec piété et pureté».

[6] V. L. KENNEDY, *The Saints* . . ., p. 31.

Qu'en penser? Ces rapprochements sont frappants; à nos yeux les correspondances sont trop fortes pour être dues au hasard. La deuxième montre que l'Ambrosiaster connaissait sans doute les invitatoires des OS, ce qui n'a rien d'impossible puisque ceux-ci datent de la fin du IIIe ou du début du IVe siècle (cfr. infra, 2ᵉ partie). Les autres tendent à prouver que l'auteur avait connaissance d'un des formulaires litaniques, ou de plusieurs, ce qui serait une magnifique preuve externe de la datation que nous proposons: sur la base de la seule critique interne, nous situerons (dans la deuxième partie) le plus ancien texte litanique (*Dicamus omnes* du Missel de Stowe) à la fin du IVe ou au début du Ve siècle.

Une différence appréciable apparaît pourtant: ces litanies introduisent bien, comme l'Ambrosiaster, les demandes par *pro*, mais elles ne connaissent jamais le *ut* et la proposition finale; ceux-ci doivent provenir des invitatoires des OS.

En tout cas, il est indéniable à nos yeux que l'Ambrosiaster a connu ce fond commun que l'on retrouve dans toutes les litanies latines jusqu'aux tardives *orationes paschales* hispaniques. T 3 doit donc être considéré comme un témoin de la prière universelle; on atteint grâce à lui, pour la première fois sans doute, un formulaire, ou du moins une thématique, dont nous avons gardé des traces dans les livres liturgiques. Remarquons que s'il s'agit bien d'une litanie, la première phrase de T 3 semble exclure qu'elle soit prononcée par un diacre.

Sirice, Felix III et les Penitents Publics

V. L. Kennedy cite, avec autant d'assurance que pour T 3, une réponse du pape Sirice (384—399) à l'évêque Himerius de Tarragone, en l'an 385; voici le passage:

T 4   *Ep.* 1: «De quibus, qui jam suffugium non habent paenitendi, id duximus decernendum, ut sola intra ecclesiam fidelibus oratione jungantur, sacrae mysteriorum celebritati, quamvis non mereantur, intersint; a Dominicae autem mensae convivio segregentur»[7].

H. Connolly, qui introduisit ce passage dans le dossier de la prière universelle, citait plus loin, à propos d'un texte du pape Félix III, le c. 11 du Concile de Nicée, repris par Sirice dans les lignes précédant celles que nous venons de lire; mais peut être ne soupçonnait-il pas qu'il touchait là à une prescription canonique attestée par de nombreux textes orientaux du IVe s. Avant d'interpréter la réponse de Sirice, il nous

---

[7] Ep. 1,6; PL 13, 1137: «A propos de ces gens-là, qui n'ont plus le recours de la pénitence, nous avons estimé qu'il fallait décider ceci: qu'ils ne s'unissent aux fidèles à l'église que par la seule prière, qu'ils assistent à la célébration sacrée des mystères, bien qu'ils ne le méritent pas; mais qu'ils soient éloignés du repas à la table du Seigneur».

faut donc faire un saut en Orient pour prendre connaissance du milieu
où naquirent ces formules.

1. La Didascalie des Apôtres

Dans le passage consacré à la réconciliation des pénitents, cet écrit
syrien de la première moitié du IIIe s. utilise des expressions proches de
celles de Sirice:

T 4a   39,5: «Considère donc ‹comme païen et publicain› celui qui a été
convaincu de mauvaises actions et de mensonge. Et si ultérieurement il promet d'entrer en pénitence, (nous le traiterons) comme
les païens; lorsqu'ils ont voulu se convertir, ont promis d'entrer
en pénitence et ont affirmé qu'ils étaient croyants, nous les avons
reçus dans l'assemblée pour qu'ils entendent la Parole, mais nous
n'avons pas communié avec eux avant qu'ils ne soient devenus
parfaits par la réception du sceau; de même avec ceux-ci nous ne
communions pas avant qu'ils n'aient montré les fruits de leur
pénitence; il leur est permis d'entrer, s'ils veulent entendre la
Parole, pour qu'ils ne se perdent pas entièrement; qu'ils ne communient cependant pas dans la prière, mais qu'ils sortent; ainsi,
voyant qu'ils ne participent pas à l'Eglise, ils se soumettent et font
pénitence de leurs oeuvres passées et s'appliquent à être admis à
la prière dans l'Eglise; d'autre part, ceux qui les voient sortir
comme des païens et des publicains et qui entendent, ceux-là prennent peur et craignent de pécher, afin qu'il ne leur arrive pas la
même chose à eux-mêmes, qu'ils ne soient exclus de l'Eglise, con-
vaincus de péché ou de mensonge»[8].

«Ne pas communier avec eux», «ne pas avoir part à la prière»: de
quelle prière s'agit-il donc? Dans ses notes, Funk indique la prière universelle; mais est-ce certain? Tout le contexte semble démentir cette
affirmation; l'auteur parlerait-il ainsi s'il n'avait en vue que la prière
des fidèles?

2. Les canons pénitentiels en Asie Mineure aux IIIe et IVe siècles

L'Asie Mineure, et la discipline de la pénitence canonique qui s'y
développe, surtout au IVe s., nous fournissent les parallèles les plus nombreux pour situer l'expression du pape Sirice. Déjà saint Grégoire le
Thaumaturge, puis les Conciles d'Ancyre, de Néocésarée, de Nicée et
d'Antioche, ainsi que les lettres canoniques de Grégoire de Nysse et surtout de son frère Basile nous offrent une documentation abondante dont
nous citerons ici les textes les plus intéressants à notre point de vue[9].

---

[8] *Didascalie des Apôtres*, II, 39, 5—6; éd. F. X. Funk, t. 1, p. 126—128.
[9] Sur cette question, on peut lire: J. Morin, *Commentarius historicus de dis-*

A. Grégoire le Thaumaturge (env. 218—270)

C'est dans son *Epistola canonica* que nous rencontrons l'expression κοινωνεῖν τῶν εὐχῶν[10], «communier aux prières», participer aux prières avec quelqu'un, formule dont nous ne parvenons pas à déceler dans cet écrit la signification concrète; on trouve aussi les expressions ἐκκηρύξαι τῶν εὐχῶν[11] ou au contraire τῆς εὐχῆς ἀξιῶσαι[12] et le contexte montre qu'il s'agit de pénitents qu'il faut exclure de la prière ou des prières[13], ou qu'il faut y admettre progressivement. Mais de quelle prière s'agit-il? d'une prière publique, liturgique, c'est indiscutable; mais est-ce la prière eucharistique, ou au sens strict la prière des fidèles? il n'est pas possible de trancher. Parfois même on a l'impression qu' «être exclu des prières» signifie une sorte d'excommunication: le pénitent n'a plus le droit de prier avec les fidèles, de participer au culte avec eux, on dirait presque de les fréquenter; le texte de la Didascalie (T 4a) était assez explicite, lui qui les comparait «aux païens et aux publicains». Εὐχή ne paraît pas désigner une prière bien particulière.

Il faut mettre à part le c. 11, beaucoup plus précis, mais considéré généralement comme inauthentique[14]; il décrit les quatre classes de pénitents, dont certaines étaient ébauchées dans les canons précédents, et dont Basile nous parlera abondamment:

T 5 — les προσκλαίοντες, ou pleureurs, qui se tiennent hors de l'église et implorent une prière aux fidèles qui y entrent;

— les ἀκροώμενοι, ou auditeurs qui, du narthex, peuvent écouter les lectures et la prédication, puis sont renvoyés, n'étant pas dignes de la prière (μὴ ἀξιούσθω προσευχῆς);

---

ciplina in administratione sacramenti paenitentiae, Venise, 1702, livre VI, surtout aux chapitres 1 à 18.

F. X. Funk, *Zur altchristlichen Bußdisciplin*, et surtout *Die Bußstationen im christlichen Altertum*, dans *Kirchengeschichtliche Abhandlungen und Untersuchungen*, t. 1, Paderborn, 1897, respectivement aux p. 155—181 et 182—209.

E. Schwartz, *Bußstufen und Katechumenatsklassen*, dans *Schriften der wiss. Gesellschaft in Strasburg*, VII, 1911, p. 1—61; repris dans *Gesammelte Schriften*, t. 5, Berlin, 1963, p. 274—362.

G. Rauschen, *Eucharistie und Bußsakrament*, Fribourg Br. 1910, p. 191—209.

J. Grotz, *Die Entwicklung des Bußstufenwesens in der vornicänischen Kirche*, Fribourg, 1955.

[10] Grégoire le Thaumaturge, *Epistola canonica*, c. 1; PG 10, 1020—1021.

[11] id., c. 5, col. 1037.

[12] id., c. 9, col. 1044.

[13] Il ne semble y avoir aucune différence entre le singulier et le pluriel. Dans toute cette littérature canonique, εὐχή — εὐχαί, προσευχή — προσευχαί, δέησις — δεήσεις sont synonymes, car on trouve les mêmes expressions utilisant indifféremment ces divers substantifs, tantôt au singulier, tantôt au pluriel.

[14] id. c.11, col. 1048; cfr. E. Schwartz, *Bußstufen...*, p. 309, et F. X. Funk, *Die Bußstationen...*, p. 182.

— les ὑποπίπτοντες, ou prosternés, qui se placent dans l'église, et sont renvoyés avec les catéchumènes[15];

— les συνεστῶτες, ceux qui restent debout, qui peuvent se tenir avec les fidèles (συνιστῆται τοῖς πιστοῖς) et ne sortent pas avec les catéchumènes.

Après avoir passé par ces quatre étapes, le pénitent cesse de l'être; il est δεκτός, reçu dans la communion, et peut participer aux sacrements (ἡ μέθεξις τῶν ἁγιασμάτων).

Afin de préciser davantage quelle était la participation de chacun de ces ordres à la liturgie, glanons encore les renseignements que nous fournissent les autres sources.

B. Le concile d'Ancyre (314)

C'est le premier concile qui s'occupe, en plusieurs canons, du sort des diverses catégories de pénitents; il reprend les quatre classes que nous avons trouvées dans le c. 11 de Grégoire le Thaumaturge. Au c. 4, nous lisons à propos des συνεστῶτες l'expression, fréquente dans les canons postérieurs, et qui sera reprise en Occident par le pape Sirice: εὐχῆς δὲ μόνης κοινωνῆσαι[16]. Le théologien allemand S. Binius, qui commente ce passage dans Mansi, explique que ces pénitents «étaient admis aux prières publiques, mais pas à la réception du Corps et du Sang du Christ»; il affirme que εὐχῆς δὲ μόνης κοινωνεῖν a la même signification que χωρὶς προσφορᾶς κοινωνεῖν que l'on trouve dans les canons suivants, et renvoie à Baronius, qui écrit: «Videlicet satis sufficere cum fidelibus orare, nec a precibus ut audientes excludi; id enim erat communicare absque oblatione»[17]. Pouvons-nous préciser cette opinion? Le c. 16 prescrit encore que les συνεστῶτες «κοινωνίας τυγχανέτωσαν τῆς εἰς τὰς προσευχάς», autrement dit qu'ils obtiennent la κοινωνία τῶν εὐχῶν[18].

---

[15] μετὰ τῶν κατηχουμένων ἐξέρχηται; F. X. FUNK, _Die Bußstationen..._, p. 204—209 a voulu soutenir que les ὑποπίπτοντες n'étaient pas renvoyés, mais qu'ils assistaient à toute l'Eucharistie comme les συνεστῶτες; la différence entre les deux catégories aurait consisté en ce que les premiers devaient s'y agenouiller tandis que les seconds pouvaient s'y tenir debout.
Cette explication ignore les affirmations explicites de ce canon-ci ainsi que du c. 56 de Basile (μετὰ τῶν ἐν ὑποπτώσει . . . ἐξελεύσεται); elle a d'ailleurs déjà été repoussée par G. RAUSCHEN, _Eucharistie und Bußsakrament_, p. 198—199 (qui en réfère également au refus de Jülicher).
Brightman, p. 524, note 7 soutient que l'expression veut dire seulement qu'ils étaient renvoyés ‹lors du renvoi des catéchumènes›, sans fixer l'ordre respectif des renvois des différentes classes.

[16] Conc. Ancyre, c. 4; MANSI t. 2, 515; BRUNS, p. 67.

[17] Cfr. MANSI t. 2, 536—537. Le commentaire de Baronius se trouve dans ses _Annales ecclesiastici_, à l'année 314; éd. A. THEINER, t. 3, Bar-le-Duc, 1867, p. 605.

[18] Conc. Ancyre, c. 16, BRUNS, p. 69.

C. Le concile de Nicée (325)

T 6   Après ce que nous ont appris Grégoire le Thaumaturge et le Concile d'Ancyre, les canons de Nicée ne nous apportent plus grand chose de neuf. Le c. 11 prescrit aux chrétiens qui ont renié la foi lors de la persécution de Licinius de rester trois ans dans l' ἀκρόασις, sept ans dans l' ὑπόπτωσις; enfin δύο δὲ ἔτη χωρὶς προσφορᾶς κοινωνήσουσι τῷ λαῷ τῶν προσευχῶν[19], ils prendront part aux prières avec le peuple, à l'exception de l'oblation.

T 7   A propos des mourants, le c. 13 en réfère à une ancienne loi canonique qui prescrit de ne pas les priver du viatique; si le moribond, après avoir été pardonné, obtient la communion et participe à l'oblation, puis se remet et peut reprendre sa place parmi les vivants, qu'il se range parmi ceux qui communient à la seule prière[20]. Les termes utilisés par ce canon nous invitent à être prudent dans l'interprétation de ces textes et à ne pas leur accorder trop vite le sens obvie qu'ils ont pour un chrétien du XXe siècle. Κοινωνίας τυχών ne désigne sans doute pas la communion sacramentelle, mais bien la communion ecclésiale au sein de laquelle le pénitent est à nouveau reçu, ou peut-être plus précisément la communion aux prières à laquelle il est fait allusion peu après. De même προσφορᾶς μετασχών ne désigne certainement pas une part quelconque prise par le pénitent à l'offertoire, ni même probablement la participation à la prière eucharistique, puisque justement cet homme est à la mort et n'a plus la force d'y assister; dans le contexte cette expression doit désigner la communion sacramentelle, le viatique dont il est question au début du texte, la participation «au résultat de l'oblation» si l'on peut ainsi s'exprimer; il en sera cependant exclu s'il échappe à la mort, car il ne pourra plus participer qu'à la prière seule[21]. Autrement dit, à circonstances exceptionnelles, mesures exceptionelles, celles-ci ne pouvant cependant pas créer un précédent; si le pénitent guérit, il reprendra le cours normal de sa pénitence, sans pouvoir

---

[19] Conc. Nicée, c. 11; Mansi t. 2, 674; Bruns, p. 17; COD, p. 10. Liddell - Scott, I, p. 969 note explicitement que κοινωνέω se construit avec le génitif de la chose et le datif de la personne, dans le sens d' «avoir part à quelque chose avec quelqu'un».

[20] id. c. 13: «Εἰ δὲ ἀπογνωσθεὶς καὶ κοινωνίας τυχὼν καὶ προσφορᾶς μετασχὼν πάλιν ἐν τοῖς ζῶσιν ἐξετασθείη, ἔστω μετὰ τῶν κοινωνούντων τῆς εὐχῆς μόνης». Le texte n'est pas très sûr; plusieurs éditions omettent καὶ προσφορᾶς μετασχών.

[21] Que προσφορά puisse désigner la communion sacramentelle est explicitement prouvé par les CAp VIII, 13,5: «Καὶ ὁ μὲν ἐπίσκοπος διδότω τὴν προσφορὰν λέγων· Σῶμα Χριστοῦ, καὶ ὁ δεχόμενος λεγέτω· Ἀμήν», F. X. Funk, I, p. 516—518; Br 25,6—9.

continuer à profiter de la faveur que lui accordait la proximité de la mort.

Mais nous ne sommes pas encore en mesure de déceler quelle est cette fameuse «prière» à laquelle seule il pourra s'unir.

D. Saint Basile (vers 330—379)

Les lettres 188, 199 et 217[22], adressées à Amphiloque, évêque d'Iconium, contiennent une série de 84 canons dont plusieurs ont trait à la réconciliation des pénitents.

T 8   Le c. 4 autorise les polygames, après leur temps d' «audition», à être συνεστῶτες, mais à «s'éloigner de la communion du bien»[23], expression fréquente sous la plume de l'évêque de Césarée; après avoir montré des fruits de pénitence, ils pourront rejoindre «le lieu de la communion».

Les plus détaillés sont les c. 22, 56 et 75.

a) le c. 22 parle des ravisseurs de femmes:

T 9   «χρὴ τῷ πρώτῳ (ἔτει) ἐκβάλλεσθαι τῶν προσευχῶν καὶ προσκλαίειν αὐτοὺς τῇ θύρᾳ τῆς ἐκκλησίας,
τῷ δευτέρῳ δεχθῆναι εἰς ἀκρόασιν
τῷ τρίτῳ εἰς μετάνοιαν
τῷ τετάρτῳ εἰς σύστασιν μετὰ τοῦ λαοῦ ἀπεχομένους τῆς προσφορᾶς
εἶτα αὐτοὺς ἐπιτρέπεσθαι τὴν κοινωνίαν τοῦ ἀγαθοῦ»[24].

Pour la 3e classe, Basile n'utilise pas le terme ὑπόπτωσις, mais bien μετάνοια, ce qui peut correspondre à la description du l.VIII des *Constitutions apostoliques* où les derniers participants renvoyés avant l'εὐχὴ τῶν πιστῶν sont nommés οἱ ἐν μετανοίᾳ. Les pénitents de la 4e classe se tiendront avec le peuple, mais en s'abstenant de l'oblation (προσφορά); ce dernier terme désigne-t-il la prière eucharistique, ou la communion sacramentelle, comme au c. 13 de Nicée? Le membre suivant de la phrase, qui décrit l'achèvement de la pénitence, semble nous inviter à adopter cette dernière hypothèse; «la communion du bien» peut bien sûr viser la deuxième partie de la messe, mais se comprend mieux de la communion sacramentelle. Et le c. 44, assez laconique, décide que la diaconesse fornicatrice δεκτή ἐστιν εἰς τὴν κοινωνίαν, εἰς δὲ τὴν

---

[22] PG 32, 663ss; 715ss; 793ss. Ed. Y. Courtonne, t. 2, d'après laquelle nous citerons.

[23] C. 4, Y. Courtonne, t. 2, p. 125: τῆς δὲ κοινωνίας τοῦ ἀγαθοῦ ἀπέχεσθαι.

[24] C.22, id. p. 158: «Il faut que la première année ils soient chassés des prières et qu'ils pleurent à la porte de l'église; la seconde qu'ils soient reçus à l'‹audition›; la troisième à la pénitence; la quatrième qu'ils puissent se tenir avec le peuple, mais s'abstiennent de l'oblation; ensuite qu'on leur permette la communion du bien».

προσφορὰν δεχθήσεται τῷ ἑβδόμῳ ἔτει[25]; ici κοινωνία semble indiquer la communion aux prières, et προσφορά le sacrifice eucharistique; mais il se peut aussi que le sens de προσφορά soit plus limitatif et désigne la communion sacramentelle.

b) le c. 56 statue que le meurtrier volontaire sera pendant 20 ans ἀκοινώνητος τοῖς ἁγιάσμασι, excommunié des choses saintes. Cette période se répartira comme suit:

T 10 «᾿Εν τέσσαρσιν ἔτεσι προσκλαίειν ὀφείλει ἔξω τῆς θύρας ἑστὼς τοῦ εὐκτηρίου οἴκου καὶ τῶν εἰσιόντων πιστῶν δεόμενος εὐχὴν ὑπὲρ αὐτοῦ ποιεῖσθαι ἐξαγορεύων τὴν ἰδίαν παρανομίαν.

Μετὰ δὲ τὰ τέσσαρα ἔτη εἰς τοὺς ἀκροωμένους δεχθήσεται καὶ ἐν πέντε ἔτεσι μετ᾽ αὐτῶν ἐξελεύσεται.

᾿Εν ἑπτὰ ἔτεσι μετὰ τῶν ἐν ὑποπτώσει προσευχόμενος ἐξελεύσεται.

᾿Εν τέσσαρσι συστήσεται μόνον τοῖς πιστοῖς, προσφορᾶς δὲ οὐ μεταλήψεται.

Πληρωθέντων δὲ τούτων μεθέξει τῶν ἁγιασμάτων»[26].

A part le renvoi des ὑποπίπτοντες[27], ce canon ne nous apprend plus rien de neuf. Pour la 4e classe, l'opposition est à nouveau soulignée entre la σύστασις seule (μόνον) et la προσφορά, sans que le terme εὐχή soit utilisé. Nous nous trouvons en présence de termes techniques, dont nous ne parvenons pas facilement à percer le mystère.

T 11 Le c. 57 renforce l'hypothèse selon laquelle les συνεστῶτες n'étaient exclus que de la communion sacramentelle, quand il décrit ainsi la fin de la pénitence: καὶ . . . εἰς τὰ ἅγια δεχθήσεται[28].

En effet, les ἅγια désignent couramment les espèces eucharistiques; rappelons-nous d'ailleurs la proclamation du prêtre avant la communion dans de nombreuses liturgies orientales: τὰ ἅγια τοῖς ἁγίοις[29].

c) le c. 75 est le dernier à nous dépeindre largement les quatre classes de pénitents; inutile de citer ce que Basile écrit à propos des trois premières; quant au dernier groupe, il prescrit:

T 12 «εἰς τὴν τῶν πιστῶν εὐχὴν δεχθήτω χωρὶς προσφορᾶς, καὶ δύο ἔτη συστὰς εἰς τὴν εὐχὴν τοῖς πιστοῖς, οὕτω λοιπὸν καταξιούσθω τῆς τοῦ ἀγαθοῦ κοινωνίας»[30].

[25] C. 44, id. p. 162: «elle est reçue à la communion, mais elle ne sera reçue à l'oblation que la septième année».

[26] C. 56, id. p. 210—211: «Durant quatre ans il doit pleurer, se tenant dehors, à la porte de la maison de prière et demandant aux fidèles qui y entrent de faire pour lui une prière, en confessant sa propre iniquité. Après les quatre ans, il sera reçu parmi les ‹auditeurs›, et pendant cinq ans il sera renvoyé avec eux. Pendant sept ans, il priera avec les ‹prosternés› et sera renvoyé. Durant quatre ans il se tiendra seulement avec les fidèles, mais ne prendra pas part à l'oblation. Ces pénitences accomplies, il participera aux choses saintes».

[27] Cfr. note 15, p. 68.

[28] C. 57, id. p. 211: «et il sera reçu aux choses saintes».

[29] dès les CAp, cfr. Br 24,20: «les choses saintes pour les saints».

[30] C. 75, id. p. 214: «qu'il soit reçu à la prière des fidèles à l'exception de

Après ce que nous avons lu jusqu'ici, il nous faut prendre l'expression εἰς τὴν εὐχὴν τῶν πιστῶν avec circonspection et ne pas y voir trop vite l'*oratio fidelium*.

E. Saint Grégoire de Nysse († 394)

Dans son *Epistola canonica* à Letoios de Mélitène[31], plusieurs canons ont trait à la réconciliation des pénitents, reprenant toujours les expressions qui nous sont maintenant familières. Il nous suffira de citer le c. 2 qui nous apprend, à propos du rénégat, que

T 13 «Οὐδέποτε γὰρ μυστικῆς ἐπιτελουμένης εὐχῆς, μετὰ τοῦ λαοῦ προσκυνῆσαι τὸν θεὸν καταξιοῦται, ἀλλὰ καταμόνας μὲν εὔξεται· τῆς δε κοινωνίας τῶν ἁγιασμάτων καθόλου ἀλλότριος ἔσται· ἐν δὲ τῇ ὥρᾳ τῆς ἐξόδου αὐτοῦ, τότε τῆς τοῦ ἁγιάσματος μερίδος ἀξιωθήσεται»[32].

Comme la prière en question est ici qualifiée de «mystique», on est amené à y voir la prière eucharistique plutôt que la prière universelle.

Enfin, le c. 5 confirme l'interprétation que nous avons donnée du c. 13 de Nicée à propos du viatique; il décide en effet que:

T 14 «Εἰ δὲ μετασχὼν τοῦ ἁγιάσματος, πάλιν εἰς τὴν ζωὴν ἐπανέλθοι, ἀναμένειν τὸν τεταγμένον χρόνον ἐν ἐκείνῳ τῷ βαθμῷ γενόμενον, ἐν ᾧ ἦν πρὸ τῆς κατὰ ἀνάγκην αὐτῷ δοθείσης κοινωνίας»[33].

Ἁγίασμα désigne ici clairement la communion sacramentelle.

Résumé

Résumons ce que nous avons appris sur chacune des classes de pénitents:

1. les προσκλαίοντες doivent se tenir hors de l'église, et demander aux fidèles qui y entrent de prier pour eux; Funk pense qu'il ne s'agit pas seulement pour les fidèles de «songer à eux», mais de prier pour eux dans les prières d'intercession[34], bien qu'il n'existe pas de «prière pour les pleureurs».

l'oblation, et se tenant deux ans à la prière avec les fidèles, qu'il soit enfin jugé digne de la communion du bien».

[31] Grégoire de Nysse, *Epistola canonica*, PG 45, 221 ss.

[32] C. 2, PG 45,225 C: «Lors de la prière mystique, il n'est pas du tout digne d'adorer Dieu avec le peuple, mais il priera séparément; il sera entièrement étranger à la communion des choses saintes; à l'heure de sa mort, alors il sera digne de sa part de la chose sainte».

[33] C. 5, PG 45,232 C-D: «Si après avoir participé à la chose sainte il revient de nouveau à la vie, (il doit) poursuivre le laps de temps fixé, se rangeant parmi la classe dans laquelle il se trouvait avant la communion qu'on lui a donnée par nécessité».

[34] F. X. Funk, *Die Bußstationen . . .*, p. 190.

2. les ἀκροώμενοι peuvent se tenir dans le narthex, écouter les lectures et l'homélie, puis sont renvoyés sans que l'on fasse même sur eux une prière.

3. les ὑποπίπτοντες peuvent pendre place dans l'église; après la liturgie de la Parole et la prière faite sur eux, ils sont renvoyés.

4. les συνεστῶτες assistent à la liturgie de la Parole et peuvent «se tenir avec les fidèles»; ils sont dignes de «la prière», mais pas de l'oblation.

Notre problème consiste maintenant à déceler quelle signification concrète il faut donner à ce fameux terme εὐχή. Il n'existe selon nous que deux possibilités: ou bien εὐχὴ χωρὶς προσφορᾶς désigne l'*oratio fidelium*, ou bien elle désigne la prière eucharistique[35].

1) Première hypothèse: εὐχὴ χωρὶς προσφορᾶς = *oratio fidelium*

Quel était alors le déroulement de la célébration? Après l'homélie, les «auditeurs» étaient renvoyés; l'on priait pour les ὑποπίπτοντες, renvoyés à leur tour. Venait alors la prière des fidèles proprement dits. (Jusqu'ici, cela correspond bien au rituel des *Constitutions apostoliques* VIII,6 sv). Les συνεστῶτες devaient eux aussi participer à la prière des fidèles, mais à elle seule, précisent les canons. Ils devaient donc, toujours selon cette première hypothèse, être renvoyés juste après elle, et le χωρὶς προσφορᾶς doit se comprendre de l'exclusion du sacrifice eucharistique.

S'il en est ainsi, le pape Sirice, qui n'était pas familiarisé avec ces rites de renvoi, n'aura pas compris la signification technique qu'avait le terme εὐχή en Orient, puisque, prescrivant aux pénitents de s'unir aux fidèles par la seule prière, il les autorise pourtant à assister à la célébration sacrée des mystères (cfr. T 4); avec quelque hésitation cependant, car il ajoute: «bien qu'ils n'en soient pas dignes»: cette remarque est l'indice de sa mauvaise interprétation du terme εὐχή.

Pour que εὐχή puisse désigner strictement l'*oratio fidelium* et elle seule, une chose reste à montrer: que les pénitents de la quatrième classe étaient de fait renvoyés après la prière des fidèles. Possédons-nous dans les livres liturgiques des indices de ce rite? Non, semble-t-il. Cependant le compilateur des *Constitutions apostoliques* et deux autres auteurs nous en laissent peut-être des traces.

a) Au l. VIII des CAp, il existe un renvoi après la prière des fidèles et le baiser de paix, juste avant d'entamer l'anaphore: «Plus de catéchumènes, plus d'auditeurs, plus d'infidèles, plus d'hétérodoxes. Qu'ap-

---

[35] Bien sûr, εὐχή peut aussi désigner une prière autre que celles de la messe et viser la prière du matin ou du soir p.ex. Certains textes semblent l'entendre ainsi, notamment les c. 1 et 5 de Grégoire le Thaumaturge que nous avons cités. En général cependant, ces canons décrivent la messe plutôt que le culte pris globalement, et nous nous croyons donc autorisé à limiter ainsi le débat à deux hypothèses.

prochent ceux qui ont prié la première prière...»[36]. Malheureusement on n'y parle guère des συνεστῶτες, et la signification de cette «première prière» n'est pas claire. En 10,2 déjà, après les renvois des auditeurs, des catéchumènes, des énergumènes, des *competentes* et des pénitents (οἱ ἐν μετανοίᾳ), le diacre interdisait l'accès de la prière des fidèles et de l'eucharistie à tous ceux qui n'en avaient pas le droit[37], reprenant comme en une formule globale, les renvois précédents. En lisant 12,2 on a ainsi l'impression de se trouver devant un doublet de 10,2 repris «pour toute sécurité» avant l'anaphore, et non devant le renvoi d'une nouvelle classe de pénitents, en l'occurence les συνεστῶτες. D'ailleurs, le rédacteur des CAp qui, dans sa fiction littéraire, avait depuis la fin de l'homélie donné la parole à André (VIII, 6,1), la donne en 12,1 à Jacques pour commencer l'anaphore, procédé qui renforce l'impression de doublet. Bref, ce premier indice est peu sûr.

b) Le second nous vient de Jean Chrysostome. Dans sa troisième homélie sur l'épître aux Ephésiens, il écrit:

T 15   «C'est en vain que le sacrifice est offert chaque jour, en vain que nous montons à l'autel: personne n'y participe. En parlant ainsi, je n'entends certes pas que vous y veniez en aveugle, je demande plutôt de vous en rendre dignes. Tu n'es pas digne du sacrifice, ni de la communion? alors tu ne l'es pas non plus de la prière. Tu entends le diacre debout s'écrier: «Vous qui subissez la pénitence, sortez». Tous ceux qui ne participent pas sont en pénitence. Si tu es au nombre des pénitents, tu ne peux pas participer; car celui qui ne participe pas est en pénitence. Pourquoi, lorsque le diacre dit: «Sortez, vous qui ne pouvez prier», restes-tu là sans pudeur? Tu n'es pas de ceux-là, mais de ceux qui peuvent participer? Et tu n'en as aucun souci? Et tu tiens la chose pour rien?»[38].

Avons-nous dans cette deuxième proclamation du diacre une trace du renvoi des συνεστῶτες? Dans sa reconstitution de la liturgie d'Antioche d'après les premières oeuvres de Jean Chrysostome, Brightman voit dans ces monitions diaconales deux renvois distincts; il situe le premier après le départ des catéchumènes, énergumènes et pénitents, juste avant la prière des fidèles[39] et le second après celle-ci et le baiser de paix, juste

---

[36] CAp VIII, 12,2; F. X. FUNK I, 494; Br 13,26: «Μή τις τῶν κατηχουμένων, μή τις τῶν ἀκροωμένων, μή τις τῶν ἀπίστων, μή τις τῶν ἑτεροδόξων. Οἱ τὴν πρώτην εὐχὴν εὐχόμενοι προσέλθετε...».

[37] CAp VIII, 10,2; F. X. FUNK I, 488; Br 9,25: «Μή τις τῶν μὴ δυναμένων προσελθέτω».

[38] Jean Chrysostome, Hom. 3 *In Eph.*, 4—5; PG 62,29. En grec, dans le texte habituellement utilisé, le diacre dit: «Ὅσοι ἐν μετανοίᾳ, ἀπέλθετε (πάντες) ... Ἀπέλθετε, οἱ μὴ δυνάμενοι δεηθῆναι».

[39] Br, Appendice C: «La liturgie d'Antioche d'après les écrits de saint Jean Chrysostome», p. 470—481. Ici p. 472,26.

avant l'anaphore[40], et cela, explique-t-il en note, bien que «la place de ces proclamations ne soit pas déterminée; elles sont situées ici par analogie avec les CAp» VIII, 12,2[41]. Comme ce dernier rituel n'est pas clair, nous venons de le voir, ce qu'on construit sur lui ne peut l'être davantage. D'ailleurs, pour vérifier notre hypothèse, il faudrait que le diacre renvoie «ceux qui ont pu prier» lors de la prière universelle, alors qu'il exclut en fait «ceux qui ne peuvent prier».

F. Van de Paverd, récent commentateur des œuvres de J. Chrysostome[42], estime que le texte de la première monition diaconale est corrompu; il faut lire probablement: ὅσοι ἐν μετανοίᾳ δεήθητε πάντες. D'après lui, les deux monitions font allusion à la même réalité, à savoir la litanie pour les pénitents, située avant la prière des fidèles, comme dans les CAp. Le second indice n'est donc pas probant[43].

c) Le troisième indice est plus solide, il nous vient d'une réponse de Timothée, évêque d'Alexandrie (381—385), à la question de savoir si un clerc peut prier en présence des hérétiques. Timothée répond:

T 16   «Dans la divine anaphore, le diacre proclame avant le baiser: ‹les excommuniés, sortez›»[44].

Brightman a utilisé ce texte dans sa reconstitution de la liturgie égyptienne d'après les écrivains du IVe—Ve[45]; son intérêt est d'être situé avec précision: avant le baiser de paix, donc normalement après la prière des fidèles à laquelle les συνεστῶτες auraient du assister avant d'être renvoyés par cette monition diaconale. Cependant deux objections surgissent. D'abord les canons que nous avons cités n'utilisent jamais l'adjectif ἀκοινώνητος pour désigner exclusivement la quatrième classe de pénitents; le terme se rapporte à l'ensemble du temps de pénitence[46]. Cette monition du diacre signifierait donc le renvoi de tous les pénitents. La seconde question est plus importante: dans quelle mesure peut-on s'appuyer sur une donnée liturgique, contemporaine bien sûr, mais émanant

---

[40] Br 473,21.

[41] Br 478, note 16.

[42] F. Van de Paverd, *Zur Geschichte der Meßliturgie in Antiocheia und Konstantinopel gegen Ende des vierten Jahrhunderts*, Rome, 1970, p. 187—197. Nous remercions cet auteur d'avoir eu l'amabilité de nous procurer la photocopie des épreuves de son livre avant qu'il ne soit achevé.

[43] En ce qui concerne tout ce problème, F. van de Paverd estime (p. 192—196) qu'Antioche ignorait la 4e classe de pénitents; en effet, toute la théologie de Jean Chrysostome s'oppose à l'idée que des gens soient présents à la prière eucharistique sans communier.

[44] Timothée d'Alexandrie, *Responsa canonica*, PG 33,1295 ss. «Ἐν τῇ θείᾳ ἀναφορᾷ ὁ διάκονος προσφωνεῖ πρὸ τοῦ ἀσπασμοῦ· οἱ ἀκοινώνητοι, περιπατήσατε»; id. col. 1301 C.

[45] Br, Appendice J: «La liturgie d'après les écrits des Pères égyptiens», p. 504—509. Ici p. 504, 24 et 507, note 10.

[46] p.ex. c. 56 à 59 de Basile, éd. Y. Courtonne, t. 2, p. 210—211.

d'Alexandrie, pour expliquer une prescription canonique d'Anatolie, d'autant plus qu'elle n'est attestée que par un seul texte?

Pour conclure, disons que cette première supposition n'a pas pour elle grande probabilité.

2) Deuxième hypothèse: εὐχὴ χωρὶς προσφορᾶς = prière eucharistique

Εὐχή peut être pris au sens large, et désigner toute la deuxième partie de la messe, surtout la prière eucharistique bien sûr, tout en englobant aussi la prière des fidèles. A priori on s'attendrait à ce que des prescriptions juridiques soient plus explicites et plus précises; mais puisqu'en accordant un sens strict à εὐχή on arrive à une probabilité assez faible, il faut bien lui octroyer un champ sémantique plus large.

Si εὐχή désigne la prière eucharistique, il faut concevoir que les συνεστῶτες qui, selon la formule canonique, peuvent κοινωνεῖν τῆς εὐχῆς χωρὶς προσφορᾶς, assistaient à l'anaphore, mais n'étaient pas autorisés à communier sacramentellement: c'était là justement leur pénitence. L'objection vient immédiatement à l'esprit: est-il concevable que dès le début du IVe siècle des textes officiels, mieux, des décisions conciliaires distinguent ainsi l'assistance à la messe et la communion, et empêchent certaines gens de communier à une eucharistie à laquelle ils sont par ailleurs priés d'être présents? L'objection est de poids, et cependant c'est de cette manière-là que les textes se comprennent le mieux.

a) Tout d'abord, en certains textes, εὐχή désigne sûrement la prière eucharistique. C'est le cas du c. 2 de Grégoire de Nysse (T 13) où εὐχή est qualifiée de μυστική et où l'on ne voit pas ce qu'elle pourrait indiquer d'autre que l'anaphore. De même dans le canon 2 du Concile d'Antioche (341), que nous n'avons pas encore cité, mais qui appartient au même contexte:

T 17   «Tous ceux qui entrent dans l'église de Dieu et écoutent les saintes Ecritures, mais ne communient pas à la prière ensemble avec le peuple ou se tiennent éloignés de la participation à l'eucharistie par insolence (ἀταξία), qu'ils soient exclus de l'église . . .»[47].

Si la prière en question était la prière des fidèles, on ne voit pas quelle ἀταξία il y aurait à ne pas y assister, puisque plusieurs catégories de chrétiens en étaient officiellement exclus.

b) Ensuite, les canons sur le viatique à ne pas refuser aux mourants même s'ils sont pénitents, nous éclairent sur le sens du terme ἁγίασμα, fréquent par ailleurs. Il est clair qu'en parlant du viatique, les canons n'ont en vue que la communion sacramentelle, non seulement parce qu'il s'agit de moribonds qui n'ont sans doute plus la force physique de parti-

---

[47] Concile d'Antioche, c. 2; Mansi t. 2, 1305; Bruns, p. 81: «Πάντας . . . μὴ κοινωνοῦντας δὲ εὐχῆς ἅμα τῷ λαῷ . . .». Le même canon se retrouve dans les *Canons des Apôtres*, c. 9 (F. X. Funk I, p. 566) et dans le 2e Concile de Braga, c. 83 (PL 84,586).

ciper à la messe, mais aussi par tout le contexte de ces canons. Or le c. 13 de Nicée (T 7) en parle comme προσφορᾶς μετασχών, le c. 5 de Grégoire de Nysse (T 14) comme μετασχὼν τοῦ ἁγιάσματος et son c. 2 (T 13) comme ἡ τοῦ ἁγιάσματος μερίς tandis qu'une ligne avant il précisait le statut de ce pénitent comme τῆς κοινωνίας τῶν ἁγιασμάτων . . . ἀλλότριος. Ἁγίασμα désigne donc bien la seule communion sacramentelle[48].

c) Or la différence entre la σύστασις et la communion plénière est exprimée dans le c. 56 de Basile (T 10) par la μέθεξις τῶν ἁγιασμάτων et dans le c. 5 de Grégoire de Nysse (T 14) par la μετουσία τοῦ ἁγιάσματος; dans le canon 61 de Basile, un voleur puni pour un an sera interdit de la κοινωνία τῶν ἁγιασμάτων seulement. Dans ces trois cas, on voit donc clairement que les pénitents pouvaient assister à la messe, et que leur punition consistait à ne pas communier.

La manière dont les autres canons décrivent la fin de la pénitence, et donc ce qui manque à la σύστασις, se comprend fort bien dans cette perspective.

— Plusieurs canons d'Ancyre utilisent l'expression τὸ τέλειον:
καὶ τότε ἐλθεῖν ἐπὶ τὸ τέλειον, Ancyre c. 4 et 6,
ἵνα τὸ τέλειον . . . λάβωσι, Ancyre c. 5,
ἵνα . . . τοῦ τελείου μετάσχωσιν, Ancyre c. 9,
καὶ . . . τελείως δεχθήτωσαν, Ancyre c. 8.

— Basile emploie plusieurs fois la formule ἡ κοινωνία τοῦ ἀγαθοῦ pour caractériser soit ce qui est interdit aux συνεστῶτες (c. 4: T 8), soit ce qui les attend après leur pénitence (c. 22: T 9; c. 75: T 12; c. 81).

— Les canons les plus explicites sont le c. 57 de Basile: εἰς τὰ ἅγια δεχθήσεται dont nous avons déjà parlé plus haut (T 11), et son c. 82: εἰς τὴν κοινωνίαν τοῦ σώματος τοῦ Χριστοῦ.

Comment comprendre ces textes autrement que comme une autorisation à assister à la messe sans cependant y communier? Comment comprendre que l'expression συνίσθαται τοῖς πιστοῖς utilisée par le c. 11 de Grégoire le Thaumaturge (T 5) et les c. 56 (T 10), 75 (T 12), 77, 81 et 83 de Basile (qui y ajoute parfois εἰς τὴν εὐχήν) indique uniquement la participation des συνεστῶτες à la prière universelle, avec renvoi après celleci, alors que ce départ n'est jamais mentionné tandis qu'il l'est explicitement pour les ἀκροώμενοι et les ὑποπίπτοντες?

En dehors de ces arguments de critique interne, on peut rappeler aussi que le pape Sirice a compris le texte de cette manière; enjoignant aux pénitents de ne se joindre aux fidèles que par la seule prière, il les autorise pourtant à assister à la célébration sacrée des mystères, bien qu'ils ne le méritent pas; mais il leur interdit de s'approcher du *convivium Dominicae mensae* (T 4).

---

[48] Ceci est confirmé par Lampe à l'article «ἁγίασμα», p. 17, 3b.

A ceux que scandalise cette eucharistie sans communion, signalons que la même discipline existe dans l'Eglise de Milan sous Ambroise, où le pénitent est exclu de la communion eucharistique sans qu'il lui soit défendu de prendre part à l'ensemble de la célébration[49]. Rappelons aussi que chez saint Augustin[50] et en Gaule existait après le Notre Père et avant la communion une bénédiction de renvoi pour ceux qui ne communiaient pas; là aussi donc des chrétiens assistaient à la messe sans communier. Dans le *De officiis septem graduum* de la fin du Ve siècle environ, l'exorciste est chargé de «dicere populo qui non communicat ut det locum»[51] et dans sa vie de saint Benoît, Grégoire le Grand narre l'histoire des deux nonnes peu dévotes que le saint avait menacées d'exclure de la communion, histoire à propos de laquelle nous est rapportée la proclamation du diacre: «Si quis non communicat, det locum»; cette expression est paraphrasée quelques lignes plus loin: «a diacono iuxta morem clamatus est, ut non communicantes ab ecclesia exirent»[52]. Sauf le témoignage de saint Ambroise et de saint Augustin, tous ces textes sont postérieurs d'au moins un siècle aux canons que nous avons analysés; ils n'en attestent pas moins, entre la messe et la communion, un lien plus lâche que nous ne le supposons généralement. Remarquons que ces textes ne parlent pas de la désaffection de la communion par les fidèles, en fait, mais d'un rite liturgique de renvoi avant la communion.

En soutenant l'hypothèse de l'exclusion des συνεστῶτες de la communion seulement, nous ne faisons que reprendre l'avis de nombreuses autorités. Jean Zonaras, canoniste grec du XIIe, écrit à propos du c. 9 de Grégoire le Thaumaturge: «c'est-à-dire qu'ils se tiendront avec les fidèles jusqu'à la fin de la prière, empêchés de la seule sainte communion»[53]. C'est aussi l'opinion de J. Morin[54], de F. X. Funk[55], de F. E. Brightman[56], de E. Schwartz[57], de G. Rauschen[58], de J. Grotz[59], de P.-M. Gy[60] et de F. Van de Paverd[61].

---

[49] Cfr. R. Gryson, *Le Prêtre selon saint Ambroise*, Louvain, 1968, p. 280.

[50] Cfr. supra, L'Eglise d'Afrique, p. 40.

[51] *De officiis septem graduum*, petit traité reproduit dans le Pontifical romanogermanique du Xe s., éd. C. Vogel - R. Elze, t. 1, p. 12—13. Cfr. Clavis n⁰ 1222.

[52] Grégoire le Grand, *Dialogues*, II, 23; PL 66, 178—180. Cité notamment par J. A. Jungmann, *MS* 2, p. 424.

[53] J. Zonaras, Commentaire reproduit dans PG 10, 1047 C.

[54] J. Morin, *Commentarius . . . paenitentiae*, VI, ch. 17, 3 et 6.

[55] F. X. Funk, *Die Bußstationen . . .*, p. 206.

[56] Br 585: «Consistents stood with the faithful throughout the liturgy . . .».

[57] E. Schwartz, *Bußstufen . . .*, p. 308—310.

[58] G. Rauschen, *Eucharistie und Bußsakrament . . .*, p. 199: «während des ganzen Gottesdienstes».

[59] J. Grotz, *Die Entwicklung . . .*, p. 4.

[60] P.-M. Gy, in Martimort, p. 588.

[61] F. Van de Paverd, *Zur Geschichte . . .*, p. 194—195. Nous avons été heureux de constater que cette étude, plus précise (notamment au plan géographique) que

Conclusions

Dans la littérature canonique d'Asie Mineure, au IVe siècle, nous ne pensons pas que l'expression κοινωνία τῆς εὐχῆς τῷ λαῷ χωρὶς προσφορᾶς caractérisant le quatrième stade de la pénitence, fasse allusion à l'*oratio fidelium*. L'ensemble des textes se comprend beaucoup mieux si l'on suppose que les συνεστῶτες avaient le droit d'assister à toute la messe, mais sans pouvoir y communier.

Un beau rêve s'évanouit ainsi à nos yeux: celui de trouver un témoignage de la prière universelle dans l'ancienne littérature canonique d'Orient, et dans les canons du premier Concile oecuménique lui-même.

3. La lettre du pape Sirice à Himerius (385)[62]

Après avoir ainsi longuement essayé de préciser le sens originel de ces formules, nous sommes en mesure d'interpréter plus exactement les prescriptions du pape Sirice. Rappelons-en d'abord le texte:

T 4   «De his vero non incongrue dilectio tua apostolicam sedem credidit consulendam, qui acta paenitentia, tamquam canes ac sues ad vomitus pristinos et volutabra redeuntes, . . . De quibus, qui jam suffugium non habent paenitendi, id duximus decernendum, ut sola intra ecclesiam fidelibus oratione jungantur, sacrae mysteriorum celebritati, quamvis non mereantur, intersint; a Dominicae autem mensae convivio segregentur . . .»[63].

Le début de cette réponse à l'évêque Himerius est une citation du c. 12 de Nicée; la fin nous plonge dans le contexte des canons orientaux que nous venons d'examiner: l'admission progressive des pénitents à l'eucharistie. Ici cependant, nous ne trouvons plus les quatre classes que nous décrivaient les textes d'Asie Mineure; Sirice parle de ceux qui se sont

la nôtre et à laquelle il faudra se reporter désormais, arrive, indépendamment et par un autre biais, exactement au même résultat que nous.

[62] Sur la discipline pénitentielle en Occident, on peut consulter en plus des ouvrages déjà cités: B. Poschmann, *Die abendländische Kirchenbuße im Ausgang des christlichen Altertums*, Munich, 1928.

J. A. Jungmann, *Die lateinischen Bußriten*, Innsbruck, 1932.

E. Göller, *Papsttum und Bußgewalt in spätrömischer und frühmittelalterlicher Zeit*, Fribourg Br., 1933 (le plus intéressant).

H. Leclercq, art. *Pénitents (renvoi des)*, DACL 14,1, col. 251—258.

[63] Ep. I, 6; PL 13, 1137: «C'est bien à propos que votre charité a cru bon de consulter le siège apostolique au sujet de ceux qui après avoir accompli leur pénitence, semblables à des chiens et à des porcs qui retournent à leurs anciens vomissements et à leur fange, . . . A propos de ces gens-là, qui n'ont plus le recours de la pénitence, nous avons estimé qu'il fallait décider ceci: qu'ils ne s'unissent aux fidèles à l'église que par la seule prière, qu'ils assistent à la célébration sacrée des mystères, bien qu'il ne le méritent pas; mais qu'ils soient éloignés du repas à la table du Seigneur». Sur ce texte, cfr. E. Göller, *Papsttum und Bußgewalt . . .*, ch. I, p. 23ss.

une fois déjà inscrits à la pénitence publique et ne peuvent donc plus y avoir recours. La fin du texte nous rappelle le canon 11 de Nicée (T 6), prescrivant que les συνεστῶτες «χωρὶς προσφορᾶς κοινωνήσουσι τῷ λαῷ τῶν προσευχῶν»; et *sola oratione* trouve son parallèle dans le c. 13 (T 7) «μετὰ τῶν κοινωνούντων τῆς εὐχῆς μόνης», tout comme dans le c. 4 d'Ancyre «εὐχῆς δὲ μόνης κοινωνῆσαι». Dans la mesure où le pape se réfère à ces sources, il est clair qu'il leur donne la deuxième interprétation que nous avons proposée, à savoir qu' εὐχὴ χωρὶς προσφορᾶς signifie «prière eucharistique sans communion». A la lumière de cet arrière-fond canonique oriental, il est évident qu'il n'est pas question ici de l'*oratio fidelium*. Cependant, comme il n'est pas sûr que le pape ait bien compris ces sources ni que la réalité liturgique occidentale soit la même qu'en Orient, analysons le texte pour lui-même.

En présentant ce passage comme une trace de la prière universelle, Connolly restait prudent. Comment l'expliquait-il? Il est possible, écrivait-il, que Sirice n'utilise pas *oratione* et *mysteriorum celebritati* comme des termes équivalents, mais qu'il veuille dire plutôt que les personnes en question peuvent prendre part aux prières des fidèles et ainsi être présentes au reste de la messe. Cette interprétation lui était suggérée par un passage de Félix III que nous citerons bientôt (T 18). Si ceci n'est pas exact, ajoutait-il cependant, alors *fidelibus oratione iungantur* se rapporte à la messe dans son ensemble, et ne peut aucunement servir d'illustration aux *orationes fidelium*[64]. Dom Capelle pensait aussi que ce texte mentionnait probablement la prière universelle[65]. Examinons-le.

A l'intérieur de l'église, c'est-à-dire au cours de la liturgie, les pénitents peuvent être unis aux fidèles; à nos yeux ce terme *fidelibus* s'oppose ici implicitement, dans la réalité liturgique romaine, à *catechumenis*: ces pénitents ne sont pas réduits au rang de catéchumènes, ils peuvent assister à la partie proprement eucharistique de la messe; ceci est d'ailleurs dit explicitement dans le deuxième membre de la phrase. Mais ils ne sont autorisés à s'y unir que par la seule prière, et non par la participation à la table du Seigneur. L'opposition réside donc entre les deux premiers membres de la phrase et le troisième, très exactement entre *sola ... oratione* et *convivio*; elle est soulignée par *autem*. Autrement dit, le problème est plus celui de la classification de ces pénitents parmi les différents «ordres» de chrétiens que celui de leur participation à l'eucharistie: ils se rangent parmi les fidèles, sans cependant jouir des mêmes droits.

Si nous comprenons bien la pensée de Connolly, il découperait le texte non en deux membres, mais en trois:

— union (*jungantur*) à la prière des fidèles,

— assistance (*intersint*) à la prière eucharistique,

— séparation (*segregentur*) lors de la communion.

---

[64] R. H. CONNOLLY, *Liturgical Prayers of Intercession*, p. 227.
[65] B. CAPELLE, *Le pape Gélase et la messe romaine*, Tr. Lit., t. 2, p. 143.

Le second membre serait une conséquence des mots *fidelibus oratione* qu'on lit dans le premier; si ces pénitents peuvent s'unir à la prière des fidèles, ils peuvent dès lors assister à la liturgie proprement eucharistique puisque la prière des fidèles en fait partie.

Cette interprétation se heurte à plusieurs objections. La principale est que *oratione*, renforcé par *sola*, est à l'ablatif et non au datif comme semble le comprendre le liturgiste anglais; il ne s'agit pas de s'unir *à* la prière des fidèles, comme il le croit, et de se demander si cette prière est l'*oratio fidelium* ou le Canon, mais d'être uni *aux* fidèles *par* la seule prière, non par la participation intégrale. En outre, même si le texte portait *orationi*, il faudrait que ce terme ait une densité de signification telle que le lecteur y reconnaisse d'emblée la prière universelle, et connaissant sa fonction dans la liturgie, comprenne donc le second membre de la phrase comme une conséquence du premier. En d'autres mots, c'est le terme *oratio* qui aurait éclairé Himerius. Nous estimons au contraire que le mot *fidelibus* fut pour lui le plus évocateur de ce premier membre de phrase: d'entrée de jeu il a pu comprendre que le pape rangeait ces pénitents parmi les fidèles.

Bref, les auteurs en quête des traces de l'*oratio fidelium* semblent avoir été aveuglés par le rapprochement des mots *fidelibus oratione* avant d'avoir analysé le texte. Nous touchons ici du doigt une des difficultés de cette enquête: à force de chercher les moindres indices de l'*oratio fidelium*, on finit par la trouver partout.

Concluons résolument. Ni l'analyse du texte, ni la connaissance des sources qu'il utilise ne nous mène à lire dans la réponse de Sirice à Himerius un témoignage de la prière des fidèles. Ce texte est à écarter de notre dossier.

4. *Les décisions du Synode romain sous Félix III (488)*

Conséquence importante de cette interprétation: les textes de Félix III[66] doivent se comprendre probablement dans le même sens; aussi les examinerons-nous maintenant, quitte à revenir ensuite à des auteurs chronologiquement plus anciens. Il s'agit de l'épître 7, lettre synodale envoyée par le concile romain à tous les évêques, en 488; elle traite de la réadmission dans l'Eglise des chrétiens qui ont été rebaptisés[67]. Au sujet des évêques, prêtres et diacres, l'attitude du pape est sévère; lisons:

T 18   «Sed quia idem Dominus atque salvator clementissimus est, et neminem vult perire, usque ad exitus sui diem, in paenitentia

---

[66] Félix II fut un anti-pape; aussi le pape Félix qui régna de 483 à 492 est nommé parfois Félix II, parfois Félix III; cfr. H. Leclercq, art. *Pape*, DACL 13,1 col. 1118, 5°. Respectant l'usage le plus courant et surtout la réalité historique, nous l'appellerons Félix III.

[67] Nous n'entrerons pas ici dans le problème difficile de l'organisation de la Pénitence en Occident; cfr. à ce propos E. Göller, *Papsttum und Bußgewalt ...,* introduction et chap. 1 à 3.

(si resipiscunt) jacere conveniet; nec orationi non modo fidelium,
sed ne catechumenorum omnimodis interesse, quibus communio
laica tantum in morte reddenda est. Quam rem diligentius explo-
rare vel facere probatissimi sacerdotis cura debebit»[68].

Au sujet des autres chrétiens, le synode veut s'aligner sur les décisions
de Nicée:

T 19 «. . . tribus annis inter audientes sint; septem autem annis subja-
        ceant inter paenitentes manibus sacerdotum, duobus autem annis
        oblationes modis omnibus non sinantur offerre, sed tantummodo
        saecularibus (*lege*: popularibus) in oratione socientur»[69].

A propos des pénitents qui, en danger de mort, ont reçu la «communion», puis retrouvent la santé, le synode se range également aux décisions du premier Concile oecuménique:

T 20 «servemus in eo quod Nicaeni canones ordinaverunt, ut habeatur
        inter eos qui in oratione sola communicant, donec impleatur spa-
        tium temporis eidem praestitutum»[70].

On ne cite généralement que le premier de ces trois extraits; il était
déjà amené par Probst[71] comme preuve de l'existence d'une *oratio fidelium* et d'une *oratio catechumenorum* à Rome à la fin du Ve siècle. Connolly a souligné l'opposition entre *oratio fidelium* et *oratio catechumenorum* en T 18, et pensait raisonnable de voir dans le premier terme la
désignation de la prière des fidèles, plutôt que de l'ensemble de la messe
des fidèles[72]; Dom Capelle a repris cette opinion[73], et dès lors les auteurs
ont largement répandu l'idée que T 18 était la dernière trace de l'*oratio*

---

[68] Félix III, ép. 7: PL 58, 925—926: «Mais parce que ce même Seigneur et
Sauveur est infiniment bon, et ne veut la mort de personne, il conviendra que
(s'ils se convertissent) ils se rangent parmi les pénitents jusqu'au jour de leur
mort; et qu'ils n'assistent absolument pas à la prière non seulement des fidèles,
mais même des catéchumènes; on leur rendra la communion laïque seulement
à la mort. Le soin du prêtre très zélé devra examiner cela et l'accomplir».

[69] «. . . qu'ils soient trois ans parmi les *audientes;* que durant sept ans ils se
soumettent avec les pénitents aux mains des prêtres; que pendant deux ans ils
ne puissent en aucune manière offrir des oblations, mais qu'ils s'associent seulement au peuple dans la prière».

[70] «Gardons ce qu'ont ordonné les canons de Nicée: qu'il se range parmi
ceux qui participent à la seule prière, jusqu'à ce que s'accomplisse le laps de
temps qui lui est fixé.»
Sur ces textes, cfr. E. GÖLLER, p. 87ss. Sur les deux derniers, cfr. J. MORIN, l.
VI, ch. 13, § 7 et 8.

[71] F. PROBST, *Die abendländische Messe vom fünften bis zum achten Jahrhundert*, Münster, 1896, p. 112—113.

[72] R. H. CONNOLLY, *Liturgical Prayers of Intercession*, p. 229.

[73] B. CAPELLE, *Le pape Gélase et la messe romaine*, Tr.lit., t. 2, p. 143—144.

fidelium avant que le pape Gélase, successeur de Félix III, la remplace par la *Deprecatio Gelasii*[74]. Pouvons-nous les suivre?

T 19 reprend le c. 11 de Nicée (T 6); «χωρὶς προσφορᾶς κοινωνήσουσι τῷ λαῷ τῶν προσευχῶν» est traduit par «oblationes modis omnibus non sinantur offerre, sed tantummodo saecularibus (popularibus) in oratione socientur». La participation *à* la prière est devenue participation *dans* la prière; la réalité paraît identique, vu l'opposition avec l'offrande de l'oblation. Ces pénitents ne seront plus soumis à l'imposition des mains, mais pourront se ranger avec les fidèles pour la prière; il n'est pas question de l'*oratio fidelium*. Laissons cependant une porte ouverte, car nous nous trouvons en Italie, 160 ans après Nicée: la pratique liturgique a pu évoluer, le vocabulaire également.

La traduction du c. 13 (T 7) en T 20 est pareille: «ἔστω μετὰ τῶν κοινωνούντων τῆς εὐχῆς μόνης» est devenu «habeatur inter eos qui in oratione sola communicant». L'interprétation des deux textes nous semble devoir être identique: ils désignent la participation à la prière qu'est l'eucharistie, par opposition à une participation plus plénière.

Lisons maintenant T 18 à la lumière de ces passages, qui en forment le contexte immédiat. La sentence envers le clergé est très dure: ils seront rangés parmi les pénitents, ils n'auront aucune part à la «prière des fidèles», pas même à celle des catéchumènes; à la mort seulement on leur rendra la communion laïque. Il est bien sûr tentant de voir ici une trace de la prière universelle! et nous nous y sommes laissé prendre longtemps; l'expression l'évoque presque automatiquement à notre esprit. Et cependant il faut déchanter, pour plusieurs raisons.

Commençons par les moins profondes. D'abord, la formule *oratio fidelium* qui saute aux yeux du lecteur moderne et l'incite à voir ici, sans autre examen, un témoignage de notre prière, n'est pas ancienne; nous ne l'avons encore trouvée que dans deux textes d'Augustin, où elle désigne une fois le Notre Père et l'autre fois, mais encore bien au pluriel, la prière universelle; dans les canons de Basile, l' εὐχὴ τῶν πιστῶν (T 12) indique la prière eucharistique. Elle n'était donc en aucune manière une dénomination technique comme elle l'est devenue à nos oreilles.

De plus, pour lire dans ces prescriptions du synode romain la désignation de pièces liturgiques précises, Connolly se basait sur l'opposition qu'on y trouve entre *oratio fidelium* et *oratio catechumenorum*, et raisonnait comme si la liturgie romaine connaissait à l'époque une «prière des catéchumènes» avant leur renvoi, pareille à celle qu'on trouve dans les *Constitutions apostoliques*[75]. Mais cette prière existe-t-elle? Remarquons que quelques lignes plus loin[76], à propos des catéchumènes qui ont renié la foi, le concile romain prescrit qu'ils soient trois ans «inter audientes, et postea cum catechumenis»: il n'est plus question de prière. Les auteurs qui en parlent supposent que l'Occident utilisait la même

[74] Cfr. à titre d'exemple Martimort, p. 343.
[75] Br 3—4.
[76] PL 58,926.

ordonnance que l'Orient, et ils se plaisent à citer justement le texte de
Félix III parlant de l'*oratio catechumenorum*... Nous sommes dans un
cercle! Pour que la supposition de Connolly soit étayée, il faudrait
qu'il nous fournisse des textes de l'époque attestant l'usage de la «prière
des catéchumènes» en Occident. En attendant, nous ne pouvons croire
que cette expression désigne un rite liturgique concret. Par choc en
retour, *oratio fidelium* devra sans doute être interprétée de la même
manière.

L'argument décisif est le contexte pénitentiel dans lequel s'insèrent
les décrets du synode. Le pape Sirice déjà[77] et saint Léon le Grand[78]
nous rapportent que le clergé ne peut être soumis à la pénitence publique.
Si malgré cela Félix III enjoint aux évêques, prêtres et diacres de se
ranger parmi les pénitents, il ne peut pas s'agir de la pénitence publique,
mais bien de la *secessio privata* dont parle saint Léon. Puisqu'ils ne
peuvent plus célébrer les saints mystères et faire comme s'ils n'avaient
pas renié la foi, et puisque la discipline ecclésiastique leur interdit la
pénitence publique, ils n'ont qu'une chose à faire, c'est de se retirer du
monde, de faire pénitence loin de la communauté dans laquelle ils ne
pourront rentrer qu'à la mort. Comme le dit Göller, «le fait que même
eux doivent se ranger parmi les relaps et ne puissent en aucune manière
prendre part au culte, nous paraît aujourd'hui très bizarre. Mais la prescription dit bien cela, et il n'y a rien à y changer»[79].

Ces trois arguments sont encore confirmés par l'expression *communio
laica* utilisée en T 18 («quibus communio laica tantum in morte reddenda
est»). Cette phrase ne signifie pas que sur leur lit de mort ils pourront
communier comme des laïcs! *Communio laica* est une expression technique désignant l'appartenance à la communauté des laïcs. La réduction
des clercs à l'état laïc, que le Code de Droit canonique nomme «reductio
in statum laicalem», s'appelait à l'époque *reductio in communionem
laicalem*[80]. Si la réintégration dans la communauté laïque ne peut se
faire qu'à la mort, il est donc bien clair qu'avant cela ces clercs sont ni
plus ni moins «excommuniés».

La phrase «nec orationi non modo fidelium sed ne catechumenorum
omnimodis interesse» doit donc se comprendre de la manière suivante.
Contrairement à la classe supérieure des pénitents publics, qui assistent

---

[77] Sirice, Ep. 1 à Himerius, 14, 18 (PL 13,1145): «paenitentiam agere cuiquam
non conceditur clericorum».

[78] Léon le Grand, Ep. 167 à Rusticus de Narbonne (PL 54, 1204): «Alienum
est a consuetudine ecclesiastica ut qui in presbyterali honore aut in diaconii
gradu fuerint consecrati, ii pro crimine aliquo suo per manus impositionem
remedium accipiant paenitendi: . . . Unde huiusmodi lapsis, ad promerendam
misericordiam Dei, privata est expetenda secessio, ubi illis satisfactio, si fuerit
digna, sit etiam fructuosa». — Sur cette question, cfr. C. Vogel, *La discipline
pénitentielle en Gaule des origines à la fin du VIIe siècle*, Paris, 1952, p.
55—62, 138—148, 170—174.

[79] E. Göller, p. 97.

[80] Cfr. A. Stiegler, *Laienkommunion*, dans LTK 6, 746.

à la messe sans y communier, ces clercs ne pourront prendre part à la prière des fidèles, entendez: à la seconde partie de la messe. Ils ne pourront même pas participer à la prière des catéchumènes, autrement dit ils ne seront pas assimilés, comme les *audientes,* aux catéchumènes, et donc renvoyés après la liturgie de la Parole. Bref, ils ne pourront prier ni avec les fidèles, ni même avec les catéchumènes; ils seront donc totalement exclus de l'Eucharistie. Au sens propre, ils seront ex-communiés.

Après avoir établi cette conclusion, nous avons eu le plaisir d'en lire l'équivalent dans un article de Mgr. Griffe; c'est à notre connaissance le seul auteur qui ait vu juste dans cette question. Voici ce qu'il écrit: «La lettre synodale du pape Félix II de l'année 487 ou 488, où il est question de pénitents qui ne pourront assister *nec orationi non modo fidelium sed ne catechumenorum quidem* pourrait faire croire que la prière des fidèles s'oppose à la prière des catéchumènes. La lettre synodale veut sans doute dire que ces pénitents ne seront admis à prendre place ni parmi les fidèles ni même parmi les catéchumènes»[81].

Conclusions

Concluons ce long chapitre sur la discipline pénitentielle. Pour nous, *orationi . . . interesse* (T 18), *in oratione socientur* (T 19), *in oratione . . . communicant* (T 20) sont des expressions synonymes qui traduisent toutes le κοινωνεῖν τῶν (προσ)ευχῶν des canons orientaux, notamment de Nicée; il en va de même des termes utilisés par Sirice: *oratione iungantur* (T 4)[82]. Toutes ces formules ont un *Sitz im Leben* commun: le problème de la participation des pénitents à l'Eucharistie; elles désignent plus le groupe de chrétiens dans lequel le pénitent doit se ranger qu'elles ne précisent à quelle prière il peut prendre part.

Nous ne pensons donc pas que l'on puisse considérer ces textes, ni en Orient ni en Occident, comme des témoins de l'*oratio fidelium*. La seule manière de l'y trouver serait d'admettre une évolution sémantique entre Nicée et Sirice ou surtout Félix III, évolution qui aurait fait en sorte qu'en reprenant les termes du Concile oecuménique le pape ait voulu désigner avec précision la prière universelle là où Nicée n'avait indiqué que la prière en général. En l'absence d'indices, nous ne pouvons le sup-

---

[81] E. Griffe, *Aux origines de la liturgie gallicane,* dans le *Bulletin de littérature ecclésiastique,* t. 52 (1951), p. 29, note 33.

[82] Notons que la traduction de Rufin d'Aquilée (vers 345—410) porte, pour le c. 12 de Nicée, «. . . fidelibus tantum in oratione iungantur» (PL 21, 474); et le texte antiochien repris dans COD: «fidelibus in oratione communicent». Disons qu'en général, les divergences entre les traductions latines des canons orientaux prouvent que la discipline n'était pas identique en Orient et en Occident. Il n'existait pas de correspondant aux termes techniques utilisés pour les stations pénitentielles en Orient; les législateurs occidentaux ont adapté tant bien que mal à leurs usages des canons reflétant une autre discipline. Il ne faut donc pas s'inquiéter des divergences qui existent entre les formules que nous citons ici.

poser, d'autant plus qu'en T 18, le second membre du binôme (*oratio catechumenorum*) ne semble pas faire allusion à une prière précise faite avec les catéchumènes.

Ainsi ces textes, après avoir été rangés pendant plus de cinquante ans dans le dossier de l'*oratio fidelium*, doivent en être exclus.

Boniface (418—422)

On cite souvent la lettre que Boniface I écrivit à Honorius; elle atteste clairement que l'Eglise priait pour l'empereur:

T 21   *Ep.* 7 à Honorius: «Vobis, inquit, religiose imperantibus, modo tutus est populus, tam fidus Deo, quam tibi, principi christiano. Ecce enim inter ipsa mysteria, inter preces suas, quas pro vestri felicitate dependit Imperii, teste apud quem et de cuius sede agitur sancto Petro, sollicitis pro religionis observantia vocibus clamat: cum sollicita petitione miscetur oratio, ne hos in varias res semel evulsa distrahat a cultu solito, tentatore sollicitante, discordia»[83].

Mais où situer cette prière au cours de la célébration? *Inter ipsa mysteria* nous fait plutôt songer à des intercessions anaphoriques, surtout si l'on se souvient qu'un proche prédécesseur de Boniface, Innocent I, intimait à Decentius, évêque de Gubbio, l'ordre de citer les noms des offrants après la *commendatio oblationum*, «ut inter sacra mysteria nominentur»[84]; depuis l'étude de Dom Capelle[85], on admet que cette *commendatio* correspond au début du *Te Igitur* du canon romain. Les diptyques se plaçaient donc à l'intérieur du canon. Malgré le commentaire suggestif de Dom Connolly sur le texte de Boniface, où le savant anglais parvient à y déceler les acclamations (*sollicitis ... vocibus clamat, cum sollicita petitione*) situées entre l'invitatoire et l'oraison des OS[86], nous pensons donc que ce passage vise une prière pour l'empereur faite à l'intérieur du Canon.

---

[83] Boniface, Ep. 7 à Honorius; PL 20,767: «Tant que vous régnez pieusement, dit-elle (l'Eglise), le peuple est en sécurité, se confiant tant à Dieu qu'à vous, prince chrétien. Car au milieu des mystères eux-mêmes, au milieu de ses prières faites pour la fortune de votre règne — témoin saint Pierre auprès duquel elle (se trouve) et dont le siège est en question — elle crie instamment pour le respect de la religion: la prière se mêle à la demande instante que la discorde une fois arrachée ne les (le peuple chrétien) disperse en diverses choses et, sous la sollicitation du tentateur, ne les éloigne du culte traditionnel» (Cette dernière proposition contient une certaine contradiction; on dirait que l'auteur a voulu dire trop de choses à la fois. Toute cette lettre est d'ailleurs écrite dans un style ampoulé).

[84] Innocent I, Ep. 20 à Decentius de Gubbio, PL 20,554; éd. R. Cabie, p. 22.

[85] B. Capelle, *Innocent Ier et le canon de la messe*, RTAM, t. 19 (1952), p. 5—16; Tr. Lit., t. 2, p. 236—247.

[86] R. H. Connolly, *Liturgical Prayers of Intercession*, p. 227—228.

D'ailleurs, même s'il n'en était pas ainsi, ce texte est trop vague que pour nous apprendre quelque chose sur l'*oratio fidelium*.

Célestin (422—432)

Il en va de même pour un passage de la lettre 23 de son successeur Célestin I, adressée à Théodose II après une victoire:

T 22 *Ep.* 23: «Ecce nunc domus Domini orationibus vacant, et vestrum per omnes Ecclesias, Deo nostro oblatis sacrificiis, commendatur imperium»[87].

C'est un écrit de circonstance, non un compte-rendu précis. Mais l'expression *oblatis sacrificiis,* et l'utilisation du verbe *commendare* que l'on peut rapprocher de la *commendatio oblationum* dont parlait Innocent I dans la lettre que nous venons de citer, nous font voir ici les diptyques beaucoup plus que la prière universelle.

Le texte de l'Ambrosiaster (T 3) mis à part, ce dossier romain est donc assez maigre, il faut l'avouer. Un dernier auteur va cependant nous fournir des renseignements de première importance.

Prosper d'Aquitaine († après 455)

Prosper, son surnom l'indique, n'est pas un romain. Il vécut dans la région de Marseille jusque vers 435; il s'y montra un partisan acharné des thèses augustiniennes, face à l'école semi-pélagienne de Lérins. Puis il passa à Rome, devint secrétaire de Léon le Grand, et modéra quelque peu son attachement à l'augustinisme intégral.

A. *La période gauloise* (avant 435)

Entre 431 et 434, il compose plusieurs pamphlets. L'un d'eux, le *Contra collatorem,* s'adresse à Jean Cassien (vers 360—430/35) qui par sa 13e *Collatio* «est devenu le père du semi-pélagianisme»[88].

T 23 Prosper y affirme que «l'Eglise prie chaque jour pour ses ennemis, c'est-à-dire pour ceux qui n'ont pas encore cru en Dieu»[89].

Et dans la partie de ses *Pro Augustino responsiones* où il réfute les objections de Vincent de Lérins, il commente la phrase de saint Paul: «Dieu veut sauver tous les hommes»; «si donc, écrit-il,

---

[87] Célestin I, Ep. 23 à Théodose II; PL 50,544: «Voici que maintenant les maisons du Seigneur s'adonnent aux prières, et dans toutes les Eglises votre règne est recommandé lorsque les sacrifices sont offerts à notre Dieu».

[88] Altaner, p. 629.

[89] Prosper d'Aquitaine, *Contra collatorem,* 12,3; PL 51,245: «. . . Ecclesia quotidie pro inimicis suis orat, id est, pro his qui necdum Deo crediderunt...».

T 24   l'Apôtre, dont vient la sentence (*I Tm* II, 4) a commandé instamment — ce qui est pieusement observé dans toutes les Eglises — de supplier Dieu pour tous les hommes, il s'ensuit ...»[90].

Plus loin, dans ses réponses aux prêtres de Gênes, il prend à témoin la manière dont l'Eglise prie pour affirmer que la grâce est bien un don de Dieu:

T 25   «Si ergo fides donum Dei non est, frustra Ecclesia pro non credentibus orat, ut credant»[91].

Bref, Prosper nous apprend que l'Eglise, mieux: que toutes les Eglises prient chaque jour pour tous les hommes, suite à l'ordre de *I Tm* II, 1—2. L'objet de la prière est notamment la foi. Il nous précisera bientôt sous quelle forme elle se fait.

B. *La période romaine* (435—455)

Depuis les recherches de Dom Cappuyns, on admet généralement l'authenticité prospérienne du *De vocatione omnium gentium* (vers 450) ainsi que des *Auctoritates (Indiculus) de gratia* appelées aussi *Capitula* (vers 435—442), autrefois attribués au pape Célestin[92]. En 1938, il publiait une étude comparant deux passages de ces écrits aux *Orationes sollemnes* (OS) du vendredi saint[93].

Le premier de ces textes est celui où Prosper lance le fameux adage «Legem credendi lex statuat supplicandi». Déjà saint Augustin avait utilisé l'«argument liturgique» pour prouver à ses adversaires que leur doctrine était en opposition avec les prières de l'Eglise[94]; en bon disciple, Prosper perfectionne l'enseignement du maître et le coule en une formule à l'emporte-pièce. Originellement, K. Federer l'a intelligemment décelé, la *lex supplicandi* ne désigne pas la liturgie en général, ni même une

[90] *Pro Augustino responsiones* 2; PL 51,179 B: «Siquidem Apostolus, cuius ista sententia est, sollicitissime praecipit, quod in omnibus Ecclesiis piissime custoditur, ut Deo pro omnibus hominibus supplicetur...».

[91] Id., PL 51, 193 B: «Si donc la foi n'est pas un don de Dieu, c'est en vain que l'Eglise prie pour ceux qui ne croient pas, afin qu'ils croient...».
Il faut remarquer la similitude de cette demande avec celles formulées par Augustin (T 40, T 43, T 44).

[92] M. Cappuyns, *L'auteur du De vocatione omnium gentium*, RB, t. 39 (1927), p. 198—226.
L'origine des Capitula pseudo-célestiniens contre les semi-pélagiens, ibid., t. 41 (1929), p. 156—170.
Sur ces deux oeuvres, cfr. Clavis respectivement aux n° 528 et 527.

[93] Id., *Les ‹orationes sollemnes› du vendredi saint*, QLP, t. 23 (1938), p. 18—31.
Cfr. déjà P. Alfonso, *San Prospero di Aquitania e le orationes sollemnes*, dans *Rivista liturgica*, t. 17 (1930), p. 199—203.

[94] Cfr. supra, Section II, et la bibliographie qui y est citée, à laquelle on peut ajouter B. Capelle, *Autorité de la liturgie chez les Pères*, RTAM, t. 21 (1954), p. 5—22.

prière liturgique, mais bien l'ordre intimé par *I Tm* II, 1—2, ou plus largement le commandement de la prière; autrement dit, la nécessité de la prière pour la grâce est une preuve de la nécessité de la grâce[95]. Mais venons-en au texte; comme argument contre la doctrine pélagienne, outre les décrets inviolables du Siège apostolique ...

T 26   *Capit.* 8: «... obsecrationum quoque sacerdotalium sacramenta respiciamus, quae ab apostolis tradita in toto mundo atque in omni Ecclesia catholica uniformiter celebrantur, ut legem credendi lex statuat supplicandi. Cum enim sanctarum plebium praesules mandata sibimet legatione fungantur, apud divinam clementiam humani generis agunt causam et, tota secum ecclesia congemiscente, postulant et precantur
ut infidelibus donetur fides,
ut idololatrae ab impietatis suae liberentur erroribus,
ut Judaeis, ablato cordis velamine, lux veritatis appareat,
ut haeretici catholicae fidei perceptione resipiscant,
ut schismatici spiritum redivivae charitatis accipiant,
ut lapsis paenitentiae remedia conferantur;
ut denique catechumenis, ad regenerationis sacramenta perductis, caelestis misericordiae aula reseretur.
Haec autem non perfunctorie neque inaniter a Domino peti, rerum ipsarum monstrat effectus. Quandoquidem ex omni errorum genere plurimos Deus dignatur attrahere quos erutos de potestate tenebrarum transferat in regnum filii charitatis suae ...»[96].

[95] K. FEDERER, *Liturgie und Glaube*, Fribourg (Suisse) 1950, p. 14—18.

[96] *Capit.* 8; PL 51, 209—210: «... regardons aussi le témoignage sacré des supplications sacerdotales, qui, transmises par les apôtres, sont célébrées de la même manière dans le monde entier et dans toute l'Eglise catholique, en sorte que l'obligation de la prière détermine la règle de foi. En effet, lorsque les intercesseurs du peuple saint accomplissent la mission qui leur est confiée, ils plaident auprès de la divine clémence la cause du genre humain; et soutenus par les soupirs de toute l'Eglise, ils implorent et prient
pour qu'aux infidèles soit donnée la foi,
pour que les idolâtres soient libérés des erreurs de leur impiété,
pour qu'aux Juifs, une fois enlevé le voile de leur cœur, apparaisse la lumière de la vérité,
pour que les hérétiques se convertissent, par l'acceptation de la foi catholique,
pour que les schismatiques reçoivent l'esprit d'une charité à nouveau vivante,
pour qu'aux *lapsi* soient donnés les secours de la pénitence,
enfin, pour qu'aux catéchumènes, conduits aux sacrements de la nouvelle naissance, s'ouvre le temple de la miséricorde céleste.
Que cela ne soit pas demandé au Seigneur sans sérieux ou en vain, l'effet de ces prières le montre: chaque fois que Dieu daigne en attirer beaucoup hors de toutes sortes d'erreurs; il les arrache au pouvoir des ténèbres pour les faire passer dans le royaume du Fils de sa charité ...».
Ce même texte est cité dans la lettre adressée en 519—520 par Pierre Diacre et les moines scythes aux évêques africains (dont Fulgence de Ruspe) exilés en

Avant de passer au commentaire, lisons le second extrait; Prosper vient de citer *I Tm* II, 1—6; il poursuit:

T 27   *De voc. omnium gentium* I,12: «De hac ergo doctrinae apostolicae regula, qua Ecclesia universalis imbuitur, ne in diversum intellectum nostro evagemus arbitrio, quid ipsa universalis Ecclesia sentiat, requiramus: quia nihil dubium esse poterit in praecepto, si obedientia concordet in studio. Praecepit itaque Apostolus, immo per Apostolum Dominus, qui loquebatur in Apostolo, fieri obsecrationes, postulationes, gratiarum actiones, pro omnibus hominibus, pro regibus ac pro his qui in sublimitate sunt. Quam legem supplicationis ita omnium sacerdotum et omnium fidelium devotio concorditer tenet ut nulla pars mundi sit in qua huiusmodi orationes non celebrentur a populis christianis. Supplicat ergo ubique ecclesia Deo, non solum
pro sanctis et in Christo iam regeneratis, sed etiam
pro omnibus infidelibus et inimicis crucis Christi:
pro omnibus idolorum cultoribus,
pro omnibus qui Christum in membris ipsius persequuntur;
pro Iudaeis quorum caecitati lumen evangelii non refulget,
pro haereticis et schismaticis qui ab unitate fidei et charitatis alieni sunt.
Quid autem pro ipsis petit nisi ut, relictis erroribus suis, convertantur ad Deum, accipiant fidem, accipiant charitatem et, de ignorantiae tenebris liberati, ad agnitionem veniant veritatis. Quod quia ipsi praestare sibi nequeunt, malae consuetudinis pondere oppressi et diaboli vinculis alligati, neque deceptiones suas evincere valent, ... misericors et justus Dominus pro omnibus sibi vult hominibus supplicari: ut cum videmus de tam profundis malis innumeros erui, non ambigamus Deum praestitisse quod ut praestaret oratus est»[97].

Sardaigne; cfr. PL 62, 91; CC 91A, 561. Quoi qu'il en soit de l'auteur de cette lettre (cfr. Clavis 663), elle présente notre texte comme une *auctoritas*, sous le nom du pape Célestin, sans que l'on puisse rien en tirer quant à l'usage des OS.

[97] *De vocatione omnium gentium* I, 12; PL 51,664—665: «A propos de cette règle de la doctrine apostolique dont est instruite l'Eglise universelle, cherchons donc comment cette Eglise universelle la comprend, de peur que notre jugement ne s'évade en diverses opinions; car il ne peut y avoir de doute quant au précepte si en y obéissant on s'accorde quant à son application. L'Apôtre commande donc, ou plutôt à travers l'Apôtre le Seigneur, qui parlait dans l'Apôtre, de faire des supplications, des demandes, des actions de grâces pour tous les hommes, pour les rois et pour les dépositaires de l'autorité. Cette obligation de la prière, la fidélité de tous les prêtres et de tous les fidèles la garde de manière si unanime qu'il n'existe aucune partie du monde où des prières de ce genre ne soient pas célébrées par le peuple chrétien. Partout donc l'Eglise supplie Dieu non seulement pour les saints et ceux qui sont déjà renés dans le Christ, mais aussi pour tous les non-croyants et les ennemis de la croix du Christ,

Quel formulaire?

Il existe une parenté entre ces textes et les OS; selon Cappuyns, il n'y a pas d'hésitation à avoir: c'est bien sur cette vénérable prière que Prosper s'appuie pour confondre les pélagiens. L'auteur précise d'abord que si nous n'avons pas de citation littérale, c'est bien dans la manière du secrétaire pontifical qui, dans les utilisations de ce genre, garde toujours une remarquable indépendance de style. Cappuyns indique ensuite les rapprochements textuels entre ces passages; nous n'avons pas à les reprendre ici. Si les quatre premières prières des OS (pour l'Eglise, le pape, le clergé, l'empereur) ne se retrouvent pas chez Prosper, sinon résumées en T 27 dans l'expression «non solum pro sanctis et in Christo iam regeneratis», c'est qu'elles traitent uniquement de croyants et n'offraient donc aucun intérêt dans le raisonnement théologique où il s'agissait de montrer que même l'*initium fidei* était l'oeuvre de la grâce. Et le moine louvaniste se risque même à justifier le fait que l'ordre des prières chez Prosper reproduit à rebours celui des OS; l'explication en est simple: «lorsque Prosper demande à l'*oratio fidelium* des témoins en faveur de l'universalité de la grâce, leur hiérarchie est en sens inverse (de celui de la prière de l'Eglise). Elle commence par le bénéficiaire le plus étranger, et le plus proche ne retient guère l'attention. C'est pourquoi ... les fidèles sont négligés par Prosper. C'est pourquoi aussi les catéchumènes sont nommés en dernier lieu»[98]. Pour renforcer ce jugement, ajoutons que Prosper parle en ces deux textes de supplications sacerdotales, ce qui correspond bien à la structure des OS.

Mais plusieurs éléments des extraits prospériens n'ont pas leur correspondant dans les OS: on n'y trouve pas mention des infidèles et des *lapsi* (T 26), ni des *inimici crucis Christi* et des persécuteurs de l'Eglise (T 27). Cappuyns en attribue la présence chez Prosper à la seule élégance littéraire. L'argument ne nous convainc pas. «Par ailleurs, écrit-il en note, il n'est pas probable qu'un ensemble aussi bien construit et aussi

pour tous ceux qui servent les idoles,
pour tous ceux qui persécutent le Christ en ses membres,
pour les Juifs, pour qui la lumière de l'Evangile ne brille pas, à cause de leur cécité,
pour les hérétiques et les schismatiques, qui ne connaissent plus l'unité de la foi et de la charité.
Que demande-t-elle donc pour eux, sinon que rejetant leurs erreurs, ils se convertissent à Dieu, reçoivent la foi, reçoivent la charité, et libérés des ténèbres de l'ignorance, arrivent à la connaissance de la vérité. Et puisqu'ils ne peuvent arriver à cela par eux-mêmes, oppressés qu'ils sont par le poids de leurs mauvaises habitudes et ligotés par les attaches du diable, et qu'ils ne peuvent vaincre leurs mensonges..., le Seigneur, miséricordieux et juste, veut qu'on le supplie pour tous les hommes; afin que quand nous voyons un grand nombre de gens arrachés à des maux si profonds, nous ne doutions pas que c'est Dieu qui réalise ce qu'on a demandé qu'il fasse».

[98] M. Cappuyns, *Les ‹orationes sollemnes› du vendredi saint*, p. 29—30.

archaïque que nos *orationes sollemnes* ait subi, au cours des siècles, des additions ou des amputations»[99]. En étudiant le formulaire dans la deuxième partie, nous verrons que ceci n'est pas vrai.

Les rapprochements signalés par cet historien de la théologie ancienne et médiévale ne sont cependant pas négligeables; nous pouvons même les renforcer en indiquant que la prière pour les Juifs n'est mentionnée qu'à Rome: dans les OS et dans la DG; elle ne figure pas même en Orient semble-t-il.

Faisons observer par ailleurs que Tertullien déjà signalait la prière pour les *lapsi* et pour les persécuteurs (Tert. T 7); les premiers sont mentionnés aussi chez Cyprien (Cyprien T 3 et T 4) et chez Novatien (Rome T 2).

Comment synthétiser tous ces renseignements? Nous nous étions d'abord rangé à l'avis de Willis, qui estime que les OS ont pu comporter autrefois une prière pour les *lapsi*[100]. Cette prière n'aura pas disparu immédiatement à la fin des persécutions: tout le monde sait la force de conservation de la liturgie.

Mais l'étude des OS elles-mêmes ne nous mène pas dans cette direction. Si jadis, lorsqu'elles se composaient uniquement d'invitatoires, avant donc que les oraisons y soient jointes, elles ont pu comporter des demandes pour les *lapsi* et les persécuteurs, ce qui correspond bien aux données historiques du IIIe s., il est fort improbable qu'une fois le formulaire constitué par l'adjonction des oraisons à la fin du IVe s., il ait encore varié et subi des suppressions. Il paraît plus vraisemblable au contraire que cette révision littéraire à la fin du IVe s. ait comporté également une adaptation des demandes aux circonstances de l'époque.

Aussi pensons-nous que Prosper peut faire allusion à plusieurs formulaires différents. Le P. Cappuyns, comme la plupart des liturgistes, ont toujours le préjugé que les OS étaient le seul texte de prière universelle de l'Eglise romaine. Nous ne pensons pas, quant à nous, que ce préjugé soit fondé; le genre litanique est apparu en Occident plus tôt qu'on ne le pense d'habitude; la litanie *Dicamus omnes* du Missel de Stowe date selon nous de la fin du IVe ou du début du Ve siècle.

Bref, nous estimons fort probable, mais pas absolument certain, que Prosper fasse allusion aux OS. Les divergences entre ses oeuvres et les OS peuvent s'expliquer soit par amplification littéraire, soit par les nécessités de son argumentation théologique, soit encore par référence à d'autres formulaires de prière universelle.

---

[99] *Id.* p. 28, note 2.

[100] G. G. WILLIS, *Essays...*, p. 40; il ajoute une référence à saint Léon, qui dans son Sermon 49 (De Quadr. 11) mentionne les *lapsi* après les catéchumènes (PL 54,303; SC 49,82); avec une prudence justifiée, l'auteur ne prétend pas y voir une allusion aux OS. Le terme «lapsi» était donc encore en usage au temps de saint Léon, c'est-à-dire exactement à l'époque de Prosper.

Usage de ces prières

Convaincu d'avoir reconnu les OS dans les textes de Prosper, Cappuyns poursuit: «Nos *orationes sollemnes* du vendredi saint faisaient partie, au Ve siècle, du formulaire ordinaire ou quotidien de la messe romaine. Nous le savons par des indices d'ordre général. Nous le savons surtout par Prosper d'Aquitaine, qui s'y réfère comme étant l'*oratio fidelium* célébrée partout, tous les jours»[101]. Il y a plusieurs éléments dans ces quelques lignes.

1. passage des *orationes sollemnes* à l'*oratio fidelium*.
   Le P. Cappuyns n'hésite pas à affirmer, suite à Mgr. Duchesne, que les oraisons solennelles ont servi de prière universelle dans la liturgie romaine. Bien que Prosper n'en souffle mot, nous pouvons accepter cette assertion, vu le contenu des oraisons solennelles et leur place dans la liturgie du vendredi saint.

2. Il faut noter pourtant que son raisonnement est bâti sur des prémisses fausses. Par «indices d'ordre général», il entend les témoignages de l'existence d'une *oratio fidelium* en Afrique (Augustin), en Gaule et à Rome; or pour la Gaule, il ne cite que le Concile de Lyon de 517, soit plus d'un demi-siècle plus tard, qui parle d'une «oratio plebis quae post evangelia legeretur»: le moins qu'on puisse dire est que cette référence est assez imprécise (cfr. infra). Et pour Rome, Dom Cappuyns renvoie au texte classique du pape Félix III: «nec orationi non modo fidelium sed ne catechumenorum omnimodis interesse». Non seulement ce texte date de 488, soit 40 ans après ceux de Prosper, mais nous avons montré plus haut qu'il ne désignait pas la prière universelle. Il est donc erroné de s'appuyer sur de tels passages pour affirmer l'existence de l'*oratio fidelium,* et pour en reconnaître ensuite le formulaire dans les oraisons solennelles!

3. Ces conclusions sont surtout trop larges. Les *orationes sollemnes,* dit-il, faisaient partie du formulaire ordinaire ou quotidien de la messe romaine; et en note, il écrit que l'insistance de Prosper sur l'universalité et l'uniformité de la prière à travers le monde fait soupçonner que le formulaire romain était aussi en usage ailleurs, notamment en Gaule et sans doute en Afrique. Est-ce aussi net?
   Pour cette dernière, il s'appuie sur l'article de Connolly que nous avons déjà cité plusieurs fois, où le liturgiste anglais rapproche des oraisons solennelles un texte d'Augustin; nous avons montré plus haut que cette parenté n'était guère fondée[102]. En l'absence d'indices plus sûrs, nous ne pouvons admettre que l'Eglise d'Afrique utilisait les oraisons solennelles au milieu du Ve s. Quant à la Gaule, nous estimons probable qu'elle a connu le formulaire romain; non pas, comme nous le verrons de suite, parce que Prosper affirme que toutes les

---

[101] M. CAPPUYNS, Les ‹orationes sollemnes› . . ., p. 30.
[102] Cfr. supra, p. 46 ss.

Eglises s'en servent, mais bien parce que son raisonnement aurait eu peu de poids si ses adversaires (des Gaulois, rappelons-le nous) n'avaient pas utilisé les OS dans leur liturgie.

Ce qui nous pousse à la méfiance quand Prosper affirme que l'usage des oraisons solennelles est universel et quotidien, c'est d'abord la réalité historique: nous n'en avons pas d'autre preuve que ses déclarations! C'est surtout le caractère polémique de ses écrits. Pour que l'argument liturgique soit valable aux yeux de ses adversaires semi-pélagiens, il fallait qu'il réponde aux critères que ceux-ci exigeaient pour qu'un usage soit vraiment traditionnel, critères résumés ainsi par Vincent de Lérins dans son *Commonitorium*: «quod ubique, quod semper, quod ab omnibus creditum est»[103]. Pour répondre à l'exigence d'antiquité, Prosper fait de la prière universelle une institution apostolique en la rattachant à *I Tm* II, 1–2[104]; son usage universel et unanime, il l'affirme sans scrupule, donnant au moins à la réalité un petit coup de pouce (pour la bonne cause!). Le caractère solennel dont Prosper revêt cette prière n'est pas fortuit; son but est proprement théologique. Le nombre de précisions de cet ordre devrait à lui seul nous faire dresser l'oreille; cfr. p. ex, en T 26 «ab apostolis tradita — in toto mundo — atque in omni ecclesia — uniformiter — tota secum Ecclesia» et en T 27 «doctrinae apostolicae regula — Ecclesia universalis (2 fois) — obedientia concordet in studio — praecepit Apostolus, immo per Apostolum Dominus — omnium sacerdotum et omnium fidelium — concorditer tenet — nulla pars mundi — ubique».

Bref, il convient de mettre une sourdine aux assertions du secrétaire papal quant à l'universalité et à l'usage quotidien des oraisons solennelles, ainsi qu'à leur reprise par Dom Cappuyns sans critique suffisante.

Avant de conclure, signalons un passage où Prosper nous donne des intentions fort proches de celles que nous avons lues chez Augustin. «On ne peut se prononcer sur le sort éternel de quelqu'un avant sa mort, écrit-il, car une conversion est toujours possible:

T 27   *De voc. om. gentium* II, 37: «Oret itaque sancta Ecclesia et pro iis qui crediderunt gratias agens, proficientem eis perseverentiam petat; pro iis autem qui extra fidem sunt, poscat ut credant»[105].

L'action de grâce pour la foi des croyants, la prière pour que les non-croyants croient et pour que les croyants persévèrent, nous les avons trouvées abondamment chez Augustin[106]; l'expression *proficientem perse-*

---

[103] Vincent de Lérins, *Commonitorium* I, 2; PL 50, 640.

[104] Rappelons que déjà l'Ambrosiaster (T 3, p. 63) qualifiait ce passage biblique de *regula ecclesiastica,* que les prêtres de son Eglise gardaient fidèlement en adressant à Dieu des supplications pour tous les hommes.

[105] *De voc. om. gentium* II, 37; PL 51, 722: «C'est pourquoi la sainte Eglise prie; rendant grâces pour ceux qui ont la foi, elle demande qu'ils avancent dans la persévérance; pour ceux qui sont hors de la foi, elle demande qu'ils croient».

[106] Cfr. p. 57 ss.

verentiam se rencontre textuellement dans l'Ep. 217 (Aug. T 33). Est-ce à dire qu'Augustin et Prosper utilisaient un même formulaire d'*oratio fidelium*? Les relations entre ces deux hommes sont trop étroites pour que nous soyons en droit de tirer pareille conclusion en l'absence de tout autre indice; il faut remarquer de plus que l'épître 217 d'Augustin est celle où l'argument liturgique est le plus développé; il est certain que son disciple y a puisé, et il n'est pas étonnant dès lors que nous lisions sous sa plume des expressions empruntées à son maître.

C. *Résumé*

Résumons l'apport de Prosper d'Aquitaine. Reprenant à Augustin l'argument liturgique, il l'a coulé dans l'adage *Legem credendi lex statuat supplicandi*; la *supplicatio* sur laquelle il s'appuie, ce sont probablement les oraisons solennelles dont il nous livre ainsi le premier témoignage. Pour pouvoir servir de pierre de touche dans une question aussi importante aux yeux de notre auteur que la théologie de la grâce, cette grande prière devait être utilisée assez couramment à Rome; il va de soi qu'elle n'était pas réservée comme aujourd'hui au vendredi saint, avec lequel elle n'a d'ailleurs aucune attache particulière. Et pour pouvoir être présentée comme une institution apostolique, elle devait être connue depuis un certain temps déjà; elle ne pouvait en aucun cas être une nouveauté. Il est donc raisonnable de penser qu'elle servait d'*oratio fidelium*; on ne voit d'ailleurs pas bien quelle autre fonction elle aurait pu remplir.

De plus, pour que l'argument porte auprès des adversaires, il faut supposer qu'en Gaule aussi, du moins en Provence, les oraisons solennelles étaient utilisées fréquemment depuis un certain temps.

Constituaient-elles le formulaire quotidien de la prière des fidèles dans ces Eglises, comme le conclut Dom Cappuyns? Nous n'en savons rien, mais il ne faut en tout cas pas prendre au pied de la lettre les assertions de Prosper déclarant que toutes les Eglises l'utilisent chaque jour. Personnellement, nous serions plutôt enclin à croire qu'il s'agit là, pour la prière universelle, d'un formulaire parmi d'autres.

Conclusions de la troisieme Section

La partie la plus neuve de cette enquête dans le champ liturgique de l'Eglise romaine est certes celle où nous avons étalé l'arrière-fond canonique oriental des prescriptions de Sirice et de Félix III quant à la participation des pénitents publics à l'Eucharistie. Mais pour notre objet, elle s'est soldée par une fin de non-recevoir, et le texte de Félix III (prédécesseur de Gélase!) ne peut donc plus être considéré comme le dernier témoin de l'ancienne *oratio fidelium* avant son remplacement par la *Deprecatio Gelasii*.

Qu'avons-nous trouvé de sûr? Hippolyte est le seul auteur qui situe notre prière dans le déroulement de la liturgie, si du moins on peut supposer, sur la base de ce que Justin nous avait dit un siècle auparavant, que le baptême décrit dans la *Tradition apostolique* prenait la place de la liturgie de la Parole.

La lettre de Novatien ne nous aide pas beaucoup, et il faut attendre plus d'un siècle avant d'entendre l'Ambrosiaster nous dire que les prêtres font des supplications pour plusieurs catégories de personnes, obéissant en cela à la *regula ecclesiastica* qu'est *I Tm* II,1—2. Mais ici nous atteignons probablement, et pour la première fois, un formulaire fixe, ou du moins les thèmes qui sont communs aux textes que nous étudierons dans la deuxième partie; sans doute connaissait-il au moins les invitatoires des OS. En tout cas, et c'est le plus important à notre point de vue, ce texte de l'Ambrosiaster prouve que la prière universelle se faisait à Rome à la fin du IVe s.; il peut même nous aider à en connaître le contenu.

Au milieu du Ve siècle, Prosper d'Aquitaine fait de l'*oratio fidelium* un rite si important qu'il base sur elle toute son argumentation contre les semi-pélagiens. Ses oeuvres font très probablement allusion aux OS; la manière dont Prosper en parle suppose qu'elles étaient déjà connues bien avant cette date, et même sans doute répandues jusqu'en Gaule. Nous les analyserons ultérieurement.

Malgré d'énormes lacunes dans la documentation[107], les points de repère que constituent Justin, Hippolyte, l'Ambrosiaster et Prosper d'Aquitaine nous inclinent donc à conclure à l'existence de l'*oratio fidelium* à Rome durant les IIIe, IVe et Ve siècles. Quelle forme avait-elle? Les deux premiers témoins ne nous l'apprennent pas. L'Ambrosiaster utilise des expressions que nous retrouverons plus tard dans les litanies; est-ce à dire que cette forme liturgique était déjà connue à Rome à la fin du IVe siècle? Les indices sont trop ténus pour l'affirmer avec certitude, mais cela ne nous étonnerait pas tellement. Enfin Prosper nous donne fort probablement l'écho des OS; de toute façon, en ce qui concerne celles-ci, la critique interne est formelle: elles existaient certainement à la fin du IVe s.; pour l'instant, ce renseignement peut nous suffire.

Quant à son contenu, Novatien (pour autant que son témoignage vise précisément la prière universelle) indique les besoins immédiats d'une communauté à l'époque des persécutions en demandant de prier pour

---

[107] Saint Jérôme ne semble nous livrer aucun renseignement; il est d'ailleurs difficile de savoir à quelle tradition liturgique ce grand voyageur fait allusion. Deux textes qu'on cite parfois concernent en fait les diptyques (*In Ezechielem* 6,18; PL 15,175; CC 75,238. *In Jeremiam* 11,15; PL 24,755; CC 74,116).
Nous n'avons trouvé aucune référence aux oeuvres de saint Léon, alors qu'une bonne partie de ses écrits consiste en homélies, dans lesquelles on pourrait s'attendre à trouver des allusions à l'*oratio fidelium* qui suit. M. le Professeur Chavasse, vient de publier les Sermons de Léon le Grand dans le *Corpus Christianorum*, a bien voulu nous confirmer qu'il n'avait relevé aucune indication concernant notre prière; qu'il en soit remercié.

les *lapsi* et les *stantes*: on n'est pas loin des premiers textes africains. L'Ambrosiaster signale, en suivant *I Tm* II,1—2, la prière
pour les rois, afin que règne la paix;
pour les dirigeants, afin qu'ils gouvernent dans la justice et la vérité;
pour les nécessiteux afin qu'une fois libérés ils puissent louer Dieu.

Les textes de Prosper, eux, demandent une exégèse subtile, car ils font partie d'une argumentation théologique qui prouve la nécessité de la grâce pour qui veut croire; aussi les prières mentionnées sont-elles centrées autour de la conversion et du don de la foi. Nous retrouvons ici la même problématique que chez Augustin, le maître à penser du secrétaire pontifical. Ces passages ne font aucune allusion à des prières pour les divers besoins de la communauté ou pour différentes catégories de personnes, comme dans le 6e invitatoire des OS, qui sont d'ailleurs probablement sous-entendues par ces extraits. Vu le contexte théologique, on ne peut en tout cas pas conclure que ces demandes n'existaient pas et que celles pour la foi étaient les seules à être exprimées.

L'EGLISE DE MILAN (SAINT AMBROISE)

Introduction

Convient-il d'analyser en une section particulière les sources provenant de l'Eglise de Milan? Autrement dit, estimons-nous que la liturgie milanaise de la fin du IVe siècle était indépendante de celle de Rome?

Il ne nous appartient pas de répondre a priori à cette question. Nous avons présenté les textes romains et milanais en des sections différentes pour respecter leur origine respective, mais cette division méthodologique ne préjuge en rien des relations qui existaient entre les deux villes sur le plan liturgique. Cette répartition nous semble cependant justifiée par le fait que nous n'avons trouvé, au niveau de l'*oratio fidelium*, aucune relation pertinente entre Milan et Rome[1]. Deux études importantes viennent d'être consacrées à saint Ambroise (340—397). Dans sa thèse de maîtrise en théologie présentée à l'Université catholique de Louvain, R. Gryson déclare sans ambage n'avoir «découvert aucune trace nette d'*oratio fidelium* chez saint Ambroise»[2]. Et dans un travail centré sur l'Eucharistie selon le docteur milanais, R. Johanny, sans envisager la question de front, est du même avis[3].

Absence de liste d'intentions

Nous ne trouvons chez l'évêque de Milan aucune liste d'intentions semblable à celles que nous avons lues chez les auteurs précédents. Il dit bien, à propos des dignités de la foi, qu'il existe aussi les dignités de la prière, suivant que l'on prie pour telles personnes ou dans telle disposition:

T 1   *Expos. ps.* 118, 22, 15 (389—90): «Sunt etiam orationis dignitates, si pro vidua roges, si roges pro pupillo, si roges pro misericordi, roges pro nimium devoto ac fideli, si roges in tribulatione, roges cum dolore, si maesto et ipse qui rogas compatiaris affectu. Intrat

---

[1] En plus des ouvrages cités ci-dessous, on trouvera une abondante bibliographie sur la liturgie de Milan dans la synthèse de Mgr. P. BORELLA, *Il rito ambrosiano*, Brescia, 1964, p. 475—492.

[2] R. GRYSON, *Le Prêtre selon saint Ambroise*, Louvain, 1968, p. 269, note 47.

[3] R. JOHANNY, *L'Eucharistie, centre de l'histoire du salut chez saint Ambroise de Milan*, Paris, 1968, p. 60 et 64—65.

oratio tua dei gratiam, intrat domum eius, si tecum ecclesia depre-
cetur, si populus universus imploret, ut domini inclinet favorem»[4].

Mais ceci n'est pas à proprement parler une liste d'intentions, il s'agit
plutôt de différentes possibilités de prière énumérées de façon assez
gratuite, et de la conviction avec laquelle on peut l'adresser à Dieu. De
plus, le contexte n'a rien de liturgique.

Prière pour l'empereur

On rencontre assez souvent, il est vrai, l'attestation d'une prière que
l'Eglise fait pour l'empereur. Citons, à titre d'exemple, ce passage de la
lettre 12, adressée par le Concile d'Aquilée (381) aux empereurs Gratien,
Valentinien et Théodose[5]:

T 2 *Ep.* 12,2: «Sed tamen etsi beneficia vestra verbis explicare non
possumus, votis tamen concilii compensare desideramus: qui licet
per singulas quasque ecclesias quotidianas apud Deum nostrum
pro imperio vestro celebremus excubias, tamen conducti in unum,
..., Deo nostro omnipotenti et pro imperio, et pro pace ac salute
vestra gratias agimus, quod per vos nobis pax et concordia ita sit
refusa»[6].

Mais d'autres textes affirment nettement que le nom de l'empereur était
lu aux diptyques, décelables à la formule *pro te offerre.* Voici quelques
textes:

---

[4] Expos. ps. 118, 22, 15; CSEL 62, 416: «Il existe aussi des dignités de la
prière, si tu demandes pour une veuve, si tu demandes pour un orphelin, si tu
demandes pour un homme accessible à la pitié, si tu demandes pour un homme
d'une foi et d'une piété profondes, si tu demandes dans l'affliction, si tu demandes avec douleur, si toi-même qui demandes tu compatis dans un sentiment de
tristesse. Ta prière entre dans la grâce de Dieu, elle entre dans sa demeure, si
l'Eglise prie avec toi, si le peuple tout entier supplie avec larmes pour fléchir
la bienveillance du Seigneur».

[5] S'il n'est pas certain que cette lettre 12 soit de la main d'Ambroise, elle
reflète certainement sa pensée, puisqu'il fut le «tenor» du Synode d'Aquilée;
cfr. R. GRYSON, *Le Prêtre...,* p. 38—39. A notre point de vue d'ailleurs, ce
passage revêt d'autant plus d'importance qu'il n'est pas l'écho de la seule Eglise
de Milan.

[6] Ep. 12,2; PL 16,987: «Et cependant, bien que les mots ne suffisent pas à
exposer vos bienfaits, nous désirons pourtant compenser cela par les prières du
Concile; quoique dans chaque église nous adressions à notre Dieu des services
quotidiens pour votre gouvernement, cependant rassemblés dans l'unité,...
nous rendons grâces à notre Dieu tout-puissant et pour votre gouvernement, et
pour votre paix et santé, puisque grâce à vous, la paix et la concorde nous sont
ainsi accordées».
Cfr. aussi Ep. 1,2; 18,8; *De Sacr.* IV, 14: *pro regibus* (cfr. infra T 8).

T 3   *Ep.* 40,1, à l'empereur Théodose: «Nam si indignus sum qui a te audiar, indignus sum qui pro te offeram ...»[7].

T 4   *Ep.* 41,28, à sa soeur Marcelline (388): «Deinde, cum aliquandiu starem, dico imperatori: Fac me securum pro te offerre ... Et ita ad altare accessi ... Et vere tanta oblationis fuit gratia, ut sentirem etiam ipse eam Deo nostro commendatiorem fuisse gratiam ...»[8].

T 5   *De obitu Valentiniani*, 78 (392): «... omnibus vos oblationibus frequentabo. Quis prohibebit innoxios nominare ...?»[9].

La prière pour l'empereur se faisait donc fort probablement aux diptyques; rien ne prouve qu'il existait une *oratio fidelium*.

Prière pour les pénitents

A côté de la prière pour l'empereur, Ambroise affirme souvent que l'Eglise tout entière prie pour les pénitents; p. ex.

T 6   *Expositio Ev. Lucae*, VII, 225: «Sed etsi Deus novit omnia, vocem tamen tuae confessionis exspectat ... Confitere magis, ut interveniat pro te Christus, quem advocatum habemus aput patrem, roget pro te ecclesia, inlacrimet populus»[10].

Malheureusement, aucun de ces passages ne situe cette prière à une place précise de la liturgie. Pas plus d'ailleurs que celui-ci, qui affirme que le chrétien prie pour tous les membres de l'Eglise:

T 7   *De Caïn et Abel*, I, 39 (vers 378): «Orandum autem praecipue et pro populo doceris, hoc est pro toto corpore, pro membris omnibus matris tuae, in quo mutuae caritatis insigne est. Si enim pro te roges, tantummodo pro te rogabis, et si pro se tantum singuli orent, minor precatoris quam intercedentis est gratia; nunc autem qui singuli orant pro omnibus, etiam omnes orant pro singulis ...

---

[7] Ep. 40,1; PL 16, 1148: «Car si je suis indigne d'être entendu de toi, je suis indigne aussi d'offrir pour toi ...».

[8] Ep. 41, 28; PL 16, 1168—1169: «Ensuite, comme un jour je me tenais devant lui, je dis à l'empereur: ‹Fais en sorte que je puisse offrir pour toi en toute sécurité ...›. Ainsi je suis monté à l'autel ... Et la grâce de cette oblation fut telle que je sentis moi-même aussi que la faveur que j'avais obtenue m'avait rendu plus agréable à notre Dieu ...».

[9] De ob. Val. 78; CSEL 73, 365: «... je vous citerai dans toutes les oblations. Qui empêchera de nommer des gens innocents ...?».

[10] Expos. Ev. Lucae VII, 225; CSEL 32, 383: «Mais bien que Dieu sache tout, il attend cependant que tu lui exprimes ton aveu ... Confesse-toi plutôt, afin qu'intervienne pour toi le Christ, que nous avons comme avocat auprès du Père, afin que prie pour toi l'Eglise, afin que pleure le peuple».
Cfr. encore id. V, 11, 92; VII, 208; De Paen. I, 80—81; 90; 92; II, 54—57. Expos. ps. 37, 10 (cités par R. Gryson, p. 281, note 114).

Ita magna remuneratio est, ut orationibus singulorum adquirantur singulis totius plebis suffragia»[11].

Même si l'on veut donner un sens fort au *nunc autem,* en l'entendant comme une description de ce qui se pratique de fait dans l'Eglise milanaise, on n'en peut rien tirer pour notre propos, puisque cette «prière» reste vague et indéterminée.

De Sacramentis IV, 14

Seule une description de la célébration eucharistique pourrait nous en apprendre davantage. En trouvons-nous une chez saint Ambroise? Un texte du *De Sacramentis* est fréquemment cité à ce propos; l'évêque y explique aux catéchumènes le cœur du mystère eucharistique:

T 8   *De Sacr.* IV, 14 (vers 390—391): «Quomodo potest qui panis est corpus esse Christi? Consecratio igitur quibus verbis est et cuius sermonibus? Domini Iesu. Nam reliqua omnia quae dicuntur in superioribus a sacerdote dicuntur: laus deo, defertur oratio, petitur pro populo, pro regibus, pro ceteris; ubi venitur ut conficiatur venerabile sacramentum, iam non suis sermonibus utitur sacerdos, sed utitur sermonibus Christi»[12].

Comment comprendre la phrase: «laus deo defertur oratio petitur pro populo pro regibus pro ceteris»? Les auteurs se partagent ici en deux camps.

Le premier estime que cette phrase parle de l'*oratio fidelium.* Selon J. H. Srawley, il est possible qu'Ambroise ne suive pas strictement l'ordre de la célébration et que la prière en question désigne la prière des fidèles, car il n'existe pas de prière pour le roi dans le canon du sacramentaire gélasien, tandis qu'on la trouve dans les *orationes sollemnes*[13]. Connolly

---

[11] *De Caïn et Abel* I, 39; CSEL 32, 372: «On t'apprend qu'il faut prier principalement pour le peuple, c'est-à-dire pour tout le corps, pour tous les membres de ta mère; il y a là un signe remarquable de la charité mutuelle. Car si tu demandes pour toi, tu demandes pour toi seulement, et si chacun ne prie que pour soi, la faveur de celui qui prie est moindre que celle de celui qui intercède; mais maintenant que chacun prie pour tous, tous aussi prient pour chacun... Ainsi grande est la rétribution, puisque par les prières de chacun sont acquis pour chacun les suffrages de tout le peuple».

[12] *De Sacr.* IV, 14 (SC 25 bis, p. 108—111; CSEL 73, 52): «Comment ce qui est du pain peut-il être le corps du Christ? Par quels mots se fait donc la consécration et de qui sont ces paroles? Du Seigneur Jésus. En effet tout le reste qu'on dit avant est dit par le prêtre: on loue Dieu, on lui adresse la prière, on prie pour le peuple, pour les rois, pour tous les autres. Dès qu'on en vient à produire le vénérable sacrament, le prêtre ne se sert plus de ses propres paroles, mais il se sert des paroles du Christ».

[13] J. H. SRAWLEY, dans *St Ambrose. On the Sacraments and on the Mysteries* (Thompson-Srawley), Londres, 1950 (1e éd. 1911), p. 87.

a repris cette suggestion dans l'étude que nous avons déjà citée plusieurs
fois, et l'a renforcée; «après mon article, écrit-il, il est difficile de croire
que ces prières pour le peuple, les rois et les autres aient pu être autre
chose que les *orationes sollemnes* dites après l'évangile. Je conclus donc
que l'auteur, partant des paroles de l'Institution, mentionne les plus
anciens éléments de la messe en ordre inverse»[14]. Cet «ordre inverse» a
été repris par Jungmann; divisant la phrase en deux et plaçant la césure
après *defertur*, il voit dans *oratio petitur* une invitation faite au peuple,
ce qui serait bien étrange à l'intérieur du Canon; il s'agit donc de la
prière universelle[15]. De son côté, A. Paredi estime que la *laus* doit être
une hymne du type du *Gloria in excelsis* et que la prière pour le peuple
et autres bénéficiaires n'est autre que l'antique *oratio fidelium*[16]. C'est
encore la position de P. Borella[17].

Dans l'autre camp se range F. Probst, qui voit dans cette prière des
intercessions anaphoriques[18]. De même, V. L. Kennedy estime intenable
l'hypothèse de «l'ordre inverse» avancée par Connolly; Ambroise désigne
par *laus* la préface et par *oratio* la fin de notre *Te Igitur*[19]. Suite à Callewaert[20], L. Lavorel pense qu'il est fait allusion ici au début de la prière
eucharistique; avant d'en arriver au *Fac nobis* du canon tel que nous le
rapporte le *De Sacramentis*, «le prêtre aurait donc chanté une louange à
Dieu (*laus Deo*), puis présenté une *oratio*, enfin récité une prière *pro
populo, pro regibus, pro ceteris*. Peut-être l'expression *oratio* désigne-t-
elle ici une formule d'oblation, car le démonstratif *Fac «hanc» oblationem*
insinue assez ouvertement qu'une formule précédente exprimait une
offrande des dons déposés sur l'autel. Cette prière d'offrande correspondrait à notre *Te Igitur* actuel»[21]. C'est aussi l'avis de R .Johanny[22]. Enfin,
R. Gryson pense que ces demandes font partie de la prière eucharistique[23].

Qu'en est-il? Un problème préliminaire concerne la ponctuation: faut-il
couper la phrase en deux, en plaçant la virgule après *defertur*, ou en
trois, comme nous l'avons fait en T 8? L'expression *oratio defertur* est
courante[24], elle se trouve dans le *De Sacramentis* lui-même (I, 18), tandis
que le passif de *petere* est fort peu usité avec un sujet personnel. Remar-

[14] R. H. CONNOLLY, *Liturgical Prayers of Intercession*, p. 231.
[15] J. A. JUNGMANN, *MS* 2, p. 68—69.
[16] A. PAREDI, *La liturgia di Sant'Ambrogio*, Milan, 1940, p. 78—79.
[17] P. BORELLA, *Cenni storici sulla liturgia ambrosiana. La messa*, Milan, 1949,
p. 41.
[18] F. PROBST, *Liturgie des vierten Jahrhunderts . . .*, p. 249.
[19] V. L. KENNEDY, *The Saints of the Canon of the Mass*, Rome, 1963, p. 23,
note 41.
[20] C. CALLEWAERT, *Histoire positive du Canon romain. Une épiclèse à Rome?*,
dans *Sacris Erudiri*, t. 2 (1949), p. 102.
[21] L. LAVOREL, *La doctrine eucharistique selon saint Ambroise*, t. 1, Lyon,
1956, p. 14.
[22] R. JOHANNY, *L'Eucharistie . . .*, p. 65.
[23] R. GRYSON, *Le Prêtre . . .*, p. 269, note 47.
[24] Cfr. BLAISE-CHIRAT, p. 246, *defero*, sens 3.

quons que les deux derniers éditeurs de l'œuvre, le P. Faller et Dom
Botte, ont tous deux opté pour la division tripartite; fions-nous donc aux
philologues!

Cette question de ponctuation une fois réglée, il faut bien dire que
le contexte nous oriente vers la deuxième solution. Il traite sans discussion
possible de la consécration, et l'expression «reliqua omnia qui dicuntur
in superioribus a sacerdote dicuntur» ne doit pas nécessairement englober
toute la célébration, sans quoi il faudrait supposer que les lectures aussi
étaient lues par le célébrant! Ces mots peuvent très bien désigner «tout
ce qui vient d'être dit» dans la prière eucharistique, à partir de la préface (*laus*), comme l'explique bien Lavorel. Il faut avouer que «l'ordre
inverse» imaginé par Connolly n'est guère convaincant, faute d'argument (sinon la cohérence de son propre article); et dire comme Srawley
que le passage peut viser l'*oratio fidelium* parce que la prière pour le roi
se trouve dans les oraisons solennelles nous paraît un peu rapide.

C'est donc sur le contexte de cette quatrième catéchèse eucharistique
et sur la structure du Canon romain auquel celui du *De Sacramentis* est
apparenté, que nous nous appuyons pour affirmer que ce passage ne doit
pas indiquer la prière universelle. Remarquons que les termes «a sacerdote
dicuntur» ne sont pas une preuve qu'il s'agit bien d'intercessions anaphoriques, car jusqu'ici nous n'avons trouvé en Occident que peu de mentions
du diacre, et Ambroise ne leur accorde pas un rôle important; si la prière
universelle existait, elle était probablement dite par le célébrant lui-
même.

Commentaire de *I Tm II, 1*

Dans un autre passage du *De Sacramentis* (VI, 22—25), consacré à la
prière, Ambroise commente le fameux passage de l'épître à Timothée.
Il insiste sur l'ordre à suivre quand on s'adresse à Dieu: comme le dit
l'Épître, il faut commencer par la louange, puis viennent la supplication,
la demande et l'action de grâce (§ 22). Et le docteur milanais de montrer
que c'est ainsi que procèdent le Notre Père (§ 24) et le psaume 8 (§ 25).
Aucune allusion n'est faite à la prière universelle ...

Oratio pro salute omnium

Reste un texte à analyser:

T 9   *De virginibus* 3, 11 (377): «... et tu, cum legitur aliquid quo Christus aut venturus annuntiatur aut venisse ostenditur, noli fabu-
lando opstrepere, sed mentem admove. An quidquam est indignius
quam oracula divina circumstrepi, ne audiantur, ne credantur,
ne revelentur, circumsonare sacramenta confusis vocibus, ut impe-
diatur oratio pro salute deprompta omnium?»[25].

[25] *De virg.* 3, 11; éd. O. FALLER, *Flor. patr.* 31, Bonn, 1933, p. 68; PL 16,

Ces derniers mots ne désignent-ils pas notre prière? Il ne semble pas, puisque le texte distingue les *oracula divina* et les *sacramenta*, ce qui correspond probablement aux deux parties de la messe. De plus, on lit quelques lignes plus bas:

T 10   *De virg.* 3, 14: «Frequens sermo est cum plurima ranarum murmura religiosae auribus plebis opstreperent, sacerdotem dei praecepisse ut conticescerent ac reverentiam sacrae deferent orationi»[26].

Or *sacra oratio* désigne nettement la prière eucharistique dans le passage suivant:

T 11   *De Fide* IV, 10, 124 (380): «Nos autem quotienscumque sacramenta sumimus, quae per sacrae orationis mysterium in panem transfigurantur et sanguinem, mortem domini adnuntiamus»[27].

Bref, T 9 ne peut servir de témoin pour l'existence de la prière des fidèles.

Conclusions

Que conclure? En l'absence de véritable liste d'intentions et surtout de description de la messe, nous sommes réduit au silence. Pourtant F. Probst, qui a reconstitué la liturgie milanaise d'après les écrits de saint Ambroise, affirme l'existence non seulement d'une prière des fidèles, mais même d'une prière des catéchumènes, avant leur renvoi[28]. Mais ceci relève du roman plus que de l'histoire! Lavorel est plus sage; il estime possible la présence d'une *oratio fidelium*; «mais, ajoute-t-il, aucun texte de notre auteur n'est explicite à cet égard»[29].

Pour notre part, nous estimons que nous devons suspendre notre jugement. A moins qu'on apporte de nouveaux textes au dossier, nous ne pouvons pas savoir si l'Eglise de Milan connaissait l'*oratio fidelium*.

235: «... et toi, lorsqu' on lit un passage annonçant que le Christ viendra ou montrant qu'il est venu, ne fais pas de bruit avec tes bavardages, mais rends ton esprit attentif. Qu'y a-t-il de plus indigne que d'envelopper les oracles divins d'un bruit tel qu'on ne les entend pas, qu'on n'y croit pas et qu'ils ne révèlent rien, d'entourer les sacrements du murmure confus de vos paroles de telle sorte que soit empêchée la prière faite pour le salut de tous?».

[26] id. 3, 14; ibid.: «On raconte souvent que lorsque les coassements innombrables des grenouilles montaient aux oreilles du peuple saint, le prêtre de Dieu leur a ordonné de se taire et de témoigner leur respect à la prière sacrée».

[27] *De Fide* IV, 10, 124; CSEL 78, 201: «Chaque fois que nous prenons les sacrements, qui par le mystère de la prière sacrée sont transfigurés en chair et en sang, nous annonçons la mort du Seigneur».

[28] F. Probst, *Liturgie des vierten Jahrhunderts* ..., p. 241—250.

[29] L. Lavorel, *La doctrine* ..., t. 1, p. 10.

L'EGLISE DE GAULE

Les témoignages qui nous viennent de Gaule[1] sont beaucoup plus récents que ceux que nous avons analysés jusqu'à présent; le premier texte *ad rem* n'est autre que celui de Prosper que nous avons lu dans la section romaine. Ils sont aussi beaucoup moins nombreux, car outre ce dernier, nous ne trouvons que l'ordre laconique d'un concile. Voyons donc ce qu'il y a à glaner.

HILAIRE DE POITIERS (315—367)

Hilaire nous fournit une attestation de la prière pour l'empereur. Dans le premier livre à Constance II († 361), l'évêque de Poitiers écrit qu'au cours de la célébration eucharistique les chrétiens offrent des prières pour le bien-être et le bonheur de l'empereur[2]; mais il ne donne aucune précision supplémentaire.

Dans son commentaire sur le psaume 140, il cite le texte de *I Tm* II, 1—2 suite auquel il distingue quatre genres de prières, mais il ne fait aucune allusion à la liturgie[3].

Quant au commentaire sur le psaume 58[4] que l'on cite parfois, il n'est

---

[1] Sur la liturgie gallicane, on peut consulter:
E. GRIFFE, *La Gaule chrétienne à l'époque romaine*, 3 vol., Paris, 1964; voir particulièrement le t. 3, ch. 5: *La liturgie de l'église cathédrale*, p. 164—213.
id. *Aux origines de la liturgie gallicane*, dans *Bulletin de littérature ecclésiastique*, t. 52 (1951), p. 17—43; aux pages 28—31, l'auteur a des remarques très pertinentes sur la prière des fidèles.
TH. A. VISMANS, art. *Oud-gallicaanse liturgie*, dans LW 2, c. 2084—2094.
A. G. MARTIMORT, *La liturgie de la messe en Gaule*, dans *Bulletin du comité des études de Saint-Sulpice*, t. 22 (1958), p. 204—222.
Sur les témoignages littéraires des auteurs du VIe siècle, voir H. BECK, *The Pastoral Care of Souls in South-East France during the sixth Century*, Rome, 1950.
[2] *Ad Constantium Imp.* I, 2; PL 10, 559; CSEL 65, 183: «pro incolumitate et beatitudine tua offerant preces».
[3] *Tractatus super psalmos*, 140, 2; PL 9, 825; CSEL 22, 790.
[4] *ib.* 58, 2; PL 9, 374 C; CSEL 22, 182: «Et idcirco iras et simultates et inimicitias evangelium conpressit, cum... et inimicos non solum diligendos (*Mt* V, 22—23), sed pro his orandum esse decernat (*id.*, 44)».

pas *ad rem*; cette phrase énumère des exigences de l'Evangile, sans faire aucunement appel à des réalités liturgiques.

Le bilan est donc fort maigre.

Jean Cassien (vers 360—430/35)

Dans sa 9e *Collatio,* le moine de Lérins parle également des différents degrés de la prière, suite à l'épître à Timothée; il les décrit longuement, mais sans jamais renvoyer au culte public; il se limite à la «vie intérieure»[5].

Prosper d'Aquitaine († 455)

Nous avons analysé dans la section romaine l'argument liturgique utilisé peu avant le milieu du Ve s. par Prosper contre les semi-pélagiens de Lérins, argument qui s'appuyait fort probablement sur les oraisons solennelles du vendredi saint. Nous avons dit que pour être pleinement valable, ce raisonnement supposait que ces prières fussent connues dans le Sud de la Gaule, et même utilisées dans la liturgie, depuis un temps suffisamment long pour qu'elles n'apparaissent plus comme une nouveauté[6]. Aucun indice positif ne vient renforcer cette déduction, mais la logique nous oblige à la présenter au moins comme une forte probabilité.

Selon Dom Alfonso, «il est logique de supposer qu'en écrivant à des évêques gallicans, l'auteur veuille dire pour le moins qu'à Rome et en Gaule la prière des fidèles était assez semblable, et a eu la même origine»[7]. Pour lui cependant, la Gaule ne connaissait pas les OS, mais bien les *orationes paschales* dont nous donnerons le texte dans la deuxième partie. Nous pensons que ces *orationes* sont plus tardives, et qu'elles ont emprunté leur forme liturgique aux OS, qui devaient donc avoir traversé les Alpes.

Gennade de Marseille († 492/505)

Au chapitre 30 de son *De ecclesiasticis dogmatibus,* Gennade reprend textuellement le passage que nous avons cité du *Capitulum* 8 de Prosper d'Aquitaine[8]. Ce texte prouve que l'argument prospérien était répandu en Gaule et avait porté ses fruits, puisqu'il figure dans une sorte de catéchisme rédigé en Provence. Pouvons-nous en conclure avec certitude que les oraisons solennelles étaient encore utilisées dans cette région à l'époque? Non, car ce passage n'est qu'une copie littérale du *Capitulum,* que

---

[5] *Collationes* 9,7; PL 49,780 ss; SC 54, 71 ss.
[6] Cfr. supra, Section III, Prosper d'Aquitaine.
[7] P. Alfonso, *Oratio fidelium*, Finalpia, 1928, p. 75.
[8] *De eccl. dogmatibus* 30, PL 58, 987—988. Cfr. supra, p. 89, T 26.

Gennade cite pour sa valeur doctrinale, non pour l'allusion liturgique qu'il contient.

CONCILE D'ORLEANS (511)

Réginon de Prüm († 915), dans son traité *De synodalibus causis et disciplinis ecclesiasticis,* met à la suite l'un de l'autre deux canons se rapportant à l'*oratio fidelium;* le premier est la traduction du c. 19 du Concile de Laodicée[9], le second est un texte dont nous ne connaissons pas l'origine[10]. Tous deux se réfèrent probablement à une pratique ancienne; ceci est évident pour le premier texte en tout cas, qui décrit une discipline inconnue en Occident.

Ce qui nous intéresse ici, c'est qu'un siècle plus tard, le canoniste Burchard de Worms (965—1025) reprend ces deux canons dans ses *Decretorum libri XX* en faisant du second le c. 3 du Concile d'Orléans de 511[11]. A la fin du XIe s., Yves de Chartres († 1092) laisse tomber le canon de Laodicée jugé sans doute trop archaïque, pour ne plus citer que le second, avec la même attribution au Concile d'Orléans[12].

Mansi cite ce canon relatif à la prière universelle en appendice du Concile d'Orléans, avec la mention: *Ex Burchardo*[13]. Mais les manuscrits de ce Concile ne portent aucune trace de ce texte[14]. Il n'y a aucun doute qu'il s'agit d'une attribution fantaisiste de Burchard, dont c'est d'ailleurs l'habitude, note son éditeur moderne[15].

Bref, le Concile d'Orléans ne parle pas de l'*oratio fidelium.*

CONCILE DE LYON (518—523)

Ce synode condamna un certain Etienne, accusé d'inceste avec Palladia, à se soumettre à la pénitence; grâce à l'intervention de l'empereur Sigismond, la peine fut quelque peu adoucie; et en appendice des décisions conciliaires, on lit ceci:

---

[9] Conc. de Laodicée (fin IVe s.), MANSI, t. 2, 568 (à l'an 320); Br 520, l. 25 ss.
[10] *De synod. causis et disc. eccl.* I, c. 191 et 192; PL 132, 224; éd. F. G. A. WASSERSCHLEBEN, p. 98—99. Cités aussi par J. B. MOLIN, *L'oratio communis fidelium au moyen âge en Occident du Xe au XVe siècle,* dans les *Mél. Lercaro,* t. 2, Rome, 1967, p. 333—334.
[11] *Decretorum l. XX,* II, 69 et 70; PL 140, 638.
[12] *Decretum* II, 120; PL 161, 193.
[13] MANSI, t. 8, 361.
[14] Cfr. éd. C. DE CLERCQ, *Concilia Galliae,* CC 148 A, p. 3—19.
[15] WASSERSCHLEBEN, p. 99, en note: «hanc inscriptionem Burch., deficiente apud Reginonem fontis allegatione, ex more sibi finxit». Cfr. aussi MOLIN, p. 334; pour plus de détails, cfr. G. FRANSEN, *La tradition manuscrite du Décret de Burchard de Worms. Une première orientation,* dans A. SCHEUERMANN - G. MAY, *Ius Sacrum* (Festgabe Kl. Mörsdorf), Munich, 1969, p. 111—118.

> «Domni quoque gloriosissimi regis sententia secuti id tempera-
> menti praestitemus, ut Stephano praedicto vel Palladiae usque ad
> orationem plebis, quae post evangelia legitur, orandi in locis sanc-
> tis spatium praestarimus»[16].

Avec la plupart des auteurs, nous reconnaîtrons ici une preuve de l'existence de l'*oratio fidelium*, mais le texte ne dit rien sur sa forme liturgique.

CONCLUSIONS

Ces rares témoignages n'en disent pas assez pour satisfaire notre curiosité. Nous ne savons rien de l'*oratio fidelium* en Gaule avant que les
Capitula de Prosper d'Aquitaine, joints à une lettre du pape Célestin
aux évêques de Gaule, ne s'appuyent probablement sur les *orationes sollemnes* pour prouver la nécessité de la grâce, et ne nous fassent donc
penser que ce formulaire devait y être connu, au moins en Provence, au
milieu du Ve siècle. Et seul un texte du Concile de Lyon de 517 nous
parle d'une *oratio plebis* après l'évangile. A part cela, nous ne trouvons
qu'une attestation de la prière pour l'empereur chez Hilaire de Poitiers.

Peut-être les oraisons solennelles se sont-elles maintenues un certain
temps. Brusquement, le Concile de Vaison (529) introduira le *Kyrie
eleison*; mais ceci est une autre histoire[17].

---

[16] CC 148 A, p. 41: «Suivant la sentence du très glorieux seigneur roi, nous
décidons cet assouplissement de la mesure: nous accordons au dit Etienne et à
Palladia l'occasion de prier dans les lieux saints jusqu'à la prière du peuple,
qui se lit après l'évangile».

[17] Aucune source patristique ancienne ne nous renseigne sur l'éventuelle
existence d'une prière universelle en Espagne. Mais notre étude des textes
décélera parmi ceux-ci des éléments archaïques. Sans pouvoir donc consacrer
une section à l'Espagne, nous renvoyons le lecteur aux pages 265—268.

Conclusions de la Première Partie

Nous arrêterons ici ce relevé de textes et cette analyse des allusions à l'*oratio fidelium* que l'on trouve chez les Pères et écrivains ecclésiastiques des cinq premiers siècles. Nous ne présenterons pas encore en ce moment de conclusions générales; nous nous bornerons à résumer les données que nous avons présentées, et nous répondrons aux questions que nous posions au seuil de cette première partie.

A. Existence de la prière universelle

On ne peut formuler à cet égard de réponse simple et universellement valable; les lacunes de la documentation, mais aussi la réalité historique nous invitent à nuancer nos jugements.

Il est frappant d'enregistrer, dès les premiers temps de l'Eglise, des prières de demande pour différentes catégories de personnes. Il est indéniable que le texte de *I Tm* II, 1—2 a exercé une influence; suite à cette recommandation, les chrétiens ont fait «des demandes, des prières, des supplications, des actions de grâces pour tous les hommes, pour les rois et tous les dépositaires de l'autorité, afin de mener une vie calme et paisible en toute piété et dignité».

Et même, dès saint Justin, nous voyons que cette coutume a pris la forme d'un rite liturgique; entre les lectures et l'Eucharistie, les chrétiens font «des prières communes». Si tous les textes qui nous parlent de la prière de demande ne sont pas forcément une allusion à cette prière universelle, ils en assurent cependant le sol nourricier.

Dans l'Eglise d'Afrique du Nord, tout porte à croire que Tertullien signale l'existence d'une telle *oratio fidelium*. Si les textes de Cyprien sont moins nets à cet égard, la convergence de différents indices nous mène à admettre que l'évêque de Carthage la connaissait aussi. Quant à Augustin, il n'y a pas d'hésitation à avoir; il se base même sur le contenu de cette prière pour prouver aux Pélagiens que la grâce est nécessaire pour arriver à la foi.

C'est à Rome que l'existence de la prière universelle est la plus assurée. Justin, Hippolyte, l'Ambrosiaster et Prosper d'Aquitaine sont des témoins de valeur; les deux premiers nous signalent la place qu'elle avait dans la liturgie; les deux autres nous font même probablement entendre l'écho de certains formulaires.

Ambroise de Milan, par contre, ne nous a laissé aucune trace nette de l'*oratio fidelium*. Il est certain que les chrétiens milanais priaient pour certaines personnes, dont l'empereur et les pénitents; mais rien ne nous dit que cela ait pris la forme d'un rite liturgique particulier autre que les diptyques.

En Gaule enfin, du moins en Provence, on avait probablement dû emprunter les OS aux chrétiens de Rome dès avant le milieu du Ve s.; il faut attendre le début du VIe siècle pour apprendre avec certitude qu'une «prière du peuple» se faisait après l'évangile.

Il faut donc reconnaître qu'on ne peut pas être aussi catégorique qu'on l'est parfois; les témoignages ne sont pas aussi massifs que se plaisent à le dire encyclopédies et dictionnaires. Oui, l'Eglise ancienne a connu la prière universelle, mais peut-être pas partout, ni dès ses origines, ni durant toute la durée de ces cinq premiers siècles. Son origine, elle la doit probablement plus à l'ordre donné par *I Tm* II, 1—2 qu'à des influences de la liturgie juive[1].

B. Son contenu

1. *Pour l'empereur*

Une des demandes les plus fréquentes, surtout parmi les premiers témoignages, concerne l'empereur et les pouvoirs publics; rien d'étonnant à cela, puisque c'était la première intention citée en *I Tm* II, 1; elle est attestée dès la lettre de Clément de Rome[2a]. Nous y décelons deux significations principales[2b].

Une signification apologétique d'abord: les chrétiens prient pour l'empereur, c'est une preuve de leur bonne disposition envers lui. Nous sommes de bons citoyens, affirment-ils, car c'est le vrai Dieu que nous invoquons pour l'empereur, et non de vaines idoles.

Une signification plus générale ensuite, et plus large qu'on ne pourrait croire aujourd'hui. Car l'empereur représente plus que sa personne privée; il est l'incarnation du pouvoir; en priant pour lui, on prie en fait pour la paix du monde et la sécurité des citoyens. Voyons ceci d'un peu plus près.

Les expressions *pro salute imperatorum* (Tertullien T 5), *pro incolumitate imperatorum* (Cyprien T 6) sont reprises à la religion romaine et au culte de l'empereur[3]. A. Stuiber[4] a étudié la formule *pro salute et incolumitate* qui se trouve aussi dans le canon romain; il cite de nombreuses inscriptions où se trouve cette tournure ou l'un ou l'autre de ses

[1] C'est du moins l'impression que laisse la lecture des textes patristiques. Mais il faut bien se dire que les Pères ne citent pas les sources liturgiques juives, alors qu'ils se plaisent à se référer sans cesse aux textes scripturaires.

[2a] Cfr. P. Mikat, *Zur Fürbitte der Christen für Kaiser und Reich im Gebet des 1. Clemensbriefes*, dans *Festschrift für U. Scheuner*, Berlin, 1973, p. 455—471.

[2b] Sur tout ceci, cfr. L. Biehl, *Das liturgische Gebet für Kaiser und Reich*, Paderborn, 1937.

[3] G. Wissowa, *Religion und Kultus der Römer*, Munich, 1912. *Salus* était une déesse de l'ancienne Italie, cfr. p. 131.

[4] A. Stuiber, *Die Diptychen-Formel für die nomina offerentium im römischen Meßkanon*, EL 68 (1954), p. 127—146.

éléments; onze parmi elles sont païennes, cinq sont chrétiennes. L. Eizen-höfer a poursuivi cette enquête[5] et nous livre une abondante liste de textes, parmi lesquels on notera particulièrement les extraits des *Acta Fratrum Arvalium* (n° 534—540); ces passages nous fournissent l'équivalent exact des intentions qu'on trouve dans nos premiers témoins de l'*oratio fidelium*. Comme l'écrit Stuiber, *salus et incolumitas* est le couple de mots qui revient sans cesse pour désigner la prospérité, particulièrement dans le domaine politique, prospérité dont dépend entièrement celle des citoyens individuels. Car, et ceci est important pour une interprétation exacte de nos textes, selon l'idéologie impériale du Bas-Empire, l'*incolumitas* de l'empereur est le fondement du salut de ses subordonnés: «ex cuius incolumitate omnium salus constat»[6]. C'est exactement ce que nous avons lu chez Athénagore, et chez Ambroise (T 2): «per vos (imperatores) nobis pax et concordia sit refusa». Les chrétiens ont repris les termes mêmes du vieux culte romain. Ch. Mohrmann note d'ailleurs, parmi les rares mots du Canon qu'elle estime influencés par la prière païenne, l'expression *pro salute et incolumitate*[7].

Nous avons trouvé des formules approchantes chez Tertullien (T 5 et *Ad Scapulam*), Cyprien (T 6), Boniface et Célestin (Rome T 21 et 22), Ambroise (T 2)[8]; la présence du couple *salus et incolumitas*, christianisé par l'adjonction de *spes,* dans les diptyques du canon romain, renforce la conclusion que la plupart de ces textes renvoient de fait aux diptyques et non à la prière universelle.

Bref, en priant pour l'empereur, les chrétiens prient plus largement pour la paix et la sécurité de tous. Il faut rapprocher de ceci l'opinion existant dans la mentalité de l'époque, selon laquelle la fin du monde dépendait de la fin de l'Empire romain (cfr. Tertullien T 6).

2. *Pour la situation actuelle de l'Eglise et des chrétiens*

En période de persécution, les chrétiens prient pour la persévérance des croyants et le retour de ceux qui sont tombés; Tertullien, Cyprien, Novatien citent les *stantes* et les *lapsi*; ces derniers sont encore mentionnés par Prosper d'Aquitaine (T 26). Justin aussi (T 7) signale les mauvais chrétiens.

3. *Pour la conversion des incroyants et la foi des croyants*

Ce thème, qui domine jusqu'à effacer tous les autres chez Augustin et Prosper, est polémique, nous l'avons souligné, ce qui ne veut pas dire

---

[5] L. EIZENHÖFER, *Canon missae romanae. Textus propinqui,* Rome, 1966, n° 352—381, 473—484, 490, 493, 513—558.

[6] A. STUIBER, *Die Diptychen-Formel...,* p. 132. Ce dernier texte provient d'une inscription; elle porte le n° 535 dans EIZENHÖFER.

[7] CH. MOHRMANN, *Quelques observations sur l'évolution stylistique du canon de la messe romaine,* dans *Vigiliae Christianae,* t. 4 (1950), p. 1—19.

[8] Et encore chez Hilaire, cfr. p. 105, note 2.

qu'il n'ait pas correspondu à la réalité. Justin (T 10) mentionne également la prière pour les Juifs; c'est une intention rare, connue des seules OS (cfr. cependant aussi DG X).

4. Pour tous les hommes, et surtout les nécessiteux

Les demandes universalistes se rencontrent fréquemment, suite à *I Tm* II, 1. Cependant elles sont souvent concrétisées dans une liste de ceux qui sont dans le besoin: les petits, les voyageurs, tous ceux qui courent un danger ... afin qu'une fois libérés, dit l'Ambrosiaster (T 3) ils puissent louer Dieu. Ces demandes seront développées dans les litanies.

5. Pour les ennemis

Il faut attirer l'attention sur l'influence exercée par le commandement du Christ en *Mt* V, 44: «Aimez vos ennemis, priez pour vos persécuteurs». On s'en est souvenu à l'époque des persécutions, et on l'a mis en pratique.

Remarquons qu'on trouve peu de demandes concernant les besoins matériels; seul Cyprien parle de la pluie et implore la protection contre les ennemis (T 2—3). On prie pour les personnes plus que pour les choses (même si c'est là une opposition fallacieuse, puisque c'est toujours pour des personnes que l'on demande des bienfaits).

Jamais les défunts ne sont mentionnés.

C. Formulaires utilises

Deux auteurs seulement font probablement allusion à des formulaires fixes. Il y a beaucoup de chances que Prosper d'Aquitaine calque les OS dans sa controverse avec les semi-pélagiens. Et à la fin du IVe siècle déjà, l'Ambrosiaster nous livre la thématique dont nous trouverons de nombreuses expressions dans les litanies; mais on ne peut assurer qu'il ait connu lui-même cette forme liturgique.

L'existence d'un formulaire aussi ample que les OS dès avant le milieu du Ve siècle nous révèle l'importance que revêtait l'*oratio fidelium* aux yeux des Anciens; s'il est vrai que se sont fixés d'abord les textes liturgiques les plus importants, nous pouvons dire qu'à Rome la prière universelle occupait une place de choix. Ceci est confirmé par Augustin et Prosper qui en font la pierre de touche dans un débat théologique capital à leurs yeux.

Les autres témoignages ne nous permettent pas de déceler des formulaires constitués. Le prêtre exprimait dans la prière les demandes que nous avons citées au paragraphe précédent, et sans doute bien d'autres encore, selon les besoins du moment et la perspicacité de sa vision de foi.

D. Forme liturgique

Nous étudierons la forme des OS et des litanies dans la deuxième partie.

Pour le reste, la nature de la documentation ne nous permet pas de tirer de conclusions; remarquer que ces demandes étaient introduites par *pro* ne constitue pas une découverte! A peine pouvons-nous déceler à travers les textes d'Augustin la structure *orare pro* ... *ut* ...: c'est celle d'un invitatoire se développant en une proposition finale, comme ceux des OS.

Observons pourtant que nulle part nous n'avons trouvé mention du diacre, sauf peut-être chez Augustin.

DEUXIEME PARTIE

ETUDE DES TEXTES

Introduction

Après avoir étudié la préhistoire de l'*oratio fidelium,* c'est-à-dire la
période dont il ne nous en reste que des allusions, il nous faut maintenant
aborder son histoire proprement dite, en analysant et en comparant les
plus anciens formulaires qui nous en sont conservés.

ETAT DE LA QUESTION

Quels sont-ils? Il y a longtemps que les érudits ont publié, au hasard
de leurs découvertes, tel ou tel texte; souvent même, ils en ont signalé
les parallèles en usage dans une autre Eglise. Ainsi par exemple, trouvons-nous dans les œuvres complètes de Thomasius († 1713) l'édition
de la *Deprecatio Gelasii* selon les deux traditions que nous connaissons,
suivie de celle des deux litanies dites milanaises[1]. Mais ces savants
se sont contentés de collationner et de publier les textes, sans pousser plus
loin l'analyse.

Dans son *Histoire du bréviaire,* Dom Bäumer a consacré une dizaine
de pages, fort bien documentées, à l'*oratio fidelium*[2]; il y présente plusieurs textes, depuis la finale de l'épître de Clément de Rome jusqu'aux
preces de l'Office, faites de versets bibliques; à part la *Deprecatio Gelasii,*
les repères principaux s'y trouvent.

Une étude plus systématique a été entreprise au début du XXe siècle
par le philologue allemand Wilhelm Meyer; dans un article important
paru en 1912[3], il édite la *Deprecatio Gelasii* et il la compare à d'autres
textes; il est le premier, croyons-nous, à fournir un inventaire méthodique; il distingue trois catégories de textes:

---

[1] THOMASIUS-VEZZOSI, t. 2, p. 570—572.

[2] S. BÄUMER, *Histoire du bréviaire,* t. 2, Paris, 1905, appendice II: «L'Oratio
fidelium de la première épître de saint Clément de Rome et des Constitutions
apostoliques, forme la plus ancienne des *Preces feriales* du Bréviaire romain»,
p. 429—441.

[3] W. MEYER, *Gildae Oratio rythmica,* Appendice II, dans les *Nachrichten* de
Göttingen, Berlin, 1912, p. 87—108.

1. «les séries-pro» («die Pro-Reihen») qui comportent
   — la litanie du Missel de Stowe,
   — les litanies milanaises,
   — la *Deprecatio Gelasii,*
   — le *Dicamus omnes* franco-gallican.

2. les Oraisons Solennelles du Vendredi saint, qu'il attribue à Grégoire le Grand, ce qui fausse radicalement toutes ses conclusions comparatives;

3. les *Orationes paschales* gallicanes et hispaniques, bâties le plus souvent sur le même schéma que les précédentes.

Quatre ans plus tard, Wilhelm Bousset complétera cette étude en apportant les parallèles orientaux de ces formulaires[4].

En 1928, Dom Pio Alfonso publie un petit livre[5] où il tente d'embrasser tout le problème de l'*oratio fidelium,* tant en Orient qu'en Occident, et d'en rechercher les schémas primitifs; son plus grand mérite est de fournir en un ensemble commode les textes les plus importants.

Enfin, Dom Capelle reprend systématiquement cet ensemble dans un article célèbre[6] où il s'intéresse surtout aux litanies occidentales dont il fait l'origine de l'actuel *Kyrie* de la messe romaine. Depuis lors, tous les liturgistes s'y réfèrent comme à l'ouvrage classique.

C'est dans cette lignée que s'inscrit notre recherche. Dans notre Mémoire de Licence[7], avant de retracer l'histoire des études consacrées à l'*oratio fidelium,* nous avions dressé un inventaire des anciens textes qui nous en sont parvenus. Ce sont ces formulaires, appartenant à toutes les liturgies latines anciennes, que nous allons rassembler ici, éditer, analyser et comparer. En voici la liste, avec les sigles qui les désigneront à l'avenir; nous les classons simplement d'après les familles liturgiques dont les sources nous les livrent, sans préjuger aucunement ni de leur origine, ni de leur âge[8]:

1. *Liturgie celtique:*
   Irl[1] = *Dicamus omnes* du Missel de Stowe.
   Irl[2] = intercessions anaphoriques du Missel de Stowe («Canon dominicus papae gilasi»).

2. *Liturgie milanaise:*
   M[1] = *Divinae pacis*
   M[2] = *Dicamus omnes.*

---

[4] W. Bousset, *Zur sogenannten Deprecatio Gelasii,* ib. 1916, p. 135—163.

[5] P. Alfonso, *Oratio fidelium,* Finalpia, 1928.

[6] B. Capelle, *Le Kyrie de la messe et le pape Gélase,* RB, t. 46 (1934), p. 126—144; Tr. Lit., t. 2, p. 116—134.

[7] P. De Clerck, *L'oratio fidelium dans les liturgies latines anciennes,* Louvain, 1966—1967.

[8] Les références précises aux sources manuscrites ou publiées seront données plus loin, avant l'édition du texte.

3. *Liturgie romaine*:
   OS = Oraisons solennelles du Vendredi Saint
   DG = *Deprecatio Gelasii*

4. *Liturgie gallicane*:
   FG¹ = *Dicamus omnes* franco-gallican
   FG² = *Kyrie eleison. Domine Deus omnipotens patrum nostrorum*
   franco-gallican
   Orationes paschales du: *Missale Gallicanum Vetus* (MGV)
                        Missale Gothicum (Go)
                        Missel de Bobbio (Bo)

5. *Liturgie hispanique*:
   Ha = *Orationes in vigilia Paschae*, tradition A.
   Hb = *Orationes in vigilia Paschae*, tradition B.

On l'aura remarqué, tous ces textes ne nous sont pas présentés dans les manuscrits comme des formulaires de prière universelle; Irl² est situé dans le Canon de la Messe, comme une incise au *Memento* des vivants; les cinq derniers, qui portent le titre d'*orationes paschales*, sont utilisés à la Vigile pascale, parfois même, comme en Espagne, entre les lectures; enfin un seul des manuscrits de la DG, encore bien le plus altéré, nous la donne pour la messe (tradition milanaise). A quel titre donc présentons-nous ces textes dans une étude de l'*oratio fidelium*?

Vu l'antiquité de celle-ci, attestée par notre dossier patristique, le contenu des textes existants et l'absence d'un autre *Sitz im Leben* auquel les raccrocher, nous pensons qu'ils ont tous leur origine plus ou moins proche dans l'*oratio fidelium*. Sans vouloir entrer ici dans le délicat problème des rapports entre celle-ci et les intercessions anaphoriques, nous constatons qu'en Orient toutes deux participent au même genre littéraire et développent la même thématique, reprise dans nos formulaires occidentaux. Même si les manuscrits nous présentent les textes hispano-gallicans comme des *orationes paschales*, un rapide coup d'oeil suffit à y déceler les mêmes intentions que dans les autres litanies. On se trouve en présence de la même veine inspiratrice. Ce serait donc se priver d'une grande partie de la documentation, fort ancienne malgré les apparences, que de négliger ces textes; si leur fonction a changé au cours de l'histoire, leur source reste à nos yeux l'antique *oratio fidelium*.

Bref, sans prétendre qu'Irl², en sa teneur actuelle, ait jamais servi comme prière universelle dans l'Eglise celtique, pensons-nous cependant qu'il en découle de quelque manière. Aussi avons-nous retenu tous les textes qui présentent dans leur contenu et dans leur forme littéraire[9] des garanties d'antiquité.

---

[9] Nous ne retenons donc pas les formulaires dont les répons sont formés de versets psalmiques; c'est là une forme littéraire postérieure, peut-être née chez les moines irlandais: cfr. 5ème Section.

RECHERCHES ENTREPRISES POUR ENRICHIR LA DOCUMENTATION

On aura constaté que cette liste comporte quelques titres de plus que celles des auteurs précités. Comment donc avons-nous procédé?

D'abord nous avons mieux classé les documents, en profitant des recherches récentes; ainsi avons-nous adopté, pour les textes hispaniques, la distinction en deux traditions proposée par le P. Bernal[10]. Puis nous avons fait le rapprochement entre les textes classiques et d'autres de même veine, comme Irl[2] et FG[2].

Nous avons également entrepris un travail de recherche, dans le but de trouver de nouveaux textes ou de nouveaux témoins des formulaires connus. Sur les conseils du P. Gy, nous avons procédé à une enquête dans les processionnaux manuscrits; sans être exhaustive, bien sûr, elle s'est révélée cependant pleine d'intérêt et riche en enseignements. Sur la liste de documents examinés par le P. Gy en vue de la publication d'un Répertoire des Rituels manuscrits conservés dans les Bibliothèques publiques de France, nous avons repéré tous les processionnaux et autres livres liturgiques susceptibles de contenir des *preces*. Quatre fonds principaux s'en sont dégagés: Paris, Cambrai, Verdun et Autun, dont nous avons examiné tous les processionnaux, plusieurs graduels et quelques *libri precum*; la seconde catégorie de documents s'est révélée à l'expérience aussi féconde en textes litaniques que la première. Nous avons également vu tous les processionnaux manuscrits de la Bibliothèque Royale de Bruxelles et nous avons profité d'un voyage en Suisse pour faire de même à Saint-Gall. Quant aux processionnaux imprimés, nous nous sommes contenté d'examiner ceux de la Bibliothèque Royale à Bruxelles, de l'abbaye du Mont César à Louvain et du Centre National de Pastorale Liturgique à Paris[11].

[10] J. BERNAL, *Los sistemas de lecturas y oraciones en la vigilia pascual hispana*, dans *Hispania sacra*, t. 17 (1964), p. 283—347.

[11] Pour éviter du travail inutile à ceux qui voudraient poursuivre la recherche, nous signalerons aussi les résultats négatifs de notre enquête; sur 150 manuscrits examinés, nous n'avons trouvé aucun des textes signalés dans la liste précitée (sauf OS) dans:

AUTUN, Bibl. Mun. S 181.

BESANÇON, Bibl. Mun. 79, 131, 140.

BRUXELLES: aucun processionnal de la Bibl. Roy. ne contient nos *preces*, sauf le 4836 (641) qui a FG[1], tandis que IV 60 (f. 57) indique cette même pièce sans toutefois en donner le texte.

CAMBRAI, Bibl. Mun. 55, 67, 70, 72 à 76, 79, 82, 83.

HAUTECOMBE, Abbaye Sainte-Madeleine, Graduel de Valence.

MADRID, Acad. hist. 18
　　　B. N. 1361
　　　Pal. Nac. II. D. 3.

PARIS, B. N. — lat. 931, 1086, 1122 à 1124, 1132, 1136, 1154, 1210, 1240, 1331, 1336, 9467, 9478, 10517, 10518, 10581, 12584, 13159, 13256 à 13258, 18050
　　　— nv. acq. lat. 387, 422.

C'est toujours aux Rogations que se sont conservés les textes qui nous occupent; quand une Eglise les utilise, on les y trouve encore parfois dans les livres imprimés il y a peu de temps; ainsi par exemple le *Processionale turonense* édité à Tours en 1827 contient-il FG².

Quels sont les résultats de ce sondage? Etant donné les lieux où nous l'avons effectué, nous n'avons trouvé de nouveaux témoins que pour les *preces* franco-gallicanes (FG¹ et FG²; nous les indiquerons lors de l'édition); par hasard, nous avons découvert un texte nouveau d'Irl². Jamais nous n'avons rencontré les litanies dites milanaises, ni la DG; ceci rejoint donc parfaitement la conclusion du P. Molin¹² qui, étudiant la tradition manuscrite de la DG, constate qu'en dehors de sa présence — altérée — dans un livre liturgique ambrosien, on ne trouve cette pièce que dans les livres de prières privées (*libelli precum*). Nous pensons avec lui que si l'on veut découvrir de nouveaux témoins de DG, c'est dans les manuscrits du même genre qu'il convient de chercher.

Le résultat de ces recherches est donc maigre en ce qui concerne la liste de textes donnée ci-dessus. Par contre, nous avons rencontré plusieurs *preces* de facture récente, plus hymnique que litanique, qui nous permettent de préciser davantage notre cadre chronologique.

LIMITES CHRONOLOGIQUES

Comme des textes liturgiques anciens peuvent être repris par des livres liturgiques récents, il est indispensable de distinguer l'âge des sources et l'âge des textes eux-mêmes. En ce qui concerne les sources, nous ne nous sommes imposé aucune limite, et nous nous servirons aussi bien des manuscrits du VIIIe siècle que d'un processionnal édité à Tours en 1827. Quant aux textes, nous pouvons indiquer des limites allant grosso modo de la seconde moitié du IIIe s. jusqu'à l'époque de Charlemagne.

ROME, Bibl. Vat. Palat. lat. 489.
ROUEN, Bibl. Mun. 222 à 224, 242, 253, 255, 773, 3030.
SAINT-GALL, Stiftsbibl.: aucun processionnal, ni aucun des manuscrits que nous avons examinés (15, 97, 339, 349, 360, 395, 443, 473) ne contient nos litanies.
VERDUN, Bibl. Mun.: ni les processionnaux, ni les manuscrits 12, 127, 130, 131, 149 à 151, 153 ne comportent nos litanies.
Quant aux processionnaux imprimés, aucun de ceux de la Bibl. Royale à Bruxelles et de l'abbaye du Mont César à Louvain n'en contiennent.
D'après le P. Gy, nous avons atteint ainsi, du moins pour la France, environ 90 % des sources existantes.

¹² J.-B. MOLIN, *Les manuscrits de la «Deprecatio Gelasii». Usage privé des psaumes et dévotion aux litanies*, dans EL, t. 90 (1976), p. 113—148.

Vocabulaire technique de classification

Il nous reste à préciser les termes que nous allons utiliser pour l'étude des textes. Nous avons cru bon de mettre au point un vocabulaire technique précis, dont le seul but est de servir comme outil d'analyse. Peut-être paraîtra-t-il pédant; notre intention n'est toutefois pas de répandre ces termes dans la pratique liturgique, mais uniquement de forger un instrument scientifique de classification.

Sa nécessité nous est apparue de plusieurs manières. Dans la tradition liturgique tout d'abord, nous avons constaté que nos ancêtres n'ont pas toujours clairement distingué les formes liturgiques qu'ils utilisaient; que de fois, par exemple, trouve-t-on la conclusion «Per Dominum ...» à la fin d'un invitatoire adressé au peuple, comme s'il s'agissait en réalité d'une oraison; ou encore des invitatoires qui ont été transformés en oraisons. La science liturgique elle-même, si elle a généralement le souci de distinguer les différentes formes eucologiques, est cependant loin d'utiliser un vocabulaire identique et univoque pour les étiqueter, ce qui est la source de nombreuses confusions. Enfin dans la pastorale liturgique actuelle, beaucoup de pasteurs n'ont pas toujours conscience de la structure des textes qu'ils utilisent, et nous pensons que les liturgistes auraient un service à leur rendre en classifiant mieux les formules eucologiques grâce à des définitions plus précises. Aussi espérons-nous que cette tentative, limitée bien sûr à l'objet qui nous occupe, pourra être améliorée et étendue, et servir ainsi d'amorce à une entreprise générale de classification systématique des formes liturgiques.

Notre souci, dans l'élaboration de ce vocabulaire, a été la précision. Il s'agissait d'abord de bien voir en quoi se différenciaient les formulaires, de ne pas confondre la facture générale avec la présence d'un élément adventice, d'isoler les éléments simples et de démonter leurs combinaisons; puis de réserver un terme unique et diacritique pour chaque réalité, élémentaire ou composée. Nous avons également recherché une certaine symétrie linguistique entre des éléments parallèles appartenant à deux types eucologiques différents; c'est ainsi que nous avons été amené à forger le terme «invocatoire», qui correspondra à «invitatoire».

Nous avons en effet évité par principe de reprendre des termes utilisés dans les manuscrits, par exemple *preces* ou *orationes*; nos aïeux n'avaient pas le souci de systématisation et ont souvent désigné sous la même rubrique des réalités différentes. Cela nous empêchera aussi de projeter nos schémas classificateurs sur les documents à la simple lecture de leurs titres, souvent si trompeurs.

Cet essai de clarification sera réussi si à la fin de l'étude le lecteur a l'impression de dominer le matériel présenté; en ce cas, loin d'être un carcan, ce vocabulaire se sera révélé efficace.

Au point de départ, il est indispensable de distinguer nettement le noyau sémantique des formes grammaticales qu'il revêt.

— *au niveau sémantique,* quelles que soient la langue ou la tournure utilisées, on trouve toujours cinq éléments fondamentaux:

1. le sujet de l'action, qui dans la liturgie est l'assemblée ou un ministre;

2. la fonction, exprimée essentiellement par le verbe, et qui est ici de supplier;

3. le bénéficiaire de la demande, individu ou collectivité;

4. l'objet de la demande;

5. le destinataire de l'énoncé, qui est ici Dieu ou l'assemblée.

— *au niveau grammatical,* des expressions fort différentes peuvent véhiculer la même valeur sémantique. Pour exprimer l'objet d'une demande et son bénéficiaire, l'on peut dire:

— «pro conservatione Ecclesiae oramus te»

— «pro Ecclesia, ut conservetur, oramus te»

— «Ut Ecclesiam tuam conservare digneris oramus te».

Grammaticalement, ces énoncés sont très différents, mais sémantiquement ils ont tous la même valeur: aucun des trois ne nous apprend plus que les deux autres.

Cette distinction est fondamentale. Nous estimons actuellement qu'il est superflu de réserver un vocable univoque pour chaque forme grammaticale, surtout pour les plus élémentaires, pourvu que l'on caractérise bien leur valeur sémantique. Ainsi par exemple nomme-t-on parfois «intention» chaque phrase d'une litanie commençant par la préposition *pro*; mais à y regarder de près, cette intention désigne tantôt le bénéficiaire («pro rege nostro», «pro sancta Ecclesia»), tantôt l'objet de la demande («pro remissione peccatorum»); de plus, la même réalité peut se couler dans une forme grammaticale toute différente, par exemple: «ab omni malo (libera nos Domine)», «ut nobis parcas (te rogamus audi nos)», «mortificatam vitiis carnem (praesta Domine)».

Ceci permet d'éviter des oppositions fausses, sans fondements réels, comme celle de la prière pour des personnes («pro navigantibus») et de la prière pour des choses («pro aeris temperie»); celle-ci ne nomme explicitement que l'objet de la demande, mais ses bénéficiaires sont bien sûr sous-entendus: on prie pour le beau temps afin que les moissonneurs fassent bonne récolte et que les membres de l'assemblée (tout au moins) en profitent. Inversement la «prière pour des personnes» ne mentionne que le bénéficiaire, mais l'objet est plus ou moins évident: pour les marins, on prie afin qu'il n'y ait pas de tempête et qu'ils trouvent un port en temps opportun. Cette opposition s'avère donc stérile[13].

---

[13] L'ouvrage de R. BERGER, *Die Wendung «offerre pro» in der römischen Liturgie,* (LQF 41), Munster, 1965, ne nous a pas été d'un grand secours, malgré son titre prometteur; il veut se situer à un niveau plus théologique.

Pratiquement, il convient cependant de tenir compte des deux aspects, sémantique et littéraire. Aussi proposons-nous la classification suivante:

I. Au niveau sémantique

1) *Les genres liturgiques,* déterminés par la fonction des énoncés liturgiques globaux. Tous nos formulaires sont du genre *«prière commune»,* c'est-à-dire prière organisée de manière à favoriser l'interaction maximale du groupe meneur et des participants. La «prière commune» se distingue de la «prière sacerdotale» où le président de l'assemblée a un rôle essentiel d'émetteur, de porte-parole des participants. Elle diffère également d'autres genres comme la «lecture», ou l'«acclamation». Une classification exhaustive des genres liturgiques reste encore à faire[14].

2) *Les sujets de l'action*
   Toute action liturgique est l'oeuvre d'une *assemblée,* qui se répartit toujours en deux groupes:
   — le *groupe meneur,* composé d'une seule personne (prêtre, diacre) ou de plusieurs (chorale);
   — le *groupe participant,* c'est-à-dire tous les membres de l'assemblée qui ne mènent pas (y compris le prêtre lors d'une proclamation diaconale par exemple).

3) *Le destinataire*
   Tout énoncé liturgique s'adresse soit à Dieu (ou aux saints), soit à l'assemblée; aussi distinguons-nous deux types eucologiques fondamentaux:
   — le *type invocatif,* qui s'adresse à Dieu,
   — le *type invitatif,* qui s'adresse à l'assemblée.

II. Au niveau littéraire

1) *Les formes liturgiques,* ou les structures générales des énoncés. Dans le genre «prière commune», nous en repérons deux:
   a) *la litie*[15] ou ensemble comportant plusieurs «litiques». Un litique est un énoncé bipartite composé d'un invitatoire suivi d'une orai-

---

[14] On trouvera quelques éléments utiles dans L. Duchesne, *Origines . . .,* p. 110—111; et dans Martimort, p. 135—147.

[15] Ne trouvant nulle part de terme pour désigner cette forme liturgique, nous avons pris le mot «litie», du grec λιτή (d'où vient «litanie»); ainsi à partir d'un même radical, qui indique l'appartenance au même genre, nous obtenons cependant deux vocables suffisamment différenciés en français pour souligner la signification particulière de chacun d'eux.
Dans la liturgie byzantine, la litie désigne une procession qui au chant des

son; ces deux éléments peuvent éventuellement être séparés par une monition.

ex.: les OS forment une litie comportant 9 litiques.

b) *la litanie* ou ensemble exigeant l'interaction constante des deux groupes:

— le meneur formulant des énoncés de type invocatif ou invitatif;

— les participants intervenant après chacun de ceux-ci par des répons.

La litanie comporte généralement (non obligatoirement) une introduction de type invitatif (ex.: «Dicamus omnes: Domine miserere») et une oraison finale.

ex.: M^l.

2) *Les éléments* qui composent ces formes:

21. le *répons* ou refrain répété par les participants à la fin de chaque intervention du meneur.

ex.: «Kyrie eleison».

Le terme «répons» ne signifie pas que les participants répondent au meneur lui-même; mais à l'instar du répons psalmique, il suit immédiatement l'intervention de ce dernier. Dans un formulaire de prière universelle, le répons est nécessairement de type invocatif.

22. éléments de type invitatif:

221. la *monition* ou communication aux participants d'un message concernant une attitude (physique ou spirituelle) à prendre, ou une action à accomplir.

ex.: «Flectamus genua»
     «Levate» (monition impérative).

222. l'*invitation* ou énoncé invitant les participants à prier, mais n'indiquant ni l'objet ni le bénéficiaire de la prière.

ex.: «Oremus»
     «Salvatorem Dominum supplicamus» (invitation attributive).

223. l'*invitatoire* ou énoncé invitant les participants à prier et indiquant soit l'objet, soit le bénéficiaire de la prière, soit les deux[16].

---

tropaires se rend du sanctuaire au narthex; le terme peut donc être considéré comme un synonyme du latin *litania*.

Sur le sens de ces mots en grec et en latin, cfr. G. KNOPP, *Sanctorum nomina seriatim*, dans *Römische Quartalschrift*, t. 65 (1970), p. 187—188. Voir aussi l'OR 50, ch. 35 et 36.

[16] Cette définition n'inclut donc pas, malgré l'usage reçu, le psaume «invitatoire» des Matines.

ex. (objet): «pro remissione peccatorum» (invitatoire nominal)

ex. (bénéficiaire): «Oremus pro sancta Ecclesia» (invitatoire verbal)

ex. (des deux): «Oremus pro catechumenis nostris ut deus adaperiat aures praecordiarum isporum».

23. éléments de type invocatif:

231. l'*invocation* ou énoncé adressé à Dieu et n'indiquant ni l'objet ni le bénéficiaire de la prière.

ex.: «Oramus te»
«Exaudi nos in omni oratione nostra» (invocation impérative).

232. l'*invocatoire* ou énoncé adressé à Dieu par le meneur et indiquant soit l'objet, soit le bénéficiaire de la prière, soit les deux.

ex. (objet): «pro altissima pace invocamus te»[17]

ex. (bénéficiaire): «pro rege nostro oramus te»

ex. (des deux): «ut Ecclesiam tuam conservare digneris te rogamus»
«pro infideles ut credant oramus te»
«ab omni malo libera nos Domine».

233. l'*oraison* ou énoncé adressé à Dieu au nom des participants par le seul président (pas n'importe quel meneur) qui exerce par là son rôle médiateur.

L'oraison peut-être plus ou moins développée, mais comporte au minimum:

— une adresse,

— l'indication de l'objet de la demande et de son bénéficiaire,

— une formule de médiation («per Dominum . . .»),

— une adhésion des participants («Amen»).

3) Les *modalités* diverses que peuvent comporter ces éléments.

Un énoncé est dit:

31. *verbal* s'il comporte un verbe;

ex.: «pro pastore nostro imploramus te» (invocatoire verbal)

nominal s'il n'en comporte pas; en réalité le verbe est alors sous-entendu, ou contenu dans le répons.

ex.: «pro pastore nostro et omni clero eius»

32. *attributif* s'il qualifie Dieu;

ex.: «Domine Deus omnipotens patrum nostorum (invocation attributive)

---

[17] Lorsqu'il n'est pas explicitement désigné, le bénéficiaire est souvent, comme ici, le sujet du verbe.

descriptif s'il qualifie les orants;

ex.: «peccatores, te rogamus audi nos» (invocation descriptive)

33. *impératif* si son verbe est conjugué à ce mode et exprime donc un souhait ou un ordre;

ex.: «Exsurge, Domine, adiuva nos» (invocation impérative)

indicatif si son verbe est conjugué à ce mode et exprime donc une déclaration;

ex.: «Seigneur, nous te cherchons» (invocation indicative).

Nous voici équipés pour entreprendre l'étude des textes. Pour chacun d'eux, nous établirons la liste des témoins et nous fournirons l'édition critique et les parallèles orientaux[18]; nous en analyserons la forme liturgique, et, dans un commentaire, nous ferons le point des études qui leur ont été consacrées; enfin nous présenterons nos conclusions.

---

[18] Pour en donner la référence, nous reprenons le système utilisé par CAPELLE; les chiffres renvoient aux pages de Brightman (sauf pour les Constitutions apostoliques) et les lettres qui les précèdent désignent la famille liturgique à laquelle ils sont empruntés: CAp = Constitutions apostoliques, que nous citons d'après la division du texte en livres et paragraphes; J = liturgie grecque de saint Jacques; B = liturgie byzantine; M = liturgie de saint Marc; E = liturgie égyptienne (copte).
Sur les formulaires orientaux, on peut consulter J. M. HANSSENS, *Institutiones liturgicae de ritibus orientalibus*, t. 3, Rome, 1932, n⁰ 1047—1082 (p. 230—260). Voir aussi A. BAUMSTARK, *Liturgischer Nachhall der Verfolgungszeit*, dans *Festgabe A. Ehrhard*, Bonn-Leipzig, 1922, p. 53—72; selon lui, le fond de ces pièces remonte à la période des persécutions.

LES ORAISONS SOLENNELLES (OS)

Le premier texte à lire et à analyser est probablement le plus beau de tous, tant par le contenu que par la qualité de son style. C'est un des tout premiers textes liturgiques latins, du moins parmi ceux qui nous ont été conservés. A première vue, les «oraisons solennelles» sont assez différentes, par leur forme liturgique notamment, des autres formulaires de prière universelle, mais nous verrons qu'il s'agit là d'une illusion d'optique. Une étude approfondie de cette litie serait très longue; nous nous bornerons ici à ce qui concerne notre objectif, en renvoyant le lecteur aux travaux qui ont été consacrés à cette prière.

A. Les Temoins

Comme ce formulaire est encore en usage de nos jours, nous ne citerons que les plus anciens témoins. Trois traditions liturgiques nous les livrent:

Gélasienne:

V = ROME, Bibl. Vat. Reg. lat. 316 (vers 750), f. 63ᵛ—66ʳ,
  = *Sacramentaire gélasien ancien*, éd. Mohlberg, p. 64—67.
  (Clavis 1899 — Bourque 8 — Gamber 610.)

R = ZURICH, Bibl. Centr. Rh 30 (vers 800),
  = *Sacramentaire de Rheinau* (Gélasien du VIIIe s.), éd. Hänggi-Schönherr, p. 126—129.
  (Clavis 1905t — Bourque 29 — Gamber 802.)

S = SAINT-GALL, Stiftsbibl. 348 (vers 790—817), p. 149—153,
  = *Sacramentaire de Saint-Gall* (Gélasien du VIIIe s.), éd. Mohlberg,
  p. 78—80.
  (Clavis 1905g — Bourque 24 — Gamber 830.)

A = PARIS, B.N. lat. 816 (vers 800),
  = *Sacramentaire d'Angoulême* (Gélasien du VIIIe s.), éd. Cagin,
  p. 43—44'.
  (Clavis 1905d — Bourque 23 — Gamber 860).

Gallicane:

ROME, Bibl. Vat. Palat. lat. 493 (vers 700), f. 47^r—50^v,
  = *Missale gallicanum vetus,* éd. Mohlberg, p. 27—29.
  (Clavis 1922 — Bourque 519 — Gamber 212—214.)

Grégorienne:

C = CAMBRAI, Bibl. Mun. 164 (olim 159), (de 812), f. 57—61,
  = *Sacramentaire d'Hildoard,* éd. Lietzmann, p. 47—49; Deshusses,
  p. 176—180.
  (Clavis 1904 — Bourque 53 — Gamber 720).

O = ROME, Bibl. Vat. Ottob. lat. 313 (IXe s.) = Alcuinianum, Variantes
  dans Wilson, Lietzmann et Deshusses.
  (Bourque 72 — Gamber 740.)

B. Edition

Voici, avec quelques légères modifications, l'édition critique qu'en
donne Willis[1]; nous ne signalons pas les variantes purement orthographi-
ques qu'il cite dans son apparat.

ITEM POST LECTIONEM EUANGELII
ORATIONES SOLEMNES[2]

I

Oremus, dilectissimi nobis, in primis[3] pro ecclesia sancta dei, ut eam[4]
deus et dominus noster pacificare adunare[5] et custodire dignetur toto
orbe[6] terrarum, subiciens ei principatus et potestates, detque nobis tranquillam et quietam[7] vitam degentibus glorificare deum patrem omnipotentem.

---

[1] G. G. Willis, *Essays in Early Roman Liturgy,* Londres, 1964, p. 14—17.
[2] ITEM POST LECTIONEM EUANGELII ORATIONES SOLEMNES *Gall.*
ITEM SECUNTUR ORATIONES SOLEMNES *Gel* (S). ORATIONES QUAE
DICENDAE SUNT VI FERIA MAIORE IN HIERUSALEM *Greg.* Item sequitur lectio et responsorium. Inde vero legitur passio domini. Ipsa expleta
incipit sacerdos orationes solemnes quae sequuntur *Gel* (VRA).
[3] in primis *om Greg.*
[4] eam] etiam *Gel* (V).
[5] adunare] multiplicare *Gall. om Greg* (C).
[6] toto orbe *Gall Gel* (RS) *Greg* (C). per uniuersum orbem *Gel* (VA) *Greg* (O).
[7] tranquillam et quietam] quietam et tranquillam *Greg.*

OREMUS[8]. Omnipotens sempiterne deus, qui gloriam tuam omnibus[9] in Christo gentibus reuelasti, custodi opera misericordiae tuae, ut ecclesia tua[10] toto orbe diffusa stabili fide in confessione tui nominis perseueret. per dominum nostrum.

II

Oremus et pro beatissimo[11] papa nostro[12], ut deus omnipotens[13] qui elegit eum[14] in ordine episcopatus saluum et incolumem[15] custodiat ecclesiae suae sanctae ad regendum populum sanctum dei.

OREMUS. Omnipotens sempiterne deus, cuius aeterno[16] iudicio[17] uniuersa fundantur, respice propitius ad preces nostras et electum nobis antistitem[18] tua pietate conserua, ut christiana plebs quae tali gubernatur auctore[19] sub tanto pontifice[20] credulitatis suae meritis augeatur. per.

III

Oremus et pro omnibus episcopis, presbyteris, diaconibus, subdiaconibus[21], acolytis, exorcistis, lectoribus, ostiariis, confessoribus, uirginibus, uiduis, et pro omni populo sancto dei.

OREMUS. Omnipotens sempiterne deus, cuius spiritu totum corpus ecclesiae sanctificatur et regitur, exaudi nos pro uniuersis ordinibus supplicantes, ut gratiae tuae munere ab omnibus tibi gradibus[22] fideliter seruiatur. per.

IV

Oremus et pro christianissimis imperatoribus nostris[23] ut deus et dominus noster[24] subditas illis faciat omnes barbaras nationes ad nostram perpetuam pacem[25].

[8] OREMUS + *Et dicit diaconus*. Flectamus genua. *Postquam orauerint dicit* Leuate *Gel* (S). + *Adnuntiat diaconus*. Flectamus genua. *Iterum dicit*. Levate *Gel* (VRA) *Greg* (O). *deinde* + postea dicit sacerdos orationem *Greg* (O).

[9] omnibus] in omnibus *Gel* (V).   [10] tua *om Gall Greg* (C).

[11] beatissimo] famulo dei *Gel* (VA).

[12] nostro] illo *add Gel* (S) *Greg*. sedis apostolicae illo et pro antistite nostro illo *add Gel* (VRA).

[13] omnipotens] et dominus noster *Greg*. [14] eum] eos *Gel* (VRA).

[15] saluum et incolumem] saluos et incolumes *Gel* (VRA). saluum atque incolumem *Greg*.

[16] aeterno *om Greg*.   [17] iudicio] inditio *Gall*.

[18] electum ... antistitem] electos ... antistites *Gel* (VRA). a te *add Gel*.

[19] tali ... auctore] talibus ... auctoribus *Gel* (VRA).

[20] tanto pontifice] tantibus pontificibus *Gel* (RA). tantos pontifices *Gel* (V).

[21] subdiaconibus *om Gall*.   [22] tibi gradibus *om Gel* (V).

[23] christianissimis imperatoribus nostris *Gel* (S). christianissimo imperatore nostro *Greg*. christianissimis imperatoribus nostris uel rege nostro *Ill. Gel* (R). christianissimo imperatore nostro uel rege nostro *Illo Gel* (V). christianissimo imperatore uel rege nostro *illo Gel* (A). christianissimis regibus *Gall*.

[24] et dominus noster] omnipotens *Gel* (VA).

[25] per *add Gall*.

OREMUS. Omnipotens sempiterne deus, in cuius manu sunt omnium temporum[26] potestates et omnia iura regnorum[27], respice propitius[28] ad Romanum[29] benignus imperium, ut gentes quae in sua feritate confidunt potentiae tuae dextera[30] conprimantur. per.

V

Oremus et pro catechumenis nostris, ut deus et dominus noster adaperiat aures praecordiarum ipsorum[31] ianuamque[32] misericordiae, ut per lauacrum regenerationis accepta remissione omnium peccatorum digni[33] inueniantur in Christo Iesu domino nostro.

OREMUS. Omnipotens sempiterne deus, qui ecclesiam tuam noua semper prole fecundas, auge fidem et intellectum catechumenis nostris, ut renati fonte baptismatis adoptionis tuae filiis adgregentur. per.

VI

Oremus, dilectissimi nobis, deum patrem omnipotentem ut cunctis mundum purget erroribus, morbos auferat, famem depellat, aperiat carceres, uincula dissoluat, peregrinantibus reditum, infirmantibus sanitatem, nauigantibus portum salutis indulgeat.

OREMUS. Omnipotens sempiterne[34] deus, maestorum consolatio, laborantium fortitudo, perueniant ad te preces de quacumque tribulatione clamantium, ut omnes sibi in necessitatibus suis misericordiam tuam gaudeant adfuisse. per.

VII

Oremus et[35] pro hereticis et schismaticis, ut deus et[36] dominus noster eruat eos ab erroribus uniuersis et ad[37] sanctam matrem ecclesiam catholicam atque apostolicam reuocare dignetur[38].

OREMUS. Omnipotens sempiterne deus, qui omnes saluas[39] et neminem uis perire, respice ad animas diabolica fraude deceptas, ut omni heretica

---

[26] temporum *om Greg.*

[27] in cuius . . . regnorum *Gall Greg.* qui regnis omnibus aeterna potestate dominaris *Gel.*

[28] propitius *om Greg.*

[29] Romanum *Gall Gel* (VA) *Greg* (C). romanorum *Gel* (RS). christianum *Greg* (O). siue Francorum *add Gel* (VA). atque Francorum *add Gel* (R).

[30] potentiae tuae dextera *Gall Greg Gel* (RS). dexterae tuae potentia *Gel* (V). dexterae potentia *Gel* (A*). dexterae maiestatis tuae potentia *Gel* (Ac).

[31] ipsorum] eorum *Gel* (RSc).

[32] ianuamque] genuamque *Gel* (V).

[33] digni] et ipsi *Gall Greg.*

[34] sempiterne] et misericors *Gel* (S) *Gall.*

[35] et *om Gall Gel* (SA*. et *post* pro Ac).

[36] et *Gel* (VA). ac *Gel* (RS) *Gall Greg.*

[37] ad *om Gall (lapsu).*

[38] per *add Gel* (V) *Gall.*

[39] omnes saluas *Gel* (VA). saluas omnes *Gel* (RS) *Gall Greg.*

prauitate⁴⁰ deposita⁴¹ errantium⁴² corda⁴³ resipiscant et ad ueritatis tuae redeant firmitatem⁴⁴. per.

VIII

Oremus et pro perfidis iudaeis, ut deus et dominus⁴⁵ noster auferat uelamen de⁴⁶ cordibus eorum, ut et ipsi cognoscant⁴⁷ Christum Iesum⁴⁸ dominum nostrum⁴⁹.

OREMUS. Omnipotens sempiterne deus, qui etiam iudaicam perfidiam a⁵⁰ tua misericordia non repellis, exaudi preces nostras, quas tibi⁵¹ pro illius populi obcaecatione deferimus, ut agnita⁵² ueritatis tuae luce, quae Christus est, a suis tenebris eruantur. per.

IX

Oremus et pro paganis, ut deus omnipotens auferat iniquitatem⁵³ a⁵⁴ cordibus eorum, et relictis idolis suis conuertantur ad deum⁵⁵ uerum et unicum filium eius Iesum Christum⁵⁶ dominum nostrum⁵⁷, cum⁵⁸ quo⁵⁹ uiuit et regnat cum Spiritu sancto⁶⁰.

OREMUS. Omnipotens sempiterne deus, qui non⁶¹ mortem peccatorum sed uitam semper inquiris, suscipe propitius orationem nostram et libera eos ab idolorum cultura, et adgrega ecclesiae tuae sanctae ad laudem et gloriam nominis tui. per.

---

40 prauitate] peruersitate *Gel* (VA).
41 deposita] depulsa *Gel* (VRA).
42 errantium] et errantium *Gel* (S).
43 errantium corda *om Gall.*
44 firmitatem] unitatem *Greg.*
45 deus et dominus] dominus et deus *Gel* (S).
46 de] a *Greg* (O).
47 cognoscant] agnoscant *Greg.*
48 Christum Iesum] Iesum Christum *Gel* (A) *Greg* (O). Iesum *om Gel* (S).
49 qui uiuit et regnat *add Gall.*
50 a *om Gall.*
51 tibi *om Gall Greg.*
52 agnita] cognita *Gel* (R).
53 iniquitatem] iniquitates *Gel* (S). iniqua *Gall.*
54 a] de *Gel* (S) *Gall.*
55 deum] uiuum et *add Gel* (S) *Greg.*
56 Christum] deum ac *add Gel* (S). deum et *add Greg* (C).
57 dominum nostrum *om Gall.*
58 cum . . . sancto *om Gel* (A).
59 cum quo] qui cum eo *Greg* (O).
60 cum Spiritu sancto *Gall Greg* (C). cum sancto Spiritu *Greg* (O). Deus in unitate spiritus sancti *Gel.* in saecula saeculorum *add Gall.* deus per omnia saecula saeculorum amen *add Greg* (O) *Gel* (RSᶜ).
61 non] uis *add Greg* (O).

C. Paralleles orientaux

A notre connaissance, seul Baumstark[62] a jusqu'ici rapproché les OS
des litanies orientales; la ressemblance est apparemment moins évidente,
vu la différence entre leurs formes liturgiques; la thématique est cependant rigoureusement semblable, comme en témoignent les parallèles suivants (nous n'apportons que les textes vraiment pertinents)[63]:

I   pour l'Eglise: demande présente en toutes les litanies, mais aucun
      parallèle strict; «tranquillam et quietam vitam» est une citation
      de *I Tm* II, 2, qui se retrouve dans CAp VIII 13,5 (cfr. 12,42)
      et J 55.
      Flectamus genua — Levate = E 159 Κλίνωμεν τὰ γόνατα —
      Ἀναστῶμεν.

II   pour le *papa* (au sens d'évêque); pas de parallèle strict. Cfr. M 121.

III   pour les ordres ecclésiaux; CAp VIII 10 et surtout 12 les citent
      pareillement, sauf les acolytes, les exorcistes et les portiers; de
      même M 121 et M 130, sauf les acolytes, exorcistes, portiers et con-
      fesseurs; M 126 et M 138 mentionnent le peuple (πάντων τῶν λαῶν
      et φιλοχρίστου λαοῦ).

IV   pour l'empereur; J 45 ὑπὲρ τῶν εὐσεβεστάτων καὶ θεοστέπτων
      ὀρθοδόξων ἡμῶν βασιλέων; B 363 ὑπὲρ τῶν εὐσεβεστάτων καὶ θεο-
      φυλάκτων βασιλέων ἡμῶν;
      «ut deus et dominus noster subditas illis faciat omnes barbaras
      nationes ad nostram perpetuam pacem»: cfr. J 55 ὑπόταξον αὐτοῖς
      (βασιλεῦσι) πάντα τὰ πολεμικὰ καὶ βάρβαρα ἔνθη . . . ἵνα ἤρεμον
      καὶ ἡσύχιον βίον διάγωμεν . . . (*I Tm* II,2).

V   pour les catéchumènes: se trouve en CAp et M, pas en J ni B;
      «adaperiat aures praecordiarum ipsorum» = CAp VIII 6,5 δια-
      νοίξῃ τὰ ὦτα τῶν καρδιῶν αὐτῶν; idem dans la liturgie d'Antioche
      selon les écrits de J. Chrysostome, Br 471,8;
      «lavacrum regenerationis» = *Tite* III, 5 = CAp VIII 6,6 et autres;
      «accepta remissione omnium peccatorum» = CAp VIII 6,7: ἀφέσεως
      τυχόντες τῶν πλημμελημάτων.

VI   pour les nécessiteux; c'est une des demandes les plus universelles;
      tous les termes se rencontrent dans les litanies orientales, sauf la
      délivrance de la faim.

VII   pour les hérétiques et les schismatiques; demande beaucoup plus
      originale; les plus proches sont CAp VIII 10,17 et 12,46: τῶν
      ἔξω ὄντων καὶ πεπλανημένων et J 56: παῦσον τὰ σχίσματα τῶν
      ἐκκλησιῶν καὶ τὰς τῶν αἱρέσεων ἐπαναστάσεις.

---

[62] A. Baumstark, *Liturgischer Nachhall* . . ., p. 65—71.
[63] Ici et pour tous les textes suivants, les sigles que nous utilisons dans le
commentaire renvoient au passage correspondant de l'édition.

VIII pour les Juifs: ne se trouve nulle part ailleurs (même en Occident).

IX   pour les païens: originale également; cfr. VII.

Nous trouvons donc deux passages littéralement parallèles: IV et J 55; V et CAp VIII, 6, 5. On peut conclure que, malgré leur forme littéraire de litie, les OS participent à la même thématique que les litanies orientales. On est habitué à rapprocher les litanies occidentales de leurs soeurs d'Orient, mais les parallèles que nous venons d'apporter prouvent qu'il n'y a aucune raison d'en exclure les OS; tous ces textes puisent au même arsenal de demandes, sans doute constitué en Orient. Outre leur forme littéraire, la différence la plus apparente est que les OS concentrent en deux invitatoires (III et VI) ce que les litanies étendent en plusieurs, tandis qu'elles en consacrent quatre (V, VII, VIII et IX) à des catégories de personnes absentes des litanies ou rangées parmi d'autres demandes.

D. Etude

1. Le plus vieux texte des OS

Le plus ancien texte des OS n'est pas, comme on s'y attendrait, celui du plus ancien manuscrit gélasien, mais bien le texte donné par le *Missale Gallicanum Vetus* que l'on date des environs de l'an 700. M. Chavasse a montré[64] qu'il dérivait d'un témoin romain plus ancien, qui avait gagné la Gaule avant l'arrivée du Gélasien et du Grégorien et qui représente une tradition indépendante.

2. Forme liturgique actuelle

Les OS constituent l'exemple par excellence de la litie; elle est composée de neuf litiques. Entre les invitatoires et les oraisons, l'usage actuel, déjà attesté par la tradition gélasienne et le manuscrit O (grégorien), prescrit deux monitions diaconales: *Flectamus genua — Levate.*

Une forme littéraire analogue se trouve dans les trois oraisons solennelles des rites copte et éthiopien, récitées trois fois au cours de la célébration eucharistique; la première est dite pour la paix de l'Eglise, la seconde pour le patriarche, la troisième pour l'assemblée. Chacune commence par un invocatoire sacerdotal, repris brièvement par le diacre en forme d'invitatoire impératif; dans le rite copte, le peuple y répond *Kyrie eleison*; le prêtre poursuit alors son invocatoire[65]. En Carême, le rite copte connaît aussi les monitions κλίνωμεν τὰ γόνατα — Ἀναστῶμεν[66].

---

[64] A. Chavasse, *Le sacramentaire gélasien*, Tournai, 1958, p. 634—635.

[65] Pour le rite copte, cfr. Br p. 150—151, 154 et 160—161; pour le rite éthiopien, p. 210—211, 216 et 223—225.

[66] Br p. 158—159; cfr. J. M. Hanssens, *Institutiones liturgicae...*, t. 3, n° 1051 (p. 233—234).

Par ailleurs, la liturgie nestorienne a conservé une forme sans doute
très ancienne d'*oratio fidelium,* où le diacre énonce une série d'invitatoires que le peuple interrompt par un *Amen* situé, à l'intérieur de chaque
invitatoire, entre l'énoncé du bénéficiaire de la demande et celui de son
objet (Br 263—266). Nous avons peut-être ici un ancêtre lointain des OS.

3. *Forme liturgique ancienne*

a) Invitatoires et oraisons

Willis est le premier, pensons-nous, à avoir suggéré que les invitatoires et les oraisons pourraient ne pas être du même âge, et que les
premiers seraient plus anciens que les secondes, qui leur auraient été
accolées par la suite. Voici les arguments avancés par cet auteur[67] :

1. Les invitatoires sont aussi développés que les oraisons, parfois même
   plus, et dans presque tous les cas ils sont plus détaillés. Tous deux
   remplissent au fond la même fonction: ils énumèrent les bénéficiaires
   et (sauf III, où manque le *ut* de l'invitatoire) spécifient l'objet de la
   demande.

   Les oraisons par contre tendent à être plus générales dans leurs demandes et à revêtir la sobriété caractéristique des collectes latines de la
   meilleure époque.

2. Leur style est différent.

   Les oraisons sont soigneusement composées en respectant les règles
   du cursus; celui-ci a prévalu entre le IVe et le VIIe, ce qui signifie
   pour nous que les oraisons ne remontent pas plus haut que le IVe
   siècle.

   Les invitatoires au contraire se conforment rarement au cursus, et
   peuvent donc dater d'avant le IVe s.

Willis apporte ici une série d'exemples qui emportent notre adhésion.
Il conclut: la différence très frappante dans la structure rythmique des
invitatoires et des oraisons établit, au-delà de tout doute, qu'ils furent
composés séparément et unis ultérieurement dans cette forme d'intercession.

Nous ajouterions volontiers pour notre part quelques observations de
détails qui confirment cette thèse:

— la présence de formules conclusives à la fin des invitatoires: *per
   (Dominum ...)* en IV (Gall) et VII (V et Gall); *qui vivit et regnat*
   (Gall) en VIII; *in saecula saeculorum* en IX (Gall; *Amen* add. ORS).
   L'argument ne vaut pas lourd, objectera-t-on, car ces manuscrits
   datent d'une époque où l'on n'avait plus la conscience très vive de la
   différence entre un invitatoire et une oraison. Si cependant cette
   erreur (ou cette distraction) s'est commise, c'est parce que assez spon-

[67] G. G. Willis, *Essays ...,* p. 45—47.

tanément on n'attend plus rien après ces invitatoires, complets en eux-mêmes; l'oraison est au fond superflue. Le cas le plus net apparaît à l'invitatoire IX, qui se termine par l'ancienne doxologie; celle-ci est franchement une conclusion; probablement terminait-elle notre formulaire dans sa rédaction primitive.

— certains invitatoires ressemblent fort à des oraisons, notamment les V et VIII qui comportent chacun deux propositions finales; seuls III et VI n'en comportent pas.

Si donc invitatoires et oraisons sont de mains, et par conséquent d'époques différentes, quelle devait être la forme littéraire primitive de notre pièce?

Si les invitatoires ont existé dès leur origine dans la forme que nous connaissons aujourd'hui, on imagine mal qu'un répons ait suivi, d'autant plus qu'aucune finale stéréotypée ne vient rappeler au peuple que l'invitatoire est terminé et que c'est à lui d'intervenir. La seule participation du peuple nous paraît alors être la prière silencieuse[68]. Si l'*Oremus* à la fin des invitatoires (qui se trouve dans tous les manuscrits) est primitif il viendrait renforcer cette hypothèse. Peut-être une oraison concluait-elle le formulaire. Cette structure existe de fait dans le Missel de Bobbio, pour les *orationes paschales,* où une seule oraison achève un ensemble de douze invitatoires[69].

Avec ou sans oraison finale, le formulaire original était donc de facture fort différente de la litie actuelle, et d'allure plus légère; l'addition des oraisons lui a donné un caractère grave et solennel, qui ne se prête pas à l'usage quotidien.

Il faut toutefois remarquer que les manuscrits ne nous ont conservé aucune trace de cette séparation des invitatoires et des oraisons, et que donc leur jonction date d'avant les divergences des traditions gélasienne, gallicane et grégorienne. Par contre le dossier patristique livre un petit indice qui pourrait corroborer la thèse de l'âge différent des invitatoires et des oraisons; en effet, le commentaire de l'Ambrosiaster (2e partie du IVe s.) sur *I Tm* II, 1—2[70] fait sans doute allusion au quatrième invitatoire des OS. Mais soyons prudents: le manque de référence aux oraisons ne nous prouve pas qu'il ne les connaissait pas. Les deux textes de Prosper d'Aquitaine[71] contiennent quant à eux des allusions aux oraisons aussi bien qu'aux invitatoires; si c'est bien aux OS qu'ils renvoient, celles-ci devaient déjà se présenter dans leur facture actuelle vers 450.

Observons que cette jonction s'est opérée de manière intelligente; bien que les oraisons ne reprennent jamais littéralement les invitatoires, elles se sont généralement laissé inspirer par eux. Qu'il nous suffise de remarquer les correspondances entre les deux éléments du premier litique:

---

[68] Comme A. BAUMSTARK en avait eu l'intuition, dans *Liturgie comparée,* Chevetogne, 1953, p. 84.

[69] ED. LOWE, p. 67—69; cfr. infra, p. 365—368.

[70] Cfr. première partie, p. 63, T 3.

[71] Première partie, Section III, l'Eglise de Rome, T 26 et T 27.

Omnipotens, premier mot de l'oraison, reprend le dernier de l'invitatoire;

gloriam se relie à *glorificare* à la fin de l'invitatoire;

opera misericordiae tuae doit signifier concrètement l'Eglise, objet de la prière, comme le fait supposer le sujet de la proposition finale qui suit;

toto orbe diffusa correspond à *toto orbe terrarum.*

b) Les monitions diaconales: Flectamus genua — Levate

Le formulaire habituel des OS, quand il n'était pas encore réservé au Vendredi saint, comportait-il ces monitions? Elles sont données par les manuscrits gélasiens (VRAS) et par O, tandis que C (le plus ancien manuscrit grégorien) et MGV omettent toute rubrique. Il semble probable à Willis que ce soit cette dernière tradition qui soit la plus ancienne; la rubrique n'aurait été insérée qu'au VIe, lorsque le peuple ne connaissait plus suffisamment le rite.

Si cet argument nous paraît boîteux, nous pensons pourtant que l'auteur a raison. Baumstark considère ces monitions comme anciennes[72] sur base du parallèle qu'offre une litanie copte de Carême. Mais on n'a pas insisté suffisamment, à notre avis, sur le fait que c'est là une formule quadragésimale; les OS auront pu la reprendre aux temps pénitentiels. Quand on connaît les prescriptions canoniques anciennes sur l'agenouillement[73], on n'imagine pas que les OS aient pu comporter cette monition du diacre en dehors des temps de pénitence.

Les manuscrits S et O portent, après le *Flectamus genua,* la rubrique *postquam oraverint, dicit Levate.* Meyer entend cet *oraverint* de l'oraison sacerdotale qui suit[74], mais Willis[75] avec la plupart des auteurs estime qu'il s'agit d'une prière silencieuse, ce qui renforce l'hypothèse que nous avons émise plus haut sur la forme littéraire ancienne de cette prière.

4. *Commentaire*

Ce texte admirable, exposant magistralement la grande théologie de l'Eglise dans un style impeccable, mériterait un commentaire approfondi qui, à notre connaissance, n'a pas encore été donné.

Willis cependant l'a amorcé[76]; son entreprise serait à compléter. Notons uniquement quelques points utiles pour notre propos.

[72] A. BAUMSTARK, *Liturgie comparée,* p. 87.

[73] Concile de Nicée, c. 20: «Vu que certains fléchissent le genou le dimanche et durant les jours de la Pentecostè, il a plu au saint Concile, afin qu'en tous lieux tout se fasse uniformément, (de décréter que) les prières au Seigneur se feraient debout» cfr. COD, p. 15.

[74] W. MEYER, *Gildae Oratio rythmica,* dans les *Nachrichten* de Göttingen, Berlin, 1912, p. 97.

[75] G. G. WILLIS, *Essays . . .,* p. 45.

[76] G. G. WILLIS, *Essays . . .,* p. 39—45.

I. — Le superlatif *dilectissimi* correspond à l'ancien usage de l'Eglise romaine; il est antérieur à l'expression *fratres carissimi* que l'on trouve par exemple dans l'*Exultet*. Cet archaïsme est très fréquent dans les sermons de saint Léon; il figure aussi à deux reprises dans le sacramentaire «léonien», lors des Ordinations[77], mais il est très rare qu'il soit suivi, comme dans les OS, de *nobis*.

Les OS comportent plusieurs superlatifs (*pro beatissimo papa, pro christianissimis imperatoribus*); il est important de remarquer qu'ils n'ont pas le sens pompeux qu'aurait en français une (mauvaise) traduction littérale. Dans son étude sur l'épistolographie romaine, A. Bastiaensen[78] écrit que pour les oreilles romaines, «l'intimité stipulait le superlatif au moins autant que l'éminence objective d'une qualité déterminée»; il était fort recherché par exemple dans l'épigraphie funéraire. Autre exemple: ce philologue note la curieuse remarque de Delehaye donnant *sanctus* comme épithète pour les dieux, *sanctissimus* au contraire pour les mortels[79]. C'est dire l'importance souvent insoupçonnée de la nuance affective de ces expressions.

— *Pro ecclesia sancta Dei*. «*Ecclesia Dei*» est employé fréquemment par saint Paul à partir de l'épître aux Galates. «Sancta Ecclesia» ne se trouve pas dans le Nouveau Testament, quoiqu'en *Eph* V, 27 l'Apôtre dise que le Christ s'est livré pour l'Eglise afin de la rendre «sainte et immaculée». Une enquête rapide dans les anciens Symboles de foi montre qu'ils portent tous «sanctam Ecclesiam»; certains ajoutent «catholicam», mais on ne trouve pas l'expression des OS. L'Eglise est très fréquemment qualifiée de sainte dans les OS, surtout dans les invitatoires:

— «pro ecclesia sancta dei» I, invitatoire
— «ecclesiae sanctae» II, invitatoire
   «ad regendum populum sanctum dei» II, invitatoire
— «pro omni populo sancto dei» III, invitatoire
   «totum corpus ecclesiae sanctificatur» III, oraison
— «sanctam matrem ecclesiam catholicam atque apostolicam» VII, invitatoire
— «adgrega ecclesiae tuae sanctae» IX, oraison.

Nous sommes ici en présence d'un développement moins impor-

---

[77] *Sacramentarium Veronense*, éd. MOHLBERG, n° 950 et 953.

[78] A. A. R. BASTIAENSEN, *Le cérémonial épistolaire des chrétiens latins*, Nimègue, 1964, p. 24—28 et 40—43. La remarque est faite à propos de Cyprien, mais l'auteur signale (p. 25) qu'elle vaut pour toute l'épistolographie romaine.

[79] H. DELEHAYE, *Sanctus. Essai sur le culte des saints dans l'Antiquité*, Bruxelles, 1927, p. 20 ss.

tant que ce que l'on trouvera dans les textes postérieurs; remarquons notamment l'absence de «catholica» qui se retrouve pourtant dans le *Te igitur* du Canon romain[80] et en OS VII. L'expression de notre invitatoire a une saveur archaïque indéniable.

— *deus et dominus noster* est une expression chère au rédacteur
des invitatoires; il l'utilise au moins cinq fois (I, II Grég., IV,
V, VII, VIII), contre une fois au moins la tournure *deus omnipotens* (II Gel., IV Gel., IX). L'auteur des oraisons, quant à
lui, reprend chaque fois la formule majestueuse «Omnipotens
sempiterne deus» (sauf peut-être en VI).

— *detque nobis tranquillam et quietam vitam degentibus* remonte
selon Baumstark aux persécutions plutôt qu'au désir de domi-
nation du monde. Le fait que ce soit une citation de *I Tm* II, 2
augmente à nos yeux la difficulté de l'interprétation!

— *toto orbe diffusa* se rencontre dès Cyprien[81].

II. Willis signale à bon droit que le terme *papa* n'était jadis aucunement réservé à l'évêque de Rome; au VIe s. naît la tendance à le
lui approprier, ce qui ne deviendra cependant pas une règle stricte
avant la fin du VIIe siècle. Aussi trois manuscrits de la famille
gélasienne, VRA, ont-ils précisé: «pro famulo dei papa nostro sedis
apostolicae ·illo· et pro antistite nostro ·illo·». La même évolution
se rencontre d'ailleurs dans le *Te igitur* du Canon romain, où les
Missels de Bobbio et de Stowe ont eux aussi ajouté, après «papa
nostro», «episcopo sedis apostolicae».
Ces renseignements nous seront utiles pour le commentaire des
autres formulaires.

III. Nous avons déjà dit qu'à part les acolytes, les exorcistes et les por-
tiers, tous ces ordres se retrouvent en Orient. Pour bien situer notre
pièce, nous donnons ci-dessous, en cinq colonnes, d'abord l'énumération que l'on trouve en CAp VIII 12, 43, puis notre invitatoire,
la suite des chapitres de la *Tradition apostolique* (vers 215), les
termes utilisés en 251 par le pape Corneille dans sa lettre à Fabius
d'Antioche pour le renseigner sur la composition de la communauté
chrétienne de Rome[82], et enfin la liste des *officiales* des *Statuta
Ecclesiae antiqua* (vers 476—485)[83]:

[80] Ce premier invitatoire étant proche de la fin du *Te igitur*, on en trouvera de
nombreux parallèles dans le florilège de textes rassemblés par L. EIZENHÖFER,
Canon missae romanae, 2: *Textus propinqui*, Rome, 1966, p. 51 ss.

[81] Cfr. L. EIZENHÖFER, *Canon missae romanae*, 2: *Textus propinqui*, Rome,
1966, p. 51 ss.

[82] Dans Eusèbe, *Histoire ecclésiastique* VI, 43, 11, éd. BARDY, t. 2 (SC 41),
p. 156.

[83] CH. MUNIER, *Les Statuta Ecclesiae antiqua*, Paris, 1960, p. 95—100 et
commentaires, p. 170—176.

CAp VIII 12, 43	OS, III
1. patriarches	
2. prophètes	
3. justes	
4. apôtres	
5. martyrs	
7. évêques	*évêques*
8. prêtres	*prêtres*
9. diacres	*diacres*
10. sous-diacres	*sous-diacres*
	acolytes
	exorcistes
11. lecteurs	*lecteurs*
	portiers
6. confesseurs	*confesseurs*
12. chantres	
13. vierges	*vierges*
14. veuves	*veuves*
15. laïcs	*tout le saint*
	peuple de Dieu

Tr. Ap., 1—8	Corneille	*Statuta Ecclesiae antiqua*
1. évêques	évêque	évêque
2. prêtres	prêtres	prêtre
3. diacres	diacres	diacre
8. sous-diacre	sous-diacres	sous-diacre
	acolytes	acolyte
	exorcistes	exorciste
6. lecteur	lecteurs	lecteur
	portiers	portier
		psalmista,
		id est cantor
4. confesseurs		
7. vierge		vierge
5. veuves	veuves	veuves
	peuple très	
	grand et	
	innombrable	

Les *Statuta* n'ont été amenés ici que pour que l'on comprenne les erreurs commises jadis à propos du sens du vocable *confessor*; ils datent de la seconde moitié du Ve siècle et ne sont pas romains.

Le parallélisme des OS avec la *Tradition apostolique* et le texte
de Corneille, tous deux du milieu du IIIe siècle, est frappant; les
«ordres mineurs» qui ne sont pas mentionnés (sauf lectorat et sous-
diaconat) dans la *Tradition apostolique* (sans doute déjà archaï-
sante), le sont par le pape quelques années plus tard; l'absence des
confesseurs et des vierges dans la lettre papale peut s'expliquer
par le fait que le pape mentionne explicitement les clercs, en les
distinguant du peuple «très grand et innombrable»; la mention des
veuves n'y est pas claire[84]. De toute façon, le rédacteur de notre
invitatoire aura pu compléter grâce à la *Tradition apostolique*.
Nous pensons que ces textes romains éclairent suffisamment les OS
sans qu'il soit nécessaire de recourir aux CAp, qui ne peuvent dater
d'avant la fin du IVe siècle.
Le point décisif est de savoir si ces parallèles nous obligent à dater
les OS du IIIe siècle. Le rapprochement avec les *Statuta* nous invite
à la prudence; n'oublions pas cependant que son rédacteur avait
un net souci d'archaïsme. Mais rien n'exclut que celui des OS ne
le partageait pas!
Nous ne le croyons cependant pas, car la fonction de ces textes est
toute différente. Les OS ne sont ni un écrit polémique, ni un traité
dogmatique qui se doit de ne rien omettre. Cet invitatoire n'est pas
l'oeuvre d'un historien tardif récapitulant savamment tous les ordres
que l'Eglise a connus dans le passé; il est la prière d'un pasteur
intercédant avec son peuple pour les besoins concrets de leur Eglise.
On n'imagine pas qu'au moment de sa création ces différents ordres
n'aient pas été des réalités vivantes.
Ceci éclaire à nos yeux le sens qu'il faut donner ici au terme *confessor*. On sait que Dom Morin, en se basant sur l'équivalence suggérée par les *Statuta* entre le *confessor* et le *psalmista,* estimait devoir
lui donner le sens de chantre[85]. Ceci paraît intenable, pour plusieurs
raisons. D'abord, il est improbable que trois termes différents (*confessor, psalmista* et *cantor*) aient désigné la même fonction. Mais
surtout, il n'y a aucune trace de l'existence d'un ordre des chantres
dans l'Eglise romaine; ce fut une fonction, mais non un ordre clé-
rical; l'ordination du *psalmista* est probablement une invention du
rédacteur des *Statuta,* dont les tendances presbytérales sont bien

---

[84] Le texte grec porte χήρας σὺν θλιβομένοις ὑπὲρ τὰς χιλίας πεντακοσίας.
[85] G. Morin, *Notes d'ancienne littérature chrétienne,* RB, t. 29 (1912), p. 82—84.
L'équivalence entre le *confessor* et le *psalmista* vient peut-être d'Orient; il est
frappant en effet de constater que les CAp VIII 10 et 12 citent toutes deux les
ψάλται à l'endroit où OS et les *Statuta* situent respectivement le *confessor* et le
psalmista. Mais cela reste une erreur, car les CAp mentionnent plus haut, (avant
les évêques!), les ὁμολογηταί, qui suivent aussitôt les μάρτυρες: le sens de «confesseurs de la foi» s'impose donc.

connues[86]. Enfin, si en Espagne *confessor* a pu désigner un moine, aucun texte romain ne lui donne cette signification[87].

Bref, *confessor* a ici le sens ancien de «celui qui confesse la foi»[88]. Cette conclusion reçoit une confirmation externe de la *Tradition apostolique* qui associe également les confesseurs aux veuves et aux vierges. (Précisons que les veuves dont il est ici question sont bien des ministres de l'Eglise, et non simplement toutes les femmes qui auraient perdu leur mari.)

S'il en est ainsi, cet invitatoire pourrait bien dater du IIIe siècle, comme l'affirme Baumstark, suivi par Jungmann[89] et Willis. Il n'est pas inutile de rapporter ici un passage de la lettre écrite en 250 à Cyprien par «Moyses et Maximus presbyteri et Nicostratus et Rufinus et ceteri qui cum eis confessores sunt»; dans le corps de l'épître, ces Romains recommandent d'envisager l'affaire en question avec prudence, «consultis omnibus episcopis presbyteris diaconibus confessoribus et ipsis stantibus laicis»[90]. Cependant au IVe siècle, il y eut encore des confesseurs, jouissant d'égards particuliers, ainsi que des chrétiens (et non des moindres, un Athanase par exemple) qui furent persécutés.

IV. Les divergences entre les manuscrits de cet invitatoire s'expliquent de manière satisfaisante par les circonstances historiques. Le terme *rex* n'est pas un vocable romain, mais franc: il n'apparaît donc pas avant la seconde moitié du Ve siècle.

Wilson, et à sa suite des maîtres aussi compétents qu'Andrieu et Bourque[91] pensaient que le pluriel *pro christianissimis imperatoribus nostris* devait désigner deux empereurs d'Occident, et révélait donc une datation précise: soit le laps de temps situé entre septembre 813, lorsque Louis le Débonnaire fut associé à Charlemagne, et le 28 janvier 814 quand mourut ce dernier; soit l'année 817, lorsque Louis le Débonnaire associa à son tour son fils Lothaire à l'empire. Mais J. Deshusses a montré que ce pluriel se trouvait dans plusieurs manuscrits, notamment le *Missale Gallicanum Vetus,* anté-

---

[86] Cf. B. Botte, *Le rituel d'ordination des Statuta Ecclesiae antiqua*, RTAM, t. 11 (1939), p. 223—241.

[87] B. Botte, *Confessor*, ALMA, t. 16 (1941), p. 137—148. Nous nous appuyons également ici sur le cours (oral) de latin chrétien reçu de ce maître à l'Institut Supérieur de Liturgie de Paris.

[88] Nous rejetons aussi comme manquant de fondement le sens de *moine* que Righetti (*Storia liturgica*, t. 3, p. 263) donne à *confessor;* c'est un de ses arguments pour dater les OS du Ve s.

[89] J. A. Jungmann, MS 1, p. 616.

[90] Cyprien de Carthage, Ep. 31, 6, 2; éd. Bayard, t. 1, p. 77 et 81.

[91] H. A. Wilson, *The Gelasian Sacramentary*, Oxford, 1894, p.xliii-xliv. M. Andrieu, *A propos de quelques sacramentaires récemment édités*, dans la *Revue des sciences religieuses*, t. 2 (1922), p. 205. E. Bourque, *Etude sur les sacramentaires romains*, 2e partie, t. 1, p. 128—129.

rieur d'un siècle à l'époque carolingienne! Aussi pense-t-il que le
pluriel incriminé est «la forme primitive, prégélasienne, de l'oraison; ne s'expliquerait-elle pas par le double empire, Orient et Occident?»[92]. A nos yeux ce pluriel peut désigner soit, au plus tôt, la
«tétrarchie» instaurée par Dioclétien dans les années 286—293, soit
les deux empereurs qui se partageaient l'empire depuis la mort de
Théodose en 395.

Le superlatif *christianissimus,* pour sa part, ne se conçoit pas avant
la paix de l'Eglise, ni même probablement avant 379, date de
l'avènement du pieux Théodose qui déclara le christianisme religion
d'Etat. Nous voici de nouveau amenés à la fin du IVe siècle! Il est
possible que cet adjectif, tout comme le pluriel, date de cette époque, qui est celle de la composition des oraisons; cette dernière
s'accompagna peut-être d'une révision des invitatoires.

La proposition finale de cet invitatoire semble être l'expression d'un
peuple harcelé par ses ennemis et fatigué de la guerre; à quel
moment la situer?

C'est au cours du IIIe siècle que les frontières de l'Empire romain
commencent à craquer et que les attaques des Germains deviennent
de plus en plus fréquentes et vigoureuses. En Orient, Sapor I
(242—273), le second empereur Sassanide, se montra particulièrement agressif et porta un rude coup au prestige romain lorsque
l'empereur Valérien tomba vivant entre ses mains (260). On sait
aussi que le milieu du IIIe siècle se caractérise par une crise intérieure grave, qui ne se terminera qu'avec l'avènement de Dioclétien
(284). Peut-être est-ce en cette époque particulièrement sombre que
s'enracine notre invitatoire. Mais comment expliquer alors son
vocabulaire strictement parallèle à J 55?

Alors que le premier litique ouvrait des perspectives nettement
universalistes, le IVe assimile purement et simplement les ennemis
de l'empire aux ennemis de Dieu ...

V. La prière pour les catéchumènes ne livre aucun indice de datation.
Mais l'oraison fait preuve d'expérience pastorale: elle demande
que les catéchumènes, une fois baptisés, restent agrégés à la communauté.

VI. Toutes ces catégories de nécessiteux se retrouvent dans les litanies
tant orientales qu'occidentales. Une exception pourtant: nulle part
ailleurs nous n'avons trouvé une demande concernant la faim; peut-
être est-ce ici un indice de datation[93].

---

[92] J. Deshusses, *Le sacramentaire de Gellone dans son contexte historique,*
dans EL, t. 75 (1961), p. 201—202.

[93] Tertullien cependant écrivait déjà que la prière «nourrit les pauvres»,
dans une liste d'intentions (*De Orat.* 29, 2) que nous avons citée dans la 1e
Partie, Section II: l'Eglise d'Afrique, T. 7.

Par contre, notre invitatoire ne parle pas des travaux forcés dans la mine (*in metallis*), mentionnés en Orient (CAp VIII, 10, 55; J 55; M 126) et en Occident (M¹ et Go) et généralement considérés comme un signe d'antiquité, puisque Tertullien déjà les signale[94]. Notons qu'il s'agit ici plus probablement des chrétiens emprisonnés pour leur foi que de n'importe quels prisonniers; deux indices vont en ce sens: la première demande de cet invitatoire où l'on prie Dieu de délivrer le monde des erreurs, opposées sans doute à la vérité chrétienne; d'autre part les trois derniers litiques des OS concernent les gens qui sont hors de l'Eglise. L'invitatoire VI vise donc sans doute les frères chrétiens. C'est l'argument de Baumstark pour dater les OS du temps des persécutions. Willis le suit sur cette voie.

VII. Hérésies et schismes font allusion aux grandes controverses trinitaires et christologiques des IVe et Ve siècles. Contrairement à l'invitatoire I où l'Eglise n'est qualifiée que de *sancta*, elle reçoit ici trois autres déterminations: *ad sanctam matrem ecclesiam catholicam atque apostolicam. Catholica* désigne la Grande Eglise par opposition aux sectes, et est ancien.

Apostolica l'est moins[95]; si le terme est déjà appliqué à l'Eglise par Tertullien[96], il faut cependant attendre le IVe siècle avant que l'adjectif ne fasse partie comme ici d'une formule ecclésiologique: celle-ci ne paraît pas encore forgée au concile de Nicée (du moins la tradition textuelle est-elle hésitante); ce sera chose faite au Concile de Constantinople de 381[97]. «La plupart des formules orientales du IVe siècle l'insèrent également, note Dewailly, tandis que l'Eglise latine ne semble l'avoir adoptée couramment que plus tard. Cependant l'expression ne s'impose pas vite dans le langage usuel comme une formule stéréotypée: longtemps encore on ne l'emploie que quand on veut insister sur le rapport qui relie l'Eglise aux apôtres»[98].

Or dans nos parallèles orientaux, nous trouvons deux fois l'adjectif «apostolique» dans l'expression: ὑπὲρ τῆς ἁγίας καθολικῆς καὶ ἀποστολικῆς ἐκκλησίας (CAp VIII, 10, 4 et J 45). S'agirait-il d'un emprunt? Aucun formulaire oriental ne qualifie l'Eglise de «mère», image biblique (*Ga* IV, 26) et ancienne, développée d'ailleurs dans l'oraison pour les catéchumènes (V: «qui ecclesiam tuam nova semper prole fecundas»).

---

[94] Tertullien, *Apolog.* 39, 6, éd. Dekkers, CC 1, p. 151.

[95] Sur l'histoire du terme «apostolique», voir L. M. Dewailly, *Mission de l'Eglise et apostolicité*, RSPT, t. 32 (1948), p. 2—37; et *Note sur l'histoire de l'adjectif apostolique*, dans les *Mélanges de science religieuse*, t. 5 (1948), p. 141—152.

[96] Tertullien, *De praescriptione*, XX, 7—8, éd. Refoule, (CC 1), p. 202.

[97] Denzinger-Schönmetzer, nº 150.

[98] L. M. Dewailly, *Mission...*, p. 9.

Il pourrait aussi s'agir d'une retouche postérieure; «atque apostolicam» a peut-être été ajouté sous l'influence du Symbole de Nicée-
Constantinople.

VIII. La prière pour les Juifs, que nous avons déjà lue chez Justin, mais
que nous ne trouverons plus nulle part (cfr. cependant DG X), ne
peut être qu'un signe de très haute antiquité, ou dater d'une époque
où les Juifs étaient nombreux à Rome.

IX. Quelle que soit l'étymologie du terme *paganus,* ce litique concerne
les non-chrétiens. La doxologie de l'invitatoire (*cum quo vivit et
regnat cum Spiritu sancto*) est antérieure à la formule classique
in unitate Spiritus sancti attestée par la tradition gélasienne des OS.
Cette dernière tournure, d'après l'enquête de Dom Botte, est exclusivement latine; sa première attestation, quelque peu incertaine,
remonte à 420, dans un sermon de Gaudence de Brescia[99]. Notre
invitatoire se situe donc normalement avant le milieu du Ve siècle.

5. Essai de datation

1. Depuis les travaux de Dom Cappuyns[100], on admet généralement sur
la foi du témoignage de Prosper d'Aquitaine, que les OS telles que
nous les connaissons aujourd'hui constituaient le formulaire habituel
de l'*oratio fidelium* à Rome vers 450. Cette date nous offre un *terminus ante quem* pour la forme liturgique actuelle des OS.

2. Le rapprochement entre l'invitatoire III d'une part, la *Tradition apostolique* et la lettre du pape Corneille à Fabius d'Antioche d'autre
part nous invite à situer le *terminus post quem* des invitatoires vers 250.

3. Le *terminus ante quem* des invitatoires doit être fixé au début du IVe
siècle, date à laquelle se terminent les persécutions et où le cursus
commence à s'instaurer.

Les invitatoires se situent donc durant la période allant environ de 250
à 320.

Cependant plusieurs éléments ne peuvent s'expliquer à une date aussi
reculée; ne citons que la désignation des empereurs comme *christianissimi*
et le parallèle littéral avec un passage des CAp, qui datent au plus tôt
de la fin du IVe siècle. Comment expliquer ces faits?

Nous croirions volontiers qu'à l'extrême fin du IVe siècle ou au début
du Ve eut lieu une révision du formulaire (alors constitué, rappelons-le
nous, uniquement d'invitatoires); elle consista surtout à en modifier la
forme littéraire par l'adjonction des oraisons, passant ainsi d'une série

---

[99] Gaudence de Brescia, *Tract.* 16,12 (CSEL 68, p. 140); sur tout ceci, cf.
B. Botte, *In unitate Spiritus sancti,* dans *L'Ordinaire de la messe,* Paris-Louvain, 1953, p. 133—139.
[100] M. Cappuyns, *Les «orationes sollemnes» du vendredi saint,* QLP, t. 23
(1938), p. 18—31. Cf. 1e Partie, Section III.

d'invitatoires à une suite de neuf litiques, sans doute à l'exemple de la liturgie copte[101]. On en aura profité également pour l'adapter aux réalités du moment,

1. en consacrant un litique particulier (VII) aux hérétiques et schismatiques ; l'invitatoire, qualifiant l'Eglise d'«apostolique», aura tenu compte des formules dogmatiques proclamées au récent Concile de Constantinople (381) ;

2. en appelant *christianissimi* les empereurs, devenus depuis Théodose (379) les champions de la religion chrétienne ;

3. en se laissant inspirer par les modèles orientaux, notamment
   — dans l'invitatoire pour les catéchumènes (V), qui traduit une expression des CAp VIII 6, 5 compilées au plus tôt vers 385 ;
   — dans l'invitatoire pour les empereurs (IV) qui reprend une tournure de J 55 ;

4. en omettant peut-être dans la série de nécessiteux (VI) les travailleurs *in metallis*, puisque les chrétiens n'étaient plus condamnés à ces travaux ;

5. en restructurant peut-être légèrement la répartition des intentions, notamment par le groupement en VI de tous les nécessiteux.

Ceci se confirme par l'examen stylistique des invitatoires ; seuls[102] parmi eux portent trace du cursus les numéros :

— VII erróribus univérsis (velox)
        revocáre dignétur (planus)
   dans cet invitatoire que nous estimons postérieur pour des raisons de critique interne ; et

— VI púrget erróribus (tardus)
       fámem depéllat (planus)
       infirmántibus sanitátem (velox)
       salútis indúlgeat (tardus)
   dans cet invitatoire qui aura probablement été modifié pour regrouper tous les nécessiteux[103].

Cette hypothèse permet d'expliquer les faits. Elle rend compte aussi des allusions aux OS que nous avons trouvées chez les auteurs étudiés dans la première partie ; l'Ambrosiaster (2e moitié du IVe s.)[104] n'a peut-

---

[101] Br p. 150—151 ; cf. supra, *Forme liturgique actuelle.*

[102] à une exception près (qui confirme la règle!), en I : «toto órbe terrárum» (planus).

[103] Il n'est peut-être pas chimérique de mettre cette restructuration en rapport avec la vague presbytéraliste qui sévit à la fin du IVe siècle, et dont Jérôme (347—420) se fit le champion (*Comm. in Tit.*, PL 26, 596—598). Les anciens invitatoires étaient peut-être proclamés par des diacres ; mais dans leur souci de réduire le rôle de ces derniers, les prêtres opérant la révision des OS se seront réservés et l'invitatoire et l'oraison ; l'usage du formulaire s'en trouve alourdi.

être connu que les invitatoires des OS, alors qu'au milieu du Ve siècle
Prosper d'Aquitaine argumente sur l'ensemble de la litie.

Tout en maintenant l'essentiel de cette hypothèse, on pourrait en présenter une autre; pour résoudre le problème de l'étonnante similitude
entre tous les textes orientaux et occidentaux, on pourrait recourir à
l'existence d'une source commune. Même si le rédacteur des CAp fait
preuve de pas mal d'originalité, il est évident qu'il compile également
des documents traditionnels, parmi lesquels a pu figurer une litanie connue aussi du premier rédacteur des OS[105]. Pour vérifier cette hypothèse,
il faudrait se livrer à la comparaison méthodique des formulaires orientaux.

6. Utilisation des OS

Vu la place conservée par les OS au vendredi saint et la manière dont
en parle Prosper d'Aquitaine, nous n'hésitons pas à les considérer comme
un formulaire habituel[106] de l'*oratio fidelium* romaine, utilisée (du moins
en ses invitatoires) depuis la seconde moitié du IIIe ou le début du IVe
siècle.

Après l'allusion qu'y fait le secrétaire papal vers 450, nous en perdons
toute trace jusqu'à ce que nous la retrouvions au vendredi saint dans les
sacramentaires; la seule mention du *Flectamus genua* chez Césaire d'Arles
ne peut nous assurer qu'il avait en vue les OS[107].

Les *Ordines Romani* en attestent la permanence entre le VIIIe et le
Xe siècle; le plus ancien à nous les rapporter est l'*Ordo* XXIII (première
moitié du VIIIe siècle)[108]. L'*Ordo* XXIV, de la seconde moitié du VIIIe
siècle, est le premier témoin qui les donne aussi le mercredi saint, à
Tierce, avec une prière pour le roi des Francs après celle pour l'empereur, et l'absence de génuflexion à la prière pour les Juifs[109].

---

[104] Cfr. Première partie, Section III: l'Eglise de Rome.

[105] Si celui-ci vivait durant la deuxième moitié du IIIe s., il n'est pas étonnant qu'il ait connu le grec; peut-être a-t-il même composé les invitatoires
dans cette langue.

[106] Voir les réserves émises supra (Ie Partie, Section III) à l'opinion de Cappuyns qui fait des OS le formulaire *quotidien* de la prière universelle romaine.

[107] Cfr. Ie Partie, Section II: l'Eglise d'Afrique.

[108] ANDRIEU, OR, t. 3, p. 271—272.

[109] ib. p. 287—288. Sur ceci et la suite de la tradition des OS, voir WILLIS,
Essays . . ., p. 17—19.

UNE PREMIERE VAGUE DE TEXTES LITANIQUES:
LES TRADUCTIONS

On dit habituellement qu'en demandant à l'Eglise (romaine) de chanter sa *Deprecatio* pour les besoins de l'Eglise universelle, le pape Gélase (492—496) introduisit le genre litanique dans la liturgie romaine, voire occidentale. Après l'examen minutieux des textes, nous sommes amené à mettre cette affirmation en question; d'autres formulaires en effet, de forme litanique eux aussi, nous paraissent antérieurs à la *Deprecatio Gelasii* (DG).

Deux vagues successives semblent pouvoir être distinguées dans l'introduction des litanies en Occident. La première est celle des traductions; on se contente de traduire en latin les modèles orientaux, sans trop de préoccupations stylistiques. A ce premier courant, qui va de la fin du IVe à la fin du Ve siècle, se rattachent la litanie *Dicamus omnes* que l'on trouve dans le Missel de Stowe (Irl¹) et la première litanie que nous offrent les livres milanais (*Divinae pacis,* M¹), ainsi que deux sources dont nous serons amené à supposer l'existence.

Vers la fin du Ve siècle, on révisera les textes en usage, d'abord pour en améliorer la qualité, puis pour les adapter aux circonstances nouvelles; cette seconde vague, outre DG qui en est le fleuron, a donné naissance à la deuxième litanie des sources milanaises (*Dicamus omnes,* M²), aux deux formulaires franco-gallicans (*Dicamus omnes,* FG¹, et *Kyrie eleison. Domine Deus omnipotens patrum nostrorum,* FG²), et à une pièce située aujourd'hui dans le canon du Missel de Stowe (Irl²).

I. Le «Dicamus omnes» dit irlandais (Irl¹)

A. LES TEMOINS

S = DUBLIN, Royal Irish Academy, D. II. 3; VIIIe ex; f. 16ᵛ—17 = *Missel de Stowe,* éd. Warner, p. 6—7.
(Clavis 1926 — Bourque 527 — Gamber 101.)

F = Missel irlandais de FULDA, aujourd'hui perdu, mais copié partiellement par G. Witzel, *Exercitamenta sincerae pietatis,* Mayence, 1555 (l'exemplaire de la Bibliothèque Nationale de Paris ne porte pas de numérotation des pages).
(Bourque 528A — Gamber 102.)

B. L'ÉDITION

Comme nous n'avons pas trouvé de témoins nouveaux, nous aurions pu reprendre l'édition donnée par Dom Capelle[1]. Cependant les quelques erreurs qu'elle comporte, notamment dans le découpage des répons, nous ont décidé à la reprendre à nouveaux frais.

Notre édition est basée sur F qui nous paraît meilleur, pour plusieurs raisons: il comporte deux fois le répons complet; la répartition du texte des invitatoires semble plus précise; le début y est plus logique puisque il rapporte «ex toto corde ...» à *dicamus,* plutôt qu'à *oramus* par dessus l'invocation *qui respicis.*

Nous plaçons entre ⟨ ⟩ ce qui nous paraît devoir être ajouté au texte, même si les manuscrits n'en font pas mention.

a/[2] Dicamus omnes[3] ex toto corde et ex tota[4] mente:
      Domine exaudi et miserere[5]
          ⟨Domine exaudi et miserere⟩

b/   Qui respicis super terram et[6] facis eam tremere
          oramus te
          Domine exaudi[7] ⟨et miserere⟩

I   Pro altissima pace et tranquillitate temporum nostrorum
          oramus te
          Domine[8] ⟨exaudi et miserere⟩

II   Pro sancta ecclesia catholica quae est[9] a finibus usque ad terminos
      orbis terrae
          oramus te
          Domine[10] ⟨exaudi et miserere⟩

III   Pro patre nostro[11] episcopo et[12] omnibus episcopis et presbyteris et
      diaconis et omni[13] clero
          oramus te
          Domine[10] ⟨exaudi et miserere⟩

IV   Pro hoc loco et habitantibus[14] in eo
          oramus te
          Domine[8] ⟨exaudi et miserere⟩

---

[1] B. CAPELLE, *Le Kyrie . . .,* p. 120—122.
[2] Deprecatio sancti martini pro populo incipit amen deo gratias *add* S *(alt. manus).*
[3] *Hic add* S Domine exaudi et miserere. Domine miserere.
[4] et ex tota S. totaque F.
[5] Domine exaudi et miserere *om* S. ô *praem* F.
[6] et S. ac F.
[7] te Domine exaudi *om* S.
[8] oramus te Domine *om* S.   [9] est *om* S.
[10] te Domine *om* S.   [11] patre nostro F. pastore ·N· S.
[12] et S. pro F.   [13] et omni S. omnique F.

V   Pro piissimis imperatoribus et toto[15] Romanorum[16] exercitu
      oramus te
      Domine[10] ⟨exaudi et miserere⟩

VI   Pro omnibus qui in sublimitate constituti sunt
      ⟨oramus te
      Domine exaudi et miserere⟩

VII   Pro virginibus, viduis[17] et orphanis
      oramus te
      Domine[10] ⟨exaudi et miserere⟩

VIII Pro peregrinantibus[18], iter agentibus ac[19] navigantibus
      oramus te
      Domine[8] ⟨exaudi et miserere⟩

IX   Pro paenitentibus et catechumenis
      oramus te
      Domine[10] ⟨exaudi et miserere⟩

X   Pro his qui in sancta ecclesia fructus misericordiae largiuntur
      domine Deus virtutum exaudi preces nostras
      oramus te
      Domine[10] ⟨exaudi et miserere⟩

XI   Sanctorum apostolorum et[20] martyrum memores simus[21] ut orantibus
      eis pro nobis veniam mereamur
      oramus te
      Domine[10] ⟨exaudi et miserere⟩

XII   Christianum ac[22] pacificum nobis finem concedi
      a domino comprecemur[23]
      praesta, Domine, praesta

XIII Et divinum in nobis permanere vinculum caritatis
      sanctum[24] dominum comprecemur[23]
      praesta, Domine, ⟨praesta⟩[25]

XIV   Conservare sanctitatem et catholicae fidei puritatem[26]
      sanctum Deum[27] comprecemur[23]
      praesta, Domine, ⟨praesta⟩[25]

c/   Dicamus omnes: Domine exaudi et miserere[28].

[14] habitantibus F. inhabitantibus S.
[15] toto F. omni S.   [16] Romanorum F. romano S.
[17] viduis S. viduisque F.   [18] et *add* S.
[19] ac S. atque F.   [20] et F. ac S.
[21] simus S. sumus F.   [22] ac F. et S.
[23] comprecemur F. deprecemur S.   [24] sanctum *om* F.
[25] Domine praesta *om* S. praesta *om* F.
[26] et . . . puritatem S. ac puritatem catholicae fidei F.
[27] sanctum Deum F. dominum S.
[28] omnes . . . miserere *om* S.

10*

C. Paralleles orientaux

Ils sont particulièrement nombreux[29].

a/ — Εἴπωμεν πάντες ἐξ ὅλης τῆς ψυχῆς καὶ ἐξ ὅλης τῆς διανοίας εἴπωμεν: κύριε ἐλέησον B 373 (cf. *Mc* XII, 30). L'hésitation des textes latins, qui font de cette phrase une ou deux invitations, se rencontre déjà en Orient; alors que l' Εὐχολόγιον τὸ μέγα (Venise 1869) reproduit par Brightman a une seule invitation, les versions plus anciennes, en langue arménienne[30] et arabe[31], en ont deux, séparées par un Κύριε ἐλέησον après εἴπωμεν πάντες.
— δεόμεθά σου ἐπάκουσον καὶ ἐλέησον B 373.

b/ ὁ ἐπιβλέπων ἐπὶ τὴν γῆν καὶ ποιῶν αὐτὴν τρέμειν CAp VIII, 7, 7 (dans la prière sacerdotale qui suit la litanie sur les possédés) = *Ps* 103, 32 (LXX).

I ὑπὲρ τῆς ἄνωθεν εἰρήνης J 34, 36, 39; B 362. ὑπὲρ . . . καὶ καιρῶν εἰρηνικῶν B 363 (avec le beau temps).

II ὑπὲρ τῆς ἁγίας καθολικῆς καὶ ἀποστολικῆς ἐκκλησίας τῆς ἀπὸ γῆς [περάτων] μέχρι τῶν περάτων αὐτῆς J 45.

III . . . καὶ παντὸς τοῦ κλήρου CAp VIII 12, 41; J 34, 36; B 363; M 138.

IV ὑπὲρ τῆς πόλεως ταύτης καὶ τῶν ἐνοικούντων CAp VIII 12, 45.

V ὑπὲρ τῶν εὐσεβεστάτων καὶ . . . βασιλέων, παντὸς τοῦ παλατίου καὶ τοῦ στρατοπέδου αὐτῶν J 45; B 363.

VI ὑπὲρ τοῦ βασιλέως καὶ τῶν ἐν ὑπεροχῇ καὶ παντὸς τοῦ στρατοπέδου CAp VIII 12, 42 et 13, 5; = *I Tm* II, 2.

VII ὑπὲρ . . . παρθένων χηρῶν τε καὶ ὀρφανῶν CAp VIII, 10, 10. μεμνημένων τῶν πενήτων χηρῶν καὶ ὀρφανῶν J 45.

VIII ὑπὲρ πλεόντων ὁδοιπορούντων ξενιτευόντων χριστιανῶν καὶ . . . J 46; ὑπὲρ πλεόντων καὶ ὁδοιπορούντων CAp VIII, 10, 15 et 12, 45; B 363.

IX ὑπὲρ τῶν κατηχουμένων τῆς ἐκκλησίας καὶ ὑπὲρ . . . καὶ ὑπὲρ τῶν ἐν μετανοίᾳ ἀδελφῶν ἡμῶν CAp VIII, 12, 47.

X ὑπὲρ τῶν καρποφορούντων ἐν τῇ ἁγίᾳ ἐκκλησίᾳ καὶ . . . CAp VIII, 10, 12.

XI τῶν θείων καὶ πανευφήμων ἀποστόλων, ἐνδόξων προφητῶν καὶ ἀθλοφόρων μαρτύρων καὶ πάντων τῶν ἁγίων καὶ δικαίων μνημονεύσωμεν ὅπως εὐχαῖς αὐτῶν καὶ πρεσβείαις οἱ πάντες ἐλεηθῶμεν J 35, 48.

---

[29] Le premier à les fournir est à notre connaissance L. Duchesne, *Origines...*, p. 212, note 2. Il fut suivi par W. Bousset, *Zur sogenannten Deprecatio Gelasii*, dans les *Nachrichten* de Göttingen, Berlin, 1916; aux p. 154—159, il donne, en six colonnes parallèles, les textes latins comparés à cinq litanies grecques. Le tout fut repris par Dom B. Capelle, *Le Kyrie . . .*, p. 120—123. Nous complétons et précisons.

[30] Ed. G. Aucher, dans *Chrysostomica*, Rome, 1908, p. 380.

[31] Ed. C. Bacha, *Ibid.*, p. 453.

XII Χριστιανὰ ὑμῶν τὰ τέλη CAp VIII, 6, 8; 36, 2; 38, 2. χριστιανὰ τὰ
τέλη τῆς ζωῆς ἡμῶν ἀνώδυνα ἀνεπαίσχυντα εἰρηνικὰ . . . παράσχου
κύριε J 39, B 382; cfr. M 129.

XIII «Nous te demandons l'amour incessant, qui est le lien de la perfection» liturgie nestorienne, Br 266, 1. 17; = *Col* III, 14. Cfr.
DG XVI.

XIV «Pour notre foi, nous supplions que le Seigneur nous accorde de
lui plaire, de garder la foi en sa pureté» liturgie éthiopienne, Br
206, 1. 23—24.

Ce tableau est impressionnant. Au total cela nous fait huit parallèles
aux CAp, sept à la liturgie de saint Jacques, six à la liturgie byzantine,
un à celle de saint Marc, un à la liturgie nestorienne et un à la liturgie
éthiopienne. De plus, la division en deux parties (I—X et XI—XIV) est
attestée à l'*oratio fidelium* des Vêpres et des Laudes dans les CAp VIII,
36 et 38, et reprise (avec des expressions partiellement identiques) en
J 39 et B 381. En Occident, seules Irl[1] et DG possèdent cette structure
bipartite. Bref, Irl[1] ne peut être que la traduction d'un texte grec.

D. Forme liturgique

Nous sommes ici en présence d'une litanie, comportant:

1. *Introduction*
   a/ invitation descriptive, indiquant et introduisant le répons;
   b/ invocation attributive.

2. *Première partie*: I—X invocatoires verbaux; X intercale bizarrement
   avant le verbe une invocation impérative.

3. *Transition*: XI est un invitatoire se terminant curieusement par un
   verbe d'invocation.

4. *Deuxième partie*: XII—XIV invitatoires verbaux.

5. *Conclusion*: invitation qui reprend a/ et fait inclusion avec elle.

E. Commentaire

a) Les répons
1) Le répons de la première partie
   Les manuscrits ne nous apprennent pas clairement quel était le texte
de ce répons.
— S fait dire au meneur: «Dicamus omnes: domine exaudi et miserere»,
   mais la suite immédiate, qui semble être le répons, est «Domine miserere»[32]. Dans la suite, le répons n'est jamais indiqué.

[32] La même anomalie se rencontre dans le manuscrit D de la DG!

— F met dans la bouche du meneur: «Dicamus omnes ... ô Domine exaudi et miserere»; après b/, il porte «Domine exaudi»; en I—XI il s'arrête après «Domine»; mais en c/ il reprend «Domine exaudi et miserere».

Avant tout, il nous semble clair que le meneur indique en a/ quel est le répons; on ne conçoit pas, malgré ce que nous livre S, que le meneur invite à dire «Domine exaudi et miserere» si en réalité les participants répondent «Domine miserere».

Dans toutes les autres litanies à répons latin, on lit *Domine miserere*, traduction de Κύριε ἐλέησον; DG connaît pourtant la même hésitation que Irl[1].

On la trouve aussi dans le modèle grec; B 373 a deux invocations qui se terminent par «ἐπάκουσον καὶ ἐλέησον» bien que le répons soit tout simplement «Κύριε ἐλέησον». Aussi pensons-nous qu'initialement le répons a pu être: Κύριε ἐπάκουσον καὶ ἐλέησον — *Domine exaudi et miserere*, dont les manuscrits gardent encore la trace (Irl[1] et DG); mais il aura été bientôt abrégé, par facilité ou par concurrence, en Κύριε ἐλέησον — *Domine miserere*. Dans l'édition, nous avons donc suppléé (entre ⟨ ⟩) *exaudi et* chaque fois que les manuscrits l'omettaient.

Egérie, la grande dame du Nord de l'Espagne qui fit le pèlerinage aux Lieux Saints, rapporte dans son Journal de Voyage (vers 381—384) qu'à Jérusalem les enfants répondent au diacre *Kyrie eleison*; elle précise: «... kyrie eleison, quod dicimus nos: miserere Domine»[33]. Il nous semble que l'expression désigne plus qu'une simple traduction (remarquer l'inversion des mots), mais se réfère à un répons auquel la pèlerine était accoutumée dans son Eglise d'Occident; ce répons n'est pas utilisé dans nos formulaires majeurs[34].

Observons que Dom Capelle a mal séparé les invocatoires et les répons; il fait commencer ceux-ci par *oramus te*, les invocatoires restant donc nominaux; vu l'invitation a/, notre répartition s'impose.

2) Le répons de la seconde partie

De XII à XIV, le répons est *praesta, Domine, praesta*; en Orient, dans les textes parallèles, on trouve παράσχου κύριε. Nous pensons qu'il s'agit bien d'un répons, et non de la fin de l'invitatoire prononcé par le meneur, auquel les participants auraient répondu, comme dans la première partie,

---

[33] *Itinerarium Egeriae*, 24,5; éd. Franceschini-Weber, CC 175, p. 68. Nous n'avons trouvé, dans aucune étude sur ce Journal de voyage, un commentaire de ce passage.

[34] On trouve cependant *Miserere Domine*, précisément en Espagne dans le *Breviarium Gothicum*, mais dans des bribes de litanies, très secondaires; il se trouve une fois tel quel (PL 86,355) et deux fois terminé par *et exaudi nos* (PL 86, 345 et 563). Il faut remarquer toutefois la prédilection de ces compositions hispaniques pour le verbe *miserere*; si bien que l'identité du répons chez Egérie et dans le *Breviarium Gothicum* nous paraît plus être le fait d'une coïncidence que d'une quelconque parenté.

par «Domine exaudi et miserere»; la prière en deviendrait trop alambiquée. Le changement de répons était suffisamment exigé par le passage du type invocatif au type invitatif et par l'absence de *pro* au début de la phrase pour que les participants n'aient pas eu de difficulté à passer d'un répons à l'autre.

b) La structure de XI

Dans les parallèles orientaux, l'anamnèse des saints conclut les litanies. Ceci, joint à l'inadaption de la finale *oramus te* après une invitation, nous fait penser que nous sommes ici en présence d'une transition maladroite entre les deux parties. XI devait conclure la première partie; suivi de la deuxième partie, il joue, mal, le rôle de charnière.

c) Essai de datation

Les modèles orientaux sont si proches qu'il faut accepter une dépendance ou une source commune. Mais voyons d'abord ce que le texte lui-même peut nos apprendre:

1) Critique interne

b/   l'usage d'un tel verset psalmique nous paraît plus récent par rapport au reste de la litanie; en Orient on ne trouve ces introductions développées qu'en B 373.

II   on remarque l'absence de l'adjectif *apostolica,* présent pourtant en Orient (J 45); mais cette absence ne signifie pas, surtout en Occident, que le texte soit antérieur au Concile de Constantinople (381)[35].

III   S porte *pastore,* F *patre;* cette dernière lecture nous paraît plus ancienne, et traduit peut-être πάπα: en Irl² X, on lit en S «pro domino papa episcopo et omnibus episcopis». On ne mentionne pas le pape de Rome, ce qui est signe d'antiquité et sans doute aussi d'origine non-romaine. Seuls les «ordres majeurs» sont cités. *Clerus* est utilisé dès Tertullien et Cyprien.

IV   *Pro hoc loco* que l'on trouve aussi en FG² VII (et secondairement en FG¹ VI) est peut-être postérieur par rapport à *pro civitate hac* de M¹ V et M² V, qui traduit ὑπὲρ τῆς πόλεως ταύτης. Le libellé de Irl¹ est plus général et peut notamment s'adapter aux monastères.

V   *Pro piissimis imperatoribus* traduit ὑπὲρ εὐσεβεστάτων ἡμῶν βασιλέων; Athanase déjà († 373) qualifie Constantin d' εὐσεβέστατος[36]. L'invitatoire IV des OS parlait des *christianissimis imperatoribus;* le sens général est identique.

---

[35] Sur le terme *apostolicus,* cfr. supra, commentaire des OS, VII.

[36] Athanase, *Apologie à Constance,* 33 (SC 56, 128; PG 25, 640 B); cfr. Lampe p. 576.

L'adjectif *romanus* ne se trouve que dans les deux textes irlandais et dans OS, et jamais en Orient; «toto Romanorum exercitu» doit dater d'une époque où l'armée impériale était encore une réalité; l'expression ne nous oblige pas à admettre que le formulaire ait été composé dans la ville de Rome.

VI   Cet invocatoire est une citation de *I Tm* II,2; on ne trouve pas cette demande dans les autres litanies latines, sauf dans un témoin de M¹ IV.

VII—X   Les vierges et les veuves sont rangées ici, avec les orphelins, parmi les nécessiteux; elles ne semblent plus constituer un «ordre»; de même les pénitents et les catéchumènes, bien que l'invocatoire (IX) réservé à ceux-ci peut faire allusion à la discipline de la pénitence canonique, qui assimilait dans une certaine mesure ces deux catégories de personnes.
Une incontestable évolution se constate donc par rapport aux OS. Les confesseurs ne sont plus mentionnés, de même que les prisonniers: nous ne sommes plus à l'époque des persécutions; les «oeuvres de miséricorde» ont remplacé le martyre.

XI   On remarque le parallélisme offert par le *Communicantes* du Canon romain: «. . . sed et beatorum apostolorum ac martyrum tuorum . . . quorum meritis precibusque concedas ut . . .».

XIV   La pureté de la foi catholique s'oppose probablement aux grandes hérésies des IVe et Ve siècles.

2) Le témoignage d'Egérie

Nous avons signalé plus haut qu'Egérie donne comme équivalent latin du Κύριε ἐλέησον la formule *miserere Domine*. L'argument est très délicat à manier; on ne peut en tirer davantage que la conviction suivante: à la fin du IVe siècle (380—390), son Eglise du Nord de l'Espagne ne connaissait pas de litanie dont le répons fut *Domine miserere*; Irl¹, pas plus que les autres textes latins, ne devait donc être en usage à l'époque dans ces régions.

3) Le titre d'Irl¹

Irl¹ porte dans le Missel de Stowe le titre suivant, ajouté par Moelcaich au cours du IXe siècle: «Deprecatio sancti martini pro populo»; a-t-il quelque chance d'être authentique? Situons le personnage[37].
Martin, mort évêque de Tours en 397, est né en Pannonie vers 316—317. Fils de tribun romain, il fut éduqué à Pavie, entra dans les armées romaines qu'il quitta pour se faire le disciple d'Hilaire de Poitiers. Missionnaire et thaumaturge, il voyagea à travers toute l'Europe; chef spirituel, il fonda les premiers monastères de France, à Ligugé et à Marmoutiers.

---

[37] cfr. J. Fontaine, art. *Martin v. Tours*, LTK 7, 118—119.

Warren prend ce titre au sérieux; celui-ci prouve à ses yeux que malgré son origine orientale, la litanie a atteint l'Irlande via la Gaule[38]. A la suite de ce grand connaisseur, nous serions tenté de prendre ce titre au moins en considération, bien qu'il s'agisse d'une addition du IXe siècle; tant l'époque à laquelle Martin vécut que ses relations avec toute l'Europe chrétienne, notamment avec Hilaire qui passa plusieurs années d'exil en Orient, valent qu'on y prête attention.

Il faut cependant remarquer que dans l'OR XIX (775—780), saint Martin est considéré comme un fondateur, ou du moins comme un des protecteurs de la liturgie gallicane, avec Hilaire et Germain, comme Ambroise l'est pour la liturgie milanaise[39]. Ceci nous invite à la circonspection.

4) L'origine orientale

Vu les parallèles souvent littéraux, l'origine orientale de ce texte est indéniable. A moins qu'il faille supposer une source commune, nous ne pouvons pas dater le formulaire d'avant la fin du IVe siècle.

Conclusion sur la datation

La convergence des indices nous fait situer l'origine latine d'Irl¹ à la fin du IVe ou au début du Ve siècle. A cette époque se comprennent bien l'absence de l'adjectif *apostolica* appliqué à l'Eglise, la qualité de *piisimi* accordée aux empereurs, le passage des veuves et vierges de la catégorie des ministres à celle des nécessiteux, ainsi que l'absence d'allusion aux persécutions. L'influence orientale a eu le temps de s'exercer, par des personnages comme Hilaire de Poitiers (mort vers 367) qui au cours de son exil en Asie Mineure s'initia à l'hymnodie grecque chrétienne et composa ensuite des hymnes latines; Auxence de Milan (355—374), le prédécesseur arien d'Ambroise, qui était d'origine cappadocienne; ou encore Jean Cassien (vers 360—434), qui passa de nombreuses années en Palestine, en Egypte et à Constantinople (où il est ordonné diacre par Jean Chrysostome) avant de revenir en Occident. Enfin le titre ajouté au IXe siècle indique pour le moins qu'on était encore conscient à cette époque de se trouver en présence d'un texte fort ancien; nous pensons ne pas devoir faire fi de ce renseignement. Si tout ceci est exact, Irl¹ est le premier formulaire litanique en langue latine; on ne peut donc plus dire que c'est le pape Gélase qui a introduit en Occident la forme litanique.

---

[38] F. E. WARREN, *The Liturgy and Ritual of the Celtic Church*, Oxford, 1881, p. 251. Notons que l'auteur rejette la thèse de l'origine orientale de la liturgie celtique.

Sans parler de l'Orient, K. GAMBER, *Die irischen Messlibelli als Zeugnis für die frühe römische Liturgie*, dans *Römische Quartalschrift*, t. 62 (1967), p. 214—221, estime qu'Irl¹ est une pièce gallicane.

[39] OR XIX, 39, éd. ANDRIEU, t. 3, p. 225.

Quant à l'origine géographique de Irl[1], la mention de Martin ne nous lie pas plus à la Gaule qu'à une autre partie de l'Europe. Rien dans le texte n'évoque particulièrement l'Eglise celtique. Autant avouer que nous n'en savons rien.

d) Place de la litanie dans le Missel de Stowe

Quelle fut l'utilisation de notre formulaire? S le situe bizarrement après l'épître; celle-ci est suivie de versets psalmiques (graduel) et de deux courtes oraisons; vient ensuite Irl[1] qui se termine par une oraison, puis le texte primitif a disparu sous l'écriture de Moelcaich.

Place bizarre, disions-nous. Et cependant attestée en Orient par la liturgie de saint Jacques[40] et en Occident par la liturgie hispanique[41]. La question de la place de la litanie dans la liturgie gallicane est très complexe; nous nous permettons de renvoyer le lecteur à l'hypothèse émise récemment par l'abbé Mouret[42]. Sur la base du c. 17 du Concile d'Orange (441) prévoyant que désormais l'évangile serait lu aux catéchumènes[43], l'auteur suppose qu'il a existé en Gaule avant 441 une prière diaconale précédant le renvoi des catéchumènes et située entre l'épître et l'évangile. En étant transféré après l'évangile, le renvoi des catéchumènes a sans doute entraîné avec lui cette prière diaconale; celle-ci se sera transformée de prière pour les catéchumènes en prière *pro populo*, mentionnée par le Pseudo-Germain. Le Missel de Stowe serait un témoin de cette ordonnance ancienne.

Signalons pourtant que nous n'avons trouvé en Occident nulle trace d'une *oratio catechumenorum*; le texte de Félix III qui utilise cette expression désigne en effet non une prière particulière, mais bien plutôt la catégorie de personnes avec lesquelles on est admis à prier (cfr. 1e Partie, Section III).

---

[40] Br p. 36—38.

[41] La liturgie hispanique contient pour les cinq premiers dimanches de Carême une litanie placée entre les deux premières lectures (A. T.) et les deux dernières (Apôtre et évangile), cfr. PL 85, col. 298—373.

[42] R. Mouret, *La prière universelle en Gaule. La disparition et le remplacement de l'oratio fidelium* (art. à paraître). L'auteur a bien voulu nous livrer une copie de son étude; qu'il en soit remercié.

[43] Concile d'Orange, c. 17, éd. Munier, CC 148, p. 83; Mansi, t. 6, col. 439 (c. 18!), plus les notes, col. 447.

II. Le «Divinae pacis» dit milanais (M¹)

Les sources de la liturgie milanaise comportent, aux premiers dimanches de Carême[44], deux litanies, situées toutes deux à l'*Ingressa*, entre le
Dominus vobiscum et l'*Oratio super populum*. La première, qui est aussi
la plus ancienne, commence par *Divinae pacis*. Les témoins en sont assez
nombreux, et la tradition manuscrite exceptionnellement concordante.

A. Témoins
(liste non exhaustive)

A = MILAN, Bibl. Ambr. A 24 bis inf. (IXe ex—Xe in), f. 65^{r-v};
   = *Sacramentaire de Biasca*, éd. Heiming, p. 41—42.
   (Clavis 1909—Bourque 556—Gamber 515).

B = MILAN, Bibl. Ambr., Trotti 251 (Xe ex—XIe in);
   = Sacramentaire de Milan, donné ici d'après les Tables du Sacra-
   mentaire de Bergame.
   (Bourque 561—Gamber 520).

Berg= BERGAME, Bibl. S. Alessandro in Colonna, 242 (2e moitié IXe s.),
   f. 91^v—92^r;
   = *Sacramentaire de Bergame*, éd. Paredi, p. 108.
   (Clavis 1908—Bourque 558—Gamber 505).

C = MILAN, Bibl. Ambr. A 24 inf. (Xe—XIe);
   = Sacramentaire de Lodrino, originellement de Saint-Etienne de
   Milan, d'après les Tables du Sacramentaire de Bergame.
   (Bourque 562—Gamber 519).

D = MILAN, Bibl. Ambr. D 87 sup. (XIIe);
   = Sacramentaire de Bedero; d'après les mêmes Tables.

E = MILAN, Bibl. Capitulaire D 3, 2 (le moitié XIe), f. 51^r;
   = *Sacramentaire pontifical d'Aribert*, éd. Paredi, p. 366—367.
   (Clavis 1909a—Bourque 559—Gamber 530).

F = BERGAME, Bibl. Civica Γ III. 18;
   (Antiphonaire XIe ex), f. 41^v—42^v [45].

J = MILAN, Bibl. Capit. D 3.3 (Vers 900), f. 25^v—26^v;
   = *Sacramentaire de S. Simpliciano*, éd. Frei, p. 179.
   (Bourque 563—Gamber 510).

---

[44] Dans les manuscrits et les éditions antérieures à 1560, elles se trouvent aux
2e et 3e dimanches de Carême, après le *Dominica in caput Quadragesimae*.
Après 1560, elles sont situées aux 1er et 2e dimanches; cfr. *Missale ambrosianum*.
Milan, 1913, p. 121, note 17.

[45] Ce manuscrit nous a été renseigné par M. Huglo, Chargé de Recherches
au CNRS; la photocopie nous en a été fournie par Mgr L. Chiodi, Directeur
de la bibliothèque. Qu'ils en soient tous deux remerciés.

L   = LONDRES, Brit. Mus. Add. 34.209 (XIIe in), f. 131—132;
    = *Antiphonaire ambrosien,* éd. Cagin, *Paléographie musicale,* t. 5
      (Planches) et t. 6 (transcription), Solesmes, 1896—1900.
      (Clavis 1942—Gamber 555).

O   = MILAN, Bibl. Ambr. I 127 sup.;
    = Sacramentaire de Milan, cité par Heiming dans l'édition du Sa-
      cramentaire de Biasca, p. XLI.

Tr = ZURICH, Bibl. Centr. C 43 (XIe in), f. 53^v—54^r;
    = *Sacramentarium Triplex,* éd. Heiming, p. 64—65.
      (Clavis 1907—Bourque 565—Gamber 535).

Vr = VERCEIL, Arch. Capit. 136 (XIe);
    = Sacramentaire de Milan, d'après les Tables du Sacramentaire de
      Bergame.

[R = ROME, Bibl. Vat. Palat. lat. 506 (XIVe), f. 52^{v}ss. Missel ambro-
      sien. Signalé par M. Gerbert, *De cantu et musica sacra,* t. 1,
      Saint-Blaise, 1774, p. 528; cfr. Ehrensberger, p. 440. Ce manu-
      scrit, dont nous n'avons pas vu le texte, n'intervient pas dans
      l'édition.]

On peut encore y ajouter les deux éditions données par Thomasius-
Vezzosi:

— T2 = t. 2, p. 572—573.

— T7 = t. 7, p. 304—305, d'après un manuscrit de la Vaticane.

Il n'indique malheureusement pas les manuscrits d'origine.

Enfin, signalons les deux éditions reprises dans le *Missale ambrosianum*:

— 1751 = editio puteobonelliana

— 1902 = editio typica.

B. L'EDITION[46]

a/   Divinae pacis et indulgentiae munere supplicantes,
     ex toto corde et ex tota mente
          precamur[47] te
          Domine miserere

I   Pro ecclesia tua sancta catholica
     quae hic et per universum orbem diffusa est
          precamur te
          Domine miserere[48]

---

[46] Améliorée par rapport à celle que donne B. CAPELLE, *Le Kyrie* ...,
p. 121—123.

[47] precamur] deprecamur T7.

II   Pro papa⁴⁹ nostro · illo ·⁵⁰ et omni clero eius⁵¹
        omnibusque sacerdotibus ac ministris
              precamur te
              Domine miserere

III   Pro famulo tuo · illo · imperatore [et famula tua · illa · impera-
        trice⁵²]
        et omni exercitu eius⁵³
              precamur te
              Domine miserere

IV⁵⁴   Pro pace ecclesiarum, vocatione gentium⁵⁵
        et quiete populorum
              precamur te
              Domine miserere

V   Pro civitate⁵⁶ hac et conversatione eius
        omnibusque habitantibus in ea
              precamur te
              Domine miserere

VI   Pro aerum⁵⁷ temperie ac⁵⁸ fructu⁵⁹
        et⁶⁰ fecunditate terrarum
              precamur te
              Domine miserere

VII   Pro virginibus, viduis, orphanis,
        captivis et paenitentibus
              precamur te
              Domine miserere

VIII   Pro navigantibus, iter agentibus, in carceribus,
        in vinculis, in metallis, in exiliis⁶¹ constitutis
              precamur te
              Domine miserere

---

⁴⁸ te . . . miserere *om* ABerg *semper; om* D *infra semper; om* F *qui saepius habet* precamur domine.

⁴⁹ papa] antistite F.   ⁵⁰ et pontifice nostro ·illo· *add* T2, T7, 1751, 1902.

⁵¹ eius] eorum T2, T7, 1751, 1902.

⁵² pro . . . imperatrice *codd, nisi* T7 *qui add* nostro *et* F *qui habet*: pro imperatore nostro ·illo·; pro famulis tuis ·N· imperatore et ·N· Rege, Duce nostro 1751—1902; pro famulis tuis ·illis· regibus et famulabus tuis ·illis· reginis J.

⁵³ eius Berg D¹ Tr. eorum ABCD²EJLVr, T2, T7, 1751, 1902 *et ipse* F.

⁵⁴ *Ante* IV *add* T2: Pro famulo tuo ·illo· Rege et Duce nostro et omni exercitu ejus...; *add* T7: Pro famulo tuo ·N· Rege nostro et omni exercitu ejus, et omnibus qui in sublimitate sunt...

⁵⁵ gentium] Haereticorum, Judaeorum et Gentium T7.

⁵⁶ civitate] plebe AC². civitate-plebe L.

⁵⁷ aerum] aeris T2, T7, 1751.   ⁵⁸ ac] hac AF.

⁵⁹ fructu T2, T7, 1751, F; fructuum ABBergCDELTrVr 1902.

⁶⁰ et *om* 1902.

IX

158   Etude des Textes

IX   Pro his qui diversis infirmitatibus detinentur
     quique spiritibus vexantur inmundis
          precamur te
          Domine miserere
X   Pro his qui in sancta tua ecclesia⁶²
     fructus misericordiae largiuntur
          precamur te
          Domine miserere
b/   Exaudi nos Deus in omni oratione
     atque deprecatione nostra
          precamur te
          Domine miserere
c/⁶³ Dicamus omnes: Domine miserere
d/   Kyrie eleison — Kyrie eleison — Kyrie eleison⁶⁴.

C. PARALLELES ORIENTAUX

a/   L'incipit est original; nous n'en avons rencontré aucun parallèle,
     ni oriental ni occidental; une tournure proche se rencontre toutefois
     à la fin de l'*Exsultet*: «ineffabili pietatis et misericordiae munere,
     dirige ...».
     ex toto corde ... = B 373.
I   ὑπὲρ τῆς κατὰ πᾶσαν τὴν οἰκουμένην ἁγίας σου καθολικῆς καὶ ἀπο-
     στολικῆς ἐκκλησίας J 54.
II   ... καὶ παντὸς τοῦ κλήρου CAp VIII 12, 41; J 34; B 363; M 138.
III τῶν εὐσεβεστάτων καὶ φιλοχρίστων ἡμῶν βασιλέων, τῆς εὐσεβοῦς
     καὶ φιλοχρίστου βασιλίσσης, παντὸς τοῦ παλατίου καὶ τοῦ στρατοπέδου
     αὐτῶν ... J 55.
IV   ὑπὲρ τῆς εἰρήνης τοῦ σύμπαντος κόσμου καὶ ἑνώσεως πασῶν τῶν
     ἁγίων τοῦ θεοῦ ἐκκλησίων J 34, 36, 39.
V   ὑπὲρ τῆς πόλεως ταύτης καὶ τῶν ἐνοικούντων CAp VIII 12, 45; cf.
     J 55, B 363.
VI   ὑπὲρ εὐκρασίας ἀέρων, εὐφορίας τῶν καρπῶν τῆς γῆς ... B 363. *Tem-
     peries* traduit εὐκρασία.
VII ὑπὲρ (ἀναγνωστῶν, ψαλτῶν), παρθένων, χηρῶν τε καὶ ὀρφανῶν CAp
     VIII 10, 10; cf. J 45.
     ὑπὲρ τῶν ἐν μετανοίᾳ ἀδελφῶν ἡμῶν CAp VIII 12, 47.
VIII ὑπὲρ πλεόντων καὶ ὁδοιπορούντων δεηθῶμεν, ὑπὲρ τῶν ἐν μετάλλοις
     καὶ ἐξορίαις καὶ φυλακαῖς καὶ δεσμοῖς ὄντων CAp VIII 10, 15; cf.
     J 55, M 126.

⁶¹ exiliis] eliis F.   ⁶² catholica *add* F.   ⁶³ c/*om* T7; c/-d/*om* F.
⁶⁴ Kyrie eleison *ter* AEJLT2, T7, 1751, 1902; *semel* BergTr.

IX ὑπὲρ τῶν . . . νοσούντων καμνόντων καὶ τῶν ὑπὸ πνευμάτων ἀκαθάρ-
των ἐνοχλουμένων J 45; cf. B 363, M 126; cf. *Mt* IV 23; *Mc* I 34;
Lc VI, 18.

X ὑπὲρ τῶν καρποφορούντων ἐν τῇ ἁγίᾳ ἐκκλησίᾳ καὶ ποιούντων τοῖς
πένησι τὰς ἐλεημοσύνας CAp VIII 10, 12; ὑπὲρ τῶν καρποφορούντων
καὶ καλλιεργούντων ἐν ταῖς ἁγίαις τοῦ θεοῦ ἐκκλησίαις J 36; cf.
B 373.

b/ ὑπὲρ τοῦ εἰσακουσθῆναι καὶ εὐπρόσδεκτον γενέσθαι τὴν δέησιν ἡμῶν
ἐνώπιον τοῦ θεοῦ J 47.

D. FORME LITURGIQUE

M¹ constitue un bon exemple de litanie du type invocatif. Voici sa
structure:

a/ invocation descriptive, introduisant le répons;

I—X invocatoires verbaux, commençant tous par *pro* et se terminant
par *precamur te*;

b/ invocation impérative;

c/ invitation reprenant le répons; originellement elle devait probablement répéter l'incipit primitif de la litanie et former inclusion
avec lui.

d/ *Kyrie eleison* triple (unique en Berg Tr); il pose un problème
d'identification; est-ce une invocation prononcée uniquement par
le meneur, ou un ancien répons, ou un chant de toute l'assemblée?
Nous y reviendrons.

E. ANALYSE

a) Le répons

L'édition l'indique clairement, le répons est *Domine miserere*, introduit chaque fois par la fin de l'invocatoire: *precamur te*. Dom Capelle
faisait de cette dernière expression le début du répons, qui devenait dès
lors: *precamur te, Domine miserere*. Notre découpage est confirmé par
la musique de la pièce, telle qu'elle se trouve dans L et dans la nouvelle
édition de l'Antiphonaire ambrosien[65]; quelle que soit l'époque à laquelle
elle fut composée, il est peu probable que la musique n'ait pas respecté
ce texte qui, rappelons-le, est resté en usage dans l'Eglise milanaise; on
n'aurait pas supporté qu'une mélodie déforme les répons traditionnels.
Pastoralement d'ailleurs, il s'avère très pratique de terminer chaque
demande par la même formule, de manière à ce que les participants
sachent quand il leur est demandé d'intervenir. La finale *precamur te*
se comprend aisément.

b) L'incipit

Primitivement la litanie devait commencer par *Dicamus omnes: Domine miserere*. Nous en avons deux preuves:

1. la plus probante est l'invitation *c/*; elle ne se comprend bien que comme une répétition de l'incipit avec lequel elle forme inclusion;
2. la formule *Divinae pacis ...* n'a pas de parallèle, ni en Orient ni en Occident. Mais l'élément descriptif qui la suit, *ex toto corde ...*, vient d'Orient (B 373) où il est introduit par εἴπωμεν πάντες!

On aura donc remplacé l'invitation banale *Dicamus omnes* par une invocation plus originale *Divinae pacis et indulgentiae munere supplicantes.*

c) Commentaire

I.   Nous avons ici un parallèle exact de la première intention de la célébration eucharistique donnée par le *Te igitur* du Canon romain. Quel dommage que nous n'ayons pas le début du Canon conservé dans le *De Sacramentis*! On constate l'absence de l'adjectif *apostolica*, tout comme en Irl[1] II.

II. Quel sens donner ici à *papa*? On sait que le terme, emprunté au grec (πάπα), désignait anciennement n'importe quel évêque; à partir du milieu du Ve siècle, à Rome d'abord, le mot tend à être réservé au successeur de Pierre, ce qui sera définitivement acquis au milieu du VIIe siècle[66]. Par ailleurs, Dom Botte ne croit connaître aucun texte liturgique utilisant *papa* pour désigner un autre évêque que celui de Rome. En quelle acception faut-il le comprendre ici? Examinons les deux possibilités:

— ou bien *papa* désigne n'importe évêque; en ce cas, l'addition *et pontifice nostro* dans les témoins imprimés date de l'époque où *papa* est réservé à l'évêque de Rome et témoigne de l'évolution sémantique du terme. Originellement, il n'y avait pas de prière spéciale pour le successeur de Pierre.

— ou bien *papa* désigne l'évêque de Rome; dans cette hypothèse, il faut situer l'origine du texte dans cette même ville, car on imagine mal que M[1] n'ait pas comporté d'invocatoire pour l'évêque du lieu, alors qu'il en contient un pour la cité et ses habitants (V). L'addition *et pontifice nostro* témoigne de l'utilisation du formulaire hors de Rome.

M[1], qui n'est attesté que dans des sources milanaises, serait-il originellement romain? L'histoire des relations entre les liturgies occidentales n'est pas suffisamment poussée pour pouvoir nous

---

[65] *Antiphonale missarum mediolanensis*, Rome, 1935, p. 105—109. Cette édition utilise d'ailleurs le manuscrit L.

[66] Cfr. H. LECLERCQ, art. *papa*, DACL 13,1, c. 1097—1111 et la bibliographie citée.

éclairer sur ce point. Les érudits n'ont pas encore dit le dernier mot sur les rapports entre Rome et Milan par exemple[67]. De quels arguments disposons-nous en faveur de l'origine romaine?

— l'ajoute *pro pontifice nostro,* faite à l'intention de l'évêque de Milan, révèle qu'auparavant *papa* désignait l'évêque de Rome, et que le formulaire provenait donc de cette ville. Ceci serait certain si *papa* n'avait pas subi d'évolution sémantique.

— l'invocatoire pour les autorités parle de l'empereur, et non du roi comme le feront FG¹ et FG²; mais ceci est plutôt un indice de datation que de localisation, et peut d'ailleurs avoir été facilement adapté ultérieurement.

— l'expression *sacerdotibus ac ministris*: dans les litanies latines, elle ne se rencontre qu'ici et en DG, qui elle est certainement romaine, avant de se retrouver ensuite dans toutes les lities gallicanes et hispaniques; il se peut que Gélase l'ait puisée en M¹ qui devait donc, sinon être née à Rome, du moins y être connue. Cependant chez Cyprien déjà les deux mots étaient accouplés[68].

Bref, l'origine romaine de M¹ est possible, mais pas certaine. Les deux stiques de cet invocatoire sont parallèles quant au sens; le premier prie pour l'évêque du lieu et son clergé, le second pour tous les évêques et les autres ministres[69]; l'idée répond à celle exprimée en I: l'Eglise est répandue «ici et par tout l'univers».

III.   La mention de l'impératrice, unique en Occident (avec M²), peut s'expliquer, outre le parallèle de J 55, par l'origine romaine du formulaire. Elle n'étonnerait cependant pas à Milan, qui fut souvent résidence impériale depuis que Maximien y installa sa capitale à la fin du IIIe siècle.

La leçon *eius* maintenue dans les manuscrits (Berg, D¹, Tr) qui mentionnent cependant l'empereur et l'impératrice indique, comme le note Dom Heiming[70], qu'originellement on ne priait que pour l'empereur. A moins qu'il ne faille supposer que dans l'esprit du rédacteur l'armée n'appartenait qu'à l'empereur seul; mais la tournure est alors grammaticalement incorrecte.

---

[67] Voir l'état de la question dans P. Borella, *Il rito ambrosiano*, Brescia, 1964, ch. 1 à 5.

[68] Cyprien, Ep I, 2, 1—2; éd. Bayard, t. 1, p. 3; cfr. 1e Partie, Section II, T 13.

[69] De la seconde moitié du IVe s. jusqu'au VIe siècle, *sacerdos* désigne normalement l'évêque; cfr. P.-M.Gy, *Remarques sur le vocabulaire antique du sacerdoce chrétien,* dans *Etudes sur le sacrement de l'Ordre,* Paris, 1957, p. 125—145. Quant à *minister,* il désigne parfois spécifiquement les diacres; ici il doit avoir une signification plus large, semblable à *clerus* dans la première partie de l'invocatoire.

[70] O. Heiming, *Das ambrosianische Sakramentar von Biasca*, Munster, 1969, p. XLI.

Remarquons la variante de T 7: *et omnibus qui in sublimitate sunt* (*I Tm* II, 2), présente en Irl[1] VI.

IV. La mention des Eglises, au pluriel, est certainement un signe d'antiquité. Puisque le même invocatoire demande la tranquillité des peuples, la paix des Eglises doit sans doute se comprendre sur le fond des luttes doctrinales.
La prière pour l'appel des païens au christianisme est rare; elle n'existe pas en Orient. Seules parmi les textes latins, les OS comportent un litique (IX) pour les païens et la DG (X) prie pour les *gentili superstitione perfusi*. Cette intention missionnaire est donc bien en place à Rome.

V. Le terme *conversatio* est attesté unanimement par toutes les sources; on ne comprend pas pourquoi Dom Capelle a préféré *conservatio*, qui est certainement une *lectio facilior*, du moins pour qui parle français!
M[2] V a le même invocatoire, sans *et conversatione eius*; cette expression, typiquement latine, ne figure pas dans les sources orientales; n'aurait-elle pas été ajoutée en M[1] V par son rédacteur pour obtenir la structure ternaire des invocatoires III—VI?
L'étude très fouillée que le P. Hoppenbrouwers a consacrée à *conversatio*[71] peut nous aider à en préciser la signification dans cet invocatoire. Parmi les différents sens qu'offre *conversatio*, deux paraissent s'adapter à notre contexte:

a) *le sens «sociatif plurilatéral»*, où le terme peut signifier la *societas conversantium* et désigner une communauté, un groupe de gens qui vivent ensemble, la collectivité d'une cité. En ce cas, notre invocatoire comporte trois termes presque synonymes: la cité, sa collectivité (aspect global), ses habitants (aspect individuel).

b) *pris comme «nom d'action de conversari»*, *conversatio* peut désigner une «manière de vivre», et plus précisément la vie dans un état quelconque, très souvent (mais tardivement, VIe siècle) dans un état de vie chrétienne; ou encore plus particulièrement dans l'état du *conversus*, c'est-à-dire du moine ou de la vierge (dès le Ve siècle). Dans cette hypothèse, l'invocatoire désigne trois groupes bien distincts: la ville, les *conversi* qu'elle abrite, et plus largement tous ses habitants.
M[1] ne semble pas connaître les moines; rien ne nous y autorise à comprendre *conversatio* en un sens si restrictif. Nous pensons que le terme a ici le sens plus courant de communauté, collectivité.

---

[71] H. Hoppenbrouwers, *Conversatio*, (*Graecitas et latinitas christianorum primaeva — Supplementa* 1), Nimègue, 1964, p. 45—95.

VI. Cet invocatoire traduit très certainement B 363; la plupart des témoins portent d'ailleurs *fructuum,* comme en Irl² III. Seuls F et trois témoins imprimés ont la leçon *fructu,* plus logique puisque, partout, la conjonction *et* sépare *fructuum* (*fructu*) de *fecunditate.* L'évolution se sera faite ainsi:

1. «... ac fructuum fecunditate terrarum»: attesté par Irl² III, mais par aucun témoin de M¹, sauf l'édition typique de 1902.

2. «... ac fru*ctuum et* fecunditate terrarum», lecture de tous les manuscrits de M¹ (sauf F). Cette préposition aura sans doute été ajoutée pour obtenir un invocatoire de même structure tripartite que les précédents (II—V).

3. «... ac fru*ctu et* fecunditate terrarum», adaptation faite par F et trois éditions pour obtenir un sens plus satisfaisant; *fructu* est devenu un terme générique, à l'ablatif, parallèlement à *temperie* et à *fecunditate.*

FG¹ VII et M² VI ont résolu autrement la difficulté, en laisant tomber le terme *fructus.*

VII.—VIII. Les vierges et les veuves ne sont plus considérées comme membres d'«ordres» ecclésiaux; elles sont rangées parmi les nécessiteux, avec les orphelins; de même les pénitents. Ceci nous amène à penser que les captifs, les prisonniers et les exilés dont il est question ne le sont plus à cause de leur foi, comme avant la Paix de l'Eglise. Les travailleurs *in metallis,* par exemple, correspondaient-ils encore à une réalité lorsque cet invocatoire fut traduit des formules orientales? Si oui, nous ne pensons pas qu'ils aient été exclusivement des chrétiens.

IX. La première partie de cet invocatoire fera fortune dans les textes latins, surtout dans les lities gallicanes et hispaniques.

d/ le triple *Kyrie eleison* (unique en Berg Tr, ce qui doit être considéré comme une abréviation) pose deux problèmes: son appartenance à M¹, et l'usage qui en était fait. Ces difficultés ont pour l'histoire de la liturgie une importance plus grande qu'il ne pourrait paraître à première vue; on sait en effet que Dom Capelle a joint l'introduction du *Kyrie* en Occident à l'utilisation des litanies, et plus particulièrement de la DG; selon lui, *Kyrie eleison* était le répons de cette dernière. Cette conclusion sera remise en question par l'analyse de la DG que nous présenterons ci-dessous; aussi convient-il de recueillir avec précaution les premières traces du *Kyrie* et de procéder avec beaucoup de méthode.

1. *appartenance du triple «Kyrie eleison» à M¹*

Cette litanie a-t-elle comporté dès l'origine la finale que nous lisons actuellement? A vrai dire, nous n'en savons rien! Il existe deux possibilités principales:

— le *Kyrie* n'appartient pas originellement à la litanie; il s'est lié à elle ultérieurement, soit assez rapidement, soit peut-être lors de l'introduction de M¹ dans l'*Ingressa* de la liturgie milanaise, sur la date de laquelle nous ne sommes pas renseignés.

— le triple *Kyrie* forme la conclusion primitive de M¹. Dans ce cas, il serait la première trace du *Kyrie* en Occident. On sait en effet que les premières mentions certaines du *Kyrie* y sont le canon 3 du Concile de Vaison (529) et les chapitres 3 et 17 de la Règle de saint Benoît, qui date exactement de la même époque. Le Concile de Vaison dit explicitement qu'il l'introduit en Provence à l'exemple de la *consuetudo* tant romaine qu'orientale et italienne[72]. Le *Kyrie* existait donc dans ces Eglises occidentales au moins dès le début du VIe siècle.

Qu'en penser? Tous nos témoins provenant de la liturgie milanaise, il est impossible de trancher la question. La seule chose certaine est que tous les témoins (sauf F) mentionnent le *Kyrie* à la fin du formulaire; tout le reste relève du domaine de l'hypothèse. Ceci étant clairement affirmé, nous pensons que l'explication la plus obvie est que le triple *Kyrie eleison* ait appartenu à M¹ dès l'origine. Nous en tirerons les conséquences pour proposer une datation.

2. *fonction de ce triple «Kyrie eleison»*

Etait-il chanté par le seul meneur, ou par toute l'assemblée? Ou encore, est-ce un ancien répons dont on aurait conservé la trace? Cette dernière supposition peut être éliminée, car nous venons de le dire, le *Kyrie* était inconnu en Occident à une époque antérieure; il n'est en aucune manière un vestige du temps où la liturgie se célébrait en grec.

Quant à la première alternative, nous pensons que ce *Kyrie* devait être chanté par toute l'assemblée, clôturant ainsi avec une particulière insistance son invocation litanique; peut-être l'examen de la musique accompagnant ce texte dans les manuscrits pourrait-il confirmer ou infirmer cette hypothèse[73].

---

[72] Concile de Vaison, c. 3, éd. DE CLERCQ, CC 148 A, p. 79; MANSI, t. 8, col. 729. Cfr. infra, p. 285.

[73] Si elle se trouvait vérifiée, on tiendrait peut-être un argument contre l'origine romaine de M¹. En effet, dans le passage célèbre d'une lettre à Jean de Syracuse, Grégoire le Grand affirme qu'à Rome on ne dit pas, et on n'a jamais dit le *Kyrie* comme chez les Grecs, qui le disent tous ensemble; «apud nos autem a clericis dicitur et a populo respondetur» (PL 77, 956; cfr. VIe Section). Mais saint Grégoire vivait un bon siècle plus tard…

d) Essai de localisation et de datation

L'origine romaine de M¹ nous paraît possible (cfr. commentaire, II), mais pas du tout certaine. Quant à l'âge du texte, nous avons peu de repères précis. Même s'il comporte un arsenal de termes qui cadraient bien avec l'époque des persécutions, il ne donne pas l'impression d'être aussi ancien, vu l'ordre dans lequel il dispose ces éléments archaïques, vu surtout l'invocatoire pour le couple impérial et les nombreux parallèles orientaux.

En comparant M¹ et Irl¹, le premier nous semble plus récent; son répons en effet est franchement *Domine miserere,* sans plus d'hésitation avec *Domine exaudi et miserere*; l'incipit *Divinae pacis* a remplacé, nous l'avons noté, le *Dicamus omnes* primitif; M¹ omet aussi les catéchumènes, abondamment mentionnés par ailleurs dans ses sources orientales.

Reste le triple *Kyrie* final. Nous avons dit plus haut que tous les témoins (sauf F) l'attestant, nous penchions pour son appartenance originelle à la litanie. Mais rappelons-le, ceci n'est qu'une hypothèse. Si elle s'avérait exacte, nous tiendrions les deux bouts de la chaîne; le *terminus post quem* serait fourni par Irl¹, certainement plus ancien, que nous avons situé à la fin du IVe ou au début du Ve siècle; le *terminus ante quem* serait l'année 529, date à laquelle la Provence adopte le *Kyrie* à l'exemple des Eglises romaine et italiennes. La teneur de l'ensemble de M¹ nous fait rejeter le VIe siècle; elle comporte beaucoup d'éléments qui seront abandonnés par la seconde vague de textes litaniques latins, qui naît à la fin du Ve siècle. En l'absence du *Kyrie,* nous daterions M¹ de la première moitié du Ve siècle; mais est-il possible que cette innovation, maintenue en langue grecque, ne nous ait laissé aucune trace avant 529 si elle était en usage déjà un siècle auparavant? Aussi pensons-nous devoir retenir plutôt la seconde moitié du Ve siècle; cette date plus avancée, et plus proche du départ de la nouvelle vague des litanies, celle des adaptations, explique d'ailleurs bien le changement d'incipit de M¹ ainsi que les modifications qu'on lui a imposées par souci stylistique (structure tripartite des invocatoires III à VI). A strictement parler, M¹ n'appartient déjà plus aux traductions de textes orientaux; elle opère la transition entre celles-ci et leurs adaptations.

e) Usage de M¹

Elle s'est conservée à l'*Ingressa* du premier dimanche de Carême (cfr. p. 155, n. 44), dans la liturgie milanaise. Quoi qu'il en soit de cet usage des *preces* aux dimanches quadragésimaux, que l'on trouve de manière analogue dans la liturgie hispanique, nous pensons que M¹ est un ancien formulaire d'*oratio fidelium.* Ceci nous semble indiqué tant par la fonction des sources orientales que par le genre littéraire de toutes ces litanies latines; quel autre rôle d'ailleurs auraient-elles pu remplir? Comme il est possible que M¹ soit d'origine romaine, il en résulte que la liturgie de cette ville (ou une des liturgies de cette ville) a pu utiliser, avant la DG, des formulaires litaniques pour la prière universelle.

UNE SECONDE VAGUE DE TEXTES LITANIQUES:
LES ADAPTATIONS

I. La «Deprecatio Gelasii» (DG)

Nous voici en présence de la litanie littérairement la plus élaborée; avec les OS elle est sans conteste un de nos plus beaux textes. Elle est cependant moins dense que celles-là, et théologiquement moins riche. Depuis les travaux de Dom Capelle, elle constitue une pièce maîtresse dans l'histoire du *Kyrie eleison* de la messe romaine; à ce point de vue, l'examen de la DG forme en quelque sorte le noeud de ce livre; aussi faudra-t-il redoubler d'attention.

1. ETAT DE LA QUESTION

Edmund Bishop est le premier, à notre connaissance, à traiter de la DG[1]; il y voit un formulaire romain (cfr. ses arguments ci-dessous, Commentaire, XIV) qu'il n'hésite pas à attribuer au pape Gélase (492—496)[2]. Il la compare avec Irl[1] et estime que toutes deux puisent leurs matériaux et leur inspiration dans les litanies de Constantinople; DG lui paraît légèrement plus ancienne que Irl[1], qui en dépend. Enfin, il soutient qu'un siècle avant saint Grégoire la messe romaine connaissait non seulement le répons *Kyrie eleison*, mais aussi des demandes du type de celles des litanies grecques; c'est à quoi saint Benoit fait allusion quand il parle de la *supplicatio litaniae, id est Kyrie eleison*. Nous n'avons cependant aucune base pour affirmer que les intentions de la DG étaient celles accompagnant le *Kyrie* de la messe au temps de saint Grégoire et à la période précédente; «en un mot, nous ne savons rien sur le sujet», conclut Bishop, avec une prudence qui ne sera malheureusement pas partagée dans la suite.

---

[1] E. BISHOP, *Liturgical Comments and Memoranda VII, c*, JTS, t. 12 (1911), p. 406—413.

[2] Sur Gélase, voir G. POMARES, *Gélase Ier, Lettre contre les Lupercales* (SC 65), Paris, 1959, p. 15—19: «La personnalité et l'œuvre de S. Gélase I».

Un an plus tard, Wilhelm Meyer, l'éminent philologue de Göttingen, se penche à son tour (indépendamment?) sur la DG[3]. Il confirme le jugement du liturgiste anglais en concluant qu'elle convient au temps et aux circonstances auxquels son nom et son titre la situent. Il institue une comparaison des anciennes litanies latines, y distinguant trois groupes:

— les «séries pro» («die Pro-Reihen»): Irl[1], M[1], M[2], DG, FG[1];
— les *Orationes paschales* gallicanes et hispaniques, qui ont forme de lities, le plus souvent;
— les OS, qu'il attribue à Grégoire le Grand (puisqu'elles se trouvent dans le Sacramentaire grégorien . . .) ce qui fausse radicalement l'examen.

Meyer édite notre pièce d'après le Paris B. N. lat. 1153, et donne les variantes du Rome, Bibl. Angelica 123. Le premier est le manuscrit qui servit à l'édition de Duchesne (Quercetanus) en 1617; elle fut reprise par Froben en 1777 et reproduite par Migne, PL 101, 510 ss. Comme le début du manuscrit manquait, Duchesne l'a intitulé *Officia per ferias* et l'a attribué à Alcuin; Meyer rejette cette attribution, à bon droit[4].

Ces deux contributions initiales seront complétées peu après par Wilhelm Bousset[5]; il reprend les conclusions de Meyer. Son apport principal consiste à élargir le champ en indiquant les parallèles orientaux, dont son prédécesseur ne soufflait mot.

Après quoi la DG tombe presque dans l'oubli pendant une vingtaine d'années. Dans la cinquième édition des *Origines du culte chrétien*, Mgr. Duchesne ne lui consacre qu'une note[6] où il récuse l'attribution à Gélase (cfr. ci-dessous, Commentaire XIV). Dom Connolly, dans un article sur la tradition littéraire des OS[7], ne semble pas la connaître; en tout cas il ne la mentionne pas.

Elle ne figure pas non plus dans la synopse des prières litaniques publiée par Dom Alfonso[8]. Dom Cabrol la cite, sans en donner le texte, en reprenant contre Duchesne l'attribution à Gélase[9].

L'article de Dom Capelle sur *Le Kyrie de la messe et le pape Gélase*[10] marque un tournant. L'auteur étaye les conclusions de Bishop et Meyer,

---

[3] W. MEYER, *Gildae Oratio rythmica*, Appendice II, dans les *Nachrichten* de Göttingen, Berlin, 1912, p. 87—108.

[4] Cfr. A. WILMART, *Le manuel de prières de saint Jean Gualbert*, RB, t. 48 (1936), p. 259—299, plus précisément p. 263—264.

[5] W. BOUSSET, *Zur sogenannten Deprecatio Gelasii*, dans les *Nachrichten* de Göttingen, Berlin, 1916, p. 135—162.

[6] L. DUCHESNE, *Origines* . . ., p. 211, note 2.

[7] R. H. CONNOLLY, *The Good Friday «Orationes Sollemnes»*, JTS, t. 21 (1920), p. 219—232.

[8] P. ALFONSO, *Oratio fidelium*, Finalpia, 1928.

[9] F. CABROL, art. *Litanies*, DACL 9, 2, col. 1540—1571.

[10] B. CAPELLE, *Le Kyrie de la messe et le pape Gélase*, RB, t. 46 (1934), p. 126—144; Tr. lit., t. 2, p. 116—134.

en apportant, pour différentes expressions de la litanie, des rapprochements tirés des oeuvres de Gélase; il édite DG en corrigeant le Paris 1153
par l'Angelica 123 et situe la pièce dans son cadre en publiant, en quatre
colonnes parallèles, les litanies Irl¹, FG¹, M¹ et M² pour lesquelles il
fournit également les sources orientales. Cet excellent travail recueillera
un succès mérité; repris et précisé par son auteur[11], il deviendra classique. Mais outre cette documentation remarquable, l'Abbé du Mont César
défend, indûment pensons-nous, la thèse de l'identité entre la DG et le
Kyrie eleison dont parlent les sources, identité contre laquelle Bishop
avait cependant mis en garde quelque vingt ans plus tôt. Ce n'est pas le
lieu, dans cette étude de textes, de développer davantage la thèse du liturgiste de Louvain sur le transfert de la DG à la place du *Kyrie* actuel et
sur la naissance de l'*oratio super sindonem*; nous y reviendrons dans la
sixième section.

Depuis lors, deux autres manuscrits de DG ont été découverts. L'un
est signalé par Capelle lui-même dans son second article[12]. L'autre a été
détecté par l'infatigable chercheur qu'est le P. Molin, qui non seulement
a bien voulu nous communiquer le renseignement, mais nous a encore
permis d'en faire état à sa place[13]. Nos recherches dans les processionnaux
manuscrits ne nous ayant révélé aucun nouveau témoin, nous pensons
avec le P. Molin qu'il faudrait les chercher plutôt dans les livrets de
prières privées (*libelli precum*), genre littéraire auquel appartiennent les
trois manuscrits de Paris[14].

2. LES TEMOINS

Ils se rangent indiscutablement en deux familles.

a) La tradition gallicane

B = PARIS, B.N. lat. 1153, f. 48ᵛ—49ᵛ, originaire de l'abbaye de Saint-
    Denis (Paris), vers 850; livre pour l'usage privé des psaumes, bap-

---

[11] B. CAPELLE, *Le pape Gélase et la messe romaine*, RHE, t. 35 (1939), p. 24—34;
Tr. lit., t. 2, p. 135—145.
L'œuvre liturgique de saint Gélase, JTS, t. 52 (1951), p. 129—144; Tr. lit., t. 2,
p. 146—160.
Innocent Ier et le canon de la messe, RTAM, t. 19 (1952), p. 5—16; Tr. lit., t. 2,
p. 236—247.
L'intercession dans la messe romaine, RB, t. 65 (1955), p. 181—191; Tr. lit., t. 2,
p. 248—257.
[12] B. CAPELLE, *Le pape Gélase...*, p. 138. Il s'agit du Paris, B.N. lat. 1248.
[13] C'est le Paris, Bibl. Mazarine, 512.
[14] Cfr. J.-B. MOLIN, *Les manuscrits de la «Deprecatio Gelasii». Usage privé des
psaumes et dévotion aux litanies*, dans EL, t. 90 (1976), p. 113—148. Nous remercions vivement le P. Molin de nous avoir communiqué l'essentiel de ses conclusions.
Précisons que la DG ne se trouve pas dans les quatre manuscrits édités par
A. WILMART, *Precum libelli quattuor aevi carolini*, Rome, 1940. Sur ce genre
littéraire, on consultera avec profit l'article du même auteur sur *Le manuel de*

tisé *Officia per ferias* par Quercetanus (1617). Il est reproduit dans PL 101, 509—612 selon l'édition de Froben (1777); la DG se trouve aux col. 560—561, avec quelques inexactitudes par rapport au manuscrit. Il a été édité aussi par Thomasius-Vezzosi, t. 2, p. 571 avec des corrections, dont les verbes finaux au subjonctif et le répons double *Domine exaudi et miserere*. Il est encore publié par Meyer, p. 100—101.

C = PARIS, B. N. lat. 1248, f. 100ᵛ—102ʳ, Saint-Martial de Limoges, IXe siècle[14a], parmi des fragments tirés d'Alcuin; il a été décrit par Andrieu, OR, t. 1, p. 265—269.

D = PARIS, Bibl. Mazarine 512, f. 23ʳ—24ʳ, Saint-Eloi de Noyon, vers 850 (et non XIe siècle comme l'indique le Catalogue de Molinier); eucologe privé; contenu analogue aux *Officia per ferias*. Ce témoin a été découvert par le P. Molin.

b) La tradition milanaise

A = ROME, Bibl. Angelica lat. 123 (olim B. 3. 18), f. 213ʳ⁻ᵛ, graduel et tropaire de Bologne, XIe s.[14b]. Ce manuscrit a été publié en facsimilé, avec une introduction, par Dom J. Froger, *Le codex 123 de la Bibliothèque Angelica de Rome, (Paléographie musicale,* 18), Berne, 1969; on y trouvera aussi la bibliographie.
La DG a été éditée selon ce manuscrit dans Thomasius-Vezzosi, t. 5, p. 242; au t. 2, p. 570, est publié sans indication de source un texte identique, sauf qu'il omet le *Kyrie eleison* de l'incipit (cfr. FG²).

3. Editions

Dom Capelle a édité la DG sur la base de B avec corrections par A. Nous avons préféré éditer séparément les traditions gallicane et milanaise, pour bien montrer la supériorité de la première (cfr. infra); là où A a maintenu la bonne leçon, nous avons mis le texte gallican entre

---

prières de saint Jean Gualbert, RB, t. 48 (1936), p. 259—299, ainsi que J. Chazelas, *Les livrets de prières privées du IXe s.,* Paris, 1959.

[14a] Ce manuscrit comporte plusieurs parties. Le passage qui nous intéresse est dû à une main qui a copié les ff. 89—116v du manuscrit actuel. Le Catalogue de Lauer date l'ensemble du manuscrit des Xe—XIIe siècles; le P. Molin, à qui ces textes sont familiers, nous signale qu'il daterait volontiers les folios contenant la DG du IXe s. M. Jean Vezin, de la Bibliothèque Nationale de Paris, consulté à ce propos, nous répond: «Son écriture est peut-être du Xe s., mais je pencherais plutôt, comme le P. Molin, pour le IXe s. Il est souvent bien difficile de dire si un manuscrit est du IXe ou du Xe» (lettre du 6 octobre 1975, pour laquelle nous le remercions vivement).

[14b] DG y est donnée pour le 2e dimanche du Carême; pour le 1er, ce manuscrit offre M². On a donc affaire à un livre de tradition milanaise, mais qui bouleverse curieusement les *preces* quadragésimales; habituellement on trouve au 1er dimanche de Carême M¹ et au second M²; M¹ ne figure pas dans ce manuscrit.

crochets [ ] ; pour obtenir le texte que nous pensons être l'original, il suffit donc de remplacer les mots placés entre crochets par leur équivalent en A.

Ce procédé a l'avantage de ne pas mêler trop vite deux familles différentes, et d'éviter ainsi de regrettables confusions.

a) Tradition gallicane

a/[15]   Dicamus omnes: Domine exaudi et miserere[16]

b/   Patrem unigeniti et Dei filium genitoris ingeniti[17]
         et sanctum domini[18] spiritum fidelibus animis invocamus
              ⟨Domine exaudi et miserere⟩[19]

I   Pro inmaculata Dei vivi ecclesia, [sacerdotibus ac ministris]
              divinae bonitatis[20] opulentiam deprecamur
              ⟨Domine exaudi et miserere⟩[21]

II   Pro sanctis Dei magni[s][22] sacerdotibus et ministris
         cunctisque Deum verum colentibus populis
              Christum dominum supplicamus
              ⟨Domine exaudi et miserere⟩[19]

III   Pro universis recte tractantibus verbum veritatis
              multiformem verbi[23] Dei sapientiam peculiariter obsecramus
              ⟨Domine exaudi et miserere⟩[19]

IV   Pro his qui se mente et[24] corpore propter caelorum regna castificant
         et spirituali[25] labore desudant
              largitorem spiritalium munerum obsecramus[26]
              ⟨Domine exaudi et miserere⟩[19]

V   Pro religiosis principibus omnique militia eorum
         qui iudicium et iustitiam diligunt
              domini[27] potentiam obsecramus
              ⟨Domine exaudi et miserere⟩[19]

VI   Pro [iocunditate et serenitate] pluviae
         atque aurarum vitalium blandimentis ac prospero diversorum
         [operum] cursu

[15] Deprecatio quam papa Gelasius pro universali Ecclesia constituit canendam esse BC. Deprecatio quam papa Gelasius pro universali deprecando Ecclesia constituit quamque sancti et beati patres pro omni christiano populo deprecantes in publicis et privatis orationibus cantare solebant D.

[16] miserere: Domine miserere *add* D.

[17] ingeniti] ingenitum C.

[18] domini *codd.* deum *edd.*

[19] *Hoc responsum conjicio sicut Thomasius, t. 2,571.* Domine miserere et miserere D.

[20] bonitatis] pietatis D.   [21] *Hoc responsum conjicio.* Domine miserere D.

[22] magnis C, *et* B *ubi em. alt. m. in* magni; sacerdotibus magnis D.

[23] verbi] *om* D.

[24] et] vel D.   [25] spirituali D. spiritalium BC.

[26] obsecramus] imploramus D.   [27] domini] Dei D.

rectorem mundi dominum[28] deprecamur
⟨Domine exaudi et miserere⟩[19]

VII   Pro his quos[29] prima[30] christiani nominis initiavit agnitio
quos iam desiderium[31] gratiae caelestis accendit[32]
omnipotentis Dei misericordiam obsecramus
⟨Domine exaudi et miserere⟩[19]

VIII   Pro his quos humanae fragilitatis infirmitas[33] et quos
nequitiae spiritalis invidia vel varius saeculi[34] ⟨error⟩[35] involuit
redemptoris nostri misericordiam imploramus
⟨Domine exaudi et miserere⟩[19]

IX   Pro his quos peregrinationis necessitas
aut iniquae potestatis impietas[36] vel hostilis vexat aerumna
salvatorem dominum supplicamus
⟨Domine exaudi et miserere⟩[19]

X   Pro iudaica falsitate ⟨...⟩[37] aut heretica pravitate deceptis
vel gentili[38] superstitione perfusis
veritatis dominum deprecamur
⟨Domine exaudi et miserere⟩[19]

XI   Pro operariis pietatis et his qui necessitatibus laborant⟨i⟩um
fraterna caritate subveniunt
misericordiarum dominum deprecamur
⟨Domine exaudi et miserere⟩[19]

XII   Pro omnibus intrantibus[39] in haec[40] sanctae domus domini[41] atria
qui[42] religioso corde et supplici devotione convenerunt
dominum gloriae deprecamur
⟨Domine exaudi et miserere⟩[19]

XIII   Pro emundatione animarum corporumque nostrorum [omnium ac
venia peccatorum]
clementissimum dominum supplicamus[43]
⟨Domine exaudi et miserere⟩[19]

[28] dominum *om* C.
[29] quos] quibus C.
[30] prima B. proxima D. *om* C.
[31] desiderium B. desiderio CD.
[32] accendit] poscit C.
[33] fragilitatis infirmitas D. infirmitatis fragilitas BC.
[34] saeculi *om* C.
[35] error *Thomasius et Capelle.* horror *codd.*
[36] impietas] impressio D.
[37] *post* falsitate *lacunam unius verbi suspicitur Capelle.*
[38] gentili D. gentilium BC.
[39] intrantibus *om* D *qui add* qui.
[40] in haec] huius C.
[41] domini *om* D.
[42] qui *om* BD.
[43] supplicamus] deprecamur D.

XIV   Pro refrigerio fidelium animarum praecipue sanctorum[44] domini
      sacerdotum qui huic ecclesiae praefuerunt catholicae
            dominum spirituum et universae carnis iudicem[44a] deprecamur
            ⟨Domine exaudi et miserere⟩[19]

XV   Mortificatam vitiis carnem et viventem fide animam
            praesta, Domine, praesta

XVI   Castum timorem et veram dilectionem
            praesta, Domine, praesta[45]

XVII Gratum vitae ordinem et[46] probabilem exitum
            praesta, Domine, praesta

XVIII Angelum[47] pacis et solacia sanctorum
            praesta, Domine, praesta

c/   Nosmetipsos et omnia nostra quae orta quae acta[48] per dominum
      ipso auctore[49] suscipimus[50] ipso custode retinemus
      ipsiusque[51] misericordiae et arbitrio providentiae[52] commendamus
            Domine ⟨exaudi⟩ et miserere[53]

d/[54] Dicamus omnes: Domine exaudi et miserere
            Domine ⟨exaudi⟩ et miserere.

b) Tradition milanaise

a/   Kyrie eleison

b/   Deum patrem filiumque eius dominum Iesum Christum
      et spiritum sanctum devotis animis invocemus
            Kyrie eleison

I   Pro catholica dei vivi ecclesia per totum orbem constituta,
            misericordem dominum deprecemur
            Kyrie eleison

1   Pro domno ·illo· apostolico et universali papa,
            misericordem dominum deprecemur
            Kyrie eleison

---

[44] sanctorum *om* D.
[44a] iudicem *om* C. dominum *add.* D.
[45] praesta *om* D.
[46] et *om* D.
[47] angelum] angelus C.
[48] acta *codd.* aucta *Thomasius — Meyer — Capelle.*
[49] ipso auctore] ipsum auctorem C.
[50] suscipimus B. suscepimus D. suscipiamus C.
[51] ipsiusque] ipsius D *et Meyer.*
[52] arbitrio providentiae] arbitrii providentia D.
[53] miserere] et miserere *add* D.
[54] d/ *om* C, *Thomasius, Meyer et Capelle; apud Frobenium (et PL) incipit*
d/ *orationem sequentem.*

2   Pro domno ·illo· imperatore nostro, iudicibus et exercitibus eius
    qui iustitiam et rectum iudicium diligunt,
        misericordem dominum deprecemur
            Kyrie eleison
3   Pro domno ·illo· archiepiscopo nostro et sacerdotio eius.
        omnipotentem dominum deprecemur
            Kyrie eleison
4   Pro domno ·illo· episcopo nostro et sacerdotio eius
        omnipotentem dominum deprecemur
            Kyrie eleison
II Pro sacerdotibus et ministri⟨s⟩ sacri[s] altari⟨s⟩
    et cunctis verum Deum colentibus populis,
        domini potentia⟨m⟩ deprecemur
            Kyrie eleison
IX Pro his quos peregrinationis necessitas
    aut iniquae potestatis oppressio
    vel hostilitatis vexat aerumna,
        conditoris nostri misericordiam deprecemur
            Kyrie eleison
VI Pro iocunditate serenitatis et opportunitate pluviae
    atque aurarum vitalium blandimentis
    [h]ac diversorum temporum prospero cursu,
        omnipotentem dominum supplicemus
            Kyrie eleison
XIV Pro requie[m] fidelium animarum
    praecipue sanctorum domini sacerdotum qui huic ecclesiae prae-
    fuerunt,
        dominum spirituum et universae carnis iudicem imploremus
            Kyrie eleison
XIII Pro emundatione animarum corporumque nostrorum
    et omnium venia[m] peccatorum,
        conditorem mundi dominum supplicemus
            Kyrie eleison
5   Pro civitate hac et omnibus habitantibus in ea,
        misericordem dominum deprecemur
            Kyrie eleison

Valeur des deux traditions

Capelle affirme sans ambage que le manuscrit A «se montre nettement
supérieur»[55]. Ce jugement s'appuye sur l'invitatoire VI, où la chose est
claire. Nous pouvons y ajouter la leçon *per totum orbem constituta* maintenue par A en I, ainsi que *omnium venia peccatorum* en XIII, tournure
qui respecte mieux le cursus. Mais hormis ces trois cas, qui constituent

[55] B. CAPELLE, *Le Kyrie . . .*, p. 125.

des exceptions, A s'avère au contraire nettement inférieur! Voici les
arguments:

— b/ y est rédigé de manière plus banale que dans la tradition gallicane,
   qui offre certainement une «lectio difficilior»;

— les verbes finaux de chaque invitatoire sont au subjonctif, plus «normal» que l'indicatif de BCD. Ils sont moins variés en A qui porte
   très souvent *deprecemur*; le fin rédacteur de DG ne se sera pas contenté de cette monotonie;

— entre I et II, A interpole quatre invitatoires que ce même manuscrit
   situe également dans M^2;

— *sacri altaris* en II semble secondaire;

— l'omission de *catholicae* en XIV révèle une adaptation faite hors de
   Rome (cfr. ci-dessous, Commentaire, XIV);

— A omet III—V, VII—VIII, X—XII et toute la seconde partie;

— A ajoute à la fin une demande pour la cité reprise à M^2.

Nous ne comprenons pas comment l'Abbé du Mont César a pu écrire:
«Peut-être celui-ci (A) représente-t-il une tradition plus directe que celle
d'Alcuin»[56]. Ce jugement est encore repris par le P. Molin. A nos yeux,
A représente au contraire un texte secondaire, altéré par des influences
milanaises. Or, A est le seul manuscrit dont le répons soit *Kyrie eleison* ...

Relations entre les trois manuscrits gallicans

Ces trois manuscrits appartiennent indiscutablement à la même famille; contentons-nous d'en signaler pour preuves la présence du titre,
et de l'interpolation *sacerdotibus ac ministris* en I. Parmi eux, D est le
moins bon; la variante de son titre semble être une explication savante
du compilateur de l'ouvrage pour justifier la reprise d'un texte mort,
et les leçons *impressio* en IX et *arbitrii providentia* en c/ n'ont pas grande
chance d'être primitives, de même que la formulation de XII qui omet
intrantibus.

B et C sont plus proches l'un de l'autre; C est certainement postérieur,
il comporte plusieurs fautes qui l'éloignent de l'original, comme *ingenitum*
en b/ et *poscit* en VII. B reste donc à nos yeux le meilleur témoin; il est
à la base de notre édition.

D ne dépend probablement pas de B; tous deux doivent provenir d'un
intermédiaire perdu (X). Par contre, il y a beaucoup de chances que C
dépende de B. Aussi proposons-nous le stemma suivant:

Original

A   (X)

B   D

C

---

[56] B. Capelle, *Le pape Gélase* ..., p. 138, note 22.

4. Formes littéraire et liturgique

La DG est écrite dans une langue très soignée, ce qui correspond bien à la description que le *Liber pontificalis* nous donne de Gélase et de son style: «Fecit etiam et sacramentorum praefationes et orationes cauto sermone et epistulas fidei delimato sermone multas»[57].

Tant dans la première partie (46 fois) que dans la seconde (4 fois) elle respecte le cursus, procédé littéraire qui fut utilisé, comme nous l'avons déjà dit, entre le IV et le VIIe siècle. Les trois rythmes usuels s'y retrouvent:

$$\underline{\;\prime\;}\;\_\;\underline{/}\;\_\;\underline{\;\prime\;}\;\_\quad\text{(planus)}$$

$$\underline{\;\prime\;}\;\_\;\underline{/}\;\_\;\underline{\;\prime\;}\;\_\;\_\quad\text{(tardus)}$$

$$\underline{\;\prime\;}\;\_\;\_\;\underline{/}\;\_\;\_\;\underline{\;\prime\;}\;\_\quad\text{(velox)}$$

Les pauses sont ainsi indiquées par les accents, et les mots finaux de plus de quatre pieds sont évités. Mais, observation intéressante faite par Meyer (p. 108), il y figure quelques fois la finale $\underline{\;\prime\;}\;\_\;\underline{/}\;\_\;\_\;\underline{\;\prime\;}\;\_$ (trispondée); or, dans son ouvrage sur la rythmique du latin médiéval[58], ce philologue, qui s'est beaucoup intéressé à ces phénomènes, notait que ce rythme rare était aimé d'Ennodius et de Gélase! Meyer en relève trois cas:

— III vérbum veritátis
— XII devotióne convenérunt
— c/ custóde retinémus

Nous y ajoutons:

— I órbem constitúta,
leçon du manuscrit A; ceci prouverait encore s'il en était besoin, la supériorité de cette expression par rapport à «sacerdotibus ac ministris» de BCD. Bref, l'analyse littéraire de la pièce indique qu'elle est l'oeuvre d'un seul auteur, homme de goût à la plume subtile et fine.

La forme liturgique de DG est une litanie, composée de la manière suivante:

— un titre, sans doute postérieur;
a/ une invitation indiquant le répons;
b/ une invitation attributive développant assez longuement, et non sans subtilités théologiques, une formule trinitaire;
I—XIV: quatorze invitatoires comportant chacun, outre l'énoncé de l'objet et du bénéficiaire de la prière, une invitation attributive, toujours différente, et parfois adaptée à la demande[59]. Notons que la

---

[57] LP, t. 1, p. 255.
[58] W. Meyer, *Gesammelte Abhandlungen zur mittellateinischen Rythmik*, t. 2, Berlin, 1905, p. 260.
[59] C. Callewaert, dans son article sur *Les étapes de l'histoire du Kyrie*, RHE, t 38 (1942), p. 20—45, souligne (p. 27) qu'à la fin du Ve siècle, on

tradition gallicane a gardé le verbe à l'indicatif, probablement avec raison;

XV—XVIII: quatre invocatoires (nominaux; mais le répons y pallie):

c/ recommandation de l'assemblée et de ses biens à Dieu, Créateur et Providence;

d/ invitation faisant inclusion avec a/.

Alors qu'en Irl[1] la première partie est constituée d'invocatoires et la seconde d'invitatoires, DG nous offre exactement l'inverse.

5. Etude

1) Le titre

Le titre n'est probablement pas de la main du rédacteur lui-même; aussi l'avons-nous rejeté dans l'apparat. Seuls Irl[1] et DG en portent un; remarquons que tous deux commencent par le terme *deprecatio*, vocable qui se retrouve à la fin du célèbre passage sur le *Kyrie* dans la lettre (598) de Grégoire le Grand à Jean de Syracuse[60]: «... ut in his *deprecationis* vocibus paulo diutius occupemur». Avec Capelle[61], on peut se demander si *deprecatio* n'est pas ici un terme technique.

2) Le répons de la première partie

Ce point, en apparence banal, est en fait capital pour la suite de notre étude et pour l'histoire du *Kyrie*. Sans s'interroger sur le répons de la tradition gallicane, Dom Capelle a en effet repris le *Kyrie eleison* du manuscrit A qu'il estimait à tort meilleur; dans son édition, il le place entre crochets, et signale en note que ce répons n'existe que dans le manuscrit de l'Angelica. Mais insensiblement, il en est venu à lier le *Kyrie* à la DG, au point de les identifier et de projeter la DG partout où les sources disent seulement *Kyrie eleison*. Ce passage, il l'a fait peut-être inconsciemment; en tout cas il n'en parle pas de manière explicite, ce qui explique que toute la critique s'y est laissé prendre. Qu'en est-il?

— le manuscrit A donne le répons *Kyrie eleison*;

— les trois autres manuscrits ont l'invitation a/, omise par A, introduisant normalement[62] le répons, qui serait donc *Domine exaudi et miserere*;

était à la période de pleine efflorescence du chant antiphoné et que l'influence des *scholae* de chant se manifestait dans l'organisation de la liturgie. Aussi suggère-t-il que cette invitation attributive ait été réservée aux *clerici* de la *schola*, après que le diacre ait chanté le premier membre de l'invitatoire, tandis que le répons revenait au peuple. Willis a repris cette hypothèse; dans son édition, il imprime en italique la partie de la *schola* (*Essays*..., p. 21—24). La seule chose sûre est que cette «attribution» ne se trouve qu'en DG.

[60] PL 77, 956; ou MGH, *Epist.*, t. 2, Berlin, 1899. Cfr. infra, p. 287.

[61] B. Capelle, *Le Kyrie*..., p. 133.

— B et C n'ont pas de répons après les invitatoires, ce qui peut expliquer que Capelle, se basant sur B, ait repris le répons de A;

— D porte après chacun d'eux *Domine miserere et miserere*;

— on lit *Domine miserere* en B après c/ et d/,

en C après c/ (il omet d/),

en D après d/ et aussi après a/,

alors que le meneur vient de proposer le répons double; fait curieux, ou coïncidence: la même succession se rencontre dans le Missel de Stowe (Irl[1] S).

La conclusion s'impose: comme nous l'avons déjà dit à propos d'Irl[1] a/, le répons devait être originellement *Domine exaudi et miserere*, dont Irl[1] porte encore la trace; il se sera abrégé ensuite en *Domine miserere* que l'on retrouve en M[1] et FG[1]. Nous pensons que, par archaïsme sans doute, le rédacteur de DG aura repris le répons ancien et long; en voici deux preuves: l'invitation a/, reprise en d/; et dans le manuscrit D l'expression défectueuse *Domine miserere et miserere*, souvenir d'une tournure double[63]. Dans la suite, les utilisateurs de la DG se seront contentés du répons bref, dont témoignent BCD aux endroits signalés ci-dessus. Dans notre édition, nous avons rétabli, avec les sigles qui s'imposent, le répons que nous estimons original.

Quoi qu'il en soit, il est clair en tout cas, dans l'état actuel de notre documentation, que le *Kyrie eleison* n'est pas intrinsèquement lié à la DG. Ceci constitue une acquisition majeure. Lire le canon 3 du Concile de Vaison en remplaçant, comme le fait Capelle, *Kyrie eleison* par DG constitue donc un vice de méthode. Nous en tirerons bientôt les conséquences[64].

3) *Commentaire, parallèles orientaux et occidentaux*

a/ est oriental (cfr. p. 148); la leçon de D se retrouve littéralement en Irl[1] S. Cette invitation est omise par A qui commence *ex abrupto* par *Kyrie eleison*, comme FG[2].

b/ est rédigé dans un style dont nous n'avons pas trouvé d'équivalent dans les textes précédents; cette qualité littéraire caractérise toute la DG, œuvre d'un rédacteur raffiné. Aucun parallèle grec n'est à signaler. La leçon de A est une banalisation tardive; elle n'a pas repris les subtilités théologiques de l'original, qui témoignent d'une culture religieuse poussée.

---

[62] Cfr. p. 149—150, à propos de Irl[1].

[63] Le modèle de D devait avoir la leçon correcte *Domine exaudi et miserere*. Peut-être le copiste de D (ou de son parent), entraîné par le répons simple qu'il était habitué à chanter, a-t-il écrit *Domine miserere;* puis il aura continué, comme son modèle, en ajoutant *et miserere.*

[64] Sur le répons de la 2e partie, cfr. ce que nous en avons dit à propos d'Irl[1].

La lecture *domini* est dans les trois manuscrits; même indépendamment de cet argument décisif, elle serait à préférer au *Deum* des
éditeurs, terme qui figure déjà dans les attributs christologiques; l'expression reflète les controverses trinitaires du IVe s.; elle pourrait
dater de la fin de ce siècle, après le Concile de Constantinople (381).

La «description» *fidelibus* (*devotis* A) *animis* est l'équivalent du
traditionnel *ex toto corde* . . ., omis par la DG.

I   Comme dans la grande tradition (Irl¹ II, M¹ I), l'invitatoire pour
l'Eglise vient en tête. Selon Dom Capelle, «*immaculata* au lieu
de *sancta* trahit les préoccupations de Gélase, qui oppose toujours
l'Eglise immaculée aux souillures dont tenterait de la déshonnorer
l'hérésie»[65]. La tradition milanaise est plus banale; elle porte
catholica. «Ecclesia Dei vivi» = *I Tm* III, 15.

Sacerdotibus ac ministris est une mauvaise leçon; elle a sa place
en II; le copiste aura peut-être sauté une ligne. Comme l'écrit
Meyer (p. 103), il faut préférer la tournure de A, *per totum orbem
constituta*; elle est plus traditionnelle et offre une finale trispondaï-
que, appréciée par Gélase (cfr. supra, forme littéraire); le terme
constituta a sans doute été choisi pour le rythme. Ce mot n'a pas
nécessairement le sens fort de «constitué», «établi»; à l'époque
tardive, on le rencontre fréquemment avec la signification banale
de «étant», «se trouvant» quelque part[66].

II   Cet invitatoire rassemble tous les ordres (Irl¹ VII et IX; M¹ VII)
auxquels sont joints de manière assez universaliste tous les peuples chrétiens.

Magnus Deus = Tite II, 13. C'est la première fois que nous
voyons *sanctus* qualifier le clergé; or celui-ci devait être une des
préoccupations de Gélase, puisque sa notice du *Liber pontificalis*
en parle à deux reprises[67].

Le couple *sacerdotibus et ministris* apparaît déjà en M¹ II; la tradition milanaise de DG l'a repris en le déterminant par *sacri
altaris*, qui révèle un souci liturgisant probablement secondaire.
Comme en M¹ II, *sacerdos* a ici le sens d'évêque, ce qui est confirmé
par l'utilisation de ce mot dans l'invitatoire XIV; *minister* désigne
probablement tous les autres ministres de l'Eglise.

Le manuscrit A interpole entre I et II quatre invitatoires qui lui
sont propres également en M²; le second, pour l'empereur, s'inspire en sa finale de V. Il est clair que A adapte à la liturgie
milanaise le formulaire ancien de DG.

---

[65] B. CAPELLE, *Le Kyrie*..., p. 131; il apporte comme preuve trois citations
du pape Gélase.
[66] Cfr. Thesaurus, t. 4, c. 523—524.
[67] LP, t. 1, p. 255: «Hic... et clerum ampliavit... Sub huius episcopatu clerus
crevit».

III   = ὑπὲρ πάσης ἐπισκοπῆς τῆς ὀρθοτομούσης τὸν λόγον τῆς ἀληθείας
       CAp VIII 12, 40, citation de *II Tm* II, 15, que l'on trouve très
       souvent dans les litanies orientales, cfr. CAp VIII 10, 6; J 55;
       M 130; liturgie éthiopienne, Br 207, l. 1—2; *Testamentum Domini*,
       édition Rahmani, p. 85. En Occident, DG gallicane est seule à
       avoir cette prière.
       L'invitation attributive en fin d'invitatoire y est adaptée. Cette
       dernière, Meyer (p. 104) ne la considère pas comme une «attri-
       bution», mais comme l'objet de la prière; puisqu'on demande
       pour les porteurs de la Parole «la sagesse multiforme du Verbe de
       Dieu», écrit-il, il doit s'agir de savants théologiens. Mais le
       parallélisme avec la finale des autres invitatoires indique claire-
       ment que cette sagesse est ici un attribut divin, et non l'objet de
       la demande; l'argument de Meyer est caduc.
       Mais quels sont les bénéficiaires de cette demande? En Orient,
       c'est l'épiscopat, chargé du ministère de la Parole; il est explicite-
       ment mentionné. Ici c'est moins clair. Faut-il y voir une sorte de
       doublet de II? ou s'agit-il des théologiens, comme le pense Meyer?
       ou de missionnaires?

IV   Il faut probablement y voir une allusion à *Mt* XIX, 12: «et sunt
       eunuchi qui se ipsos castraverunt propter regnum caelorum»,
       adouci et adapté à ceux qui matent aussi leur esprit.
       Cfr. ὑπὲρ εὐνούχων ὁσίως πορευομένων δεηθῶμεν, ὑπὲρ τῶν ἐν
       ἐγκρατείᾳ καὶ εὐλαβείᾳ CAp VIII 10,11; ὑπὲρ τῶν ἐν παρθενίᾳ καὶ
       ἁγνείᾳ καὶ ἀσκήσει J 46.
       On pense particulièrement aux moines. IV ne figure pas en A.
       La leçon *spirituali* de D est à préférer, vu la répétition de *spirita-
       lium* à la ligne suivante. Cfr. aussi X.

V   Prière pour les autorités. C'est la première fois qu'y figure
       l'adjectif *religiosus,* et surtout le terme *princeps;* il ne s'agit pas,
       comme on pourrait le comprendre à première lecture, des chefs
       ecclésiastiques: la suite de l'invitatoire est assez claire à ce propos.
       Le vocable *princeps* s'en réfère peut-être à l'époque de Gélase,
       où l'on ne pouvait plus prier pour l'*imperator,* disparu depuis une
       vingtaine d'années; on peut imaginer que le pape de Rome aurait
       eu quelque scrupule à nommer sans plus les nouveaux *reges.* Il
       peut être utile de se rappeler que c'est le pape Gélase qui formula,
       dans sa lettre à l'empereur Anastase, la doctrine dite des «deux
       pouvoirs».
       Toutes les litanies latines utilisent le mot *exercitus*; DG porte
       militia; Meyer (p. 89) estime que ce terme désigne ici les hauts
       fonctionnaires; la suite du texte semble lui donner raison. Cette
       signification de *militia,* précise-t-il (p. 104), convient bien à
       l'époque du pape Gélase.
       Dom Capelle a préféré la leçon de A 2: «qui iustitiam et rectum
       iudicium diligunt».

VI Ici le manuscrit A est franchement meilleur; *pro iocunditate et serenitate pluviae* n'offre aucun sens satisfaisant, tandis que *pro iocunditate serenitatis et opportunitate pluviae* se traduit aisément: «pour l'agrément d'un ciel pur et une pluie opportune». La leçon des manuscrits gallicans résulte probablement d'un «saut du même au même» dû à la succession de trois substantifs en *-itate(-is)*.

On peut reconnaître dans cet invitatoire une traduction libre des parallèles grecs (CAp VIII, 12, 48; J 47; B 363).

Aura signifie souffle léger, vent doux; sa détermination par *vitalis* est classique; «vivit et aetherias vitales suscipit auras» écrit Lucrèce (*De rerum natura* 3, 406), et Virgile aimait «auras vitales carpere».

La leçon *temporum* de A, au sens de saisons, est meilleure que le *operum* de la tradition gallicane; aussi avons-nous mis ce dernier entre crochets, tout comme le début de l'invitatoire. L'attribut *rector mundi* est bien adapté.

VII La prière pour les catéchumènes ne se trouve en Occident qu'en OS V et Irl¹ IX; le manuscrit A ne la mentionne pas. Elle est rédigée ici de manière originale, avec une saveur archaïque: notons par exemple la connaissance du «nom» chrétien. La leçon *desiderio* doit être une corruption; l'utilisation habituelle du verbe *accendere* ne permet pas de traduire «... elle enflamme du désir de la grâce».

VIII Demande pour ceux qui ont des difficultés spirituelles, absente de A. La leçon *humanae fragilitatis infirmitas* de D semble meilleure que celle de BC *humanae infirmitatis fragilitas*. En effet:

— le *Veronense* a six fois *humana fragilitas* alors qu'*humana infirmitas* n'y figure qu'une fois[68];

— *humanae fragilitatis infirmitas* se trouve explicitement dans une *Inlatio* hispanique et dans le *Missale mixtum*[69], tandis qu'une *Expositio symboli* gallicane parle de *fragilitatis infirmitas*[70].

Le second *quos* est inutile, puisque le verbe est le même; peut-être doit-il sa présence (dans tous les manuscrits) à des raisons rythmiques; grâce à lui, l'invitatoire comporte, après *pro his*, trois propositions de quatre mots chacune, tout comme les deux suivants se répartissent en trois propositions de trois mots; la rédaction a été très soignée!

---

[68] P. BRUYLANTS, *Concordance verbale du sacramentaire léonien*, Louvain, [1948], p. 227—228 et 280.

[69] *Liber mozarabicus sacramentorum*, éd. FEROTIN, n⁰ 59 (c. 31); *Missale mixtum*, PL 85, 855 A. Cfr. G. MANZ, *Ausdrucksformen der lateinischen Liturgiesprache*, Beuron, 1941, n⁰ 478.

[70] *Missel de Bobbio*, éd. LOWE, n⁰ 185 (p. 57).

Horror que portent tous les manuscrits n'offre guère de sens satisfaisant; Thomasius a proposé la correction *error,* appréciée par Meyer et reprise par Capelle; nous nous rangeons derrière ces maîtres.

Cet invitatoire nous paraît se placer davantage au niveau spirituel que corporel; aussi doutons-nous des parallèles de M¹ IX et FG¹ VIII apportés par le philologue allemand et par le liturgiste de Louvain.

IX Comme l'observe Meyer (p. 105—106), DG réunit en IX ce qui était objet de diverses demandes dans les litanies précédentes (Irl¹ VIII; M¹ VIII-IX). L'*impietas* (ou l'*oppressio* A) d'un pouvoir injuste et les misères causées par les ennemis reflètent-elles la situation romaine après la chute de l'Empire?

X DG assume en cet invitatoire, omis par A, les litiques VII—VIII et IX des OS, que son rédacteur doit avoir connues. Les Juifs ne sont mentionnés qu'ici et en OS VIII, jamais en Orient; les hérétiques en OS VII (dont la formulation est très proche: «respice ad animas diabolica fraude *deceptas,* ut omni *heretica pravitate* deposita . . . ad *veritatis* tuae redeant firmitatem») et aussi dans le *Missale Gothicum* VIII (*hereticus et infidelis,* cfr. p. 237); les superstitions païennes en OS IX (idolâtrie), tandis que M¹ IV prie plus positivement pour l'appel des nations. Il est clair que le rédacteur devait connaître les OS.

Faut-il voir ici des allusions aux événements qui ont marqué le pontificat de Gélase, et lire sous la prière pour les hérétiques toute la controverse avec Acace sur l'interprétation de Chalcédoine, et sous la demande pour les païens les interventions énergiques du pape contre les Lupercales[71]?

Vu la structure ternaire de l'invitatoire, Capelle suppose qu'après *falsitate* un participe a été omis, qui devait faire la symétrie avec *deceptis* et *perfusis.* Il ne s'agit donc pas d'une prière pour les Juifs, mais seulement pour les victimes de la malcroyance juive[72]. Les adjectifs *iudaica* et *heretica* nous font préférer *gentili* au génitif *gentilium* de D; cfr. *spirituali* en IV.

XI La même demande pour ceux qui font l'aumône se trouve, autrement formulée, en Irl¹ X et M¹ X; elle vient d'Orient, et manque en A.

XII = ὑπὲρ τοῦ ἁγίου οἴκου τούτου καὶ τῶν μετὰ πίστεως εὐλαβείας καὶ φόβου θεοῦ εἰσιόντων ἐν αὐτῷ B 363, traduit librement, selon les habitudes de notre rédacteur. A omet ce libellé pour reprendre celui de M² V. C'est, avec Irl² VI, la seule prière pour l'assemblée que nous avons rencontrée. B omet le *qui* introduisant la proposi-

---

[71] Cfr. les notes de l'éditeur dans GELASE IER, *Lettre contre les Lupercales et dix-huit messes du sacramentaire léonien,* éd. G. POMARES, Paris, 1959, p. 20—51.

[72] G. G. WILLIS, *Essays . . .,* p. 24, note 1.

tion relative, mais C (généralement fort proche de B), le mentionne; D n'a pas *intrantibus* et le remplace par *qui*, faisant de
tout l'invocatoire une relative, à tort sans doute. Froben (PL)
rectifie en remplaçant *convenerunt* par *convenienter*.

XIII = ὑπὲρ ἀφέσεως τῶν ἁμαρτιῶν καὶ συγχωρήσεως πλημμελημάτων
ἡμῶν... J 34; συγγνώμην καὶ ἄφεσιν τῶν ἁμαρτιῶν καὶ τῶν
πλημμελημάτων ἡμῶν ... αἰτησῶμεθα J 39; cfr. CAp VIII 12, 47;
B 373 et 381; M 130 et 138. Le pardon des péchés est demandé
ici pour la première fois; on le trouve sous une forme approchante
en FG[1] IX, FG[2] VIII et Irl[2] VIII: tous trois ont le substantif *emendatio*, alors que DG utilise *emundatio;* ce ne peut être une
coïncidence!

La leçon de A *et omnium venia peccatorum* est meilleure quant
au sens et quant au rythme; Meyer l'avait déjà fait observer
(p. 101). Capelle le suit, et nous également.

XIV = ὑπὲρ ... ἀναπαύσεως τῶν προκεκοιμημένων πατέρων τε καὶ
ἀδελφῶν J 47; cfr. B 373; M 120 et 128. C'est la première fois que
nous rencontrons cette demande pour les défunts, absente des OS,
d'Irl[1] et de M[1]. *Refrigerium* est sans doute archaïque, ou archaï-
sant: A l'a remplacé par *requies,* utilisé en Irl[2] VIII et FG[1] X.
La seconde partie de l'invitatoire est original. Dans un «Bulletin de liturgie», E. Bishop a montré dans une longue note que
l'expression «sacerdotes qui huic ecclesiae praefuerunt catholicae» correspondait à la manière dont la chancellerie papale
désignait l'Eglise de Rome entre 466 et 540[73]. Pour Meyer aussi
(p. 107), l'expression ne peut désigner que les papes. L. Duchesne
a contesté cet argument[74]; selon lui, cette désignation n'est pas
spéciale à Rome, et l'adjectif *catholicus* a surtout un sens polémique d'opposition à des concurrents hétérodoxes. Selon Bishop
pourtant, le style de la DG tout entière confirme nettement son
origine romaine[75].

L'Abbé du Mont César a repris à son compte les assertions du
liturgiste anglais et les a complétées[76]. Récemment, Dom H. Marot
a poussé plus loin encore l'étude du vocabulaire épiscopal du Ve
au VIIe siècle et confirme dans une note très érudite les vues de
Bishop[77]. Nous nous y rallions, en y ajoutant comme preuve que
le manuscrit A a omis *catholicae* probablement pour pouvoir
adapter l'invitatoire à l'Eglise de Milan.

---

[73] E. Bishop, *Liturgical Comments and Memoranda VII, c,* JTS, t. 12 (1911),
p. 408—409.

[74] L. Duchesne, *Origines...,* p. 211, note 2.

[75] E. Bishop, *Kyrie,* p. 124, note 2.

[76] B. Capelle, *Le pape Gélase...,* p. 139—140.

[77] H. Marot, *Note sur l'expression: «Episcopus Ecclesiae Catholicae»,* à la
suite de son article sur *La collégialité et le vocabulaire épiscopal du Ve au
VIIe siècle,* dans *La collégialité épiscopale,* Paris, 1965, p. 59—98.

XV   Ici commence la seconde partie, omise entièrement par A. Parmi les textes latins, seule Irl¹ comporte cette seconde partie, fréquente dans les modèles orientaux (CAp VIII 36 et 38; J 39; B 381).
Mortificatam vitiis carnem est un doublet de IV. La thématique est pareille à Irl¹ XIV. Quant au répons *praesta, Domine, praesta,* on peut se reporter à ce que nous en avons dit à propos d'Irl¹.

XVI *Castum timorem* est peut-être repris à CAp VIII 6,5: ἐγκαταφυτεύσῃ ἐν αὐτοῖς τὸν ἀγνὸν αὐτοῦ καὶ σωτήριον φόβον. *Veram dilectionem* peut se comparer à Irl¹ XIII (*vinculum caritatis*).

XVII Gratum vitae ordinem s'inspire peut-être de CAp VIII 12,42: ὅπως ἐν ἡσυχίᾳ καὶ ὁμονοίᾳ διάγοντες τὸν πάντα χρόνον τῆς ζωῆς ἡμῶν... Ou de J 39: Τὸν ὑπόλοιπον χρόνον τῆς ζωῆς ἡμῶν ἐν εἰρήνῃ καὶ ὑγιείᾳ ἐκτελέσαι... La seconde partie de cette invocation reprend la demande Χριστιανὰ τὰ τέλη τῆς ζωῆς ἡμῶν ἀνώδυνα ἀνεπαίσχυντα... αἰτησώμεθα J 39, B 382; cfr. CAp VIII 6,8; 36,2; 38,2.

XVIII L'ange de la paix n'est mentionné en Occident que par DG, mais c'est un thème traditionnel en Orient; on le trouve dans les CAp VIII 36,3 (voir la note 3 de Funk, p. 545), dans J 39, B 381. Jean Chrysostome le connaissait également (Br 471, l. 27; 478, l. 38—9).
Solacia sanctorum peut abréger Irl¹ XI, traditionnel en Orient.

c/   La recommandation des orants est classique en Orient: Τῆς παναγίας..., ἑαυτοὺς καὶ ἀλλήλους καὶ πᾶσαν τὴν ζωὴν ἡμῶν Χριστῷ τῷ θεῷ παραθώμεθα J 40, B 363. Ici cependant elle est développée en une phrase typiquement latine; on s'en remet au Dieu créateur et providence.

Remarquons pour terminer que DG ne comporte pas les demandes traditionnelles pour l'*altissima pace,* pour la ville (ou le lieu) et ses habitants (cfr. cependant A 5, demande milanaise que l'on retrouve en M¹ V et M² V), ni pour *omnibus qui in sublimitate sunt* (Irl¹ VI, et M¹ IV selon T7), ni pour les anciens ordres; elle concentre en (VIII et) IX l'ancienne liste des nécessiteux.

Conclusion

Cet examen nous convainc que DG appartient bien à la seconde vague de textes; il ne s'agit pas d'une des premières traductions de formulaires grecs, mais bien d'une refonte, en un latin de grande qualité, de matériaux dont la plus grande partie au moins circulait déjà en latin.

De nombreuses retouches rédactionnelles indiquent en effet un âge secondaire: *inmaculata* au lieu de *sancta,* et l'adjonction de *vivi* en I; l'adjectif *sanctus* attribué aux prêtres en II; tout l'invitatoire V, avec *religiosis principibus* et surtout *militia* qui ne désigne pas l'armée mais

les hauts fonctionnaires; XIII absent des anciens formulaires (Irl[1], M[1])
mais présent dans les plus récents (FG[1], FG[2], Irl[2]); XIV utilisant une
formule de chancellerie en usage entre 466 et 540.

A cela s'ajoutent des éléments postérieurs, comme l'invitation attributive en finale de chaque invitatoire, le thème de IV, et l'invitation b/:
malgré une formulation qui pourrait dater de la fin du IVe siècle, celle-ci
ne peut être un élément primitif de l'*oratio fidelium*.

Par contre, DG comporte pas mal d'éléments d'apparence ancienne:
a/ et le répons double; III pour les prédicateurs de la Parole; VII pour
les catéchumènes; l'intercession pour les victimes des Juifs en X; le terme
refrigerium en XIV; et le fait que DG comporte deux parties, comme en
Orient dès les CAp, et en Irl[1].

Comme il est plus facile d'expliquer la survivance d'éléments anciens
à une époque récente que la présence d'éléments tardifs en des temps
reculés, nous pensons que les premiers sont à considérer comme des
archaïsmes qu'affectionnait le rédacteur, un de ces Romains quelque peu
nostalgique sans doute de la grandeur d'antan.

4) Attribution

Est-ce à dire que nous attribuons la pièce au pape Gélase (492—496)?
Nous ne voyons aucune raison d'en douter.

Les arguments sont les suivants:

— le titre (absent en A) mentionne explicitement Gélase et suggère, par
le verbe *constituit*, que l'emploi de ce texte fut ordonné par une *Constitutio*; ceci renforce l'idée qu'il s'agit bien d'un pape;

— l'invitatoire XIV utilise une formule de la chancellerie papale entre
466 et 540;

— le style très soigné de l'ensemble concorde avec ce que nous révèle le
Liber pontificalis à propos de la langue de ce pontife (cfr. supra,
forme littéraire); et notamment l'utilisation de finales trispondaïques
(quatre fois), rares, et affectionnées par Gélase (cfr. ibidem);

— à quoi l'on peut ajouter une série d'expressions de la DG qui se retrouvent dans les oeuvres de Gélase; Dom Capelle cite une page entière
d'exemples[78].

Cette attribution, faite indépendamment par Bishop et Meyer, n'a jamais
été mise en cause[79]. Dom Botte s'y rallie également. Nous n'avons décou-

---

[78] B. Capelle, *Le Kyrie...*, p. 131—132.

[79] Seul K. Gamber, *Liturgie übermorgen*, Fribourg, 1966, p. 123, déclare que
la DG n'a évidemment rien à voir avec Gélase. On attendrait des arguments...
Il la considère, non sans fondement d'ailleurs, comme une forme tardive
(«Spätform») d'Irl[1].
Il reprend ces deux affirmations dans un article intitulé *Die irischen Messlibelli
als Zeugnis für die frühe römische Liturgie*, dans *Römische Quartalschrift*, t. 62
(1967), p. 214—221; il estime que DG aussi bien qu'Irl[1] représentent des «formes

vert aucun nouvel indice en faveur de Gélase lui-même. Mais en étudiant toutes les litanies et en les comparant, nous avons constaté qu'à partir de la seconde moitié du Ve siècle on révisa les anciens textes, pour les couler en un latin qui sente moins la traduction; DG se range donc parfaitement dans ce mouvement, et le chef d'œuvre de Gélase trouve ainsi son *Sitz im Leben*.

5) *Sources*

Quelles sources Gélase a-t-il utilisées? Parmi les textes occidentaux, il a dû connaître les OS: sa mention des Juifs en X et la concentration, dans ce seul invitatoire, des litiques VII—VIII (inversés) et IX des OS nous en persuadent. Avait-il Irl[1] sous les yeux? Sa division en deux parties et l'invitation a/ avec le répons double pourraient nous le faire croire; mais aucune certitude ne s'impose, car ces éléments sont repris littéralement à l'Orient. Peut-être connaissait-il M[1], avec qui DG a particulièrement en commun, outre la demande pour le beau temps (VI) absente d'Irl[1] et celle pour les bienfaiteurs (XI), la formule *sacerdotibus et ministris* (I et II).

Gélase a-t-il encore utilisé des sources grecques, ou n'a-t-il fait que refondre des modèles latins? La question nous laisse perplexe; Dom Capelle l'a laissée sans réponse. Le seul invitatoire traduit du grec et non attesté par les litanies latines est le III, pour les prédicateurs de la Parole.

Mais l'analyse de FG[1] et de M[2] nous contraindra à supposer l'existence de sources latines Q et Y aujourd'hui perdues; dès lors, nous sommes incapable de répondre à la question que nous posions, car il est possible que l'une et (ou) l'autre source comportait cette prière. Ajoutons que vu l'animosité dont Gélase témoigne envers l'Orient dans l'affaire du schisme d'Acace, il est peu probable qu'il ait fait de longues recherches pour arriver aux originaux grecs; il se sera sans doute contenté de présenter en une langue châtiée un ensemble de demandes traditionnelles dans la liturgie latine depuis environ un siècle déjà. En tout cas, il nous paraît certain que ce n'est pas lui qui a introduit le genre litanique en Occident; Irl[1] et M[1] sont certainement plus anciennes; et si l'une ou (et) l'autre de ces litanies est romaine, ce qui est possible, DG pourrait bien ne pas être la première litanie romaine.

6) *Utilisation de DG*

A quelle fin Gélase a-t-il composé cette prière? Les trois manuscrits gallicans nous la livrent comme une pièce privée, dans des «livres de prières» pour gens pieux. Cette destination n'est pas originelle.

tardives de la ‹Deprecatio› gallicane après l'Evangile», ce qui est confirmé à ses yeux par le répons typiquement gallican *Domine exaudi et miserere* utilisé au lieu de *Kyrie eleison* (p. 218).

Tant le titre que le contenu de DG nous confirment qu'il s'agit bien, primitivement du moins, d'un formulaire d'*oratio fidelium*. La parenté d'idées avec les litanies grecques et latines ne laisse aucun doute à ce sujet. Et le titre affirme explicitement que «le pape Gélase a ordonné (par Constitution) de chanter cette «deprecatio» pour l'Eglise universelle». E. Bishop s'égare lorsqu'il considère comme une fiction que Gélase ait prescrit l'usage de cette litanie *par* l'Eglise universelle[80]; *pro* n'introduit jamais le complément d'agent! Dom Capelle a d'ailleurs rectifié cette bévue[81].

Mais, objectera-t-on, l'Eglise de Rome connaissait-elle encore une *oratio fidelium* à l'époque de ce pape (492—496)? Tous les manuels affirment en effet que la dernière trace de celle-ci est donnée par le prédécesseur de Gélase, le pape Félix III (483—492). Les auteurs commettent ici deux erreurs.

La première est presque implicite. Lisant dans une lettre de ce pontife l'expression *oratio fidelium,* ils y projettent plus ou moins inconsciemment les OS dont Prosper d'Aquitaine parlait quelque trente ans plus tôt. L'erreur se comprend, car les OS étaient le seul formulaire romain de prière universelle que les liturgistes connaissaient. Après notre étude, nous pouvons affirmer qu'il pourrait aussi bien s'agir de M[1], ou d'une des sources dont nous devons supposer l'existence, voire même d'Irl[1]. Les OS n'exerçaient pas de monopole; elles se trouvaient en concurrence.

La seconde erreur est plus grave; elle repose sur une lecture trop rapide du passage de Félix III concernant la discipline à suivre envers les clercs rebaptisés:

> «Sed quia idem Dominus atque salvator clementissimus est, et neminem vult perire, usque ad exitus sui diem, in paenitentia (si resipiscunt) iacere conveniet; nec orationi non modo fidelium sed ne catechumenorum omnimodis interesse»[82].

Nous avons montré dans la première partie que toute cette discipline s'appuye sur les décisions des Conciles orientaux; c'est sur cet arrière-fond qu'il faut situer le passage pour en faire une exégèse correcte. Or à cette lumière il apparaît qu' *oratio fidelium* ne désigne pas ici le rite de la prière universelle, par opposition à *oratio catechumenorum*; ces deux expressions indiquent les deux parties de la messe (liturgie de la Parole ou messe des catéchumènes; liturgie eucharistique ou messe des fidèles), et plus précisément encore la catégorie de personnes avec lesquelles on est autorisé à prier. Les clercs en question ne peuvent prier ni avec les fidèles, ni même avec les catéchumènes, dit Félix III; cela signifie qu'ils sont exclus de l'eucharistie, ce que la suite du passage confirme:

---

[80] E. Bishop, *Liturgical Comments and Memoranda VII, c,* JTS, t. 12 (1911). p. 410.

[81] B. Capelle, *Le Kyrie...,* p. 132.

[82] Felix III, Lettre 7, PL 58, 925.

«quibus communio laica tantum in morte reddenda est»[83].

Rien n'empêche donc que Gélase ait composé sa *Deprecatio* pour servir de prière universelle, en plus des OS et peut-être d'autres litanies latines déjà en usage.

II. Le «Dicamus omnes» franco-gallican (FG¹)

Dom Capelle a édité ce texte[84] sur la base de deux témoins (Rome, Bibl. Vallicellana D 5, un des manuscrits de l'OR 50, déjà publié dans Tommasius-Vezzosi, t. 5, p. 113; et Vienne, Nationalbibl. lat. 1888). Nos recherches nous ont amené à découvrir de nombreux autres témoins de FG¹; ce formulaire a en effet été repris aux Rogations par l'OR 50 et se trouve aussi à cette place dans nombre de processionnaux et parfois même dans des graduels du moyen âge. La liste que nous donnons ici, malgré sa longueur, n'a donc rien d'exhaustif[85].

A. Temoins

Ils se répartissent en trois familles; nous justifierons cette division ci-dessous. Nous indiquons par la même lettre, mais en les distinguant par un exposant, des témoins identiques ou quasi identiques. L'astérisque (*) signale qu'une lettre désigne un groupe de manuscrits.

a) famille pure (α)

*A = tous les manuscrits de l'OR 50 (sauf Z: Vienne 1817), dont nous reprenons l'édition critique donnée par Andrieu, t. 5, p. 318; nous laissons tomber les variantes, qui sont d'ordre mineur. Le manuscrit D 5 de la Vallicellana cité par Capelle en fait partie. L'OR 50 fut compilé à Mayence vers 950.

B = VIENNE, Nationalbibl. lat. 1888 (Xe ex), f. 110ʳ. Rituel de Saint-Alban de Mayence; éd. Gerbert, *Monumenta veteris liturgiae alemannicae*, t. 2, Saint-Blaise, 1779, p. 89, reproduite par PL 138, c. 1085—1086; description du manuscrit dans Andrieu, OR, t. 1, p. 404—419.
(Bourque 475 — Gamber 1580).

---

[83] ibid. Sur tout ceci, cfr. 1e Partie, section III.

[84] B. CAPELLE, *Le Kyrie...*, p. 120—122, avec le sigle GA.

[85] L'expression *Dicamus omnes*, qui ouvre cette litanie, a fait fortune et sert d'incipit à différents formulaires (Irl¹, DG, FG¹, M²). Les livres liturgiques hispaniques offrent eux aussi de nombreuses bribes de litanies introduites par *Dicamus omnes;* on en trouve la liste dans FEROTIN, *Liber ordinum*, Tables, p. 634. Mais à la lecture de l'incipit, on ne peut pas savoir de quelle pièce il s'agit. Cette identité initiale est la source de nombreuses confusions entre les litanies. Ainsi, dans ses notes sur l'Ordinaire de Saint-Vaast (t. 1, p. 68), Dom BROU confond-il FG¹ avec DG.

C = AUTUN, Bibl. Mun. S 12 (XIIe), f. 89^{r-v}.
Graduel du Nord de la France.

D = BRUXELLES, Bibl. Royale, 4836 (Cat. 641) (XIVe), f. 6^v—8^v.
Processionnal utilisé probablement par des Augustins, mais de
provenance inconnue[86].

D' = ARRAS, Bibl. Mun. 230 (années 1307—1308), f. 42^r—43.
= Ordinaire de Saint-Vaast d'Arras, éd. L. Brou, *The Monastic
Ordinale of St.-Vedast's Abbey Arras*, t. 1, Bedford, 1957, p. 194.

W = un manuscrit provenant de l'abbaye de WERDEN (sur la Ruhr),
transcrit par Martène, *De antiquis Ecclesiae ritibus*, t. 3, Venise,
1788, p. 185.

Il faut y ajouter le manuscrit d'ASCHAFFENBOURG, Hofbibl. MS. 43,
processionnal de la collégiale Saints-Pierre-et-Alexandre d'Aschaffenbourg (diocèse de Mayence), XIVe s.[87]; comme nous n'avons pu avoir
connaissance que de l'ordre des demandes de ce formulaire, nous n'en
ferons pas mention dans l'édition; il se rapproche fort de A et de W.

b) famille «quia» (β)

*E = trois manuscrits de Saint-Martial de Limoges[88]: PARIS, B. N. lat.
909 (XIe), f. 8^{r-v} parmi les pièces diverses avant le Tropaire;
ibid. 1120 et 1121 (1er tiers XIe), respectivement f. 171^{r-v} et 163^{r-v}
(texte identique). Processionnaux.

F = PARIS, B. N. lat. 903 (XIe in), f. 136^r. Graduel de Saint-Yrieix
(dioc. de Limoges).

G = AUTUN, Bibl. Mun. S 183 (XIIIe), f. 56^{r-v}. Processionnal de
Saint-Martin d'Autun.

*G' = AUTUN, Bibl. Mun. S 98 et S 188 (texte identique) (XVIe et
XVe), respectivement f. 63—67 et 96—98^v. Processionnaux d'Autun.

H = CAMBRAI, Bibl. Mun. 78 (XIe ex), f. 42. Processionnal de la
cathédrale de Cambrai.

*H' = CAMBRAI, Bibl. Mun.: 6 témoins identiques, tous de Cambrai:
60, f. 102^v, Graduel XIIe;
68, f. 44—46^v, Processionnal (puis Antiphonaire) de la cathédrale,
XVe—XVIe;
71, f. 145, Processionnal de la cathédrale XVe;
77, f. 79, Processionnal de la cathédrale XIIIe—XIVe;
80, f. 43, Processionnal de 1755;
131, f. 53^v, Processionnal de la cathédrale XIVe in.

---

[86] Pour FG^1 comme pour FG^2, ce manuscrit est presque identique à D',
d'Arras; il est donc probable qu'il provienne de cette région.

[87] Ce renseignement nous a été transmis par M. Huglo, que nous remercions
vivement; il signale qu'un texte semblable figure dans les processionnaux plus
récents de la Stiftsbibl. Perg. 32, 33, 34 et 36, de même provenance.

[88] Sur les manuscrits de Saint-Martial, on peut lire un bon article de
B. Stäblein, *Saint-Martial*, dans MGG, t. 11 (1963), c. 1262—1272.

N = MADRID, B. N. 136 (XIVe), f. 51ᵛ—52ᵛ. Processionnal de Saint-Saturnin de Toulouse.

S = *Variae preces*, Solesmes, 1896, p. 257—258, sans indication de source.

c) famille mixte (γ)

I = BESANÇON, Bibl. Mun. 119, f. 142—145. Processionnal de Besançon, datant de 1704.

I' = PARIS, Bibl. Mazarine 541, f. 57. Processionnal de Châlons-sur-Marne, datant de 1544.

*J = LANGRES, Grand Séminaire 312, f. 139. Missel du Sud-Ouest de la France, XIIIe in.

LONDRES, Brit. Mus. Harleian 4951, f. 233ᵛ—234. Graduel de Toulouse, XIe siècle.

PARIS, B. N. lat. 776, f. 83ᵛ—84. Graduel de Saint-Michel-de-Gaillac (sur le Tarn), XIe siècle.

J' = PARIS, B. N. nv. acq. lat. 3001, f. 26ʳ—27. Processionnal monastique du Sud-Ouest de la France (XIIIe s.)⁸⁹.

M = MADRID, Acad. de la Hist. 45, f. 54ᵛ—55ʳ. Graduel espagnol, peut-être de San-Millan de la Cogolla, XIIe in.

M' = MADRID, Acad. de la Hist. 51, f. 147ᵛ—148ʳ. Graduel de San-Millan de la Cogolla, XIe—XIIe siècle⁹⁰.

B. Editions

Nous mettons ce titre au pluriel, car il nous a paru bon de fournir plusieurs éditions du texte. La première sera basée sur toutes les sources citées et s'efforcera de se rapprocher le plus possible du texte original.

---

[89] L'origine de ce manuscrit n'est pas précisée dans les catalogues. Or ses *preces* sont identiques à celles du B.N.lat. 776, de Saint-Michel-de-Gaillac; de plus, ces deux manuscrits ont toutes leurs *preces* dans le même ordre, ce qui est rare. Peut-être le 3001 provient-il donc de la même abbaye; cette hypothèse serait à confirmer par la comparaison des autres parties de ces deux manuscrits.

[90] Nous n'avons trouvé que deux témoins de FG² qui n'ont pas FG¹; il s'agit du manuscrit PARIS, B.N. lat. 780, Graduel de Narbonne, XIe—XIIe s., et du *Processionale turonense*, Tours, 1827.

Dans son livre sur *Les Tonaires*, Paris, 1971, M. Huglo opère un classement des tonaires aquitains; sur la base des formules échématiques et des antiennes-types de chaque ton, il distingue un groupe toulousain et un groupe limousin. Notre classification des litanies trouvées dans les manuscrits aquitains corrobore celle de M. Huglo, puisque les manuscrits de la famille β (Paris, B.N. lat. 909 et 1121) appartiennent au groupe limousin, tandis que ceux de la famille γ (Paris, B.N. lat. 776 et Londres, Brit. Mus. Harl. 4951) sont originaires de la région toulousaine. Il en va de même pour FG², p. 214—215.

Les trois autres présenteront chacune des trois familles repérées; les caractéristiques de chaque groupe, ainsi que l'ordre varié des invocatoires apparaîtront mieux de cette manière; cela permettra aussi plus facilement, à l'avenir, de classer les nouveaux témoins dans une des trois familles, ou dans d'autres encore, éventuellement. Enfin, dernier avantage, on respecte mieux ainsi les particularités locales de la liturgie, posant par là un jalon en vue d'une histoire de la liturgie par région[91].

1. Edition générale

Elle est basée sur les trente témoins examinés. Nous mettons entre [ ] les invocatoires qui ne nous paraissent pas primitifs. Nous avons préféré ne pas les rejeter dans l'apparat; ce système permet au lecteur (et au fouilleur de manuscrits) de voir au premier coup d'œil les demandes que comporte parfois FG[1], et de connaître notre jugement à leur propos.

a/   Dicamus omnes: Domine miserere[92]

b/   Ex toto corde et ex tota mente oramus[93] te
           Domine miserere[94]

I[95]   Pro altissima pace[96] et benigna constitutione invocamus[97] te
           Domine miserere

II   Pro sancta[98] ecclesia catholica quae est in toto orbe diffusa[99] supplicamus[100] te
           Domine miserere[101]

III[102]   Pro pastore nostro et omni clero[103] eius[104] imploramus[105] te[106]
           Domine miserere

---

[91] Parmi les témoins de FG[1], beaucoup sont notés; on en trouvera des mélodies imprimées dans les *Variae preces* de Solesmes (S) et aussi dans A. GASTOUE, *Les chants des anciennes liturgies gallicanes*, dans *Revue du chant grégorien*, t. 41 (1937), p. 170, ou dans son *Cours théorique et pratique de plain-chant romain grégorien*, Paris, 1904, p. 70.

[92] Chorus repetit: Domine miserere *add* S. Domine *add* M'.

[93] oramus ABDD'W. deprecamur β. invocamus CII'. imploramus JJ'MM'.

[94] Domine miserere *om* W.

[95] I *om* α. pro perpetua pace et benigna constitutione rogamus te CDD' *post* II.

[96] pace *om* N.

[97] invocamus β JJ'MM'. deprecamur II'.

[98] sancta *om* C.

[99] diffusa α HH'. constituta β (*praeter* HH') γ.

[100] supplicamus ABW. obsecramus CDD'. invocamus E. deprecamur FNM. adoramus HH'. oramus GG'S γ (*praeter* M).

[101] Domine miserere] Dicamus omnes DD' *alternatim cum* Domine miserere.

[102] III *om* SJJ'. III *post* V CDD'G'HH' γ (*praeter* JJ').

[103] clero] congregatione CFMM'.

[104] eius] suo G'.

[105] imploramus ABWII'. rogamus C. precamur DD'. deposcimus MM'.

[106] imploramus te] quia potens es β (*praeter* HH'). quia magnus es HH'.

[IV[107]   Pro abbate[108] nostro et omni congregatione eius[109] flagitamus[110] te
           Domine miserere]
V[111]   Pro rege[112] nostro et omni[113] exercitu eius[114] obsecramus[115] te[116]
           Domine miserere
[VI[117]   Pro loco nostro et omnibus habitantibus in eo[118] deprecamur[119] te
           Domine miserere]
VII[120]   Pro aeris temperie et fecunditate terrae precamur te [121]
           Domine miserere
VIII[122] Pro his qui infirmantur ac[123] diversis languoribus detinentur exo-
           ramus te[124]
           Domine miserere
IX[125]   Pro remissione peccatorum vel[126] emendatione morum[127] rogamus
           te[128]
           Domine miserere

[107] IV *add* α (*praeter* AW)NJJ'. AW *habent* pro pontifice (antistite W)
nostro et grege sibi commisso flagitamus (obsecramus W) te. *Hoc ponit* W
post V.
[108] abbate] doctore N.
[109] omni congregatione eius NJJ'. grege sibi commisso B. omni clero eius C.
omni congregatione nostra DD'.
[110] flagitamus A. obsecramus BW. precamur C. exoramus DD'. deposcimus
NJ. deprecamur J'.
[111] V *om* B, *et* S *qui add* pro pace regum et quiete populorum quia magnus es.
V *post* II CDD'G'HH' γ.
[112] rege] imperatore AI.
[113] et omni] et pro omni D'.
[114] exercitu eius] populo christiano FN. exercitu christiano M. exercitu christianorum M'.
[115] obsecramus A. supplicamus DD'. flagitamus W. deprecamur JM'. deposcimus J'. rogamus II'. oramus M.
[116] obsecramus te] quia magnus es β (*praeter* HH'). quia potens es HH'. rex
regum C.
[117] VI *add* CEFNM. VI *post* VIII E. VI *post* X M.
[118] omnibus habitantibus in eo] et conversatione eius C.
[119] deprecamur] adoramus C.
[120] VII α (*praeter* W). *om* βγ. VII *post* VIII DD'.
[121] precamur te AB. flagitamus te DD'. largitor bone C.
[122] VIII *om* WSJJ'. VIII *ante* VII DD'. VIII *ante* VI E. *ante* VIII Pro
omnibus sanctae (sancta M') dei ecclesiae (ecclesiae dei M) ordinibus et utriusque (variisque M') sexus fidelibus clamamus te *add* MM'.
[123] ac] et α G'HH'.
[124] exoramus te AB. imploramus te DD'. sana eos C β (*praeter* HH')II'M'.
quia clemens es HH'. flagitamus te M.
[125] IX *om* HH' γ.
[126] vel ABW. et CDD' β (*praeter* HH').
[127] morum BDD'W. eorum AC β (*praeter* HH').
[128] rogamus te ABW. adoramus te CDD'. deprecamur te EGG'. invocamus te
FN. quia clemens es S.

X[129]   Pro requie defunctorum et[130] indulgentia paenitentium imploramus te[131]
        Domine miserere

c/   Exaudi nos Deus in omni oratione[132] nostra[133] quia[134] pius[135] es
        Domine miserere

d/[136]   Dicamus omnes: Domine miserere[137].

2. Editions particulières[138]

                           ⎧ groupe germanique: ABW
α. la famille pure ⎨
                           ⎩ groupe gallican: CDD′

a/   Dicamus omnes: Domine miserere

b/   Ex toto corde et ex tota mente oramus[139] te
        Domine miserere[140]

II   Pro sancta[141] ecclesia catholica quae est in toto orbe diffusa supplicamus[142] te
        Domine miserere[143]

I[144]   Pro perpetua pace et benigna constitutione rogamus te
        Domine miserere

III[145]   Pro pastore nostro et omni clero[146] eius imploramus[147] te
        Domine miserere

---

[129] X *om* α H. *ante* X Pro captivis et afflictis peregrinis orphanis ac viduis adsis eos *add* M'.

[130] et EFG'N γ. vel GH'S.

[131] imploramus te M. quia pius es β JJ'M'. quia clemens es II'.

[132] oratione] tribulatione C.

[133] nostra α HH'. ista β (*praeter* HH') γ.

[134] quia] qui W.

[135] pius α (*praeter* C). clemens CG' γ (*praeter* II'). potens β (*praeter* G') II'.

[136] d/ CDD'GHH'I'. *om* ABWEFG'NS γ (*praeter* I').

[137] Domine miserere DD'H'. *om* CGHI'.

[138] Les chiffres romains correspondent toujours aux mêmes invocatoires, tant dans l'édition générale, dont ils reprennent l'ordre, que dans les éditions particulières; par exemple, I désigne toujours «pro perpetua pace . . .». L'ordre dans lequel les manuscrits livrent les invocatoires est donné par leur succession dans chacune des éditions. Ainsi dans la famille α, II précède I: cela signifie que ces manuscrits commencent tous par II et que I suit, contrairement à l'ordre de notre édition générale.

[139] oramus] invocamus C.

[140] Domine miserere *om* W.

[141] sancta *om* C.

[142] supplicamus ABW. obsecramus CDD'.

[143] Domine miserere] Dicamus omnes DD' *alternatim cum* Domine miserere.

[144] I *om* ABW.

[145] III *post* V CDD'.

[146] clero] congregatione C (*confusio cum* IV).

[147] imploramus ABW. rogamus C. precamur DD'.

IV[148]   Pro abbate nostro et omni congregatione eius[149] flagitamus[150] te
          Domine miserere

V[151]   Pro rege[152] nostro et omni[153] exercitu eius obsecramus te[154]
          Domine miserere

VII[155] Pro aeris temperie et fecunditate terrae precamur te[156]
          Domine miserere

VIII[157] Pro his qui infirmantur et diversis languoribus detinentur exora-
          mus te [158]
          Domine miserere

IX   Pro remissione peccatorum vel[159] emendatione morum[160] roga-
          mus[161] te
          Domine miserere

c/   Exaudi nos Deus in omni oratione[162] nostra, quia[163] pius[164] es

d/[165]   Dicamus omnes: Domine miserere[166].

          β. la famille «quia»

a/   Dicamus omnes: Domine miserere[167]

b/   Ex toto corde et ex tota mente deprecamur te
          Domine miserere

I   Pro altissima pace[168] et benigna constitutione invocamus te
          Domine miserere

[148] IV *om* AW *qui habent*: Pro pontifice (antistite W) nostro et grege sibi commisso flagitamus (obsecramus W) te. *Hoc ponit* W *post* V.
[149] omni congregatione eius *conjicio.* grege sibi commisso B. omni clero eius C. (*confusio cum* III). omni congregatione nostra DD'.
[150] flagitamus A. obsecramus BW. precamur C. exoramus DD'.
[151] V *om* B; *ante* III CDD'.
[152] rege] imperatore A.
[153] et omni] et pro omni D'.
[154] obsecramus te A. flagitamus te W. supplicamus te DD'. rex regum C.
[155] *ante* VII *add* C: pro loco nostro et conversatione eius adoramus te. VII *om* W. VII *post* VIII DD'.
[156] precamur te AB. flagitamus te DD'. largitor bone C.
[157] VIII *om* W. VIII *ante* VII DD'.
[158] exoramus te AB. imploramus te DD'. sana eos C.
[159] vel ABW. et CDD'.
[160] morum BWDD'. eorum AC.
[161] rogamus ABW. adoramus CDD'.
[162] oratione] tribulatione C.
[163] quia] qui W.
[164] pius] clemens C.
[165] d/ *om* ABW.
[166] Domine miserere *om* C.
[167] Chorus repetit: Domine miserere *add* S.
[168] pace *om* N.
[169] constituta] diffusa HH'.

II   Pro sancta ecclesia catholica quae est in toto orbe constituta[169]
            oramus[170] te
                  Domine miserere

III[171]   Pro pastore nostro et omni clero[172] eius[173] quia potens[174] es
                  Domine miserere

V[175]   Pro rege nostro et omni exercitu eius[176] quia magnus[177] es
                  Domine miserere

[VI[178]   Pro loco nostro et omnibus habitantibus in eo deprecamur te
                  Domine miserere]

VIII[179]   Pro his qui infirmantur ac[180] diversis languoribus detinentur quia
            clemens es[181]
                  Domine miserere

IX[182]   Pro remissione peccatorum et emendatione eorum deprecamur
            te[183]
                  Domine miserere

X[184]   Pro requie defunctorum et[185] indulgentia paenitentium quia pius es
                  Domine miserere

c/   Exaudi nos Deus in omni oratione ista[186] quia potens[187] es
                  Domine miserere

d/[188]   Dicamus omnes: Domine miserere[189].

            γ. la famille mixte

a/   Dicamus omnes: Domine miserere[190]

[170] oramus GG'S. adoramus HH'. deprecamur FN. invocamus E.
[171] III *post* V G'HH'. *om* S.
[172] clero] congregatione F.
[173] eius] suo G'.
[174] potens] magnus HH'.
[175] V *ante* III G'HH'. *om* S *qui add*: Pro pace regum et quiete populorum quia magnus es.
[176] exercitu eius] populo christiano FN.
[177] magnus] potens HH'.
[178] VI *add* EFN. VI *post* VIII E. *ante* VI Pro doctore nostro et omni congregatione eius deposcimus te *add* N.
[179] VIII *ante* VI E. *om* S.
[180] ac] et G'HH'.
[181] quia clemens es HH'. sana eos EFGG'N.
[182] IX *om* HH'.
[183] deprecamur te] invocamus te FN. quia clemens es S.
[184] X *om* H.
[185] et EFG'N. vel GH'S.
[186] ista] nostra HH'.
[187] potens] clemens G'.
[188] d/ *om* EFG'NS.
[189] Domine miserere *om* GH.
[190] miserere] Domine *add* M'.

b/   Ex toto corde et ex tota mente imploramus[191] te
        Domine miserere

I   Pro altissima pace et benigna constitutione invocamus[192] te
        Domine miserere

II   Pro sancta ecclesia catholica quae est in toto orbe constituta ora-
        mus[193] te
        Domine miserere

V   Pro rege[194] nostro et omni exercitu eius[195] rogamus[196] te
        Domine miserere

[II[197] Pro pastore nostro et omni clero[198] eius imploramus[199] te
        Domine miserere

IV[200] Pro abbate nostro et omni congregatione eius deposcimus[201] te
        Domine miserere

VIII[202] Pro his qui infirmantur ac diversis languoribus detinentur sana
        eos[203]
        Domine miserere

X[204]   Pro requie defunctorum et indulgentia paenitentium quia pius es[205]
        Domine miserere

c/[206] Exaudi nos Deus in omni oratione ista quia clemens[207] es
        Domine miserere[208].

Pourquoi, dans notre édition générale, avons-nous placé IV et VI entre
crochets? IV est spécifiquement monastique, même s'il n'est pas attesté par
toutes les sources provenant d'abbayes (il manque en AWEFMM'). L'OR
50 (témoin A), «partie authentique de la couche primitive du Pontifical

---

[191] imploramus] invocamus II'.
[192] invocamus] deprecamur II'.
[193] oramus] deprecamur M.
[194] rege] imperatore I.
[195] eius] christiano M. christianorum M'.
[196] rogamus II'. deprecamur JM'. deposcimus J'. oramus M.
[197] III om JJ'.
[198] clero II. congregatione MM'.
[199] imploramus II'. deposcimus MM'.
[200] IV om II'MM'.
[201] deposcimus J. deprecamur J'.
[202]. VIII om JJ'. ante VIII Pro omnibus sanctae (sancta M') dei ecclesiae
(ecclesiae dei M) ordinibus et utriusque (variisque M') sexus fidelibus clamamus
te add MM'.
[203] sana eos] flagitamus te M.
[204] Ante X Pro captivis et afflictis peregrinis orphanis ac viduis adsis eos
add M'.
[205] quia pius es JJ'M'. quia clemens es II'. imploramus te M.
[206] Ante c/ Pro loco nostro et omnibus habitantibus in eo deprecamur te
add M.
[207] clemens] potens II'.
[208] Dicamus omnes add I'.

13*

romano-germanique (vers 950)», rappelons-nous en[209], porte de manière significative *pro pontifice nostro*, et N a corrigé en *pro doctore nostro*. Pour toutes ces raisons, nous ne pensons pas que IV ait fait partie du formulaire primitif; il aura été ajouté, à l'usage des monastères. Quant à VI, il est faiblement attesté (C, formulaire le plus complet, auquel il ne manque que X; E = Saint-Martial; F = Saint-Yrieix; N = Saint-Saturnin de Toulouse; M = San-Millan de la Cogolla) et fait partie intégrante de FG². Nous estimons qu'il s'agit ici d'une contamination de FG¹ par FG².

C. Les paralleles orientaux

a/—b/ cfr. supra Irl¹, a/.

I   *pro altissima pace*: cfr. Irl¹ I.

      et benigna constitutione: cette expression est le calque exact du terme εὐστάθεια, que l'on trouve en CAp VIII, 10,3: ὑπὲρ τῆς εἰρήνης καὶ τῆς εὐσταθείας τοῦ κόσμου καὶ τῶν ἁγίων ἐκκλησιῶν, ou en B 362: ὑπὲρ τῆς εἰρήνης τοῦ σύμπαντος κόσμου, εὐσταθείας τῶν ἁγίων τοῦ θεοῦ ἐκκλησιῶν . . .

II   cfr. Irl¹ II, M¹ I, DG I.

III   cfr. Irl¹ III.

IV   L'inspiration monastique elle-même peut avoir été reprise à l'Orient; elle figure en effet dans B 363: ὑπὲρ τῆς ἁγίας μονῆς (ἢ πόλεως ταύτης) et en B 373: ὑπὲρ τῶν ἀδελφῶν ἡμῶν τῶν ἱερέων ἱερομονάχων ἱεροδιακόνων καὶ μοναχῶν . . .

V   cfr. Irl¹ V et M¹ III; DG V.

VI   cfr. Irl¹ IV.

VII cfr. M¹ VI; DG VI.

VIII cfr. M¹ IX.

IX   cfr. DG XIII.

X   cfr. DG XIV.

c/   cfr. M¹ b/.

Si les parallèles sont aussi nombreux que pour les litanies déjà examinées, le style en est plus coulant; nous sommes indiscutablement en présence d'une composition secondaire, rédigée non plus à partir des originaux orientaux, mais déjà d'après des textes latins.

D. Caracteristiques de chaque famille

Les critères permettant de distinguer chaque famille sont de trois ordres: la présence ou l'absence de telle demande, des détails rédactionnels, et surtout la finale des invocatoires.

---

[209] cfr. C. Vogel, *Introduction*, p. 169.

α. famille pure

Nous l'avons appelée ainsi parce que tous les invocatoires se terminent régulièrement par un verbe de demande à la première personne, régissant le pronom de la seconde personne, tandis que le groupe β a été déformé, à partir de sa finale, par le *quia potens es* qui termine l'invocation impérative c/; tout se passe comme si cette terminaison avait remonté le cours de la litanie jusqu'à s'imposer dès le début de celle-ci, ou presque.

Les manuscrits de la famille α se rangent en deux groupes, que pour abréger nous nommerons groupe germanique (ABW) et groupe gallican (CDD').

Voici les autres caractéristiques de cette famille:

II   en constitue toujours la première demande et porte toujours *diffusa*;

I   absence de l'*altissima pace*, début commun de β et γ; le groupe gallican se rattrape pourtant en ajoutant *pro perpetua pace et benigna constitutione*, inconnu des autres familles;

III—IV—V présents (ou légèrement modifiés);

VI   est omis, sauf par C;

VII   est propre à α (sauf W); il ne se présente ni en β ni en γ;

VIII   y figure, avec le verbe de demande à la première personne du pluriel, alors que β et γ ont ici une autre finale; celle de γ (*sana eos*) figure aussi en C!

IX   s'y trouve, et quatre témoins sur six lisent *morum,* au lieu de *eorum,* comme dans β et γ;

X   manque, par opposition à β — γ;

c/   porte toujours *nostra,* contre β-γ qui ont *ista* (sauf Cambrai).

Le manuscrit C est le plus aberrant de la famille; deux fois (V et VII), il remplace le verbe par une invocation attributive en rapport avec la demande (*rex regum, largitor bone*); il ajoute VI; en VIII il termine comme γ par *sana eos*; enfin en IX on y lit banalement *eorum.*

β. la famille «quia»

Ce nom provient, comme nous venons de l'expliquer, de la déformation subie en finale de chaque invocatoire, et qui constitue la caractéristique majeure de cette famille.

Celle-ci rassemble trois groupes de témoins:

— les manuscrits de Cambrai, tous originaires de la cathédrale ou de paroisses de la ville;

— ceux d'Autun, originaires également de la cathédrale ou des paroisses de cette antique cité, auxquels se rattache le texte imprimé dans les *Variae preces*;

— enfin cinq manuscrits monastiques: trois de Saint-Martial, un de Saint-Yrieix et un de Saint-Saturnin de Toulouse.

Le groupe de Cambrai est souvent isolé face aux deux autres: en II il porte *diffusa* et non *constituta*; en VIII il reste fidèle au *quia* au lieu de se terminer par *sana eos*; enfin on lit en c/ *oratione nostra*, tandis que les autres manuscrits ont *ista*.

Passons aux caractéristiques communes de β, qui offre le texte le plus long des trois familles:

I   en est le début obligé;

II   y figure avec *constituta* (comme γ), sauf à Cambrai (*diffusa*, comme α);

III   inaugure la série des *quia* en fin d'invocatoire;

IV   manque toujours, malgré l'origine monastique de EFN;

V   est présent comme partout; S a un libellé différent, repris à FG², mais cependant bien intégré ici, où il se termine par *quia*;

VI   figure dans le groupe monastique, contre tous les autres témoins (sauf CM): on l'y trouve sans *quia*. Ceci montre qu'il n'est pas bien intégré; sans doute est-il repris à FG²;

VII   n'y est jamais, comme en γ, contre α[210];

VIII   est présent, avec *sana eos* (comme γ), sauf à Cambrai (*quia* intégral) qui a sans doute gardé la bonne leçon;

IX   porte la «lectio facilior» *eorum*; IX manque à Cambrai, et n'a pas de *quia*; peut-être est-il interpolé?

X   y figure, avec γ contre α;

c/   porte *ista* (comme γ) sauf Cambrai (*nostra*, comme α).

γ. la famille mixte

Cette famille dont le texte est le plus court (JJ' n'ont que cinq invocatoires), est dite mixte parce qu'elle s'apparente tantôt à la famille pure, tantôt à la famille «quia».

Par rapport à α, les différences résident surtout dans
— la succession I—II en γ, au lieu de II—I en α (groupe gallican);
— dans la leçon *constituta* en II;
— l'omission de VII;
— l'impératif *sana eos* en VIII;
— l'absence de IX;

---

[210] Cette prière pour le beau temps existe dans la famille α, dont tous les témoins sont originaires de pays nordiques, au climat peu clément. On comprend que cet invocatoire ait pu être omis dans le Midi, dont proviennent en β: EFN, et en γ: JJ'MM'; on explique moins son absence à Autun (GG') et surtout à Cambrai (HH'). Nous ne pensons cependant pas pouvoir nous appuyer sur cet indice pour affirmer que ces deux dernières villes aient reçu leurs *preces* du Midi.
Nous rencontrerons plus loin un autre exemple de l'influence météorologique; en FG², un manuscrit de Narbonne insère une demande particulière pour la pluie!

— la présence de X;
— et enfin la leçon *ista* en c/.

Positivement, α et γ se rejoignent par
— le verbe de demande à la fin de chaque invocatoire (sauf VIII et X en γ);
— la présence (partielle) de III-IV-V;
— et l'omission de VI.

Par rapport à β, les différences sont:
— l'absence en γ de *quia*, sauf en X (omis par α);
— l'omission de IX, et la présence de IV dans les manuscrits monastiques JJ'.

Positivement, β et γ ont
— le même incipit I;
— la leçon *constituta* en II;
— *sana eos* en VIII;
— la présence de X;
— et *ista* en c/.

Il ne faudrait cependant par durcir cette répartition en familles, car certains manuscrits appartenant à des familles différentes présentent certains points communs; ainsi γ et les manuscrits de Cambrai ont-ils *pro rege* (V) avant *pro pastore* (III), et tous deux omettent IX.

E. Forme liturgique

FG¹ est une litanie, sans introduction ni conclusion sacerdotales.
Elle comporte:
a/ une invitation indiquant le répons;
b/ une invocation descriptive;
I-X: de cinq à dix invocatoires verbaux, dont l'ordre varie quelque peu;
c/ une invocation impérative;
d/ reprise de l'invitation initiale.

F. Analyse

1. Commentaire

I. La famille α omet *pro altissima pace,* attesté unanimement par β et γ; trois témoins de α hésitent pourtant et la remplacent par *pro perpetua pace.* Il n'y a aucune raison de douter de la leçon *altissima,* d'origine orientale et présente en Irl¹ I, ni du caractère original de cet invocatoire en FG¹. C'est α qui est responsable de l'omission, et qui parfois introduit *perpetua* au lieu de *altissima,* dont le sens (plus clair en grec, il faut le reconnaître) n'était peut-être plus compris.

Benigna constitutione est un calque du grec εὐστάθεία; une traduction devra en tenir compte. L'expression n'offre guère de sens satisfaisant, aussi pensons-nous qu'elle était primitivement déterminée par un génitif (cfr. infra, Origine de FG¹).

Les verbes de demande qui terminent chaque invocatoire sont variés; les formulaires essayent de ne jamais les répéter. C'est un souci typique de la seconde vague de textes; DG faisait de même.

II.   Les familles β (sauf Cambrai) et γ ont la variante *constituta*. Tout comme *diffusa*, elle peut provenir du grec ὑπὲρ τῆς κατὰ πᾶσαν τὴν οἰκουμένην ἁγίας σου καθολικῆς καὶ ἀποστολικῆς ἐκκλησίας (J 54). Deux raisons peuvent expliquer la présence de *constituta*; d'abord l'influence du substantif *constitutio* en I; ensuite son utilisation en DG I, où cet adjectif semble choisi pour obtenir un effet rythmique particulier (cfr. supra, DG I).

III. Il semble s'agir uniquement de l'évêque du lieu et de son clergé: aucun témoin ne mentionne l'évêque de Rome, ni les autres évêques. Observons que la prière pour le roi précède assez fréquemment (CDD'G'HH' γ) celle pour le pasteur.

A partir d'ici, la famille β termine chaque invocatoire par un argument présenté sous forme de proposition causale: *quia pius (clemens, potens ...) es*. Cette finale ne peut être primitive; ce sera la demande X (se terminant en γ aussi par *quia pius es*) qui par influence rétroactive aura imposé petit à petit cette terminaison à chaque invocatoire. Les deux premiers cependant ont résisté à la contamination; leur archaïsme les aura préservés. Le deuxième d'ailleurs n'a pas été soumis à la structure binaire qui caractérise tous les invocatoires de cette litanie; la rédaction nouvelle n'a pas pu étendre son emprise sur cette formule vénérable.

IV.   L'invocatoire pour l'Abbé et les siens est une addition monastique; il n'est d'ailleurs pas présent dans tous les manuscrits provenant de monastères (il manque en AWEFMM'); aussi ne l'estimons-nous pas primitif et l'avons-nous placé entre crochets.

V.   Présente en tous les témoins, cette prière pour le roi comporte deux fois la variante *imperatore* (AI); en A (= OR 50), elle peut s'expliquer par la constitution en 962 du Saint Empire romain de la nation germanique. Il n'est plus question de l'empereur de l'Antiquité, celui-ci a disparu (476) ou n'exerce plus suffisamment d'autorité au lieu où fut rédigé FG¹ pour être mentionné comme l'autorité civile.

VI.   n'est attesté que par sept témoins, dont l'extravagant C qui a la variante *et conversatione eius* (cfr. M¹V). Il fait partie intégrante de FG² où il ne manque jamais. Comme au moyen âge FG¹ et FG² étaient toutes deux utilisées pour les Rogations, il se peut bien que

VI soit une contamination de la seconde par la première; aussi l'avons-nous mise entre crochets.

VII. ne figure que dans la famille α (sauf W); peut-être les conditions météorologiques l'ont-elles fait exclure dans les pays chauds (cfr. note 210, p. 198). Remarquons la simplification opérée par rapport à Irl²III et à M¹VI, grâce à l'omission de *fructu(um)* dont les variantes textuelles en M¹VI attestent la difficulté. Notre invocatoire pourrait bien dépendre de M¹VI, dont la construction était compliquée, plutôt que de Irl²III. Cette absence de *fructus* en FG¹ révèle aussi une non-dépendance directe par rapport à l'Orient; à partir d'aucune demande orientale (du moins telle que nous les connaissons aujourd'hui) on ne peut arriver à notre invocatoire; toutes en effet parlent des fruits, et une seule (B 363) mentionne la terre, comme simple déterminatif de ces derniers.

VIII. L'hypothèse d'une dépendance de FG¹ à partir de M¹ ou d'une litanie analogue se renforce à l'examen de cette demande. Alors qu'il n'existe pas de parallèle oriental strict, FG¹VIII et M¹IX offrent des parentés de vocabulaire excluant la simple coïncidence. L'évolution se sera faite comme suit: FG¹ aura voulu éliminer la prière pour les possédés; dès lors, une restructuration de l'invocatoire s'imposait si l'on voulait rester fidèle au rythme binaire adopté dans toute la litanie. Le substantif *infirmitatibus* de M¹ a donné naissance au verbe *infirmantur* du premier membre de FG¹VIII; l'adjectif et le verbe qui l'accompagnaient (*diversis-detinentur*) sont passés dans le second membre, enrichi du terme *languoribus*; il suffisait pour trouver celui-ci d'ouvrir l'évangile à un sommaire de l'activité de Jésus, par exemple *Mt* IV, 23, où *languor* et *infirmitas* sont joints.

IX. se rencontre aussi en Irl² VII; les parallèles orientaux sont littéraux. Ceux-ci rendraient mieux compte de la leçon *eorum* que de *morum*, beaucoup moins attestée, mais retenue cependant dans l'édition comme *lectio difficilior*.

X. Irl²VIII en contient la première partie; la seconde (*indulgentia paenitentium*) ne figure pas en Orient. Sans doute fut-elle exigée par la structure binaire des invocatoires; les pénitents étaient mentionnés tant en Irl¹IX qu'en M¹VII.

c/ = M¹ b/ amputé de *deprecatione* et augmenté d'un argument: *quia pius es.*

2. Usage de la litanie

Comme nous l'avons dit, l'OR 50 situe FG¹ au lundi des Rogations; elle était chantée au sortir de l'église, après deux antiennes[211]. Les livres

---

[211] OR 50, ch. 36, 8; éd. Andrieu, t. 5, p. 317—318.

liturgiques du moyen âge nous attestent abondamment cet usage, mais souvent à des jours différents[212].

Les sources ne nous indiquent aucune autre utilisation de la litanie. Mais sa forme liturgique et son contenu nous prouvent qu'elle est plus ancienne. La différence est d'ailleurs nette entre FG[1] et les *preces* récentes qui l'accompagnent dans OR 50 (*Humili prece* p. 326—330, *Clamemus omnes* p. 333, *Omnes o sancti* p. 337) qui sont de nature hymnique. Pourrait-on reconnaître dans cette utilisation médiévale la fonction primitive de FG[1]? Autrement dit, est-il pensable que cette pièce n'ait jamais servi comme *oratio fidelium*, mais qu'elle ait été rédigée directement pour les Rogations, nées en Gaule vers 470 grâce au zèle pastoral de Mamert, l'évêque de Vienne[213]? En ce cas, le rédacteur aurait puisé dans le fond commun de ces demandes, que nous commençons à bien connaître, pour rédiger une prière destinée à cette nouvelle nécessité pastorale, les processions pénitentielles. Nos témoins du Xe siècle n'auraient alors pas innové en chantant FG[1] aux Rogations; nous devrions les considérer comme les premières attestations d'un usage de la fin du Ve ou du début VIe siècle.

Franchement, nous ne pensons pas qu'une telle hypothèse ait quelque fondement. Mamert en effet organisa les «litanies mineures» lors de tremblements de terre. Or rien dans FG[1] n'évoque pareilles catastrophes; on y prie aux intentions traditionnelles (bien que de moins en moins universelles) de l'Eglise et du monde; on n'y décèle pas de visée pénitentielle particulière.

Sans doute l'OR 50, qui est notre plus ancien témoin (vers 950) n'a-t-il pas introduit lui-même FG[1] aux Rogations; on comprendrait mal en ce cas qu'un demi-siècle plus tard seulement des manuscrits d'une tout autre contrée, originaires de Saint-Yrieix (F) et de Saint-Martial de Limoges (E), comportent le même FG[1] en une version sensiblement différente.

Probablement l'OR 50 n'a-t-il fait que répandre une coutume plus ancienne (de quelle époque?), utilisant aux jours des litanies mineures les formulaires tombés en désuétude lors de la disparition de l'*oratio fidelium*. On a d'ailleurs l'impression, à lire les manuscrits, que les Rogations constituent une sorte de fourre-tout, où se sont accumulées une série d'antiennes et de pièces diverses, en nombre suffisant pour couvrir le chemin à parcourir d'une «station» à l'autre; on peut s'en rendre compte facilement, en lisant le chapitre 36 de l'OR 50.

Bref, nous n'hésitons pas à reconnaître en FG[1] un des formulaires de l'ancienne prière universelle.

---

[212] Les confusions abondent ici, tant dans les études que dans les sources elles-mêmes, car certains manuscrits entendent par *Feria II* le second jour de la *semaine* (lundi) et d'autres le second jour des *Rogations* (mardi)! Parfois seule l'indication, au dernier jour, de *Feria IV* permet de savoir que l'on compte d'après les jours de la semaine, puisqu'il n'y a que trois jours de Rogations.

[213] Sur les litanies mineures (= Rogations), voir E. Moeller, *Litanies majeures et Rogations*, QLP, t. 23 (1938), p. 75—91.

3. Origine de FG¹: la source Q

L'origine monastique du formulaire ne s'impose pas; la prière pour l'Abbé, nous l'avons dit, doit être une interpolation, et rien d'autre ne nous contraint à y voir l'œuvre de moines; seul l'esprit pénitentiel de IX—X pourrait nous mettre sur cette piste.

Ce qui nous paraît sûr, par contre, c'est que FG¹ est une adaptation d'un autre texte latin. Une première vague de textes (Irl¹, M¹) s'était contentée de traduire les formulaires grecs; une seconde vague, à laquelle appartient FG¹, retravaille ce donné assez fruste et tente de l'améliorer, de l'embellir; parfois cependant la signification originelle n'est plus comprise et se dégrade en banalités.

En quoi a consisté le travail de ce rédacteur? Tout d'abord il a réparti le donné de chaque invocatoire en une structure binaire, se heurtant seulement à II, trop traditionnel pour être transformé. Cette oeuvre est particulièrement manifeste pour les demandes III-V où figure chaque fois *pro ... nostro et omni ...eius*. Il en aura profité pour varier le verbe final de chaque invocatoire. L'idée d'une telle systématisation stylistique a pu lui être donnée par un texte comme M¹ où apparaît souvent (III-VI) une structure ternaire.

En I, on saisit sur le vif une intervention du rédacteur. Avouons que *pro ... benigna constitutione* n'a pas beaucoup de sens; on peut toujours comprendre, bien sûr, que jointe à la paix, la *constitutio* dont il est ici question doit signifier la stabilité ou une qualité approchante. Mais si l'on regarde les parallèles orientaux, on remarque que εὐστάθεια (calqué en *benigna constitutione*) est déterminé par τοῦ κόσμου καὶ τῶν ἁγίων ἐκκλησιῶν (CAp VIII 10,3); ou bien lit-on, comme en B 362: ὑπὲρ τῆς εἰρήνης τοῦ σύμπαντος κόσμου, εὐσταθείας τῶν ἁγίων τοῦ θεοῦ ἐκκλησιῶν... Il n'est pas pensable que le traducteur ait dès lors laissé le terme *constitutio* indéterminé; il faut y suppléer au moins *mundi* ou *ecclesiarum*. Notre rédacteur aura omis ce génitif, sans doute pour accorder cet invocatoire au rythme des suivants.

Ce travail stylistique s'est accompagné d'un élagage, d'une adaptation des traductions du grec aux circonstances nouvelles. Si le modèle de notre rédacteur était un texte semblable à Irl¹ ou M¹, il aura laissé tomber:

— la prière pour tous les évêques, signe important de la communion de toutes les Eglises locales; FG¹ ne prie plus que *pro pastore nostro*;

— éventuellement une prière pour les autorités (Irl¹VI);

— peut-être une demande pour l'appel des païens et la paix des peuples (M¹IV);

— surtout la liste détaillée des ordres ou des nécessiteux (veuves, vierges, orphelins, captifs ...) qui ne sont mentionnés que dans deux variantes de San-Millan (*Pro omnibus sanctae Dei ecclesiae ordinibus* MM'; *Pro captivis et afflictis peregrinis orphanis ac viduis* M'). Les catéchumènes sont rayés; les pénitents sont probablement entendus en un autre sens, plus individuel;

— l'invocatoire pour les bienfaiteurs.

Bref, on en vient à des perspectives plus étriquées; au niveau ecclésial, la vue est moins universelle, moins catholique; au niveau profane, les préoccupations sont plus restreintes. Ceci doit correspondre à des circonstances nouvelles; on semble avoir quitté l'Antiquité, ou du moins un milieu de grande civilisation; un autre monde naît.

Mais quel modèle ce rédacteur a-t-il transformé? Plusieurs indices suggèrent une filiation par rapport à M[1] : M[1] VI devenu FG[1] VII; surtout M[1] IX adapté en FG[1] VIII; M[1]b/ transformé en FG[1]c/; et la variante de M' *pro captivis* ... que nous citions à l'instant, fait immédiatement songer à M[1] VII-VIII. Cependant il n'est pas possible d'expliquer tous les invocatoires de FG[1] à partir de M[1], où manque notamment *pro altissima pace* (FG[1]I). Irl[1] ne peut pas davantage avoir servi de patron au texte franco-gallican; si l'*altissima pace* y figure bien, ni la prière pour les malades, ni celle pour le beau temps ne s'y rencontrent.

Aussi sommes-nous fondé à supposer l'existence d'un texte Q que les sources ne nous ont pas conservé (ou que nous n'y avons pas encore retrouvé). Q devait être une traduction directe du grec, comme Irl[1] ou M[1]; son contenu ne devait pas être substantiellement différent d'une synthèse de ces deux dernières litanies; il comportait au moins les huit demandes que le rédacteur de FG[1] a transformées dans les huit invocatoires originaux de celle-ci.

Nous avons situé Irl[1] à la fin du IVe siècle ou au début du Ve, et M[1] durant le Ve, plus probablement en sa seconde moitié. Comme FG[1] ne mentionne plus les veuves, les vierges, les nécessiteux, nous ne sommes pas sûr que son modèle Q les comportait; éventuellement Q pourrait donc être légèrement plus récent. Nous le situons donc grosso modo dans la seconde moitié du Ve siècle.

4. Essai de datation

Rassemblons les éléments qui sont à notre disposition. a/-b/ sont anciens, de même que I et II; la formulation traditionnelle de II a même résisté à la structure rythmique que s'est imposée le rédacteur.

V où ne figure plus l'empereur, mais seulement le roi, ne peut dater d'avant le milieu du Ve siècle; si l'empire ne tombe officiellement qu'en 476, le pouvoir impérial était déjà très entamé depuis plusieurs dizaines d'années; des seigneuries existaient en plusieurs endroits. Retenons 450 comme *terminus post quem* approximatif.

IX témoigne d'un souci pénitentiel (et moral si nous acceptons la leçon *morum*) peut-être secondaire dans la piété liturgique; il ne figure en tout cas ni en Irl[1] ni en M[1]. La seconde partie de X réutilise probablement dans le même sens la mention des pénitents; de chrétiens qui se soumettaient à la pénitence antique, on est passé à ceux qui se repentent de leurs péchés.

Quant au patron Q, il nous ramène à la seconde moitié du Ve siècle environ.

La conclusion n'est donc pas trop difficile à tirer. Nous estimons raisonnable de ne pas dater FG¹ d'avant le milieu du Ve siècle; des formules plus anciennes s'expliquent par le modèle Q. Quant au *terminus ante quem*, l'absence d'éléments monastiques nous invite à ne pas le situer trop loin au cours du VIe siècle. Nous proposons donc, comme date de rédaction de FG¹ à partir de Q, l'époque allant du milieu du Ve siècle au milieu du VIe.

5. Essai de localisation

La critique interne ne nous apprend rien sur la région d'origine de FG¹. Seule la mention du roi pourrait indiquer que le texte n'est pas romain; la notion de roi est typiquement germanique; de plus, dans la capitale de l'ancien empire, on n'aurait peut-être pas supporté de prier simplement pour le roi, la fiction impériale restant vivace.

La tradition manuscrite au contraire est unanime: FG¹ n'apparaît que dans des manuscrits provenant des régions germaniques ou gauloises (y compris l'Aquitaine, dont l'influence musicale s'étendait au moyen âge au-delà des Pyrénées). Nous pensons donc que FG¹ aura servi comme formulaire d'*oratio fidelium* dans l'une ou l'autre Eglise de ces régions (d'où son sigle FG = franco-gallican); après la disparition de la prière universelle, il sera tombé dans l'oubli, jusqu'à ce qu'une main heureuse lui garantisse une nouvelle carrière en le situant aux Rogations.

III. Le «Dicamus omnes» dit milanais (M²)

A. Temoins

Au second dimanche de Carême (cfr. note 44, p. 155), la liturgie milanaise a conservé à l'*Ingressa* une pièce litanique dont l'incipit, une fois de plus, est *Dicamus omnes*. Le répons, par contre, nous ne l'avons pas encore rencontré; il n'est autre que *Kyrie eleison*. Comme M¹ et pour les mêmes raisons, nous estimons que M² servait originellement d'*oratio fidelium*.

La liste des témoins est presque la même que pour M¹, à laquelle on voudra bien se reporter; nous citons ici en abrégé.

A   = *Sacramentaire de Biasca*, f. 75ʳ, éd. Heiming, p. 46—47.

B   = Sacramentaire de Milan, d'après les Tables du Sacramentaire de Bergame.

Berg = *Sacramentaire de Bergame*, f. 102ᵛ—103ʳ, éd. Paredi, p. 118—119.

C   = Sacramentaire de Lodrino, d'après les mêmes Tables.

D   = Sacramentaire de Bedero, idem.

E   = *Sacramentaire d'Aribert*, f. 55ʳ, éd. Paredi, p. 371.

+ G   = ROME, Bibl. Angelica lat. 123 (olim B. 3.18), f. 212^{r-v}, graduel
         et tropaire de Bologne, XIe[214]; M[2] y est renseigné pour le
         premier dimanche de Carême; pour le deuxième dimanche, ce
         manuscrit donne la DG; il ne connaît pas M[1]. La pièce est
         éditée dans Thomasius-Vezzosi, t. 5, p. 241.

J   = *Sacramentaire de S. Simpliciano*, f. 40^v—41^r, éd. Frei, p. 184—
         185.

L   = *Antiphonaire ambrosien*, f. 132, éd. Cagin, p. 312—314.

O   = Sacramentaire de Milan, d'après Heiming, éd. Biasca, p. XLI.

Tr   = *Sacramentarium Triplex*, f. 59^v—60^r, éd. Heiming, p. 71—72.

Vr   = Sacramentaire de Milan, d'après les mêmes Tables.

[R   = Missel ambrosien, f. 59ss.]

T 570 = Thomasius-Vezzosi, t. 2, p. 570.

T 572 = id., p. 572.
         L'éditeur n'indique pas les manuscrits d'origine.

1751 = editio puteobonelliana.

1902 = editio typica.

Fait curieux, le manuscrit F (Bergame, Bibl. Civica Γ III. 18) qui contient le texte de M[1] n'a pas celui de M[2] [215].

La tradition textuelle est concordante; seuls G et T 570 offrent quelques divergences.

B. Edition[216]

a/[217]   Dicamus omnes[218]: Kyrie eleison[219]

b/   Domine Deus omnipotens patrum nostrorum
           Kyrie eleison

c/   Respice de caelo[220] et de sede sancta tua
           Kyrie eleison

I[221]   Pro ecclesia tua sancta[222] catholica quam conservare digneris
           Kyrie eleison

---

[214] Pour plus de détails, voir p. 169.
[215] C'est du moins ce que nous écrit Mgr. Chiodi, Directeur de la Bibliothèque, après «un controllo accurato del codice». Nous le remercions pour ce
renseignement.
[216] Améliorée par rapport à celle donnée par B. Capelle, *Le Kyrie . . .*,
p. 121—123.
[217] a/ *om* T 570.
[218] Dicamus omnes *om* G.
[219] Kyrie eleison *om* Tr.
[220] Deus *add* T 572.
[221] I *lac* L.
[222] ecclesia tua sancta] sancta ecclesia G, T 570.

II²²³ Pro papa nostro 'illo'²²⁴ et sacerdotio eius²²⁵
Kyrie eleison

III²²⁶ Pro universis episcopis, cuncto clero et populo
Kyrie eleison

IV²²⁷ Pro famulo tuo 'illo' imperatore [et famula
tua 'illa' imperatrice²²⁸] et omni exercitu eius²²⁹
Kyrie eleison

V Pro civitate²³⁰ hac omnibusque²³¹ habitantibus in ea
Kyrie eleison

VI²³² Pro aerum²³³ temperie²³⁴ et fecunditate terrarum
Kyrie eleison

d/²³⁵ Libera nos qui liberasti filios Israël
Kyrie eleison²³⁶

e/ In manu forti et brachio excelso²³⁷
Kyrie eleison

f/ Exurge Domine adiuva nos et libera nos propter nomen tuum
Kyrie eleison, Kyrie eleison, Kyrie eleison²³⁸.

C. PARALLELES ORIENTAUX ET OCCIDENTAUX

Les sources orientales commencent à nous être familières; aussi pouvons-nous renvoyer aux textes cités à propos des litanies précédentes sans devoir les reprendre chaque fois. Il nous a paru utile de fournir en même

---

223 II] pro domno 'illo' apostolico et universali papa G, T 570.
224 et pontifice nostro 'illo' *add* T 572, 1751, 1902.
225 eius] eorum T 572, 1751, 1902.
226 III *post* pro domno 'illo' episcopo . . . G.
227 IV] pro domno 'illo' imperatore nostro, iudicibus et exercitibus eius — Kyrie eleison G, T 570 *post* II.
Pro domno 'illo' archiepiscopo nostro et sacerdotio eius — Kyrie eleison *add* G, T 570.
Pro domno 'illo' episcopo nostro et sacerdotio eius — Kyrie eleison *add* G.
IV] pro famulo tuo 'illo' rege et famula tua 'illa' regina . . . J. pro famulis tuis 'N' Imperatore et 'N' Rege, Duce nostro . . . 1751—1902.
228 et . . . imperatrice *om* A.
229 eius ABBergCEOTr. eorum DJLVr, T 572, 1751, 1902.
230 civitate] plebe A. civitate-plebe L.
231 omnibusque] et omnibus G, T 570.
232 VI *om* G, T 570.
233 aerum] aeris T 572, 1751.
234 ac fructu *add* T 572.
235 *ante* d/ Ut concordiam veram et pacem bonam nobis omnibus donare digneris — Kyrie eleison *add* G, T 570.
236 Kyrie eleison *om* Tr.
237 excelso] extento G, T 570.
238 Kyrie eleison *ter* BergEGJL, T 570, T 572, 1751, 1902. *bis* A. *semel* Tr.

temps les parallèles occidentaux, de manière à suggérer d'emblée les
éventuelles relations du formulaire avec ses analogues latins.

a/   cfr. J 36, Irl^1 a/, DG a/.

b/   Κύριε παντοκράτορ ὁ θεὸς τῶν πατέρων ἡμῶν: J 36, B 373 (cfr. *II
      Chron.* 20,6).

c/   cfr. Irl^1 b/ = *Ps* 103,32 (LXX); cfr. *Ps.* 79,15: «Respice de caelo
      et vide et visita vineam» ou encore *Dt* 26,15: «Respice de sanctuario
      tuo et de excelso»; cfr. aussi *Is* 63,15; *Bar* 2,16; *Ps* 32,13—14.

I   cfr. M^1; *quam conservare digneris*: ὑπὲρ . . . ἐκκλησίας . . . ὅπως
      ὁ Κύριος ἄσειστον αὐτὴν καὶ ἀκλυδώνιστον διαφυλάξῃ καὶ διατηρήσῃ
      . . . CAp VIII 10, 4; cfr. *Ibid.* 12, 40; 13, 4.

II   cfr. Irl^2 X; M^1 II; *sacerdotium* = πρεσβυτέριον CAp VIII 12,41;
      13,4; B 363.

III   OS III; Irl^1 III; M^1 II: ὑπὲρ πάσης ἐπισκοπῆς, παντὸς πρεσβυτερίου
      . . . CAp VIII, 13,4; ὑπὲρ . . . παντὸς τοῦ κλήρου καὶ τοῦ λαοῦ B 363.

IV   M^1 III; J 55.

V   M^1 V; CAp VIII 12,45; cfr. J 55; B 363.

VI   M^1 VI; FG^1 VII; Irl^2 III.

d/   cfr. *Jos* 22, 31: «Et liberasti filios Israël . . .».

e/   *Dt* 5, 15; *Ps* 135, 12, etc.

f/   *Ps* 43,26; 78,9.

D. Forme liturgique

M^2 est une litanie de type invocatif, sans introduction ni conclusion
sacerdotales, dont la caractéristique est de multiplier les versets bibliques
au début et à la fin. Elle comporte:

a/   une invitation indiquant le répons;

b/   une invocation attributive;

c/   une invocation impérative; b/ et c/ sont d'inspiration biblique,
        même si on ne les trouve pas littéralement dans l'Ecriture.

I—VI   six invocatoires nominaux; il est clair qu'il s'agit bien d'invoca-
        toires, vu b/ c/ d/ f/, I (*tua-digneris*) et IV (*tuo-tua*).

d/—f/   invocations impératives, sous forme de versets bibliques.

L'ensemble est conclu, comme M^1, par un triple *Kyrie eleison*. La finale
ne reprend pas l'incipit; on n'a donc pas ici le procédé habituel d'inclusion.

E. Analyse

1. Le répons

C'est la première fois que nous rencontrons *Kyrie eleison* comme répons;
de plus, il est répété trois fois en fin de litanie, tout comme en M^1; dans

les formulaires analysés jusqu'ici, le répons grec avait toujours été traduit par *Domine (exaudi et) miserere.* Ce *Kyrie* est-il ancien, s'est-il toujours maintenu en grec en Occident, concurremment à sa traduction latine, ou est-il au contraire récent, sous un faux-semblant d'archaïsme? Poursuivons notre examen avant de trancher.

2. *Les versets bibliques*

Hormis a/ repris aux liturgies orientales, le début (b—c) et la fin (d—f) de M² sont constitués de versets qui, s'ils ne citent pas littéralement la Bible, en sont nettement inspirés. En comparant avec les autres litanies latines, on constate l'absence du descriptif « ex toto corde et ex tota mente », d'origine orientale. Irl ¹b/ comportait déjà un verset psalmique, dont la première partie développe le même thème que M² c/; mais M² a systématisé cet usage, encadrant les invocatoires d'un nombre symétrique de versets.

A en juger d'après l'évolution ultérieure de notre genre littéraire, nous sommes ici devant un phénomène secondaire. Au VIe siècle en effet naît en Gaule l'habitude de conclure les Heures par des versets, les *capitella de psalmis.* Au VIIe, on trouve des litanies dont les répons sont constitués de tels versets; peut-être ce genre fut-il répandu par les moines irlandais (cfr. Ve section).

Notons cependant que déjà le *Gloria in excelsis,* dont le plus ancien manuscrit remonte au Ve siècle, et le *Te Deum* (manuscrit du VIIe siècle) comportent tous les deux en finale de tels versets psalmiques, destinés à la prière du matin[240].

Même si le genre existait, il nous paraît que son introduction plus abondante dans un formulaire *d'oratio fidelium* est secondaire; il en dénature en effet la fonction première, puisque ces versets ne mentionnent explicitement ni l'objet ni le bénéficiaire de la prière.

3. *Commentaire*

I　　La première partie est identique à M¹ I et au *Te igitur* du Canon romain. Fait frappant, la proposition relative qui suit se retrouve également dans cette première intention du *Te igitur,* avec un verbe différent, oui, mais très analogue (*conservare*) qui sera d'ailleurs repris dans les litanies des saints à propos de l'Eglise, dans la demande «Ut Ecclesiam tuam sanctam regere et conservare digneris, te rogamus audi nos», où il est associé à *regere* qui figure aussi dans le *Te igitur.*

Conservare était-il le verbe unique qu'a remplacé dans cette prière la redondance actuelle? En tout cas, la tournure de cet invocatoire pourrait être ancienne. On objectera que cette proposition relative est unique dans le formulaire, et qu'elle ne cadre pas avec le rythme

---

[240] On trouvera l'édition des plus anciens témoins de ces hymnes dans F. E. WARREN, *The Antiphonary of Bangor,* t. 2, Londres, 1895, respectivement aux p. 78—79 et 93—94.

des autres invocatoires. Mais toutes les litanies examinées jusqu'ici ont également une relative dans la prière pour l'Eglise, et la différence de rythme pourrait bien révéler une formule ancienne, qui a résisté aux relectures des rédacteurs.

Observons que M² est la seule litanie (hormis Irl² qui omet cette demande) où l'invocatoire pour l'Eglise ne comporte pas une de ces vénérables tournures antiques décrivant son universalité.

II   Le *papa* cité ici doit être l'évêque du lieu; l'adjectif *nostro* l'indique. Mais ce lieu est-il Rome? Le problème se pose exactement dans les mêmes termes que pour M¹; aussi le résolvons-nous de la même façon, soutenant la possibilité de l'origine romaine du formulaire. Que *papa* ait été compris comme désignant l'évêque de Rome est confirmé par la variante de G et T 570: «pro domno ˙illo˙ apostolico et universali papa»; ici le doute n'est plus possible, car ces témoins ajoutent (après IV) un invocatoire pour l'archevêque et son clergé, et G encore un pour l'évêque et ses prêtres. G est le seul texte latin à être si explicite et si complet. On remarquera qu'il n'a pas pu être rédigé à Rome, à moins qu'il ne propose des invocatoires dont il faut choisir l'un ou l'autre selon les circonstances; sinon il ne peut être originaire que d'un diocèse qui n'était pas archevêché, sans quoi il donne deux invocatoires pour la même personne.

Remarquons que les termes *apostolicus* et *universalis papa* dénotent la problématique théologique du IXe siècle, celle d'un Nicolas Ier, d'un Hadrien II, d'un Jean VIII[241]; sans doute cette variante date-t-elle de cette époque.

III   ... *et populo* peut être une traduction du grec, ou aussi une réminiscence d'OS III; M² et OS sont les seuls textes latins (avec quelques manuscrits de la famille β de FG²) à mentionner le peuple.

IV   La leçon *eius* est maintenue plus souvent qu'en M¹ III dans les manuscrits où, à côté de l'empereur, est mentionnée son épouse; celle-ci y aura été ajoutée (voir le commentaire de M¹ III). Le libellé du manuscrit G «pro domno ˙illo˙ imperatore nostro, iudicibus et exercitibus eius» a un parallèle en DG V qui rassemble également les princes, la justice et la *militia*. J qui parle du roi et de la reine, doit être postérieur. Les deux éditions, qui mentionnent le *Duce*, sont récentes.

V   L'invocatoire est identique à M¹ V, sinon que celui-ci ajoute entre les deux membres *et conversatione eius*, peut-être interpolé; en ce cas, M² V serait plus primitif.

VI   Comme FG¹ VII, cet invocatoire omet le terme *fructu(um)* qui faisait difficulté en M¹ VI; nous l'avons déjà dit à propos du formulaire franco-gallican, cette omission révèle que nous ne sommes pas en présence d'une traduction d'un texte oriental, mais bien d'une adap-

---

[241] Cfr. Y. Congar, *L'ecclésiologie du haut Moyen-Age*, Paris, 1968, p. 71, 210, 232ss.

tation, faite probablement déjà à partir d'un formulaire latin que l'on estimait embrouillé. Est-ce à dire que M² dépendrait également de Q dont il faut supposer l'existence pour comprendre FG¹? Nous examinerons cette question dans la suite. Notons déjà que deux légères différences séparent M² VI et FG¹ VII: *aerum* au lieu d'*aeris* (attesté cependant en deux témoins), *terrarum* (avec Irl² III et M¹ VI) au lieu de *terrae*.

G et T 570 ajoutent ici «Ut concordiam veram et pacem bonam nobis omnibus donare digneris — Kyrie eleison», que l'on rapprochera de l'actuelle litanie des saints où l'on lit: «Ut regibus et principibus christianis pacem et veram concordiam donare digneris, te rogamus audi nos». Il faut y voir une interpolation. Remarquons que l'expression *domnus apostolicus* utilisée en II par ces deux manuscrits se rencontre peu avant dans la même partie de la litanie des saints, tandis que trois demandes plus loin, celle-ci prie pour les fruits de la terre (cfr. VI)! On reste toujours dans le même domaine!

d/—f/ font peut-être allusion à un danger imminent dont on demande à Dieu d'être libéré; la forme littéraire de ces versets ne cadre cependant pas avec le reste de la litanie; s'ils sont originaux, M² doit être assez récente.

Notons que M² ne comporte pas d'invocatoire pour la paix, qui n'est même pas mentionnée. Elle laisse résolument tomber toute la liste des nécessiteux (voyageurs, prisonniers, malades) ainsi que les anciens ordres ecclésiaux (vierges, veuves, pénitents): dans les litanies latines précédentes, ces derniers étaient déjà dénaturés et réduits au rang des premiers; M² les omet carrément. Adaptation aux circonstances, probablement, mais perte substantielle pour la prière universelle dont l'horizon se restreint. Remarquons enfin qu'on n'y décèle aucune influence monastique.

4. Origine de M²: la source Y

Le commentaire nous a fait percevoir tour à tour en M² des tournures anciennes et des aspects récents. A en considérer l'ensemble pourtant, la note secondaire l'emporte, et nous estimons que nous sommes ici en présence d'une pièce appartenant, comme FG¹, à ce que nous avons appelé la «seconde vague», c'est-à-dire non plus à des traductions du grec, mais à des relectures de textes latins.

Les arguments en faveur d'une adaptation rédactionnelle sont les suivants:

1. l'invocatoire VI où l'omission de *fructu(um)*, comme nous l'avons exposé à propos de FG¹ VII, révèle un intermédiaire latin;

2. l'absence des demandes pour les ordres et les nécessiteux qui caractérisent les textes anciens;

3. enfin la présence de versets bibliques, qui semblent être une mode plus récente; ils ne cadrent pas avec la fonction originelle de l'*oratio fidelium*.

D'autre part, certains éléments sont plus anciens, notamment les thèmes
des invocatoires I—VI. Comment expliquer ces faits? A nos yeux, M^1
n'est pas la source de M^2, bien que cette filiation soit affirmée çà et là
dans des études: la formulation de I—II (plus III en M^2) diffère sur des
points qu'il n'y avait aucun avantage à modifier (*clero-sacerdotio* par
exemple); et si les circonstances historiques du VIe siècle exigeaient que
M^2 omette les invocatoires pour les ordres et les nécessiteux (M^1 VII—
VIII), on ne voit pas pourquoi elle aurait négligé M^1 IX qui prie pour
les malades, ou même M^1 X. De plus tous les versets bibliques sont différents. Enfin, les répons ne sont pas les mêmes. Nous ne pensons pas non
plus que la source Q soit l'origine commune de FG^1 et de M^2: trop de
divergences séparent ces deux litanies.

Aussi sommes-nous amené à supposer l'existence d'une source Y,
aujourd'hui perdue, qui aura été retravaillée par le rédacteur de M^2;
elle devait avoir une forme liturgique analogue à M^1; elle appartenait
sans doute à la première vague de formulaires et datait donc du Ve
siècle. Elle devait comporter les éléments anciens maintenus en M^2; peut-
être contenait-elle déjà c/, dont la thématique se trouve dès Irl^1 b/.

En niant la filiation de M^2 par rapport à M^1, nous rejoignons le jugement de Dom Alfonso[242]; les versets bibliques et le *Kyrie eleison* sont pour
lui les arguments décisifs. Les premiers indiquent à ses yeux un style
occidental, d'origine irlandaise. Quant au *Kyrie eleison*, poursuit-il,
malgré l'apparente contradiction, il nous mène à Rome. On sait par le
Concile de Vaison qu'au début du VIe siècle, Rome et l'Italie (qu'Alfonso
précise en écrivant: Milan) avaient introduit la répétition fréquente du
Kyrie eleison à la messe et à l'Office. «Il me paraît évident, écrit le liturgiste italien, que dès le début le *Kyrie eleison* a consisté en simples répétitions de ces paroles, tant d'après les termes du Concile (de Vaison) qu'en
fonction de la tradition conservée à l'office et à la messe ambrosienne, et
dans l'ancienne liturgie gallicane». A Rome, cette répétition du *Kyrie
eleison* se sera transformée pour donner naissance à la litanie stationnale
(conçue sur le type de la litanie des saints); à Milan, elle se sera développée en M^2. Plus précisément, toujours selon Alfonso, les versets bibliques
de M^2 sont des «invocations directes» semblables à celles de la litanie des
saints («libera nos Domine; cfr. M^2 d/); quant aux invocatoires, ils doivent
leur existence au désir d'imiter M^1: le rédacteur de M^2 aura voulu imiter
cette litanie et aura intercalé entre les *Kyrie eleison* d'autres invocations; il
aura donc développé cet appel, tout comme d'autres l'avaient fait à Rome,
mais d'une manière différente.

Qu'en penser? Retenons précieusement l'opinion d'Alfonso sur l'origine
du *Kyrie* en Occident. Quant aux élucubrations qu'il construit sur elle,
elles sont sans fondement; les plus anciennes traces de la litanie des

---

[242] P. ALFONSO, *La litania «Dicamus omnes»*, dans *Ambrosius*, t. 1 (1925),
p. 89—91.

saints remontent à la fin du VIIe s.[243], et d'autre part l'ensemble des textes parallèles à M² prouve clairement que ce sont les litanies qui ont attiré à elles le *Kyrie eleison*, et non ce répons qui s'est développé jusqu'à former une litanie.

5. Essai de datation

Nous avons décelé en M² des éléments anciens, dont nous attribuons la présence à l'influence de la source Y, et des éléments plus récents, dont le rédacteur est responsable. Mais certains autres traits de M² nous laissent perplexe: faut-il y voir un signe d'antiquité, ou au contraire une nouveauté? C'est le cas d'abord pour la tournure *quam conservare digneris* (I); si on la trouve, à propos de l'Eglise elle-même, au *Te igitur,* elle fera aussi fortune plus tard, dans la litanie des saints. Mais surtout se pose ici le problème du *Kyrie eleison!* La science liturgique, nous l'avons rappelé à propos de la finale de M¹, le considère depuis E. Bishop comme tardif en Occident: les premières traces solides datent toutes deux de 529 (Concile de Vaison — Règle de saint Benoît).

Il apparaît ici sous deux formes: comme triple invocation finale et comme répons. Nous nous sommes prononcé en faveur du caractère original du triple *Kyrie* en M¹; comme M² lui est postérieur, ce jugement ne peut que se confirmer pour notre litanie; ici il acquiert un degré beaucoup plus élevé de probabilité.

M² fournit un élément nouveau au débat, puisqu'ici le répons lui-même est *Kyrie eleison*. Est-ce un refrain ancien, que le rédacteur aura trouvé dans sa source Y, qui elle-même l'aurait repris à l'Orient sans le traduire? ou est-ce un répons neuf, adopté pour donner à la pièce un son archaïque, à un moment où cette invocation grecque devenait à la mode en Occident, notamment grâce à la finale de M¹? Comme répons, *Kyrie eleison* n'apparaît que trois fois dans les litanies: ici, dans un manuscrit (le plus altéré) de DG, et dans le tardif FG². Ceci nous incite à croire que c'est la seconde hypothèse, celle de la nouveauté de *Kyrie,* qui est la bonne; elle cadre mieux avec l'ensemble des faits. Dans la première supposition, on ne comprendrait pas que ce répons caractéristique n'ait laissé de trace dans aucune source avant le VIe siècle.

Résumons donc les éléments de datation que nous avons relevés:

— la source Y doit dater du Ve siècle, sans qu'il soit possible de préciser davantage;

— M² ne peut être antérieure à M¹, que nous avons située durant la seconde moitié du Ve siècle;

— le *Kyrie eleison*, qui n'a pas laissé de traces avant 529, ne peut pas être fort antérieur au VIe siècle.

[243] Cfr. E. BISHOP, *The Litany of Saints of the Stowe Missal,* dans *Liturgica historica,* Oxford, 1918, p. 137—164. Cfr. infra, Ve Section.

Concluons: M² doit dater du début du VIe siècle. Son rédacteur, qui peut être un Romain, comme celui de M¹, appartient à cette seconde vague de textes qui a déjà produit DG, FG¹, et nous fournira encore deux autres litanies.

IV. La seconde litanie franco-gallicane (FG²)

Dom Capelle n'a pas édité ce texte, secondaire et parfois fort dégradé. Il est utilisé, comme FG¹, dans l'OR 50 aux Rogations. Nos recherches dans les processionnaux manuscrits et autres livres liturgiques médiévaux nous en ont fait découvrir de nombreux témoins; la liste, qui n'a rien d'exhaustif, en est pour une bonne part identique à celle de FG¹; aussi pouvons-nous citer en raccourci.

A. Temoins

Nous les répartissons en quatre familles, qui se distinguent par les versets bibliques terminaux. Cette classification ne s'impose pas avec évidence, elle ne veut qu'apporter un peu d'ordre et de clarté; peut-être la découverte de nouveaux témoins fera-t-elle craquer cette gangue.

α. *La famille Libera — Exaudi preces*

*A   = tous les manuscrits de l'OR 50 (sauf Z: Vienne 1817), dont nous reprenons l'édition critique d'Andrieu, t. 5, p. 338; les variantes sont mineures (Mayence, vers 950).

D   = BRUXELLES, B.R. 4836 (Cat. 641), f. 15ᵛ—16ᵛ, (XIVe siècle).

D' = ARRAS, B.M. 230, f. 52ᵛ (datant de 1307—1308).

Trois témoins donc, au lieu de six dans la famille correspondante de FG¹; en effet, FG² ne se trouve pas en B (Vienne 1888), et l'extravagant C (Autun S 12) passe ici dans la famille δ.

β. *La famille Libera — Exaudi preces — Exaudi nos*

E   = PARIS, B.N. lat. 909, f. 7ᵛ (XIe siècle).

*E' = ibid. 1120 et 1121, respectivement f. 168ᵛ—169 et 161ᵛ—162 (XIe in).

F   = ibid. 903, f. 137ʳ (XIe in).

*G   = AUTUN, B.M. S 183, f. 63 (XIIIe) et S 188, f. 99ᵛ—100ᵛ (XVe).

*H   = CAMBRAI, B.M. 60, f. 101ᵛ—102 (XIIe).

    68, f. 36—38 (XV—XVIe).

    71, f. 137 (XVe).

    77, f. 76ᵛ (XIII—XIVe).

    78, f. 41 (XIe ex).

    80, f. 33 (XVIIIe).

    131, f. 51 (XIVe in).

M' = MADRID, Acad. de la Hist. 51, f. 146ᵛ—147ʳ (XIe—XIIe s.).

Fait curieux: le manuscrit AUTUN S 98 qui contenait FG¹ ne comporte pas notre litanie; il en va de même pour MADRID, B. N. 136.

γ. *La famille tronquée*

*J = LONDRES, Brit. Mus. Harl. 4951, f. 237ᵛ—238ʳ (XIe s.).
     PARIS, B. N. lat. 776, f. 85ᵛ (XIe s.).
J' = id. nv. acq. lat. 3001, f. 32 (XIIIe s.).
M = MADRID, Acad. de la Hist. 45, f. 57ᵛ (XIIe in)²⁴⁴.
P = J. Pothier, *Prières litaniales ou processionnelles*, dans *Revue du chant grégorien*, t. 9 (1901), p. 113—114, d'après un Pontifical du XIIe, dont l'origine n'est pas donnée par l'auteur. Le texte est identique à J'.

On ne trouve FG² ni en I ni en I', ni dans le manuscrit 312 du Grand Séminaire de Langres.

δ. *La famille Exaudi preces — Exurge*

C = AUTUN, B. M. S 12, f. 95 (XIIe s.).
K = PARIS, B. N. lat. 780, f. 77ᵛ, Graduel de Narbonne, XIe—XIIe s.
L = *Processionale turonense*, Tours, 1827, p. 117—119²⁴⁵.

B. Editions

Nous établissons ci-dessous l'édition critique des quatre familles précitées. Celles-ci étant suffisamment claires, et les variantes peu nombreuses, il n'est pas utile de donner une édition globale comme nous l'avons fait pour FG¹: le formulaire β, le plus complet, en tient lieu. Aussi est-ce à l'ordre de β que renvoient les chiffres romains. Les [ ] entourent les invocatoires qui ne nous paraissent pas primitifs; si ceux-ci reviennent dans plusieurs familles, nous n'avons cependant indiqué les crochets qu'en β.

---

²⁴⁴ La litanie s'arrête au bas du f.57ᵛ par les mots «Pro rege nostro»; elle ne se poursuit pas au f.58. D'après ce fragment, elle devait appartenir à la famille tronquée.

²⁴⁵ D'après A. Gastoué, *Le chant gallican*, dans *Revue du chant grégorien*, t. 41 (1937), p. 173, FG² figure aussi dans le PARIS, B.N. lat. 1118, f. 12, Tropaire de la région d'Auch, passé ensuite à Saint-Martial, et datant du Xe—XIe siècle; vérification faite, il n'en est rien.
Beaucoup de ces manuscrits sont notés; on trouvera des mélodies de FG² dans l'article de A. Gastoué cité ci-dessus; ou dans son *Cours théorique et pratique de plain-chant romain grégorien*, Paris, 1904, p. 70.
Comme pour FG¹, notre classification rejoint celle de M. Huglo, *Les Tonaires*, Paris, 1971, qui se base sur des critères musicaux; les manuscrits aquitains du groupe β (Paris, B.N. lat. 909 et 1121) représentent le Limousin, ceux de la famille γ (Londres, Brit. Mus. Harl. 4951 et Paris, B.N. lat. 776) sont originaires de la région toulousaine; quant à Paris, B.N. lat. 780, du groupe δ, il fait partie des manuscrits «rattachés au groupe toulousain», selon la terminologie de M. Huglo.

α. *Famille Libera — Exaudi preces*

a/   Kyrie eleison

b/   Domine Deus omnipotens patrum nostrorum
      Kyrie eleison[246]

c/   Respice de caelo et de sede sancta tua
      Kyrie eleison

V   Pro pace regum et quiete populorum
      Kyrie eleison

VII   Pro loco nostro et habitantibus in eo
      Kyrie eleison

d/   Libera nos qui liberasti filios Israël
      Kyrie eleison

e/   Exaudi preces supplicantium te, Christe
      Kyrie eleison.

β. *Famille Libera — Exaudi preces — Exaudi nos*

a/   Kyrie eleison

b/   Domine Deus omnipotens patrum nostrorum
          Kyrie eleison

c/   Respice de caelo et de sede sancta tua
          Kyrie eleison

I   Pro sancta ecclesia catholica quae est in toto orbe constituta[247]
          Kyrie eleison

II[248]   Pro papa nostro et omni plebe[249] eius
          Kyrie eleison

III[250] Pro pastore nostro et omni clero eius
          Kyrie eleison

[IV[251] Pro rege nostro et omni exercitu eius
          Kyrie eleison]

V[252]   Pro pace regum et quiete populorum
          Kyrie eleison

[VI[253] Pro abbate nostro et omni congregatione eius
          Kyrie eleison]

---

[246] Kyrie eleison *om* A *semper nisi post* e/.
[247] constituta] diffusa H.
[248] II *om* GH.
[249] plebe] clero M'.
[250] III *om* F.
[251] IV *add* H.
[252] V *post* VII G.
[253] VI *add* FM'.

VII²⁵⁴   Pro loco nostro et²⁵⁵ habitantibus in eo
      Kyrie eleison
VIII²⁵⁶   Pro remissione peccatorum et emendatione eorum
      Kyrie eleison
d/²⁵⁷   Libera²⁵⁸ nos qui liberasti filios Israël
      Kyrie eleison
e/   Exaudi voces²⁵⁹ deprecantium te, Christe
      Kyrie eleison
f/²⁶⁰   Exaudi nos Deus in omni oratione ista
      Kyrie eleison

γ. *Famille tronquée*
a/   Kyrie eleison
b/   Domine Deus omnipotens patrum nostrorum
      Kyrie eleison
c/   Respice de caelo et de sede sancta tua
      Kyrie eleison
I   Pro ecclesia catholica quae est in toto orbe constituta
      Kyrie eleison
IV   Pro rege nostro et omni exercitu eius
      Kyrie eleison
II   Pro papa nostro et omni clero eius
      Kyrie eleison
VI   Pro abbate²⁶¹ nostro et omni congregatione eius
      Kyrie eleison
VII   Pro loco nostro et omnibus habitantibus in eo
      Kyrie eleison

δ. *Famille Exaudi preces — Exurge*
a/   Kyrie eleison
b/   Domine Deus omnipotens patrum nostrorum
      Kyrie eleison²⁶²
c/   Respice de caelo et de sede sancta tua
      Kyrie eleison

---

²⁵⁴ VII *post* VIII FM'. *ante* V G.
²⁵⁵ et] et omnibus FM'.
²⁵⁶ VIII *om* H. *post* d/ EE'G. *ante* VII FM'.
²⁵⁷ d/ *ante* VIII EE'G.
²⁵⁸ Libera GH. pro ut liberes EE'FM'.
²⁵⁹ voces] preces EH.
²⁶⁰ f/ *om* H.
²⁶¹ abbate *del* J' *em* conventu. conventu P.
²⁶² Kyrie eleison *om* C *semper nisi post* g/.

V[263]   Pro pace regum et quiete populorum
          Kyrie eleison

[II[264]   Pro papa nostro et apostolatu eius
          Kyrie eleison]

IV   Pro rege nostro et omni exercitu eius
          Kyrie eleison

III[265] Pro pastore nostro et omni clero eius
          Kyrie eleison

VII   Pro loco isto[266] et habitantibus in eo
          Kyrie eleison

e/[267]   Exaudi preces confitentium te, Christe
          Kyrie eleison

g/   Exurge Domine adiuva nos et libera nos propter nomen tuum
          Kyrie eleison[268]

C. Caracteristiques de chaque famille

Plus que l'objet des demandes, ce sont les versets bibliques terminaux
qui offrent le critère de discernement de chaque famille.

α. Famille Libera — Exaudi preces

Elle est la plus courte, ne comportant que deux invocatoires (V et VII)
qui constituent (à une exception près: la famille γ omet V) le tronc commun des quatre familles.

β. Famille Libera — Exaudi preces — Exaudi nos

Famille la plus longue, elle peut comporter jusqu'à huit invocatoires;
outre V et VII, on y lit des demandes reprises à FG[1] et dont certaines
sont communes avec γ (I-II-IV-VI), d'autres avec δ (III-IV). De plus,
elle ajoute à la fin un verset biblique f/ également repris à FG[1].

γ. Famille tronquée

Elle mérite cette qualification parce qu'on n'y trouve ni les versets
bibliques finaux, ni V qui pourtant fait parti du tronc commun. Elle n'a
aucun invocatoire propre.

δ. Famille Exaudi preces — Exurge

Outre le tronc commun, δ offre des invocatoires qui figurent tous dans
β ou γ. Elle omet d/ et ajoute un second verset final g/ repris à M[2]. Deux

---

[263] *ante* V Oramus te supplices ut exaudias nos precantes *add* C.
[264] II *add* K.
[265] III] Pro abbate nostro et omni congregatione eius C.
[266] isto] nostro C.
[267] *ante* e/ Aperi caelos deus et da pluviam terrae *add* K.
[268] Kyrie eleison *om* L.

manuscrits de cette famille se permettent des fantaisies; C ajoute un invocatoire introductif «Oramus te supplices ut exaudias nos precantes», et K
un troisième verset biblique final «Aperi caelos deus et da pluviam terrae», demande originale qui ne figure qu'à Narbonne, région chaude et
sèche (cfr. note 210, p. 198).

D. FORME LITURGIQUE

FG² est une litanie caractérisée par la présence de nombreux versets
bibliques, comme en M², qui a d'ailleurs le même répons *Kyrie eleison*.
Sans introduction ni conclusion sacerdotales, elle comporte:

a/	le répons, qui n'est plus introduit, comme à l'habitude, par une monition du genre *Dicamus omnes*;
b/	une invocation attributive;
c/	une invocation impérative;
I-VIII:	de deux à huit invocatoires nominaux; b/-c/, de même que le répons, indiquent clairement qu'il s'agit d'invocatoires;
d/-g/	deux ou trois invocations impératives, sous forme de versets bibliques comme au début.

E. ANALYSE

Il n'est plus nécessaire d'allonger encore les parallèles orientaux, FG²
ne comprenant aucun invocatoire réellement original. Il nous suffira de
commenter le formulaire en notant les relations avec les litanies latines.

1. *Commentaire*

a/	l'omission d'une monition introduisant le répons est certainement secondaire; les autres litanies latines ne laissent aucun doute à ce propos. Remarquons que le manuscrit G de M² omettait *Dicamus omnes* et commençait ex abrupto par *Kyrie eleison*, comme ici.
b/-c/	sont identiques à M² b/-c/.
I	figure dans β et γ; elle se retrouve en FG¹ II, avec la même hésitation entre *diffusa* et *constituta*.
II	la prière pour le pape existe dans certains manuscrits des familles β - γ - δ; sa finale est originale (*plebe* β; *apostolatu* K). Chose curieuse: cet invocatoire figure dans tous les manuscrits du Sud de la France ou d'Espagne, et là seulement (E E' F J J' K M', et P dont on ne connaît pas la provenance); est-ce un hasard, ou cette constatation révèle-t-elle des tendances particulières de théologie ou de piété populaire?

III   est mentionné par β (sauf F) et δ (sauf C); il est identique à FG¹ III.

IV-V   La première demande pour le roi se rencontre en β dans le groupe de Cambrai, en γ et δ; elle est identique à FG¹ V. V parle aussi des rois, mais son objet propre est la paix; est-ce la proximité de ces deux mentions des rois qui a fait supprimer V en γ? Notons que M¹ IV priait *pro pace ecclesiarum ... et quiete populorum*: les temps ont changé ...

VI   figure en deux manuscrits (F et M', monastiques) de β, en γ et en C; remarquons dans la famille γ la correction en *conventu*, née probablement quand ces manuscrits furent utilisés dans une communauté religieuse sans Abbé. Le fait que VI ne se trouve que dans des sources monastiques, mais pas en toutes, semble indiquer qu'il ne faisait pas partie du fond primitif de FG², pas plus que de FG¹; aussi le plaçons-nous entre crochets.

VII   Cet invocatoire, qui figure parfois en FG¹ VI, semble appartenir en propre à notre litanie; c'est le seul qu'on rencontre, avec de légères variantes (*isto* δ sauf C; *omnibus* add γ), dans les quatre familles.

VIII   ne se trouve qu'en β, où le groupe de Cambrai l'omet; il est identique à FG¹ IX.

d/   = M²d/; il est omis par δ (et par γ qui n'a aucun verset final).

e/   propre à FG²; observons les variantes *supplicantium* (α), *deprecantium* (β), *confitentium* (δ); cfr. *Ps* 139,7; 57,6.

f/   = FG¹c/.

g/   = M²f/.

2. Sources de FG², et datation

Il est indéniable que notre pièce appartient à la seconde vague de textes latins. Mais adapte-t-elle une source aujourd'hui perdue (Z), ou s'explique-t-elle suffisamment à partir des litanies étudiées précédemment?

a/-b/-c/-d/-g/ pourraient être dus à l'influence de M², de même que le répons *Kyrie eleison* et l'aspect nominal des invocatoires. L'objet de ceux-ci, par contre, est beaucoup plus proche de FG¹: I-III-[IV]-[VI]-VIII peuvent en provenir, de même que le verset f/. Restent comme particularités propres à FG² l'invocatoire II avec *plebe*, les V (peut-être influencé par M¹ IV) et VII qui en constituent le tronc commun, ainsi que le verset e/.

Remarquons que ces quatre éléments ne peuvent provenir des sources Q ou Y dont nous avons été contraint de supposer l'existence; on ne voit pas comment, à partir du même Q, on peut obtenir FG¹ et FG², ni, à partir de Y, M² et FG². Ces quatre éléments exigent-ils dès lors que nous supposions l'existence d'une source Z qui les aurait contenus, ou faut-il en attribuer la paternité au rédacteur de FG²?

Il est possible qu'il ait existé une source Z; rien ne nous permet de le nier ... sinon que nous n'en avons aucune trace. Une saine méthode historique répugne à multiplier les hypothèses quand les faits peuvent trouver leur explication sans y recourir. Nous croirions volontiers que le texte actuel de FG² est l'œuvre d'un auteur qui pour le rédiger aura compilé les litanies que nous connaissons, notamment M² et FG¹. Peut-être a-t-il repris II, V, VII et e/ à une litanie qui ne nous est pas parvenue; mais il est tout aussi possible qu'en II il ait remplacé *sacerdotio* (M² II) par *plebe,* à une époque où l'idée du presbyterium était oubliée; qu'il ait transformé le *pro pace ecclesiarum* de M¹ IV en *pro pace regum* quand la paix était plus menacée par des rois belliqueux que par des luttes doctrinales entre Eglises; qu'il ait modifié le *pro civitate hac* de M² V en *pro loco nostro,* plus général, et pouvant notamment s'appliquer aux monastères, s'inspirant d'ailleurs peut-être de Irl¹ IV.

Quoi qu'il en soit de son origine, FG² est certainement un formulaire tardif, qui ne doit pas avoir vu le jour avant le VIe siècle.

3. Usage de FG²

L'OR 50 la situe au mercredi des Rogations; elle se chante au sortir de l'église, à la même place que FG¹ le lundi. Les processionnaux du moyen âge et certains graduels en font le même usage, parfois le lundi, très souvent le mardi. De même que pour FG¹ et pour les mêmes raisons, nous ne pensons pas que l'OR 50 soit à l'origine de cette utilisation de FG².

L'hypothèse dont nous avons rejeté la vraisemblance à propos de FG¹, à savoir que cette litanie aurait été rédigée non comme prière universelle, mais directement pour servir aux Rogations (instituées à la fin du Ve siècle), n'a pas plus de chances de correspondre à la réalité en ce qui concerne FG².

Mais pouvons-nous honnêtement reconnaître dans ce texte dégradé un formulaire d'*oratio fidelium*? Car une fois de plus, aucune de nos sources n'indique cette fonction. La similitude de FG² avec les autres litanies nous montre cependant que même si elle n'a pas servi comme prière universelle dans son état actuel, elle nous en conserve certainement des bribes; c'est à ce titre-là qu'elle figure dans ce dossier.

4. Localisation

Nous n'avons rencontré aucun indice de localisation. Deux éléments seulement sont à notre disposition: le fait que toutes nos sources sont franco-gallicanes, et la probabilité que le rédacteur connaissait notamment M² et FG¹. Rien en dehors de cette relation à M² ne nous mène sur le chemin de Rome; au contraire, tout nous pousse plus au Nord, vers ces Eglises qui ont souvent tourné les yeux vers le Siège Apostolique et qui en ont petit à petit repris les traditions liturgiques. Aussi situons-nous FG² dans l'une de ces Eglises qui pratiquaient ce que l'on appelle, de manière assez imprécise, la liturgie gallicane.

V. Le second texte dit irlandais (Irl²)

Le «Canon dominicus papae gilasi» du Missel de Stowe contient au Memento des vivants une longue incise; les termes en sont fort proches de nos formulaires, même si la forme actuelle n'a plus rien d'une *oratio fidelium*[269]. Le texte se trouvait aussi dans le manuscrit de Fulda recopié par Witzel. Au début du siècle, Bannister en rencontra encore un témoin dans un fragment de Reichenau. Enfin, dans le manuscrit 164 de Cambrai, qui contient à partir du f. 35ᵛ le Sacramentaire grégorien de l'évêque Hildoard, nous avons trouvé au f. 34ᵛ un quatrième témoin de ce formulaire. En voici donc la liste.

A. LES TEMOINS

S = DUBLIN, Royal Irish Academy, D. II. 3, f. 24ᵛ—25ᵛ = *Missel de Stowe*, édition Warner, p. 11 (Clavis 1926 — Bourque 527 — Gamber 101). Tout le début du Canon est de la main de Moelcaich et date du IXe siècle.

F = Missel irlandais de Fulda, cfr. G. Witzel, *Exercitamenta sincerae pietatis*, Mayence 1555 (Bourque 528A — Gamber 102).

R = CARLSRUHE, Bad. Landesbibl., App. Aug. CLXVII (fragment MS Reichenau), f. 2ʳ, col. 1—2, VIIIe-IXe siècle. Ed. Bannister, JTS, t. 5 (1904), p. 64—65 (Bourque 532).

C = CAMBRAI, Bibl. Mun. 164 (olim 159), f. 34ᵛ; 2e moitié IXe siècle. Ed. Leroquais, *Sacramentaires* ..., t. 1, p. 9 (Bourque 53)[270].

---

[269] Dans l'introduction de la deuxième partie, nous avons justifié la présence de ce texte dans notre dossier.

[270] Dans son article *On Some Early Manuscripts of the Gregorianum*, repris dans *Liturgica historica*, E. BISHOP avait déjà fait remarquer (p. 65, note) que le manuscrit Cambrai 164 porte des traces d'influence irlandaise, notamment dans les initiales. L. GOUGAUD avait repris ce jugement dans son article *Celtiques (Liturgies)*, DACL 2, 2, col. 2969—3032; il classe même le manuscrit (col. 2972) parmi les sources celtiques. Par contre, H. LIETZMANN refuse cette influence insulaire (*Das Sacramentarium Gregorianum nach dem Aachener Urexemplar*, Munster, 1921, p. XVII); il est suivi par BOURQUE (n° 53), tandis que ni GAMBER n° 720, ni VOGEL (*Introduction*, p. 75, note 239), ni LEROQUAIS (*loc. cit.*) n'en soufflent mot.

Aucun d'eux ne semble avoir remarqué notre texte, encore moins sa parenté avec Irl². Aussi faut-il donner raison à Bishop; s'appuyant sur TRAUBE *(Peronna Scottorum*, dans *Vorlesungen und Abhandlungen*, t. 3, Munich, 1930, p. 95—119), il souligne l'influence irlandaise subie par les abbayes de Péronne, Saint-Riquier et Corbie, et ressentie aussi à Cambrai. Même si Irl² était un texte gallican introduit dans les sources irlandaises, une preuve supplémentaire des relations entre la Gaule et l'Irlande n'en est pas moins fournie.

B. L'édition

Notre édition est basée sur S, qui a gardé à plusieurs reprises le substantif que F a remplacé par un adjectif verbal. C a été influencé par
cette dernière façon de faire; en VI, sa leçon *venerantium,* qui ne veut
rien dire, peut s'expliquer par la présence en F de *celebranda.* Le début
a/ ne fait pas partie du texte; nous le donnons ici, suite à R, à titre de
rapprochement, en le plaçant entre [ ].

[a/[271]   Oremus domini misericordiam
         pro animabus omnium episcoporum nostrorum
                et presbyterorum[272] nostrorum
                et diaconorum nostrorum
                et carorum nostrorum
                et cararum nostrarum
                et puerorum nostrorum
                et puellarum nostrarum
                et paenitentium nostrorum[273]]

A I[274]   pro[275] statu[276] seniorum[277] et ministrorum omnium puritate[278]

II   pro integritate virginum et continentia viduarum

III   pro bona[279] aeris temperie[280] et fructuum fecunditate terrarum[281]

IV   pro pacis redditu ac fine[282] discriminum

V   pro incolumitate[283] regum et pace[284] populorum ac redditu[285]
         captivorum

VI   pro votis adstantium[286] et[287] memoria martyrum[288]

---

[271] a/ *in* S = Secunda pars augmenti hic super oblata (Warner, p. 9)
     in R = *post* Qui pridie
     om CF.
[272] presbyterorum R. sacerdotum S.
[273] ⟨ut⟩ cunctis proficiant ad salutem per dominum. Sursum corda *expl* S.
[274] I *in* S = Memento vivorum (Warner p. 11)
     in F = *in Canone (forte etiam Memento vivorum)*
     in C *sine titulo.*
[275] pro] et in commoni R.
[276] statu] stratu *alt.m* RS.
[277] seniorum FR. seniorum suorum S. sacerdotum C.
[278] ministrorum omnium puritate CS. puritate *om* R. puritate ministrorum F.
[279] bona *om* CRS.
[280] temp-/.../ pro incolumitate *lac* R.
[281] fructuum ... terrarum CS. segetum fecunditate F.
[282] reditu ac fine F. redetu et fine S. et finis redditu C.
[283] incolumitate /.../-lorum ac *lac* R.
[284] pace] tranquillitate F.
[285] reditu] liberatione F. ac red-/.../-tis adstantium *lac* R.
[286] exaudiendis *add* F. adstan-/.../-tirum *lac* R.
[287] et C. pro FS.
[288] celebranda *add* RS. venerantium *add* C.

VII[289] pro remissione[290] peccatorum nostrorum[291] et actuum emendatione[292]

VIII pro[293] requie[294] defunctorum

IX[295] pro[296] prosperitate itineris nostri

B X pro[297] domino papa episcopo et[298] omnibus episcopis et presbyteris[299] et omni ecclesiastico ordine[300]

XI pro imperio romano[301] et omnibus regibus[302] christianis

XII[303] pro fratribus et sororibus[304] nostris

XIII[305] pro fratribus in via directis[306]

XIV[307] pro[308] fratribus quos de caliginosis huius mundi[309] tenebris dominus arcessire dignatus[310] est ut eos in aeterna summae lucis quiete[311] divina[312] pietas suscipiat

XV pro fratribus qui variis[313] dolorum generibus affligantur[314] ut[315] eos[316] divina pietas[317] curare dignetur[318]

[XVI[319] pro spe salutis et incolumitatis suae[320]].

[289] VII] pro remittendis atque emendandis peccatis nostris F.
[290] omnium *add* C. pro re-/. . ./ nostrorum *lac* R.
[291] nostrorum *om* C. et /. . ./ et pro requie *lac* R.
[292] eorum *add* S (⟨r⟩eorum *susp* Mac Carthy).
[293] pro F. ac CS. et pro R.
[294] omnium fidelium *add* C. requie d-/. . ./ itineris *lac* R.
[295] IX *usque* XV *om* C.
[296] pro F. et S.
[297] pro FS. et /. . ./ episcopis *lac* R.
[298] domino papa episcopo et S. romano pontifice ac F.
[299] et presbyteris] presbyterisque F. episcopis e-/. . ./-astico ordine *lac* R.
[300] ordi-/. . ./ et omnibus *lac* R.
[301] romano *om* F.
[302] regibus] principibus F. regib-/. . ./ directis *lac* R.
[303] XII *om* R.
[304] et sororibus S. sororibusque F.
[305] XIII *post* XIV F.
[306] directis] dirigendis F.
[307] XIV *ante* XIII F.
[308] et pro /. . ./-ginosis *lac* R.
[309] huius mundi] mundi huius S. huius /. . ./-cessire *lac* R.
[310] dig-/. . ./-ce et quiete *lac* R.
[311] in aeterna summae lucis quietae S. ⟨in aeterna lu⟩ce et quiete R. in aeternam summamque lucem et quietem F.
[312] divina pietas] pietas divina S. di-/. . ./pro fratribus *lac* R.
[313] va-/. . ./ gemitibus *lac* R.
[314] generibus affligantur FS. gemitibus R.
[315] ut /. . ./-are dignetur *lac* R.
[316] in aeternum *add* F.
[317] pietas S. bonitas F.
[318] dignet-/. . ./ *lac* R.   [319] XVI *om* FR.   [320] suae *om* C.

C. Paralleles orientaux et occidentaux

Les parallèles orientaux stricts d'Irl² sont peu nombreux; si la thématique générale est toujours commune avec les litanies orientales, sa dépendance est cependant beaucoup plus marquée envers les textes latins. Notons quelques rapprochements:

I   *senior* traduit πρεσβύτερος.

III   = B 363, M¹ VI, FG¹ VII, M² VI. *Temperies* traduit comme toujours le grec εὐκρασία; notons que F porte «pro *bona* aeris temperie», qui est probablement un calque de εὐ-κρασία.

V   cfr. FG² V.
     «*redditu* captivorum» est à rapprocher de J 46 où l'invitatoire pour les nécessiteux se termine par la demande εἰρηνικῆς ἐπανόδου αὐτῶν.

VI   τῶν ἁγίων μαρτύρων μνημονεύσωμεν . . . CAp VIII, 13, 6; J 35, 48; cfr. Irl¹ XI.

VII cfr. DG XIII, FG¹ IX, FG² VIII.

X   ὑπὲρ τοῦ ἀρχιερέως ἡμῶν πάπα ἀββᾶ M 121.

XI   cfr. Irl¹ V.

XV   cfr. M¹ IX, FG¹ VIII.

D. Forme liturgique

Dans son état actuel, Irl² est une «prière sacerdotale»; un répons lui manque pour être une litanie. Nous estimons cependant, sur base de sa proximité avec les autres formulaires latins, qu'elle fut à l'origine une litanie, et c'est d'ailleurs à ce titre que nous la présentons ici.

Comme nous l'avons déjà dit, a/ ne fait pas partie du texte primitif:
— il manque en C et F;
— en S, il se place avant la Préface et fait partie d'une prière intitulée «secunda pars augmenti hic super oblata»;
— en R seulement il précède immédiatement notre formulaire.

De même, XVI appartient au Memento des vivants.

Le reste du texte est constitué de deux pièces juxtaposées: I—IX et X—XV. Nous en avons plusieurs indices:
1. C ne comporte effectivement que la première partie[321];
2. X apparaît comme un nouveau début; la prière pour les ministres se

---

[321] Bien que C ne comporte que les demandes I-VIII, nous estimons que IX fait partie de la première litanie plutôt que de la seconde, où XIII est encore une prière pour les voyageurs et constituerait donc un doublet; de plus IX n'a rien d'un incipit.

trouve en effet toujours parmi les premières demandes, et non au milieu d'un formulaire;

3. plusieurs demandes sont exprimées deux fois: X est un doublet de I, XI de V, XIII de IX, XIV de VIII;

4. on discerne également des variations dans le vocabulaire: I parle de *senior*, X de *presbyter*, qui proviennent tous deux de πρεσβύτερος.

Nous estimons donc que deux litanies ont été mises bout à bout, probablement à une époque où la prière universelle était tombée en désuétude et où sa fonction fut prise en charge par des intercessions anaphoriques plus développées.

Schématiquement, la forme liturgique est donc la suivante:

[a/ invitatoire pour les défunts];

A. 1e partie, composée de neuf invitatoires nominaux (I—IX);

B. 2e partie, composée de six invitatoires nominaux (X—XV);

[XVI appartient au Memento des vivants].

Nous avons bien affaire à des invitatoires puisque, outre a/ qui en est explicitement un, XIV et XV parlent de Dieu à la troisième personne; nous ne sommes pas dans le type invocatif.

E. Commentaire de la premiere partie (I—IX)

I. Le terme *senior* (πρεσβύτερος) est propre à Irl[2]; mais quelle signification lui donner? Dans la littérature chrétienne, il revêt principalement deux sens. Anciennement, il est synonyme de *presbyter*; ce sens ministériel se trouve chez Tertullien[322], Cyprien[323], Léon le Grand[324]. Plus tard, dans le monachisme, *senior* a le sens banal d'ancien, homme d'expérience[325]; dans le Memento des défunts du Missel de Stowe (si ce rapprochement est pertinent), l'expression «offert senior noster ·N· praespiter pro se ...»[326] paraît plutôt désigner le père abbé du monastère.

Nous pensons que *senior* désigne ici les prêtres, vu la mention des ministres, dans la même demande, vu aussi la variante *sacerdotum* de C.

---

[322] Tertullien, *Apol.* 39,5; éd. Dekkers, CC 1, p. 150: «Praesident probati quique seniores».

[323] Cyprien, *Ep.* 75,4,3; éd. Bayard, t. 2, p. 291: «qua ex causa necessario apud nos fit ut per singulos annos seniores et praepositi in unum conveniamus...».

[324] Leon le Grand, *Serm.* 60,7; PL 54, 341 B: «Nunc etenim et ordo clarior levitarum, et dignitas amplior seniorum, et sacratior est unctio sacerdotum».

[325] Cassien, *Instit.* III,5,1; éd. Petschenig, CSEL 17, p. 40; éd. Guy, SC 109, p. 106: «haec a senioribus nostris sollemnitas instituta est».
La Règle de saint Benoît parle 12 fois des *seniores*, toujours au sens de sage, ancien.

[326] *Missel de Stowe*, éd. Warner, p. 14.

La prière pour la *puritas* des ministres nous semble plus récente; on ne trouve jamais cette demande en Orient; elle reflète une évolution dans la conception du sacerdoce.

Remarquons la construction de ces demandes (*pro* + ablatif indiquant l'objet de la prière, + génitif qui en désigne le bénéficiaire); elle est nettement latine; le latin en effet préfère les termes abstraits (*puritas, integritas* ...), tandis que le grec utilise davantage les mots concrets. Ceci confirme que notre formulaire n'est pas une traduction directe du grec, mais appartient à la deuxième vague de textes.

II. La place occupée par cette prière pour les vierges et les veuves pourrait nous ramener à la période ancienne où elles étaient assimilées aux ministres. Nous pensons cependant que l'ordre des demandes a subi des avatars: le beau temps précède la paix et tous deux se situent avant les rois, ce qui n'est guère traditionnel.

III. La seconde partie de l'invitatoire a traduit fidèlement B 363 et a conservé la formule latine ancienne; nous avons vu que dès M¹ VI par contre, cette demande avait subi des modifications.

V. A rapprocher de FG² V: «pro pace regum et quiete populorum»; *incolumitas* est propre à Irl². Rien n'indique que les captifs dont il est ici question soient encore des chrétiens emprisonnés à cause de leur foi.

VI. La première partie de cet invitatoire est une prière pour l'assemblée; nous n'avons rencontré une demande semblable qu'en DG XII.

La mémoire des saints est un thème oriental, attesté déjà en Irl¹ XI.

IX. La prière pour les voyageurs est fréquente, mais le libellé de cet invitatoire est original.

Essai de datation

Ce formulaire apparaît comme un exemple type de la seconde vague de textes; il utilise un matériel ancien (*senior*; III bien conservé; les captifs en V; la mémoire des martyrs en VI); mais il est évident que ce fond a été retravaillé à une époque récente, même fort récente, dont témoignent des éléments comme la *puritas* des ministres (I), l'*integritas* des vierges et la *continentia* des veuves (II), termes qui révèlent un souci moralisateur; la demande d'exaucement des prières de l'assemblée (VI) qui n'apparaît jamais dans les premiers formulaires.

Il est possible qu'Irl² A ait subi deux relectures. La première lui aura encore conservé un répons et lui aura donné ce rythme balancé (*pro* + ablatif abstrait + génitif concret). La seconde aura transformé cette litanie en une prière sacerdotale (texte actuel); cette dernière transformation date probablement de l'époque où l'*oratio fidelium* avait disparu, époque mal déterminée, mais antérieure toutefois aux Sacramentaires. Nous

daterions grosso modo la première relecture du VIe, la seconde du VIIe
siècle.

F. Commentaire de la seconde partie: X—XV

La litanie qui sert de seconde partie à Irl² a été amputée au début;
on n'y trouve pas de prière pour la paix, fréquente dans ce genre littéraire; il y manque surtout la demande pour l'Eglise universelle, toujours
présente dans les litanies analogues.

X   Quelle acception donner à *papa*? A première vue, il désigne ici
         l'évêque du lieu; c'est ce que semble indiquer le terme *episcopo*
         qui suit immédiatement, même si celui-ci a été ajouté, comme une
         précision, à une époque où *papa* tendait déjà à être réservé à
         l'évêque de Rome. C'est ce que confirme le parallèle offert par
         M 121 (ὑπὲρ τοῦ ἀρχιερέως ἡμῶν πάπα ἀββᾶ), ainsi que Irl¹ III:
         «pro patre nostro episcopo». L'absence de prière pour le pape de
         Rome n'est pas un argument contre cette interprétation; elle man-
         que en beaucoup de textes anciens.
             Dans la seconde hypothèse, qui serait celle de Dom Botte, *papa*
         indiquerait l'évêque de Rome; la variante de F le mentionne avec
         toute la clarté voulue: *pro romano pontifice*. Une virgule séparerait
         alors *papa* de *episcopo*; il manquerait à ce dernier terme une déter-
         mination, comme *nostro,* pour désigner l'évêque du lieu, à moins
         bien sûr que le texte lui-même ne provienne de Rome, ce dont nous
         n'avons aucun indice; XI («pro imperio romano») ne peut servir
         d'argument, car la suite en est: *et omnibus regibus christianis.*
             Une fois de plus, nous sommes confrontés à la difficulté d'inter-
         préter exactement ces textes liturgiques; ils ont véhiculé à travers
         les siècles des termes dont le sens a évolué; parfois ils ont remo-
         delé, en leur donnant une signification différente, un matériel
         ancien, si bien que nous sommes souvent incapables de préciser le
         sens exact du texte tel qu'il apparaît aujourd'hui dans les manu-
         scrits. Ici cependant, la suite de la pièce nous éclairera.
             — *Et omni ecclesiatico ordine*: le vocable *ordo* ne se rencontre
         en nos textes qu'ici et dans la troisième oraison des OS («pro uni-
         versis ordinibus»).

XI   *Pro imperio romano*; c'est le seul texte, avec Irl¹ V, à parler de
         l'empire romain; est-ce un indice de leur origine? *Et omnibus
         regibus christianis* ne peut dater d'avant la fin du Ve siècle; c'est
         peut-être une adaptation de la première demande, après l'effon-
         drement de l'Empire.

XII—   Ces quatre invitatoires prient *pro fratribus*: nous pensons être ici
XV   en présence d'un formulaire monastique, malgré la difficulté de
         savoir qui sont alors les «sœurs» en question; ceci est confirmé par:

XIII   *pro fratribus in via directis*; la Règle de saint Benoît intitule le ch. 67 *De fratribus in viam directis*; cfr. aussi ch. 50 et 55.

XIV   C'est d'une bien sombre époque que le Seigneur paraît appeler les frères à sa lumière ... Cet invitatoire-ci et le suivant précisent l'objet de la prière grâce à une proposition finale.

XVI   ne fait pas partie de cette pièce, mais bien du Memento des vivants.

Conclusion

La seconde partie d'Irl² est le formulaire le plus dégradé parmi ceux que nous avons examinés jusqu'ici.

Dans un état antérieur, que nous supposons litanique, il devait comporter au moins les invitatoires X—XI et probablement la teneur de XIII et XV, et bien sûr un répons; c'est la comparaison avec les anciennes litanies qui nous permet de le supposer.

Dans son état actuel, Irl² B a subi l'influence bénédictine, et n'est donc certainement pas antérieur à 529. Ce n'est plus un formulaire d'*oratio fidelium*: les invitatoires XIV et XV ont été retravaillés et ne répondent plus au rythme caractéristique des anciennes litanies. Une date est très difficile à lui attribuer; mais le VIIe siècle ne nous paraîtrait pas trop tardif. Aussi le *dominus papa* en X désigne-t-il certainement, dans l'état actuel du texte, l'évêque de Rome; quant à *episcopo*, ou bien il faut le rattacher à *papa* et traduire: «pour le seigneur pape (ou père) évêque (de Rome)»; l'absence de prière pour l'évêque du lieu (si le monastère n'est pas romain) ne serait pas catastrophique dans un texte monastique; ou bien *episcopo* désigne l'évêque du lieu, et il faut sous-entendre *nostro*, après avoir placé une virgule à la suite de *papa*.

Quant à la provenance du formulaire, XI pourrait être un faible indice en faveur de son origine romaine.

CONCLUSION DES TROIS PREMIERES SECTIONS

Nous avons lu et analysé huit textes de prière universelle, les plus anciens qui nous ont été conservés. Avant d'en venir aux conclusions générales, nous aurons avantage à parcourir encore les pièces présentées dans la quatrième section. Mais nous pouvons déjà rassembler quelques impressions.

Ce dossier ne peut nous donner qu'une pauvre idée de ce qu'était la prière universelle dans l'Antiquité chrétienne, car il ne nous offre que huit formulaires; tant d'autres ne nous sont pas parvenus, ou ne furent même jamais mis par écrit. De ce lot se dégagent, majestueuses, les OS, manifestement les plus riches et les plus belles de ces prières, et aussi les plus anciennes, puisque leurs invitatoires remontent à la seconde moitié du IIIe siècle.

Une acquisition nouvelle de notre étude concerne la date d'apparition des litanies en Occident; alors que l'on parle généralement de la *Deprecatio* de Gélase (492—496) comme de la première prière litanique latine, nous avons établi qu'elle faisait partie d'une deuxième génération de litanies. La première, qui date de la fin du IVe s., se contente de traduire des textes grecs, et nous livre, en Irl[1] et M[1], les matériaux les plus anciens. La deuxième vague va perfectionner ce donné; DG en est le fleuron; avec les OS, c'est le texte le plus élaboré que nous avons lu.

Mais bientôt cette relecture des formulaires anciens, au lieu de les améliorer, les appauvrira; M[2], FG[2], et surtout Irl[2] témoignent de l'effondrement culturel de l'époque; les liturgistes en viennent à puiser dans les trésors anciens et les adaptent aux circonstances nouvelles; ces transformations entraînèrent des dégradations, et l'on aboutira bientôt aux ritournelles. C'est le risque de la prière universelle, prière éminemment populaire, au meilleur sens du terme, de dégénérer en pure répétition et en demandes stéréotypées, au contenu banal. Les Anciens, il faut le reconnaître, n'avaient pas hésité à utiliser toutes les ressources de la composition littéraire pour donner à leur prière une beauté et une aisance qui, en emportant l'adhésion du cœur, élevaient aussi l'esprit.

LES «ORATIONES PASCHALES» GALLICANES ET HISPANIQUES

Les *orationes paschales* que l'on rencontre dans les Sacramentaires gallicans et hispaniques reprennent indubitablement la teneur des huit textes étudiés jusqu'ici; c'est ce qui nous pousse à les présenter dans ce livre, bien que leurs titres ne soient pas en rapport avec notre objet. En proposant ces formulaires, notre premier but est de fournir au lecteur un dossier complet, rassemblant des textes épars, mais très certainement apparentés. Nous n'aurons malheureusement pas le loisir de les étudier d'aussi près que les précédents; en les lisant, nous pourrons cependant nous faire une idée de ce que fut la prière universelle en Gaule et en Espagne.

Dans les sources dont nous disposons, ces pièces sont toutes utilisées lors de la Vigile pascale, mais à des places légèrement différentes, que nous indiquerons chaque fois[1].

A. Les «Orationes paschales» gallicanes[2]

1. Le Missale Gallicanum Vetus (MGV)

Ce livre[3] fournit, après l'*Exsultet*, la litie que voici; nous en reprenons le texte à Mohlberg.

---

[1] Ces textes sont connus depuis longtemps. Ils sont cités par:
W. Meyer, *Gildae Oratio rythmica*, Appendice II, dans les *Nachrichten* de Göttingen, Berlin, 1912, p. 87—108;
P. Alfonso, *Oratio fidelium*, Finalpia, 1928, p. 67—75;
F. Cabrol, art. *Litanies*, DACL 9, 2, c. 1560ss;
G. G. Willis, *Essays...*, p. 28—31.
Alfonso et Willis ne donnent que la liste des invitatoires. La meilleure étude sur la question est due au Père J. Bernal, *Los sistemas de lecturas y oraciones en la vigilia pascual hispana*, dans *Hispania sacra*, t. 17 (1964), p. 283—347 (aux p. 323—347).
[2] La bibliographie concernant les liturgies gallicanes a été indiquée plus haut, le Partie, 5e Section: *l'Eglise des Gaules*.
[3] ROME, Bibl. Vat. Palat. lat. 493, VIIIe s. (Clavis 1922 — Bourque 519 — Gamber 214); éd. Mohlberg, Rome, 1958; notre pièce se trouve aux f. 66r—70r, édités p. 37—39.

Incipiunt orationes in uigilia pascae pro sollemnitate sancta

a/   Inter prima celebrandae sanctae paschae solempnia uotorum con-
testatio ex gratiarum actione sumamus[4] exordium, ut passum et immolatum pro nobis Christum credentes, sacris misteriis fidem con-
cinnentibus exultationis plausibus praeferamus; ac per ipsum
inque[m] ipsum nostrae sit depraecationis ascensio, manentes in eo
et cum eodem diuinitatis gloriae[5]: per.

Collectio sequitur. Respice, domine, ecclesiam tuam quae admira-
bile[m] nomen tuum tota[6] terrarum orbe concelebra[n]t, et super
populum tuum uultum tuae pietatis inlumina: per.

I   *Pro aeclesiae unitate.* Deum patrem, karissimi fratres, uno spiritu
depraecamur[7], ut omnes fide[8] catholicae uinculis inlegati unum
sentiamus in Christo.

Collectio sequitur. Deus, qui unus et uerus es, te suppleces depraec-
camur, ut in omnibus placita tibi semper fides catholica perseueret:
per dominum nostrum.

II   *Pro sacerdotibus et omne clero.* Deum nostrum, karissimi fratres,
suppleces depraecemur, ut sacerdotes suos quos ceremoniae rele-
gione devinxit, sacri misterii conputes prestet omnemque clerum
citra culpam alicuius maculae iubeat permanere: per dominum.

Collectio sequitur. Supplecantibus domus tuae sacerdotibus ac
ministris, deum omnium dignitatem[9], perpetim gratiam benignus
infunde. Presta, salvator.

III   *Pro regibus et pace.* Apicem omnium potestatum et supereminen-
tem dominationem dominum deprecemur, ut regum nostrorum exer-
citum ita sua uirtute conroboret, ut per easdem gentibus subdetis
uel fugatis deo uiuo iugiter seruiamus: per dominum nostrum.

Collectio sequitur. Respice famulos tuos, domine, quibus orbis
regiminum et rerum aduenas[10] dedisti et praesta, ut tua uirtute
muniti populum tuum summa filicitate defenda⟨n⟩t, ut pace[m]
nobis ubique concessa tibi diebus ac noctibus seruiamus.

IV   *Pro uirginibus.* Unum uirginis filium depraecemur, ut omnibus
castitatis amore[m] flagrantibus perseuerantiae palmas inperciat:
per dominum.

Collectio sequitur. Sancte omnipotens deus, eam uirginitatis
cultoribus gloriam tribue, quam uirgo mater obtinuit: qui cum
patre[m].

---

[4] sumamus] sumat Bo.
[5] manentes . . . gloriae] manente . . . gloria?
[6] tota] toto.
[7] depraecamur] depraecemur.
[8] fide] fidei.
[9] dignitate(m *omnis en fin de ligne*)] dignitatum.
[10] regiminum . . . aduenas] regimen . . . habenas.

V   *Pro uiduis et orfanis.* Deum, necessitatum omnium consideratorem, dominum postulemus, ut uiduis orfanisque clementiae suae more subueniat: per.
    Collectio sequitur. Religiosa uiduetate poscentes[11] adque orbati paruoli nullo se praesidio distitutus, te, domine, adiuuante nunc sentiant.

VI   *Pro egrotantibus.* Medicinae caelestis auctorem dominum, fratres karissimi, ea qua conpetit supplecatione rogemus, ut actus animorum nostrorum corporumque languores uirtutis suae uerbum[12] sanare dignitur: per.
    Collectio sequitur. Infirma egretudine[m] laborantibus, omnipotens aeterne deus, paterna miseratione succurre: per.

VII   *Pro captiuis uel qui in carceribus detenentur.* Deum, qui mesta⟨s⟩ clades dissoluit, unianimiter deprecemur, ut omnes captiuitatis iugo depressus et in carcerum septa detrusus p[r]ius semper misericordiae largitur absoluat: per.
    Collectio. Deus, omnium laborantium insigne presidium, libera carcere clausus adque captiuos, eos presertim qui opem tuae pietatis inplorant.

VIII   *Pro peregrinantibus.* Habitatorem caeli inspectoremque omnium regionum dominum pro peregrinantibus unianimiter depraecemur, ut eis pro suae pietatis clementia maturum reditum largiatur: per.
    Collectio. Saluatorem omnium, qui es uia et ueritas et uita, it⟨in⟩erantibus angel[or]um ducem, quaesomus, pius pater, adtribue: per.

IX   *Pro elimosinis largitore.* Auctorem boni et fidelissimum retributore⟨m⟩ dominum depraecemur, ut omnes qui plenas indigentibus manus aperuit[13], et hic multiplecato[14] sui operis fructum capiant et in futurum gloriam consequantur aeternam: per.
    Collectio. Refice, domine, eorum uiscera benedictione caeleste, qui te pauperem[15] pasto reficiunt: per.

X   *Pro paenitentibus.* Summe pietatis dominum, qui non uult mortem morientium, dummodo renascantur et uiuant, pro paenitentibus dominum depraecemur, ut indulta suorum ...[16] remissionis suae plenitudinem largiatur: per.
    Collectio sequitur. Tribue, domine, munere fontis exutus[17], ut fidelis paenitentiae praemiis iterum glorientur: per.

---

[11] poscentes] potientes.
[12] uerbum] uerbo.
[13] aperuit] aperiunt.
[14] multeplecato] multiplicatum.
[15] pauperem] pauperum?
[16] suorum...] *add* malitia peccatorum.
[17] exutus] exutis.

XI   *Pro neophitis.* Pro neglegentibus tardisque domini nostri cultori-
      bus, id est neophitis, dominum deprecemur, ut eis desiderium beatae
      et perpetuae regenerationis infundat.
      Collectio. Deus, qui semper bona facis inuenire quaerentes,
      praesta, ut eorum rudimenta tironum mercidem consummati operis
      consequantur: per dominum.

XII   *Pro conpetentibus.* Dominum maiestatis oremus, ut cerui more
      fonte iam proximo sitientes mox ad[18] caelestis palmae lauream con-
      sequantur: per.
      Collectio. Siciunt ad te deum uiuum tuorum, domine, corda famu-
      lorum: suscipe cupientes saeculo mori, ut tibi, domine, renascantur;
      da presentem petentibus gratiam, uitam credulis daturus aeternam:
      per.

Forme liturgique

C'est une litie de 13 litiques.

— Le premier invitatoire est une introduction générale, qui campe la
  pièce dans les *paschae sollemnia*; il est le seul à ne pas porter de titre;
  il est suivi d'une oraison dont la fonction n'est pas manifeste.

— Suivent douze litiques, dont l'invitatoire est chaque fois précédé d'un
  titre exprimant l'objet ou les bénéficiaires de la demande.

Remarques

— La première oraison ne semble répondre à d'autre nécessité que de
  respecter le parallélisme avec les litiques suivants.

— Plusieurs expressions de ce formulaire figuraient déjà dans les textes
  précédents:

a/   oraison: *toto terrarum orbe*: cfr. OS I: *toto orbe terrarum*;

II   titre: *et omni clero* = Irl¹ III, FG¹ III, FG² III.
          oraison: *sacerdotibus ac ministris* = M¹ II, DG II.

III   invitatoire: l'*exercitus* des rois est citée dans tous les textes
          sauf OS, Irl² et DG (*militia*);
          gentibus subditis fait songer à OS IV: «subditas illis faciat
          omnes barbaras nationes».

IV   A partir d'ici, les titres sont repris aux listes de nécessiteux
          d'Irl¹ VII—X et M¹ VII—X.

VI   Les malades figuraient en OS VI, M¹ IX, FG¹ VIII, Irl² XV.

X   Les pénitents étaient mentionnés par Irl¹ IX et M¹ VII.

XI—XII Les catéchumènes étaient cités par OS V, Irl¹ IX et DG VII.

---

[18] [ad]?

Conclusion

Nous penserions volontiers que ce formulaire résulte d'une restructuration d'une ou de plusieurs litanies sous l'influence de la forme liturgique particulière des OS. Peut-être lors de l'infiltration progressive de la liturgie romaine en Gaule aura-t-on été impressionné par la solennité de cette litie; un rédacteur aura transformé les litanies alors en usage pour les adapter au goût du jour. Son latin n'a plus la qualité du modèle.

Cette litie a-t-elle encore servi comme prière universelle à la messe (sans le premier litique), ou fut-elle composée directement pour servir d'*orationes paschales*? Nous ne pouvons répondre à cette question maintenant; nous y reviendrons.

2. LE MISSALE GOTHICUM (GO)

Comme dans MGV, c'est après l'*Exsultet* que Go[19] donne cette litie, dont nous empruntons le texte à Mohlberg:

Oraciones paschalis duodecim cum totidem colleccionibus

a/   *Oracio pro graciarum accione. Praefacio.* Expectatum, frates karissimi, et desideratum nobis paschae diem adepti, gracias agamus omnipotenti deo patri, quod nos in hanc eandem diem per filium suum dominum nostrum Iesum Christum (quem pro nobis hostiam dedit in salutem aeternam) uocauit. Ob hoc fideli graciarum actione laudemus, benedicamus, honorificemus benedictum et beatum nomen dei patris in filio filique in patre et spiritu sancto in saecula saeculorum.

Oracio sequitur. Sancte domine, omnipotens pater, exaudi, tuere ac sanctificare[20] plebem tuam praemonitam[21] signo crucis, baptismate purificatam, crismate delibutam, quos ad celebrandam praesentis sollemnitatis beatitudinem congregasti, uniuersisque noticiam tui participacionem sancti spiritus propicius infunde: per.

I   *Oracio pro exsulibus. Praefacio.* Unianimes et unius corporis in spiritu dei patris omnipotentis domini misericordiam dipraecimur pro fratribus et sororibus nostris captiuitatibus[22] elongatis, carceribus detentis, metallis deputatis, ut eis dominus adiutor, protector et consolator existat neque deesse sibi reputet eos, qui fideli in se[23] innocencia perseuerant.

[19] ROME, Bibl. Vat. Reg. lat. 317, VIIIe in (Clavis 1919 — Bourque 516 — Gamber 210); éd. MOHLBERG, Rome, 1961; le texte figure aux f. 155ᵛ—161ᵛ, édités p. 62—65. On peut consulter sur ce formulaire les quelques notes de H. M. BANNISTER, *Missale Gothicum*, t. 2, Londres, 1919, p. 55ss.

[20] sanctifica[re].
[21] praemonitam] praemunitam.
[22] captiuitatibus] captiuitate.
[23] fideli in se] fideles (fidelitur?) in.

Oracio sequitur. Tribue, domine, relegatis patriam, uinctis abso-
lucionem, captiuis libertatem, ut plebs tua et in hoc saeculo et in
futuro misericordiae tuae munere liberetur.

II   *Oracio pro sacerdotibus. Praefacio.* In sanctorum sancta admissi
et altaris caelestis sacerdocii aeterni participes effecti, dei patris
omnipotentis misericordiam dipraecimor, ut sacerdotes suos ac
ministros donis repleat spiritalium graciarum.
Oracio sequitur. Domine deus uirtutum, iustifica et sanctifica
pastores et praepositos ouium tuarum, ut aduersarius noster diabulus fide eorum et sanctitate superatus contingere dominicum gre-
gem ac uiolare non audeat: per.

III   *Oracio pro uirginibus. Praefacio.* Incorruptae aeternitatis deum
et inuiolabilis naturae dominum unianimiter dipraecimor, orantes
pro fratribus nostris, qui gloriosam uirginitatem corpore ac mente
uouerunt, uti eos usque ad consummacionem propositi sui, misericordiae spiritus prosequatur: per.
Oracio sequitur. Respice, domine, uirgines sacras et spadones
uoluntarius id est praeciosas eclesiae margaritas, ut corpora eorum
ac spiritum inlaesa castitatis consciencia pari exaestimacione custo-
diant: per resurgentem.

IV   *Oracio pro aelymosinas facientibus. Praefacio.* Sanctum ac benedictum retribucionis deum unianimis[24], fratres dilectissimi, oracione
dipraecimor obsecrantes pro fratribus et sororibus nostris, quorum
ministerio atque sumptu inopiam non senciunt, qui in eclesia sunt
indigentes, ut isdem dominus spiritalis diuicias communicet, qui
fidelium animarum inopiae saecularis substanciae participant facul-
tatem: per resurgentem.
Oracio sequitur. Piis seruorum tuorum praecibus annue, misericors domine, ut quicumque praeceptorum caelestium memores pauperibus tuis quae sunt necessaria subministrant, incorruptibili et
caelesti gloria miseracionis tuae et misericordiae[25] coronentur: per.

V   *Oracio pro peregrinantibus. Praefacio.* Caelestium et terrestrium
et infernorum dominum deum patrem omnipotentem, fratres dilectissimi, dipraecimor, obsecrantes, uti fratres nostros ac sorores, quicumque peregrinacionum necessitatibus subiacent, omnipotens deus
auxilio suo comes adiutor reducat ac protegat: per.
Colleccio sequitur. Restitue, domine, peregrinis desideratum
patriae solum, ut contemplacione[m] misericordiae tuae, dum ad
praesens agunt beneficiis tuis gracias, ciues esse sanctorum ac tui
domestici concupiscant. Praesta per resurgentem.

VI   *Oracio pro infirmis. Praefacio.* Uniuersae salutis deum et uniuersae uirtutis dominum dipraecimor pro fratribus et sororibus nostris,

---

[24] unianimis] unianimes.
[25] miseracionis tuae et misericordiae] miseratione tuae misericordiae.

qui secundum carnem diuersis aegretudinum generibus insultantur,
ut his dominus caeleste medicinae suae munus indulgeat: per.
Oracio sequitur. Domine cui uiuificare mortuos facile est, restitue
aegrotantibus pristinae sanitati[26], ne terreni medicaminis remedia
desiderent, quicumque medillam caelestis misericordiae tuae diprae-
cantur: per resurgentem.

VII   *Oratio pro paenitentibus.* ⟨*Praefacio.*⟩ Confitentes bonitatis ac
misericordiae deum, qui peccatorum mauult paenitenciam quam
mortem, communicatis praecibus ac fletibus pro fratribus ac sororibus nostris domini misericordiam dipraecimor, uti eos peccati sui
crimina confitentes a bonitatis suae uenia non repellat.
      Oracio sequitur. Rex gloriae, qui non uis mortem peccatoris, sed
ut conuertatur et uiuat, da nobis peccatorum labe pollutis paenitenciam, simul ut flere cum flentibus et dolentibus et cum gaudentibus
gaudire possimus: per resurgentem.

VIII   *Oracio pro unitate. Praefacio.* Unum deum patrem, ex quo omnia
sunt, et unum dominum nostrum Iesum Christum, per quem omnia,
fratres karissimi, dipraecimur, ut unitatem eclesiae suae concordi
congregacionis nostrae uoluntate[m] confirmet: per resurgentem
filium suum.
      Colleccio sequitur. Omnipotens domine, qui es deus bonitatis et
totius consolacionis, te supplices dipraecamur, ut hereticus et infidelis a perpetuis gehennae ignibus manifestacione tuae ueritatis
eripias, quoniam uis omnis hominis saluos fieri et ad agnicione[m]
ueritatis uenire: per.

IX   *Oracio pro pace regum. Praefacio.* Dominus dominancium et
regem regnancium, fratres karissimi, oracione unianimes dipraecimor, ut nobis populo suo pacem regum tribuere dignetur, ut miti-
gatis eorum mentibus requies nobis congregacionis istius perseueret:
per.
      Colleccio sequitur. Carnis spiritum totius sator cunctorumque
regnorum mundalium indultor, da regum culmine religi⟨o⟩nis pro-
speritatem et pacis, ut nobis regno tuo caelesti in terris adhuc positis[27]
liberius liceat deseruire: per resurgentem.

X   *Oracio pro spiritibus pausancium. Praefatio.* Deum iudicem uniuersitatis, deum caelestium et terrestrium et infernorum, fratres
dilectissimi, dipraecimor pro spiritibus carorum nostrorum, qui nos
in dominica pace praecesserunt, ut eos dominus in requiem collo-
care[28] et in parte primae resurreccionis resuscitet: per.
      Oracio sequitur. Iesu Christe, uita et resurreccio nostra, dona
consacerdotibus et caris nostris, qui in tua pace requiuerunt, exop-

---

[26] pristinae sanitati] pristinam sanitatem *ou* aegrotantes pr.s.
[27] positis] posito.
[28] collocare] collocet.

tatae mansionis refrigerium, et si qui ex his daemonum fraude
decepti errorum se multis maculis polluerunt, tu, domine, qui solus
potens es, peccata eorum concede, ut quos dampnacionis suae participes diabulus gloriabatur effectus esse, per misericordiam tuam
socius tuae beatitudinis ingemiscat, saluator.

XI   *Oracio pro caticuminis. Praefacio.* Praecem spei fratrum nostrorum, karissimi, unianimes adiuuemus, uti dominus omnipotens ad
fontem eos beatae regeneracionis suae euntes, omnis[29] misericordiae
suae auxilio [spiritus] prosequatur.

Colleccio sequitur. Creator omnium, domine, et fons aquae
uiuae, per lauacrum baptismi peccata eorum dele, quibus iam
donasti resurreccionis fidem, ut mortem huius saeculi non timeant,
reple eos spiritu sancto, ut formari in illis Christum ac uiuere glo-
rientur: per.

Forme liturgique

Elle est identique à celle du formulaire précédent; ici, l'invitatoire est
nommé *praefacio,* et la collecte *oracio* ou *colleccio.*

a/   le premier invitatoire situe la pièce dans les solennités pascales.
Le titre de ce litique *pro graciarum accione,* ne se trouve pas en
MGV a/, mais le thème est identique.

I—XI: onze litiques, alors que MGV en comporte douze; un titre précède
chacun d'eux.

Remarques

1. La première oraison, comme dans MGV, ne s'explique sans doute que
   par son parallélisme avec les litiques suivants.
2. Cette litie est entièrement différente de la précédente, aucune parenté
   ne les lie. On remarquera le grand nombre de citations bibliques
   en Go.
3. Cependant quelques expressions de Go sont également reprises aux
   litanies:

   I   *pro fratribus et sororibus nostris* se retrouve en Irl² XII; la tour-
        nure est chère à Go puisqu'elle revient encore aux invitatoires III
        (*pro fratribus nostris*) et IV à VII;
        captivitatibus elongatis, carceribus detentis, metallis deputatis est
        certainement anachronique au temps du *Missale Gothicum*; ces
        expressions sont évidemment empruntées aux litanies:
        — les captifs sont nommés en M¹ VII et Irl² V;
        — les prisonniers en M¹ VIII; cfr. aussi OS VI;
        — les travailleurs *in metallis* exclusivement en M¹ VIII.
        Il ne serait donc pas surprenant que Go ait utilisé M¹.

---

²⁹ omnis] omnes *ou* omni.

II *sacerdotes suos ac ministros,* couple constitué au moins dès Cyprien[30] et employé par M¹ II, DG II, MGV II.

III *virginitatem corpore ac mente voverunt* fait songer à DG IV: «qui se mente et corpore propter caelorum regna castificant». La prière pour les vierges est fréquente, dès OS III.

V *peregrinacionum necessitatibus subiacent* = DG IX «peregrinationis necessitas».

VI *diversis aegretudinum generibus* est proche d'Irl² XV: «variis dolorum generibus».

X *spiritibus carorum nostrorum* = Irl² a/ «pro animabus ... carorum nostrorum». L'oraison reprend encore l'expression.

4. L'invitatoire I possède un parallèle dans le fragment A de REICHENAU découvert par Bannister[31]. On peut aussi le rapprocher du passage d'un palimpseste de Munich déchiffré par le P. Dold[32]; l'éditeur le situe à Noël (?). Il est malheureusement lacuneux. Chose frappante: un peu avant, ce même manuscrit comporte une expression que l'on retrouve littéralement dans l'invitatoire IX du Bo (cfr. infra).

Bannister observe aussi que le terme *unianimes* n'apparaît que trois fois dans tout le *Missale Gothicum,* et trois fois dans cette litie, ce qui semble en prouver l'unité d'auteur[33]. A y regarder de près, nous comptons même quatre fois ce vocable, dans les invitatoires I, IV, IX et XI, à quoi s'ajoute encore l'adverbe *unianimiter* en III. La conclusion en est renforcée.

5. L'oraison *Rex gloriae* (VII) se trouve en de nombreux sacramentaires, d'origine romaine ou non[34]. Elle s'appuie sur *Ez* XVIII, 23, 32 et XXXIII, 11[35].

6. De la fin de l'invitatoire VIII à la fin de l'oraison X, nous possédons un parallèle dans le palimpseste de Munich déjà cité[36]; les variantes sont mineures.

---

[30] Cyprien, Ep. I, 2; éd. Bayard, t. 1, p. 3; cfr. supra, 1e Partie, Section II, T. 13.

[31] CARLSRUHE, Bad. Landesbibl., App. Aug. CLXVII, A fol. 2ᵛ; éd. Bannister, JTS, t. 5 (1904), p. 61.

[32] A. Dold, *Das irische Palimpsestsakramentar in Clm. 14429 der Staatsbibliothek München,* Beuron, 1964, p. 19—20.

[33] H. M. Bannister, *Missale Gothicum,* t. 2, p. 56.

[34] Cfr. P. Siffrin, *Konkordanztabellen zu den lateinischen Sakramentarien. III Missale Gothicum,* Rome, 1961, p. 30ss.

[35] Une liste des passages liturgiques qui renvoient à ces versets est fournie par E. Bishop, dans son commentaire du *Book of Cerne,* éd. Kuypers, Cambridge, 1902, p. 248—249; il faut y ajouter les nᵒ 521, 1297 et 1318 du Sacramentaire de Bergame.

[36] A. Dold, *Das irische* . . ., p. 70—72.

7. L'invitatoire X *Deum iudicem universitatis* se trouve dans les sources romaines depuis le Gélasien ancien (n° 1616), dans le rituel des funérailles.

Conclusion

Cet examen renforce la conclusion que nous étions amené à proposer pour MGV. Il semble bien que, probablement sous l'influence des OS pénétrant en Gaule, Go ait transformé en litie des litanies comme M¹ et Irl². Sans que nous ayons poussé la recherche, la langue de Go nous paraît meilleure que celle de MGV.

3. Le Missel de Bobbio (Bo)

Au samedi saint toujours, mais avant l'*Exsultet* cette fois, le Missel de Bobbio³⁷ porte le formulaire suivant, que nous citons d'après Lowe:

Incipiunt orationes in uigiliis pascae

a/   Inter prima celebrande pascae sollemnia uotorum consecratio ex graciarum actione sumat exordium ut passum et immolatum pro nobis christum credentis et sacri ministerii princepim confitentis consono ore prosequamur per.

I   *Oratio pro his qui custodiarum uigiliis³⁸ et captiuitate detenti pascha interesse non possunt*
Dei patris omnipotentis clemenciam fratres karissimi deprecimur ut eos quos inuidus diabolus captiuitatis seruicio premit dei nostri misericordia in statum pristinum libertatemque constituat.

II   *Pro sacerdotibus ac ministris aeclesiae*
Deum ac dominum nostrum iesum christum pro sacerdotibus ac ministris aeclesie suae fratres karissimi supplices deprecimur ut ingressi santa sanctorum tociusque particeps³⁹ altares spritalium graciarum donis abundanciaque multimoda repleamur.

III   *Pro uirginebus*
Deum patrem omnipotentem fratres karissimi supplices oremus ut in fratribus ac sororibus nostris qui sanctam et maxime acceptabilem deum uirginitatem decarunt bone conceptum mentis propositum tenentes inmacolati iugiter perseuerint.

IV   *Pro his qui elymosinas faciunt*
Deum patrem misericordie suppliciter oremus ut in sanctos et huius

---

³⁷ PARIS, B.N. lat. 13246, VIIIe s. (Clavis 1924 — Bourque 517 — Gamber 220); éd. Lowe, Londres, 1920; le texte se trouve aux f. 107ʳ—109ᵛ, édités p. 67—69.
³⁸ vigiliis] vinculis.
³⁹ particeps] participes.

saeculi pauperis effusa largicio in celestium diuiciarum opes refluat et carnalium participacio societatem possit munerum spiritalium promerere.

V   *Oremus pro peregrinantibus*
Celestium et terrestrium deum patrem supplices deprecimur ut omnes fratris nostros qui peregrinacionum necessitatibus subiacent potencia auxilii sui protegat adque defendat.

VI   *Pro egrotis*
Uniuerse salutes dominum deprecimur pro fratribus et sororibus nostris qui secundum carnis infirmitatem diuersis aegritudinum uexantur incummodas uti[40] qui solus potest pro sua pietate omnibus adesse dignetur.

VII *Pro penetentibus*
Deum spei nostre fratres karissimi deprecimur ut timerate precepcionis reus reuersus in uiam rectam ab aspecto serenitatis suae non reiciat neque in aduento suo a rigni celestes ianua condemnandus excludat.

VIII *Pro unitatem aeclesiae*
Bonorum omnium fontem auctorem humane salutis dominum deprecimur ut unitate aeclesiae inuiolatam custodire dignetur ut et[41] presenti proteccione et in futuro perennis uite stipendia consequi meriamur.

IX   *Pro pace populi et regum*
Deum ac regem uniuerse condicionis dominum suppliciter oremus ut regibus ac potestatibus huius mundi eorumque ministris supplicem inter se amorem et concordiam largiatur.

X   *Pro spiritibus pausancium*
Deum patrem omnipotentem fratres karissimi pro cummemoracione defunctorum supplices oremus ut eisdem dominus adtinuatis que merito aspera sunt culpe piaculis clementissime remissionis suae refrigeria largiatur.

XI   *Pro competentibus*
Dei patris misericordiam pro cumpetentibus fratres karissimi supplices deprecimur ut eos dominus omnipotens ad fontem regeneracionis suae euntes omni celestes misericordie auxilio prosequatur.

      Collectio
Auctur uniuersitatis ac domine te deprecamur et quaesumus ut mortificatus terrenis uiciis in nouum hominem tibi seruire paciaris per resurgentem a mortuis dominum nostrum iesum christum.

[40] uti] ut is Mabillon. ut his Go.
[41] et] in Mabillon.

1. Commentaire

a/   est pareil au début de MGV a/.

I   transpose sur le plan spirituel les litiques de MGV VII et surtout Go I; ces derniers priaient pour les nécessiteux, grâce à des formules empruntées aux anciennes litanies. L'évolution est nette: tandis que MGV VII implore pour eux, sans plus, Go I intitule ce litique *pro exsulibus*; enfin Bo, explicitant le titre de Go I, a sans doute estimé que d'autres raisons que l'emprisonnement causaient l'absence aux fêtes pascales et a dès lors spiritualisé le thème en priant pour ceux qui sont captifs du diable.

    in statum pristinum libertatemque: hendiadys pour *libertatis*.

II   Le couple traditionnel *sacerdotibus ac ministris* (Cyprien, M[1] II, DG II) est maintenu dans le titre. La seconde partie semble être apparentée à Go II, ou peut-être ont-ils tous deux une inspiration commune; notre texte est certainement secondaire, car *totiusque participes altaris* n'offre guère de sens satisfaisant. *Donis abundantiaque*: hendiadys.

III   différent de MGV et Go, cet invitatoire contient l'expression *fratribus ac sororibus* d'Irl[2] XII, chère à Go (cinq fois). La construction *ut in fratribus ... perseverint* est défectueuse.

IV   sans rapport avec les deux textes précédents, mais attesté en Irl[1] X, M[1] X et DG XI.

V   Cette phrase est un abrégé banal de Go V; *protegat atque defendat* en Bo (cfr. l'oraison après l'antienne *Asperges me*) est moins adéquat que *reducat ac protegat* (Go), puisqu'il s'agit de voyageurs. Nous verrons plus loin que la tradition hispanique A (Ha X) a gardé un texte meilleur; cfr. p. 264.

VI   Il semble y avoir ici la même relation entre Bo et Go qu'au numéro précédent; cependant la leçon *secundum carnis infirmitatem*, attestée également par la tradition hispanique A (Ha V), paraît meilleure que le *secundum carnem* de Go VI. La fin est corrompue; Ha V, qui porte aussi *ut qui solus potest* est malheureusement lacuneux. FG[1] VIII priait «pro his qui infirmantur et diversis languoribus detinentur».

VII   Cet invitatoire, qui n'a rien de commun ni avec les litanies, ni avec les autres *orationes paschales,* prouve qu'à l'époque on n'attachait plus beaucoup d'importance aux désinences des substantifs ...

VIII   Sans relation avec les textes précédents.

IX   Différent de MGV et Go, cet invitatoire ou plus précisément l'expression *regibus ac potestatibus huius mundi* a cependant un parallèle dans le palimpseste de Munich cité plus haut à propos de Go I et VIII ss.[42]. Le texte se place à Noël (?), mais est lacuneux et finalement peu éclairant. Il est curieux d'observer que quelques lignes plus loin ce manuscrit porte «pro ... exsulibus», titre de Go I!

X   Même titre que Go X; absent en MGV.

XI   La finale de cet invitatoire a la même source que celle du *pro caticuminis* de Go XI; le texte de Bo est même meilleur.

La *collectio* finale reprend la thématique pascale du premier invitatoire.

2. *Formes liturgiques actuelle et ancienne*

Malgré le titre «*Orationes* in vigiliis pascae», terme repris avant l'intitulé de I et souligné encore par un *Oremus* avant V, nous sommes ici en présence non pas d'oraisons, mais d'une série de onze invitatoires, clôturée par une seule *collectio*. Le premier situe la pièce dans la vigile pascale, tout comme dans les deux textes précédents. Les titres y sont presque les mêmes également; dans son commentaire, Lowe[43] suggère que ce ne sont pas là de simples titres, mais les restes d'une monition diaconale, telle qu'on en trouve dans la liturgie hispanique. C'est très possible; nous en reparlerons plus loin, en étudiant la structure tripartite des lities.

Avons-nous conservé la forme liturgique primitive de ce formulaire? Dom Alfonso estime que non; le rédacteur, ou même déjà quelqu'un avant lui, n'aura pas recopié l'oraison, confondant sans doute les deux types eucologiques et ne voyant pas dès lors la nécessité de deux collectes[44]. Mgr. Borella suggère timidement, au contraire, que nous avons là l'état original du texte et suppose qu'après chaque invitatoire se plaçait une invocation populaire[45]. Franchement, nous ne voyons pas quel répons peut suivre ces invitatoires, sinon la prière silencieuse. La comparaison avec Go et les lities hispaniques nous paraît montrer clairement que loin d'être primitif, Bo a au contraire abrégé une formule de litie; Dom Alfonso avait raison. D'ailleurs, Meyer déjà[46] était de cet avis.

3. *Relations entre Bo et Go*

La lecture attentive de Bo nous renvoie à Go plutôt qu'aux anciennes litanies. Mais Bo dépend-il directement de Go, ou proviennent-ils tous deux d'une source commune? Alfonso adopte la seconde solution, à bon droit selon nous. Par contre, il hésite quant à savoir qui de Go ou de Bo s'en écarte le plus; à nos yeux, il est clair que Bo est secondaire, tant dans

[42] A. Dold, *Das irische* ..., p. 19.

[43] E. A. Lowe, *The Bobbio Missal*, t. 3, Londres, 1923, p. 126.

[44] P. Alfonso, *Oratio fidelium*, Finalpia, 1928, p. 69.

[45] P. Borella, *Kyrie eleison e prece litanica nel rito ambrosiano*, dans *Jucunda laudatio*, t. 2 (1964), p. 71.

[46] W. Meyer, *Gildae Oratio rythmica*, dans les *Nachrichten* de Göttingen, Berlin, 1912, p. 91.

sa structure (sans oraison) que dans son texte; le premier invitatoire, par exemple, a non seulement adapté la liste des nécessiteux que devait encore contenir la source pour en faire une liste d'empêchements aux solennités pascales (situation de Go), mais il a spiritualisé ces empêchements au point que l'on n'y trouve plus les nécessiteux! Plusieurs expressions de Bo sont également postérieures et témoignent d'un manque de compréhension du texte original.

Observons que le premier invitatoire de Bo nous oblige à reconnaître un lien entre celui-ci et MGV également.

Plusieurs questions se posent en rapport avec ces trois textes, notamment quant à leur origine et leur utilisation. Mais comme les formulaires gallicans sont très proches des hispaniques, il vaudra mieux d'abord présenter ceux-ci; nous serons mieux armé dès lors pour conclure.

B. Les «Orationes paschales» hispaniques[47]

La vigile pascale comportait en Espagne, après la bénédiction du cierge, une longue prière d'intercession. Elle a fait l'objet d'une étude sérieuse par le P. Bernal; il lui a consacré un chapitre de sa thèse sur la vigile pascale hispanique[48]. L'auteur distingue à juste titre deux traditions, qu'il nomme simplement A et B. Nous présenterons les textes de ces deux traditions, puis nous établirons les conclusions.

I. La tradition A (Ha)

1. Les témoins

GaM = MILAN, Bibl. Ambr. M 12 Sup., p. 123—140; Sacramentaire du Sud de la France, vers 700. Edition A. Dold, *Das Sakramentar im Schabcodex M 12 Sup. der Bibliotheca Ambrosiana*, Beuron, 1952, p. 26*—29*.
(Clavis 1917, M 12 — Bourque 522 — Gamber 205)
Ce sacramentaire utilise des formules hispaniques, mais suit l'ordonnance de la liturgie gallicane.

V = VERONE, Bibl. Capit. 89, f. 97ᵛ—99ᵛ, Orational de Tarragone?, avant 731. Edition J. Vives, *Oracional Visigótico*, Barcelone, 1946, p. 272—278.
(Clavis 2016 — Gamber 330). Ce manuscrit avait déjà été édité précédemment par J. Blanchini, *Libellus Orationum*, Rome, 1741, p. 1—136.

[47] Sur la liturgie hispanique, on peut consulter le bon article de J. Pinell, *Liturgia hispánica*, dans le *Diccionario de historia ecclesiástica de Espāna*, t. 2, p. 1303—1320, avec une très abondante bibliographie.
[48] J. Bernal, *Los sistemas de lecturas y oraciones en la vigilia pascual hispana*, dans *Hispania sacra*, t. 17 (1964), p. 283—347.

L   = LONDRES, Brit. Mus. Add. 30852, Orational de Silos, IXe s.,
      f. 80b—82d. Edition Vives, *Ibid.*
      (Clavis 2016 — Gamber 331).

O   = SILOS, Arch. Monast. 4 (olim C), écrit en 1052 pour Saint-Pru-
      dence de Silos[49], f. 162—165. Edition M. Férotin, *Le Liber ordi-
      num,* Paris, 1904, col. 217—223.
      (Diaz 637 — Bourque 552 — Gamber 390).
      Ce manuscrit n'a que les huit premiers litiques; Férotin a com-
      blé cette lacune à l'aide de V et L.

[A   = Antiphonaire de Léon[50]; il ne comporte que les rubriques et les
      invitatoires diaconaux; il ne donne pas le texte.]

2. Edition

Notre édition se base sur les quatre manuscrits cités ci-dessus.

α[51]   [INCIPIUNT[52] ORATIONES, QUAE PER SINGULAS LEC-
        TIONES IN VIGILIA PASCHAE DICUNTUR, ID EST[53],
        EXPLICITA PRIMA LECTIONE[54], DICITUR[55] HAEC ORA-
        TIO]

A a   Anniversaria, fratres[56] dilectissimi, festa votis sollemnibus[57]
        inchoantes, auxilium Domini poscamus e caelis, ut digni habea-
        mur ecclesiasticae functionis officiis[58]; inminet[59] enim[60] cura pro
        cunctis; illi pro[61] omnibus supplicemus[62] qui mori pro omnium
        salute dignatus est[63]

b[64]   *Deinde[65] clamat diaconus[66]:* Pro sollemnitate paschali precemur
        Dominum

---

[49] La confusion règne dans la désignation de ce manuscrit; Férotin l'appelle
codex B, Gamber codex 2; nous reprenons ici les indications de A. MILLARES
CARLO, *Manuscritos visigóticos. Notas bibliográficas,* Madrid-Barcelone, 1963.
[50] LEON, Arch. Cath. n° 8, Xe s. Ed. L. BROU — J. VIVES, *Antifonario
visigótico mozárabe de la Catedral de León,* Barcelone-Madrid, 1959, p. 284.
[51] α/om GaM *(Dold expl. secundum Bobbio 214:* Incipiunt orationes in
vigiliis paschae).
[52] incipiunt . . . id est *om* O. incipiunt *om* L.
[53] id est *om* L.
[54] prima lectione V. lectione prima L.
[55] a sacerdote *add* O.   [56] fratres *om* GaM.
[57] festa . . . sollemnibus] festivitatis sollemnia O.
[58] officiis] officio GaM.
[59] inminet] inminent GaM *(Dold in apparatu:* inminente?)
[60] illi *add* O.   [61] illi pro *om* O.
[62] ei *add* O.
[63] p. d. n. *add* GaM. cui est honor et gloria *add* V. Amen *add* O.
[64] b *om* GaM.
[65] deinde V. post haec O.
[66] dicens *add* O. deinde . . . diaconus *om* L.

c   *Collectio eiusdem*[67]:
Sanctifica, Domine, famulos tuos, ut sanctificatae noctis huius[68] dignis[69] obsequiis serviamus[70].

I a[71]   Ecclesiastica unitate connexi, Deum[72] patrem petamus, ut eandem Ecclesiam concordiae vinculo coherentem, individuae caritatis[73] nunc studiis, post premiis muneretur[74]

b[64]   *Deinde dicit diaconus*[75]: Pro pace ecclesiarum et quiete populi precemur Dominum

c   *Collectio eiusdem*[76]:
Deus qui ecclesiae tuae fide et utilitate[77] laetaris, dona ei perfectae religionis affectum, quam sanctae congregationis honore donasti[78].

II a[79]   Omnipotentem Deum, qui sacerdotes suos ecclesiarum[80] praesules ordinavit supplici oratione poscamus ut[81] fideli[82] nostrae devotionis obsequio suo[83] queamus[84] respondere iudicio[85]

b[64]   *Deinde*[86] *dicit diaconus*: Pro sacerdotibus et ministris precemur Dominum

c   *Collectio eiusdem*[87]:
Dona, Domine, sacerdotibus tuis ut convenire facias fructum

---

[67] collectio eiusdem V. alia L. collectio GaM. post haec dicitur haec oratio O.
[68] huius *om* GaM.
[69] dignis *om* O.
[70] per dominum *add* GaM. quia Deus es benedictus. Similiter per ceteras lectiones iste ordo tenebitur *add* V. Post haec salutat episcopus. Et accedens alius, legit hanc lectionem Genesis *add* O.
[71] Secunda oratio *add* L. item secunda oratio *add* V. I LOV = VIII GaM.
[72] Deum] Dominum Deum O.
[73] individuae caritatis LVGaM. atque in divina claritate flagrantem O.
[74] muneretur] munerentur L. per dominum nostrum *add* GaM. quia multae miserationis est Dominus *add* V. Amen *add* O. quia multae mi- *add* L.
[75] deinde dicit diaconus VL. post haec accedit item diaconus, dicens O.
[76] Collectio eiusdem] Oratio O.
[77] utilitate *codd. Dold susp.* unitate.
[78] per dominum nostrum *add* GaM. quia deus es gloriosus *add* V. Amen *add* O *qui semper add lectionem et hic ordinem baptismi.*
[79] tertia oratio *add* L. item tertia oratio *add* V. oratio *add* O. II LOV = I GaM.
[80] ecclesiarum GaMO. in suam ecclesiam V. in sanctam ecclesiam L.
[81] ut] *om* GaM.
[82] fideli] fidelis O.
[83] suo] sui GaM.
[84] queamus] peramus GaM.
[85] per dominum *add* GaM. cui est honor *add* V. cui est *add* L. Amen *add* O.
[86] deinde] post haec O. deinde . . . diaconus *om* L.
[87] Collectio eiusdem *om* O.

operum cum eminentia dignitatum, ut mercedem potius habeant
de labore, quam iudicium de honore[88].

III a[89] Pacem dominicam pacem quoque nostram, Deum patrem omnipotentem qui pacis auctor est[90], postulemus ut adsit in ordina-
tione sua catholicis ducibus et barbaras gentes refrenet; quate-
nus, rebus omnibus sua lege compositis, eius solummodo[91] impe-
riis serviamus[92]

b[64] *Deinde*[93] *dicit diaconus*: Pro prosperitate principum et tranquillitate temporum precemur Dominum[94]

c *Collectio eiusdem*[95]:
Deus qui fidelium pace laetaris, dona servientibus tibi[96] pacem
omnesque eorum actus, qui tibi servire cupiunt, placabili[97] miseratione compone[98].

IV a[99] Deum patrem omnipotentem agentes ipsi gratias postulemus pro
his quos saeculi necessitas aut inquietudo detentat[100] ut[101] in hac
sollemnitate paschali, quia corporibus absunt, animis et utilitati-
bus misceantur[102]

b[64] *Deinde*[103] *dicit diaconus*: Pro his qui huic sanctae festivitati[104]
interesse non possunt precemur Dominum[105]

c *Collectio eiusdem*[106]:
Deus cui ea quae nobis sunt absentia deesse non possunt, et quae
putantur longe sunt proxima, praesta ut famuli tui quorum

---

[88] per dominum *add* GaM. quia deus es benedictus *add* V. Amen *ad* O.

[89] item quarta oratio *add* V. Oratio de IIII lectione *add* L. III LOV =
IX GaM.

[90] auctor est] est auctor O.

[91] solummodo] solum GaM.

[92] per dominum nostrum *add* GaM. cuius regnum *add* V. cuius reg- *add* L.
Amen *add* O.

[93] deinde V. et O. deinde . . . diaconus *om* L.

[94] Dominum LV. *om* O.

[95] Collectio eiusdem *om* O.   [96] tibi *om* L.

[97] placabili] placibili V.

[98] per dominum nostrum *add* GaM. quia deus es pius in saecula saeculorum
add VL. Amen *add* O.

[99] item quinta oratio *add*. V. oratio de V lectione *add* L.

[100] vel pro his qui secundum carnis infirmitatem diversis egritudinum generibus afflictantur (affliguntur O) *add* OLV *qui non habent* V.

[101] ut] *om* GaM.

[102] misceantur] misceatur L. per dominum *add* GaML. condonante Deo
nostro, qui regnat in saecula saeculorum *add* V.

[103] deinde . . . diaconus VL. post haec accedit diaconus, dicens O.

[104] festivitati VL. sollemnitati O.

[105] -cemur Dominum *om* O.

[106] collectio eiusdem GaMLV. oratio O.

necessitates[107] ecclesiae sollicitudo commendat pietatis tuae muneribus[108] perfruantur[109].

V a[110]   Universae salutis dominum, fratres depraecemur pro his qui secundum carnis infirmitatem diversis aegritudinum generibus adflic-
tantur ut qui solus potest contra naturam nostram inbecillem ...
-ae curationis adcommodet depellat invaliscentes morbos ut qui
... -media suis virtutib ... verbo ... misericordi ... ed ... -tus
salutaris per dominum nostrum

b   ⟨Deinde dicit diaconus:⟩ Pro pereclitantibus et egrotantibus[111]

c   Collectio eiusdem:
Precamur te Domine ut nobis in omni passionum genere adiutor
protector et consolator adsistas p. d.

VI a[112]   Deum fructuum largitorem, aurarum moderatorem, qui in sup-
plementum humani usus terras[113] fecundavit, creavit fruges,
aera[114] temperavit, fratres carissimi, deprecemur, ut omnia haec[115]
quae sponte nostris usibus tribuit nostris quoque obsecrationibus
largiatur[116]

b[64]   Deinde[117] dicit diaconus: Pro abundantia frugum et tranquillitate aerum precemur Dominum

c   Collectio eiusdem[118]:
Deus creator omnium bonorum, rogamus immensam misericordiam tuam ut non tam peccatorum quam precum considerator,
munera tua quibus et [119] vivimus et vivemus[120], non quia non
meremur[121] neges sed quia precamur amplifices[122].

---

[107] vel infirmitates *add* LOV.

[108] vel remediis *add* LOV.

[109] perfruantur OV. perfruatur GaM. potiantur L. per dominum nostrum *add*
GaM. quia tibi soli est omnis honor et gloria in saecula saeculorum *add* V.
quia Deus es *add.* L. Amen *add* O.

[110] V *om* LOV.

[111] b *om* GaM, *sed adest in* A (*post* X) *cum quodam signo deletionis.*

[112] item sexta oratio *add* V. oratio de VI lectione *add* L. VI LOV = XI
GaM.

[113] terras] terram L.

[114] aera GaMV. aerem O. vera L.

[115] haec *om* L.

[116] per dominum nostrum *add* GaM. quia Deus es (est L) pius in saecula
saeculorum *add* LV.

[117] deinde LV. post haec O.   [118] collectio eiusdem *om* LO.

[119] et *om* O.

[120] vivemus *susp. Blanchini.* vivamus *codd.* et vivemus *om* GaM.

[121] meremur GaMO. mereamur LV.

[122] p. *add* GaM. quia tibi soli est regnum in saecula saeculorum *add* V. quia
tu es deus *add* L. Amen. Per gratiam pietatis tuae, Deus noster, qui omnia regis
in saecula saeculorum *add* O.

VII a[123] Deum patrem omnipotentem pro sacris[124] virginibus et continentibus[125] deprecemur ut infirmitati corporum adsit robur animorum[126] quo vitam valeant custodire virtutum mortificatione
omnium vitiorum[127]

   b[64] *Deinde*[117] *dicit diaconus*: Pro virginibus et continentibus precemur Dominum[105]

   c *Collectio eiusdem*[128]:
Tribue his, Domine pater sancte[129], pervenire[130] ad sexagesimi
fructus coronam quibus integritatem vovere tu dedisti.
Nulla ex his stultis[131] virginibus misceatur, sed sint in numero[132]
sapientium puellarum quarum[133] vasis oleum quo lampades suae
inluminentur exuberet[134].

VIII a[135] Piae voluntatis retributori Domino[136] supplicemus ut ecclesiam
suam bono largitatis accinctam per studium misericordiae ad
suam[137] misericordiam iubeat[138] pervenire[139]

   b[64] *Deinde*[117] *dicit diaconus*: Pro his qui elemosinas faciunt precemur Dominum

   c *Collectio eiusdem*[128]:
Deus qui elemosynis extingui peccata docuisti, dona famulis
tuis sanctam largiendi[140] devotionem; neque enim non habere
poterunt possibilitatem, quibus tu dederis voluntatem[141].

---

[123] item septima oratio *add* V. oratio de VII lec. *add* L. praefatio *add* GaM.
VII LOV = II GaM.

[124] sacris] sacratis GaM.   [125] et continentibus *om* GaM.

[126] animorum] animarum O.

[127] p. *add* GaM. adiuvante te, Deo nostro, qui gloriatur in saecula saeculorum
add V. adiubam *add* L. Amen *add* O.

[128] collectio eiusdem] oratio O.   [129] pater sancte] sancte pater GaM.

[130] pervenire] venire GaM.   [131] Nulla . . . stultis *om* GaM.

[132] numero] numerum V.

[133] quarum] quorum L.

[134] vasis . . . exuberet GaMV. vasa . . . exuberent LO. per dominum *add*
GaM. quia Deus es clemens in saecula saeculorum *add* V. quia deus *add* L.
Amen *add* O.

[135] item octava oratio *add* V. oratio de VIII lectione *add* L. oratio *add* O.
VIII LOV = III GaM.

[136] retributori Domino] retributorem Dominum O.

[137] suam] vivam GaM.

[138] iubeat] abeat V.

[139] per dominum *add* GaM. quia Deus est benedictus in saecula saeculorum
add VL. Amen *add* O.

[140] sanctam largiendi OV. sanctam largiendo L. istam GaM.

[141] per dominum nostrum *add* GaM. quia solus cum Deo patre et spiritu
sancto vivis et gloriaris Deus in saecula saeculorum *add* VL. Amen. per inef-
fabilem bonitatem tuam *add* O.

IX a[142]   Certi de promissione divina quae[143] ingentia[144] peccata deflentibus indulgendum a se esse promisit, supplices[145] Deum rogemus
ut confitentes[146] nomini suo suo[147] iudicio iudicari non in his
quae ante commissa sunt, sed in his quae fuerint correcta mereantur[148]

b[64]   *Deinde dicit diaconus*: Pro penitentibus et confitentibus precemur Dominum

c   *Collectio eiusdem*[149]:
Deus qui mutare sententiam per misericordiam tuam nosti, cum
se peccator emendatione mutaverit, dona his paenitentiae fructum qui[150] ad tuam misericordiam convolantes[151] recipiendos
se[152] in locum revertentis filii crediderunt[153].

X a[154]   Caelestium et terrestrium Deum, fratres dilectissimi, deprecamur, ut[155] fratribus nostris, quicumque peregrinationis necessitatibus subiacent, potenti auxilio suo[156] consolator et redux esse
dignetur; neque ab eo peregrinentur qui uni Deo et nati sunt[157]
et renati[158]

b[64]   *Deinde dicit diaconus*: Pro peregrinantibus et navigantibus precemur Dominum

c   *Collectio eiusdem*:
Supplices tibi Domine fundimus preces ut qui per omnia Deus
es nos ubique non deseras[159].

XI a[160]   Deum iudicii aeterni, fratres carissimi, pro spiritibus pausan-
tium deprecemur ut eos Dominus aeternae quietis placabilitate

---

[142] item nona oratio *add* V. oratio de VIIII lect. *add* L. oratio *add* O. IX LOV
= VII GaM.

[143] quae ... mereantur] pro ingentia peccata deflentibus, piissimum Deum,
fratres carissimi, supplices deprecemur, ut indulgentiam mereantur O *qui postea
habet lacunam usque in finem.*

[144] ingentia] indigentia L.   [145] supplices] suppliciter L.

[146] confitentes] confidentes GaM.   [147] suo *Blanchini.* tuo LV. *om* GaM.

[148] per dominum nostrum *add* GaM. quia Deus est misericors et regnat in
saecula saeculorum *add* V.

[149] collectio eiusdem *om* L.   [150] qui] quia L.

[151] convolantes] cumualentes GaM.   [152] recipiendos se] recipient esse L.

[153] per dominum *add* GaM. quia multae miserationis est (es L) Dominus et
regnat in saecula saeculorum *add* LV.

[154] item decima oratio *add* V. oratio (de) X lectione L. X LV = VI GaM.

[155] in *add* V.

[156] auxilio suo] auxilium suum comes GaM.

[157] sunt *posuit post* renati GaM.

[158] per dominum *add* GaM. concedente clementia pietatis eius cuius regnum
manet in saecula saeculorum *add* V. conceden- *add* L.

[159] per dominum *add* GaM. quia Deus *add* L.

[160] item undecima oratio *add* V. XI oratio de lectione *add* L. XI LV = X
GaM. *Hic ponit* A Vb.

susceptos[161] in illa felici beatorum sede[162] constituat, qui, sicut ob hoc renatos[163] esse ut resurgerent, crediderunt, ita se[164] beatificatos, quia resurrexerint[165], gratulentur[166]

b[64]   *Deinde dicit diaconus*[167]: Pro defunctorum requie et quiete precemur Dominum

c   *Collectio eiusdem*:
Precamur te Deus[168] ut defunctorum animae[169] in te credentes ac de tua pietate sperantes, sic a delictis omnibus absolvantur[170] ut[171] nulla in aeternum confusione obnoxiae teneantur[172].

XII a[173]   Deum patrem omnipotentem qui per baptismi gratiam delere confugientium ad se peccata consuevit pro his qui sacris fontibus abluendi sunt ⟨deprecemur ut⟩[174] omni faece terrenae ⟨infect-⟩[175]-ionis abluti, inter matris ecclesiae filios eo quo renati fuerint nitore perdurent, per dominum

c   *Collectio eiusdem*:
Deus qui sacro lavacro homines pristinae inmortalitati reformas, praesta, ut ... tui aquis pere- ... -tis tuae munere consecrasti gratias salutis aeternae te sanctificante percipiant per dominum nostrum.

3. Forme liturgique

Ha est une litie, qui comporte:

A   un litique introductif, qui situe la prière dans le contexte pascal;

I—XII 12 litiques, qui se composent tous de:
   a) un invitatoire;
   b) une invitation diaconale, qui indique brièvement l'objet ou les bénéficiaires de la demande; elle est toujours omise en GaM;
   c) une oraison.

---

[161] susceptos] receptos V.   [162] sede] sed V.
[163] se renatos] renatus GaM.   [164] se *posuit post* beatificatos LV.
[165] resurrexerint] resurrexerunt L.
[166] per dominum *add* GaM. per dominum nostrum Iesum Christum qui cum Deo patre et sancto spiritu vivit et gloriatur *add* V. per dominum *add* L.
[167] deinde ... diaconus *om* L.
[168] Deus] Domine *add* GaM.   [169] defunctorum animae *om* GaM.
[170] absolvantur] absolvamur GaM.
[171] ut] et L.
[172] obnoxiae teneantur] teneamur GaM. per dominum *add* GaM. quia multae miserationis es Dominus, et regnas in saecula saeculorum *add* V. quia multe *add* L.
[173] XII: GaM *solus.*
[174] ⟨...⟩ *susp. Dold.*
[175] ⟨infect-⟩ *suspicor.*

4. Commentaire

Le titre fait allusion aux lectures entre lesquelles sont intercalés ces litiques, du moins en VLO; c'est un point sur lequel il nous faudra revenir.

A a   Nous avons ici une «apologie» sacerdotale, classique au début d'une telle prière.

La fin des invitatoires diffère selon les manuscrits; GaM ajoute toujours *per dominum nostrum,* tant après les invitatoires qu'après les oraisons. VL terminent les invitatoires par une petite doxologie, par exemple *cui est honor et gloria,* tandis que O se contente d'un *Amen.* Tout cela doit être postérieur, aussi l'avons-nous mis dans l'apparat.

b   L'invitation faite ici n'a guère beaucoup de sens.

c   L'oraison correspond au thème de a.

Le rédacteur de cette litie aime utiliser deux fois le même mot dans un proche intervalle; c'est un effet littéraire qu'il recherche. En voici quelques exemples:

A c   sanctifica ... sanctificatae
II c   dona ... quam ... donasti
III c   servientibus ... servire
VI c   vivimus et vivemus
       non quia non ... sed quia
VIII a per studium misericordiae ad suam misericordiam
IX a   confitentes nomini suo suo iudicio iudicari
XII a abluendi ... abluti.

A la fin des oraisons, V ajoute une courte doxologie, comme après les invitatoires; L s'en abstient, tout comme O et GaM.

I b   L'invitation diaconale se rapproche fort de:

— M¹ IV «*pro pace ecclesiarum,* vocatione gentium *et quiete populorum*»; Ha I b et M¹ IV sont les deux seuls textes à parler de la paix *des* Eglises;

— et de FG² VI «*pro pace* regum *et quiete populorum*».

Par ailleurs, on trouve en MGV III «pro regibus et pace»;
                     Go IX «pro pace regum»;
                     Bo IX et Hb IX «pro pace populi et regum».

c   L'oraison n'a rien de commun avec la tradition gallicane.

II b   reprend une fois de plus le couple *sacerdotibus et ministris.*

III a   Jusqu'ici, nous n'avions rencontré le terme *dux* que dans des manuscrits postérieurs de la tradition milanaise. *Barbaras gentes* fait songer aux *barbaras nationes* d'OS IV; cfr. aussi le texte de l'Ambrosiaster, 1e Partie, Rome, T 3.

b   Les *principes* sont nommés en DG V; Bernal (p. 330) note qu'on
n'aura pas pu les qualifier de *catholici* avant la conversion de Ré-
carède (586).
Observons le rapport entre l'expression *et tranquillitate temporum*
et Irl[1] I qui porte *pro altissima pace et tranquillitate temporum
nostrorum!*

IV a   «pro his quos saeculi necessitas aut inquietudo detentat» fait songer à DG VIII—IX.

b   Cfr. Bo I.

V   manque dans VLO, ce qui explique les corrections faites par ces
manuscrits dans l'invitatoire précédent où ils ont joint les malades aux absents. Par contre, A nous atteste l'authenticité de ce
litique, dont le texte n'est fourni que par GaM, malheureusement
lacuneux; il s'apparente à Go VI et Bo VI, mais la fin est différente.

VI a   Cet invitatoire paraît reprendre plusieurs demandes des litanies;
le terme *fructus* se trouve en M[1] VI et Irl[2] III; *aura* ne figure qu'en
DG VI; *fecunditas* et *aeris(-um) temperies* se lisent en M[1] VI, M[2]
VI, FG[1] VII, Irl[2] III. La proximité entre *aeris temperie* et *aera
temperavit* indique certainement une dépendance entre les textes.

b   Par contre les termes de cette invitation n'ont pas de correspondant exact dans les textes précédents.
Cette demande n'existe pas dans la tradition gallicane.

VII   C'est la première fois que nous rencontrons les *continentes*; il s'agit
sans doute d'un élargissement, d'une adaptation de la prière pour
les vierges. Irl[2] II priait «pro continentia viduarum» et Go III
parlait des *spadones* (eunuques), qui, à la lumière de *Mt* XIX, 12,
doivent être compris dans le même sens qu'ici.

VIII b   Même titre que Bo IV. Bernal fait remarquer (p. 330) que l'invitatoire diaconal propose de prier pour ceux qui font déjà l'aumône,
tandis que a et c demandent au Seigneur d'accorder aux fidèles
cet esprit de largesse. Il y voit un signe de l'origine différente des
formules sacerdotales et diaconale.

IX b   Aux pénitents sont joints les *confitentes* (cfr. Go VII a). Il ne
s'agit plus de ceux qui confessent leur foi (les *confessores* de OS
III), mais de ceux qui confessent leurs péchés; la spiritualité a
évolué.

c   Ici reparaît le terme *emendatio* de FG[1] IX, FG[2] VIII, (Irl[2] VII);
DG XIII portait *emundatio*; Hb VIII a le verbe *emundare*.

X a   Même source que Go V et Bo V; tous trois y ont apporté des rema-
niements; observons que GaM porte le terme *comes*, qui se trouve
aussi en Go! Cfr., p. 264, la comparaison de ces trois textes.

b   Le diacre ajoute les *navigantes*; cfr. OS VI, Irl[1] VIII, M[1] VIII,
     Hb VII.

XI a L'invitatoire sacerdotal reprend l'expression *pro spiritibus pausan-
     tium* qui était le titre de Go X et Bo X.

b   L'invitatoire diaconal par contre porte *pro defunctorum requie*,
     cfr. FG[1] X et Irl[2] VIII; il y ajoute *et quiete*.
     Cette demande n'existe pas en MGV.

XII Ce dernier litique ne figure qu'en GaM; il est malheureusement
     lacuneux.

II. LA TRADITION B (HB)

1. *Témoin*

TOLEDE, Bibl. Capit. 35,5, «Officia et missae» de Tolède, fin Xe ou
     début XIe siècle. Description dans FEROTIN, LMS, col. 722—
     738. (Bourque 548 — Gamber 309).
     Nous n'avons pas vu ce manuscrit. La partie correspondant
     à nos prières a été reproduite presque littéralement par le
     Missale mixtum du Cardinal de Cisneros, paru à Tolède en
     1500 et publié dans la PL 85 selon l'édition de A. LESLEY,
     Rome, 1755.

2. *Texte*

Le texte ci-dessous reproduit donc celui de la PL 85, col. 448ss (indiquées en marge), en omettant les lectures intercalées entre les litiques.
Il se place après la bénédiction du cierge pascal et après l'oraison *Expec-
tati temporis* qui se trouvent à la même place en Ha (VLO).

(448) A.   *Deinde dicatur prophetia — Lectio libri Genesis* (I—II)

           Dicat diaconus: Pro solemnitate paschali
                             Flectamus genua
                             Levate.

       Oratio
           Pro solemnitate paschali flexis genibus te Pater omni-
           potens obsecramus, ut mors unigeniti tui Domini nostri,
           qui vitam omni contulit mundo, toti gratiam conferat
           populo christiano.
           Resurrectio quoque ejus nos ad caelestia sublevet, et a
           corruptione vitae hujus ereptos immortalitati aeternae
           consociet
               Amen.

           Per misericordiam tuam Deus noster qui es benedictus,
           et vivis et omnia regis in saecula saeculorum
               Amen.

I.   *Lectio libri Genesis (V—VIII)*

(449)   *Dicat diaconus*: Pro his qui variis necessitatibus detenti paschae
interesse non possunt
Flectamus genua
Levate.

Oratio

Deprecamur te, Pater aeterne omnipotens Deus, pro his
qui diversis necessitatibus detenti solemnitate paschali
interesse non meruerunt. Ut quia gaudio praesentium sunt
exsortes, mereantur sanctorum meritis adesse participes.
Ut sicut passio unigeniti filii tui Domini nostri pro multo-
rum salute occurrit, ita et haec celebritas annuae festivitatis et presentibus tribuat gloriam et absentibus conferat
veniam
Amen.

Per misericordiam tuam Deus qui vivis et omnia regis in
saecula saeculorum
Amen.

II.   *Lectio libri Genesis* (XXII)

(450)   *Dicat diaconus*: Pro sacerdotibus ac ministris
Flectamus genua
Levate.

Oratio

Sacerdotes tuos, Domine, indue justitiam, et ministri tui
laetentur. Illos doctrinis et vitae exemplis munifica, hos
sanctitatis cultu officiique locupleta, ut dum utrique a te
augmenta virtutum perceperunt, sine offensione tuis altari-
bus famulentur.

Chorus: Amen.

Dicat presbyter: Per misericordiam tuam Deus noster qui
vivis et omnia regis in saecula saeculorum
Amen.

(451) III.   *Lectio libri Exodi* (XII)

Postea dicat diaconus: Pro unitate fidei catholicae
Flectamus genua
Levate.

Oratio

Ecclesia tua, Christe, quae dilatata per universam terram
diffusa est, omnis tua gratia in unitatis gremio colligatur.
Et quamvis semetipsam in gentium varietate diffundat,
fidei tamen divisionem non sentiat. Dissolve heresis schis-
mata, quae subvertere cupiunt fidem, quae nituntur cor-

rumpere veritatem. Ut sicut tu in caelis atque in terra
unus atque idem dignosceris Dominus, ita tibi in unitate
fidei serviat cunctarum gentium populus
Amen.

IV. *Lectio libri Exodi* (XIV)

(453)   *Diaconus dicat*: ⟨Pro virginibus⟩[176]
                    Flectamus genua
                    Levate.

Oratio

Pro virginibus flectentes genua, te Pater omnipotens Deus
postulamus, ut hanc illustrem portionem ⟨gregis⟩[177] Christi
tui, in qua maxime gaudet catholica Ecclesia, ampliori
fecunditate enutrias, ut quanto plus numerosior et incor-
ruptorum numerus exstat, tanto gaudium matris Ecclesiae
augeatur
Amen.

V. *Lectio libri Esayae Prophetae* (II)

(454)   *Dicat diaconus*: Pro his qui elemosynas faciunt
                    Flectamus genua
                    Levate.

Oratio

Deprecamur te, Domine, pro his qui misericordiae fructi-
bus egentium subsidia conferunt, ut mereantur ex hac ter-
rena dispensatione caelestem percipere remunerationem.
Et quicquid in usibus indigentium conferunt proficiat illis
ad fructum caelestium premiorum
Amen.

VI. *Lectio libri Ezechielis Prophetae* (XXXVII)

(455)   *Dicat diaconus*: Pro peregrinantibus et navigantibus
                    Flectamus genua
                    Levate.

Oratio

Concede, Pater omnipotens, cunctos peregrinantes patriae
fieri reduces. Et[178] quoscumque turbulenti maris pervenit
fluctus, ad tranquillitatis revoca portum. Mereantur in hac
solemnitate utrique et terrae exilium et maris evadere
exitium. Ut commune hujus laetitiae votum, cunctis gene-
rale sit gaudium
Amen.

[176] pro virginibus *expl.* LESLEY.
[177] gregis *expl.* LESLEY.
[178] et] et ad *susp.* LESLEY.

VII. *Lectio libri Habacuc prophetae* (I)

(456) *Dicat diaconus*: Pro egrotis
                    Flectamus genua
                    Levate.

Oratio

Miserere Domine his quos corporalis egritudinis valetudo involvit. Sana cunctos in nobis mentis corporisque languores, atque omnibus indulgens, solitam impertire medelam. Ut tibi cuncti in salute ministerium expleant fidei, tibique referant laudes qui solus et peccata cordis emundas et languorum corporum sanas
Amen.

Per misericordiam tuam Deus noster qui vivis et omnia regis in saecula saeculorum
Amen.

VIII. *Lectio libri Jonae Prophetae* (I, IV)

(458) *Dicat diaconus*: Pro penitentibus
                    Flectamus genua
                    Levate.

Oratio

Cunctorum penitentium, Pater omnipotens, suscipe fletus, et quos hactenus diabolus variis vitiorum sordibus inquinavit, respectu pietatis tuae purifica. Tribue cunctis praeterita peccata deflere, et futura non admittere. Ab illis misericordia tua preveniente mundentur, ab istis tua custodiente gratia liberentur
Amen.

Per misericordiam tuam Deus noster qui vivis et omnia regis in saecula saeculorum
Amen.

IX. *Lectio libri Danielis Prophetae* (III)

(460) *Diaconus dicat*: Pro pace populi et regum
                    Flectamus genua
                    Levate.

(461) *Oratio*

Pro regibus saeculi hujus atque principibus tibi Pater flectentes genua obsecramus ut tribuas illis moderamen justitiae, amorem pacis, virtutem pietatis, studium bene regendae plebis. Ut in correptione et rectitudine eorum pax simul et requies fidelium proveniat populorum
Amen.

Psallendo: Sicut cervus ...
Et prophetiis et orationibus cum tractibus dictis ... letania.

(470) X.   *Et finito hymno angelorum diaconus dicat*:
                        Pro competentibus
                        Flectamus genua
                        Levate.

            Et sacerdos dicat:

            Oratio
                Concede, Domine, omnes qui nunc fide meruerunt cognos-
                cere veritatem salutaris lavacri percipere innovationem.
                Sicque eos a cunctis peccatorum sordibus baptismi unda
                purificet, ut ultra eos pravi operis inquinamenta non macu-
                lent
                        Amen.
                Per misericordiam tuam Deus noster qui vivis et omnia
                regis in saecula saeculorum
                        Amen.

            Dicat diaconus: Silentium facite.

            Sequentia Epistolae Pauli Apostoli ad Romanos.

3. Forme liturgique

        Hb est une litie de 11 litiques:

A   est une introduction générale, semblable à celles des traditions
        gallicane et hispanique (Ha);

I—X: 10 litiques qui comportent chacun:
        — un invitatoire diaconal, très bref,
        — suivi des monitions *Flectamus genua — Levate,*
        — une oraison sacerdotale.

4. Remarques

a) Chaque invitatoire est suivi de l'invitation à s'agenouiller; il doit
   s'agir, plutôt que d'une influence de la liturgie copte[179], d'un emprunt
   aux OS. Les expressions *flexis genibus* ou *flectentes genua* reviennent
   encore trois fois dans la suite (A, IV, IX).

b) Les oraisons comportent plusieurs propositions, ce qui ne correspond
   pas au style eucologique romain; la II débute même par un verset
   psalmique! Plusieurs commencent par *pro*, enchaînant directement
   sur la formule de l'invitatoire. La VI fait allusion aux solennités pascales.

   Tout ceci nous convainc que nous sommes en présence d'un texte composé en Espagne directement pour la vigile pascale, et non d'un formulaire ancien d'*oratio fidelium.*

---

[179] Une litanie copte de Carême contient ces mêmes monitions en grec, cfr.
Br. 159; supra, p. 134.

c) Le rédacteur de cette litie était animé d'un souci littéraire, qui apparaît dans la symétrie des différents membres de phrase et dans l'utilisation du cursus; ce procédé de style ayant été employé entre le IVe et le VIIe siècle, il ne nous donne pas d'indication chronologique précise.

d) L'ordre de Hb correspond à celui de Go-Bo (cfr. tableau synoptique infra); la seule différence consiste dans la suppression de la prière pour les défunts et dans l'anticipation de la demande pour l'unité, située ici en troisième lieu. Hb se rapproche aussi, quant à l'ordre, de GaM, qui pourtant a le texte de Ha.

Bref, tant le nombre de litiques que leur structure interne attestent une fois de plus la tendance à l'abrègement, signe d'une époque assez tardive, à laquelle cette litie a subi une forte évolution.

C. E t u d e

Il saute aux yeux que ces textes gallicans et hispaniques sont apparentés, ce qui justifie que nous en traitions ensemble, en nous aidant du travail de Bernal (p. 324—347).

1. *Le nombre de litiques*

Les formulaires contiennent un nombre différent de litiques; en excluant l'introduction générale, on en compte:

   12 en GaM et MGV,
   11 en A, Go, Bo,
   10 en VL(O) et Hb.

Nous avons encore la trace de onze litiques en VL (O); l'Orational a en effet concentré en un litique la prière pour les absents et celle pour les malades, distinctes en GaM et A. Cette unification se remarque dans la maladresse du raccord entre les deux demandes; l'invitatoire IV de Ha suggère de prier «pro his quos saeculi necessitas aut inquietudo detentat, *vel* pro his qui secundum carnis infirmitatem diversis egritudinum generibus afflictantur»; et l'oraison implore «praesta, ut famuli tui quorum necessitates *vel* infirmitates Ecclesiae sollicitudo commendat, pietatis tuae muneribus *vel* remediis perfruantur». L'invitatoire diaconal mentionnait seulement ceux «qui huic sanctae festivitati interesse non possunt»; par ailleurs, le texte du deuxième membre, introduit chaque fois par *vel,* se trouve littéralement dans un litique supplémentaire (V) de GaM. Il n'y a donc aucune hésitation à avoir: on a abrégé la litie; à la suite de Baumstark[180], Bernal note à plusieurs reprises cette tendance à réduire la célébration.

Nous sommes d'accord avec le liturgiste espagnol lorsqu'il estime que le nombre de onze litiques de VL(O)A n'était cependant pas original non plus, car ils ne comportent pas la demande *pro competentibus* qui

---

[180] A. BAUMSTARK, *Nocturna laus,* Munster, 1957, p. 45.

figure dans la tradition gallicane, GaM et Hb. Il est donc très probable que primitivement, VL(O)A ont comporté douze litiques, sans compter l'introduction.

2. *Forme liturgique primitive*

a) Répartition des litiques entre les lectures, en Espagne

Ce phénomène est postérieur, car rien dans le contenu des litiques ne fait allusion aux lectures; de plus, la tradition gallicane ignore cette atomisation. Bernal estime donc avec raison que prières et lectures formaient à l'origine deux entités distinctes, stade dont témoignent GaM et la Gaule; lorsqu'elles s'imbriquèrent les unes dans les autres, on supprima la demande *pro competentibus*, «peut-être parce qu'elle était la plus archaïque, vu la disparition du catéchuménat» écrit Bernal; on obtint ainsi le même nombre de litiques que de lectures. Plus tard encore, on accrocha la prière pour les malades à celle pour les absents, ce qui réduisit le nombre de litiques à dix, ce dont témoignent VL(O) et Hb.

b) La structure tripartite des litiques et leur origine

Bien que la monition diaconale fasse défaut en GaM et en Gaule (où sa teneur est cependant reprise sous forme de titre), Bernal estime qu'elle faisait partie du formulaire primitif; il s'appuye notamment sur l'Antiphonaire de Léon (A) qui ne donne ni invitatoires ni oraisons, mais uniquement les monitions, avec la musique; ceci suggère à notre auteur que les formulaires sacerdotaux (invitatoires et oraisons) figuraient dans le sacramentaire, et les parties diaconales (monitions) dans un autre livre, ici l'antiphonaire; aussi l'absence de ces dernières en GaM ne fournirait pas d'argument contre leur antiquité.

Vu nos enquêtes précédentes, nous pensons pouvoir replacer les choses dans une perspective plus globale. Nous avons observé que ces titres (en Gaule) ou monitions (en Espagne) s'inspiraient très nettement des litanies latines. Bernal a noté le fait (p. 343—346). Il s'étonne même (p. 345) de trouver un parallèle avec le livre VIII des CAp; selon nous, ceci ne prouve aucunement une influence directe de la compilation syrienne sur la liturgie hispanique; un intermédiaire a dû exister, à savoir les litanies latines que nous avons étudiées.

Si ces dernières n'étaient reprises que par les monitions ou les titres, on pourrait supposer que ceux-ci ont été ajoutés à la litie déjà constituée. Mais les formulaires sacerdotaux eux-mêmes empruntent des expressions aux litanies; contentons-nous de citer pour la Gaule l'invitatoire de Go I, pour l'Espagne l'invitatoire de Ha VI. Aussi pensons-nous, comme nous l'avons déjà suggéré après la lecture de MGV, que les liturgies gallicanes et hispaniques devaient utiliser anciennement les litanies latines que nous avons publiées ou d'autres apparentées; puis, probablement sous l'influence des OS, lors de l'infiltration progressive de la liturgie romaine dans ces régions, aura-t-on transformé ces litanies selon le goût du jour pour en faire des lities; tout naturellement leurs rédacteurs auront-ils repris les expressions qu'ils étaient habitués à entendre dans les anciens formulaires, et même aura-t-on aimé, en Espagne, que le diacre résume l'invitatoire sacerdotal à l'intention du peuple, en se servant des formules auxquelles ce dernier était accoutumé. Cela aura été le moyen pastoral de «faire passer» cette réforme.

Est-ce à dire que les titres des litiques gallicans seraient les restes d'anciennes monitions? Lowe déjà l'avait suggéré[181]; Bernal n'envisage pas la question. Cette explication est probablement la bonne; sinon ces titres ne seraient que des rubriques à l'usage du célébrant: on n'en voit guère l'intérêt.

Un second argument de Bernal (p. 334—335) pour attribuer un caractère archaïque à cette structure tripartite des litiques est le parallèle avec ceux des OS, basés eux aussi sur trois éléments. Ceci nous convainc moins, d'abord parce que, comme il l'avoue lui-même (p. 340), il existe une «petite différence» dans la teneur de la monition diaconale: en Espagne, elle résume la demande, dans les OS elle invite à s'agenouiller. Ensuite, nous avons déjà dit que dans le vénérable formulaire romain, cette monition ne devait guère être originelle; et qui plus est, elle ne figure pas dans le témoin gallican (MGV) des OS. Bref, une influence de la structure tripartite des OS est possible, mais nous ne lui accordons pas beaucoup de probabilité.

c) L'ordre des litiques

Bernal publie à ce propos un tableau synoptique; nous le reproduisons ci-dessous avec quelques retouches, concernant notamment la numérotation ainsi que la place de la prière pour les malades en VLA.

---

[181] E. A. Lowe, *The Bobbio Missal*, t. 3, Londres, 1923, p. 126.

	Espagne			Gaule		
	GaM (=Ha)	V+L+A (=Ha)	Hb	Go	Bo	MGV
A	Introd.	Introd.	Introd.	Introd.	Introd.	Introd.
1	Pro clero	Pro unitate	Pro absent.	Pro absent.	Pro absent.	Pro unitate
2	Pro virgin.	Pro clero	Pro clero	Pro clero	Pro clero	Pro clero
3	Pro elem. fac.	Pro pace	Pro unitate	Pro virgin.	Pro virgin.	Pro pace
4	Pro absent.	Pro absent.	Pro virgin.	Pro elem. fac.	Pro elem. fac.	Pro virgin.
5	Pro egrot.	⟨Pro egrot.⟩	Pro elem. fac.	Pro peregr.	Pro peregr.	Pro vid. et orph.
6	Pro peregr.	Pro fruct.	Pro peregr.	Pro egrot.	Pro egrot.	Pro peregr.
7	Pro poenit.	Pro peregr.	Pro aegrot.	Pro poenit.	Pro poenit.	Pro egrot.
8	Pro unitate	Pro virgin.	Pro poenit.	Pro unitate	Pro unitate	Pro absent.
9	Pro pace	Pro elem. fac.	Pro pace	Pro pace	Pro pace.	Pro peregr.
10	Pro defunc.	Pro poenit.		Pro defunc.	Pro defunc.	Pro elem. fac.
11	Pro fruct.	Pro peregr.			Pro poenit.	Pro poenit.
12	Pro compet.	Pro defunc.	Pro compet.	Pro compet.	Pro compet.	Pro neophit.
						Pro compet.

Si un ordre unique a existé, écrit notre auteur (p. 337), il est impossible de le reconstituer; on peut cependant reconnaître quelques faits:

1. l'identité de l'ordre en Go et Bo, et sa proximité avec Hb et même avec GaM;
2. les deux autres lities (Ha et MGV) ont chacune un ordre différent, sans correspondance;
3. on constate cependant un certain groupement des demandes; les litiques *pro virginibus, pro elemosinas facientibus, pro peregrinantibus, pro penitentibus* et *pro egrotantibus* tendent à former partout les demandes centrales, plus ou moins dans le même ordre.

Résumons. La litie primitive (du moins dans la vigile pascale) devait avoir la forme liturgique suivante:

A   un litique introductif, situant la prière en rapport avec Pâques;
I—XII 12 litiques, dont l'ordre n'est pas fixe; chacun comporte:
— un invitatoire sacerdotal,
— probablement une monition diaconale, résumant cet invitatoire à l'aide d'une formule reprise aux anciennes litanies;
— une oraison.

3. *Lien avec Pâques*

Il n'est pas possible d'affirmer, écrit Bernal (p. 333) à propos des formulaires hispaniques, que ces formules ont été construites à base d'une thématique pascale. En fait, il faut distinguer ici les textes gallicans et les textes hispaniques.

Les premiers ne font aucune allusion à la nuit pascale, hormis le premier litique qui y situe l'ensemble; mais celui-ci peut être postérieur, il peut avoir été placé en tête d'une litie existante, sans aucun lien avec Pâques. La seule exception est le titre de Bo I «pro his qui ... Pascha interesse non possunt»; nous avons signalé l'évolution de cet invitatoire entre Go en Bo; peut-être ce titre a-t-il été introduit ici sous influence espagnole.

Les formulaires hispaniques, eux, contiennent en plus de l'introduction, de nettes références à la Fête, notamment dans ce litique consacré aux absents (Ha IV et Hb I); cfr. aussi Ha VII c (la parabole des dix vierges recevant dans les prières du Lucernaire une interprétation pascale) et Hb VI et X (*nunc*). Hb, nous l'avons déjà dit, nous semble avoir été composé directement en vue de la vigile pascale.

La présence d'une prière pour les catéchumènes ne prouve pas que ces lities ont été composées pour la vigile pascale, puisqu'elle se retrouve dans les OS et en certaines litanies; cette demande est cependant particulièrement bien en place à ce moment.

4. *Relations entre les différentes lities*

Après un «examen minutieux», Bernal arrive aux conclusions suivantes (p. 337—338) que nous reprenons à notre compte, en les complétant quelque peu:

a) tous ces formulaires présentent des textes différents; les plus apparentés sont Go et Bo; MGV et Hb sont les plus dissemblables. Parfois même, les idées exprimées sont fort différentes.

b) un invitatoire pourtant est analogue, celui pour les voyageurs; la présentation synoptique de ces trois textes nous permettra une petite étude comparative:

Go V	Bo V	Ha X
Caelestium et terrestrium	Caelestium et terrestrium	Caelestium et terrestrium
et infernorum dominum		
deum patrem omnipotentem	deum patrem	deum
fratres dilectissimi		fratres dilectissimi
deprecemur obsecrantes	supplices deprecemur	deprecemur
uti fratres nostros	ut omnes fratres nostros	ut fratribus nostris
ac sorores		
quicumque peregrinationum	qui peregrinationum	quicumque peregrinationi
necessitatibus subiacent	necessitatibus subiacent	necessitatibus subiacent
omnipotens deus auxilio	potentia auxilii	potenti auxilio
suo comes	sui	suo (comes *GaM*)
adiutor reducat	protegat	consolator
ac protegat	atque defendat	et redux esse dignetur ..

Nous estimons avec Bernal que Ha doit être le plus proche de l'original: «potenti auxilio suo comes consolator et redux esse dignetur» offre un sens très satisfaisant pour une prière à l'intention des voyageurs, tandis que la finale de Bo est plus banale; quant à celle de Go, elle s'embrouille, et utilise à nouveau l'adjectif *omnipotens* qui déjà qualifiait Dieu dans l'adresse; elle n'a guère de chance d'être primitive. On notera la présence du terme *comes* en GaM et Go.

Le début semble également en défaveur de Go; bien que la formule tripartite (avec *et infernorum*) puisse se réclamer de *Phil.* II, 10, elle paraît plutôt enflée par rapport à l'expression bipartite de Ha et Bo, qui est d'ailleurs attestée beaucoup plus fréquemment dans le N.T. La même redondance aparaît dans l'ajoute du mot *obsecrantes*; l'addition *et sorores* est chère à Go (cfr. supra). On pourrait encore citer le début de l'invitatoire pour les malades, où Ha paraît également meilleur.

Ceci signifie-t-il que la Gaule ait reçu ces lities, ou du moins leur influence, de l'Espagne? Bernal estime très probable que dans le cas concret de l'invitatoire pour les voyageurs, le texte hispanique a influencé le gallican par l'intermédiaire de GaM, document qui fait le lien entre les deux traditions (ordre gallican pour les litiques — terme *praefatio*, typiquement gallican, comme titre de l'invitatoire pour les vierges — *comes* dans l'invitatoire pour les voyageurs). Mais aux yeux du liturgiste espagnol, le problème général des relations entre les deux familles reste ouvert. C'est un point sur lequel une monographie serait bienvenue.

5. Fonction primitive de ces lities

Le point qui est au fond le plus important pour nous est de savoir quelle relation ces formulaires entretiennent avec l'*oratio fidelium*. Dans les documents, ils en constituent encore une, au sens large du moins, sauf là où ils ont été démembrés et répartis entre les lectures. Mais nous conservent-ils, comme les OS pour Rome, la trace d'une prière universelle, habituelle en Gaule et en Espagne, et indépendante de la Vigile pascale? Bernal (p. 343—346) se contente d'affirmer que nous avons ici des vestiges d'une *oratio fidelium*; ses arguments sont le parallélisme avec les OS, l'indépendance des lities par rapport aux lectures et les rapports avec les anciennes litanies.

Ces constatations sont exactes; à nos yeux, elles nous permettent cependant d'aller plus loin. Il est vraisemblable que la forme littéraire de ces prières soit due à l'influence des OS[182]; mais par ailleurs les monitions diaconales (en Espagne) et les titres des litiques (en Gaule) sont empruntés aux litanies. Nous pensons donc que ces dernières étaient utilisées habituellement dans ces régions pour la prière universelle; l'existence de celle-ci est d'ailleurs prouvée par d'autres traces également (cfr. infra la thèse de Ramos). Puis, impressionné par l'ampleur des OS romaines, on aura remodelé les litanies pour les transformer en lities; certaines d'entre elles (les gallicanes), qui ne font pas allusion à Pâques, ont pu servir d'*oratio fidelium* avant d'être réservées pour la vigile pascale; les hispaniques ont des relations plus étroites avec Pâques; Hb a même dû être composé directement pour être utilisé en cette nuit et ne constitue donc pas un formulaire habituel de prière universelle.

D. Appendice: l'«oratio fidelium» dans la liturgie hispanique

Nous ne pouvons quitter le domaine hispano-gallican sans rappeler la thèse du P. Ramos sur l'existence de l'*oratio fidelium* en Espagne[183]; nous l'avons déjà signalée au cours de la première partie, en étudiant saint Augustin.

Sa place dans la célébration

La *missa*, première des dix pièces variables de la liturgie hispanique, située (actuellement) entre le chant d'offertoire et l'*alia*, était originel-

---

[182] En plus de toutes les ressemblances notées jusqu'ici, on peut faire remarquer qu'elles portent le même nom d'*orationes* (*sollemnes* ou *paschales*); était-ce un terme technique pour ce que nous avons appelé «litie»?

[183] M. Ramos, *Oratio admonitionis*, Grenade, 1964; et *Rasgos de la «Oratio communis» según la «oratio admonitionis» hispánica*, dans *Hispania sacra*, t. 17 (1964), p. 31—45. Nous n'avons pas pu tenir compte des critiques formulées contre cette étude par le P. Jaramillo, dans une thèse présentée à l'Institut Saint-Anselme, à Rome. Son existence nous a été signalée par le P. Pinell; qu'il en soit remercié.

lement, selon le Jésuite espagnol, un invitatoire sacerdotal à la prière universelle. Ceci, il le conclut à partir de l'analyse des textes d'une part, et de la structure de cette partie de la messe, entre les lectures et l'anaphore, d'autre part; cette conclusion est confirmée par le témoignage de saint Isidore de Séville (vers 560—633), qui écrit dans son *De ecclesiasticis officiis:*

> «Prima (= missa) earundem oratio admonitionis est erga populum ut excitentur ad exorandum Deum.
> Secunda (= alia) invocationis ad Deum est, ut clementer suscipiat preces fidelium oblationesque eorum»[184].

On avait donc, après le chant d'offertoire (*sacrificium*):

— la *missa* ou *oratio admonitionis*: invitatoire sacerdotal,
— la prière universelle proprement dite, composée de différents invitatoires (sacerdotaux?),
— l'*alia* ou *oratio invocationis*: conclusion sacerdotale.

C'est ce que Ramos appelle le «triptyque eucologique»; la transposition du chant d'offertoire avant cet ensemble est tardive; elle est due au développement des rites d'offrande.

Les formulaires

Les textes de *missa* sont fort variés; Ramos distingue ceux qui sont adressés au peuple et ceux, tardifs, qui s'adressent à Dieu; il les classe d'après leur signification tantôt didactique, tantôt parénétique, ou encore d'après leur insistance sur l'idée d'offrande. Il n'est pas toujours facile de savoir exactement quelle fonction remplissait originellement tel ou tel de ces textes; en voici un, à titre d'exemple:

> «Dei omnipotentis misericordiam cum omni supplicatione rogemus: ut Ecclesiae suae sanctae catholicae fidem augeat, pacem tribuat, nobis remissionem et indulgentiam peccatorum concedat.
> Infirmis salutem,
> lapsis reparationem,
> tribulatis gaudium,
> captivis redemptionem,
> oppressis relevationem,
> iterantibus prosperitatem,
> terrae suae pacem
> et defunctis fidelibus requiem sempiternam propitius tribuere dignetur.
> ℟: Praesta, aeterne omnipotens Deus»

Missa omnimoda, LOrd., col. 234—235.

---

[184] Isidore de Séville, *De ecclesiasticis officiis*, I, 15: *De missa et orationibus*, PL 83, 752.

Est-ce encore un invitatoire, ou déjà le texte de la prière universelle elle-même? La même question se pose à propos du formulaire suivant, que nous citons vu sa parenté avec les litanies:

«Te deprecamur, Domine, ut adsis precibus cotidianis diebus …:
pro Ecclesia tua catholica, quam custodire digneris ab universis scandalis;
pro serenitate regia, ut vitam tranquillam possideat;
pro sacerdotibus in fungendis officiis, quos ab omni insidia diaboli facias liberos;
pro clero et universo populo quos … ab iminenti flagello propitius liberare digneris;
pro spiritibus famulorum famularumque tuarum in pace quiescentium, ut remissionem accipiant peccatorum»

Post Nomina (III Dominico de Quotidiano), LMS 1355[185].

Mais le *Missale mixtum* nous a conservé des vestiges de l'*oratio fidelium* elle-même; en voici le texte, repris à l'Ordinaire de la messe:
«Ecclesiam sanctam catholicam in orationibus in mente habeamus: ut eam Dominus fide et spe et charitate propicius ampliare dignetur.

Omnes lapsos captivos infirmos atque peregrinos in mente habeamus: ut eos Dominus propicius redimere sanare et confortare dignetur. *Chorus:* Presta eterne omnipotens Deus»[186].

Ramos, et bien d'autres liturgistes avant lui, ont fait remarquer le caractère archaïque de ces deux invitatoires; après notre étude des litanies, celui-ci apparaît encore plus nettement. Nous sommes sans doute en présence des deux seuls invitatoires qui aient survécu d'un ensemble qui devait être plus important; ont-ils appartenu à un formulaire existant encore à l'époque du Cardinal Cisneros? Analysons-les.

Tous deux ont la même structure:
— la première proposition désigne le bénéficiaire, à l'accusatif, dépendant chaque fois de *in mente habeamus*; nous avons longuement parlé de cette expression au cours de la première partie de ce livre et nous avons souligné son antiquité; Ramos fait de même (p. 72, note 46). Cette première phrase a une structure plus ancienne que l'équivalent *pro sancta ecclesia catholica oremus*.
— la seconde proposition est également bâtie sur le même schéma: une proposition finale, dont le sujet est *Dominus*, et le verbe *dignetur*

---

[185] On trouve dans Ramos, *Oratio admonitionis*, p. 173—217, l'inventaire de 368 pièces, avec l'indication des sources. On peut encore y ajouter les références signalées par A. Dold, *Das irische Palimpsestsakramentar* . . ., p. 19, note.
A propos de l'évolution ultérieure de la *missa*, et de ses relations avec la finale *Conversi* des Sermons de saint Augustin, voir ce que nous en avons dit plus haut, en étudiant les textes de l'évêque d'Hippone.
[186] *Missale mixtum*, PL 85, 114 ou 540.

avec infinitif. Chaque fois apparaît *propicius,* et un certain rythme ternaire: «fide et spe et charitate», symétrique par rapport à «redimere, sanare et confortare».

La teneur des invitatoires est très traditionnelle:

— le premier recommande aux fidèles l'Eglise universelle, déterminée comme à l'habitude (absence de *apostolicam*); dans la proposition finale pourtant, on ne lit pas la tournure «toto orbe diffusa», si répandue; la demande des trois vertus théologales est originale.

— le second invitatoire nomme ceux que nous avons appelés les nécessiteux: captifs, malades, voyageurs sont cités dans de nombreuses litanies, mais dans aucune d'entre elles ne sont mentionnés les *lapsi.* Ceux-ci figuraient par contre dans les listes d'intentions de saint Cyprien (T 3) et de Tertullien (T 7).

Le répons, quant à lui, n'a guère de chance d'être antique; comme le suggère Ramos (p. 73, note 48), on peut supposer qu'il était repris après chaque demande.

Bref, nous sommes enclin à voir dans ces invitatoires, même s'ils ne nous sont conservés que par des sources récentes, des vestiges fort anciens de l'*oratio fidelium*; ils pourraient remonter au IIIe siècle.

Et en Gaule?

Dans son inventaire des textes, M. Ramos s'avoue forcé de signaler également les formules gallicanes, vu la similitude de leur contenu et le parallélisme entre la structure de la messe en Espagne et en Gaule. Mais il se garde d'étendre à la Gaule ses conclusions sur l'existence d'une *oratio fidelium* en Espagne.

Nous pensons qu'il y aurait à entreprendre ici un travail de recherche. Le liturgiste espagnol a signalé et classé systématiquement (p. 165—172) tous les textes gallicans parallèles à la *missa* hispanique. L'étude de ce matériel, comparée avec ce que nous savons de la prière universelle en Espagne et ce que nous ont appris les anciennes litanies, pourrait fournir l'objet d'une thèse et éclairer ce domaine encore si obscur de l'*oratio fidelium* en Gaule.

EVOLUTION ULTERIEURE

Nous n'avons envisagé jusqu'ici que les traces et les textes d'*oratio fidelium*, nous limitant donc par définition à la messe. Cependant, une histoire complète du genre liturgique de la «prière commune» devrait tenir compte également des prières litaniques de l'Office. C'est là un domaine embrouillé, que nous ne pouvons pas aborder ici dans toute son ampleur[1]; mais il est évident qu'il y eut des influences entre la prière universelle de la messe et les prières litaniques de l'Office. Nous brosserons à grands traits l'évolution ultérieure de nos prières, de manière à montrer la continuité de ces différentes formes liturgiques; mais nous ne pouvons entrer ici dans tous les problèmes posés par ces textes.

A. LES VERSETS PSALMIQUES

C'est la Gaule, semble-t-il, qui prit l'habitude de conclure la prière des Heures par des versets psalmiques qu'elle nomma bientôt *capitella de psalmis*; l'expression est utilisée par le canon 30 du Concile d'Agde, en 506[2]; peut-être le premier témoignage en est-il déjà la *Regula monachorum* de Césaire d'Arles[3], qui date de 503[4]. La Règle de saint Colomban, vers 600, nous dit par ailleurs que les *seniores* ont établi qu'aux heures diurnes de trois psaumes, l'on prie

[1] On trouvera les données de base dans les ouvrages suivants:
S. BÄUMER, *Histoire du bréviaire*, Paris, 1905, notamment t. 2, Appendice II, p. 429—441.
E. BISHOP, *Kyrie eleison*, dans *Liturgica historica*, Oxford, 1918, p. 116—136.
P. ALFONSO, *Verso le origini delle preci dell' Ufficio*, dans *Rivista liturgica*, t. 12 (1925), p. 216 ss, p. 274 ss.
B. FISCHER, *Litania ad Laudes et Vesperas*, dans *Liturgisches Jahrbuch*, t. 1 (1951), p. 55—74.

[2] Concile d'Agde, éd. CH. MUNIER, CC 148, p. 206: «...et in conclusione matutinarum vel vespertinarum missarum post hymnos capitella de psalmis dici...».

[3] Ed. G. MORIN, *Sancti Caesarii opera omnia*, t. 2, Maredsous, 1942, p. 153, l. 16; ou PL 67, 1102 (Clavis 1012). Les Laudes du dimanche se terminent par «Te Deum laudamus, Gloria in excelsis Deo, et capitellum».

[4] Notons pourtant, comme nous l'avons déjà dit, que les plus anciens manuscrits du *Gloria in excelsis* (Ve s.) et du *Te Deum* (VIIe) font suivre ces deux hymnes de versets psalmiques, destinés à la prière du matin; cet usage pourrait

«cum versiculorum augmento intervenientium
pro peccatis primum nostris,
deinde pro omni populo christiano,
deinde pro sacerdotibus et reliquis deo
     consecratis sacrae plebis gradibus,
postremo pro elemosinas facientibus,
postea pro pace regum,
novissime pro inimicis, ne illis deus statuat
     in peccatum quod persecuntur et detrahunt nobis,
     quia nesciunt quid faciunt[5].»

On ne manquera pas de remarquer la parenté de ces demandes avec celles des anciennes litanies! L'Antiphonaire de Bangor nous renseigne, lui, sur la forme liturgique de cette prière, puisqu'il nous donne un texte intitulé *Oratio communis fratrum*[6] où l'on prie successivement

«[pro peccatis nostris],
   pro baptizatis,
  [pro sacerdotibus],
   pro abbate,
  [pro fratribus],
   pro fraternitate,
   pro pace populorum et regum,
   pro blasphemantibus,
   pro impiis,
   pro iter facientibus,
  [pro gratias agentibus],
   pro eleemosynariis,
   pro infirmis,
  [pro captivis],
  [pro tribulantibus],
  [pro poenitentibus]»;

chaque fois (sauf pour l'abbé, où figurent trois versets mais pas d'oraison), on trouve après ce titre un ou deux versets psalmiques, suivis d'une très brève oraison. Warren, le savant éditeur de cet antiphonaire, leur consacre une note[7] où il publie en colonnes parallèles d'une part la suite de ces demandes, et d'autre part le passage de la Règle de saint Colomban cité ci-dessus. Puis il les compare avec les *Orationes maiores* pour laudes et vêpres du Psautier de Reims[8], qui commencent par *Oremus pro omni*

donc être plus ancien. On trouvera l'édition des plus anciens témoins de ces hymnes dans WARREN, *The Antiphonary of Bangor*, t. 2, Londres, 1895, p. 76—79 et p. 93—94.

[5] Ed. G. S. M. WALKER, *Sancti Columbani opera*, Dublin, 1957, p. 130; PL 80, 212 C (Clavis 1108).

[6] Ed. F. E. WARREN, *The Antiphonary of Bangor*, t. 2, Londres, 1895, p. 22—24; PL 72, 598—599 (Clavis 1938 — Gamber 150).

[7] *Ibid.*, p. 63—66.

gradu ecclesiae. Elles se trouvent en de nombreux manuscrits[9] et comportent beaucoup de variantes locales. En voici le texte, repris à Bäumer et quelque peu complété:

Oremus pro omni gradu ecclesiae
℣. Sacerdotes tui induantur iustitiam et sancti tui exsultent
Pro pastore nostro
℣. 1. Beatus qui intelligit super egenum et pauperem
    2. Dominus conservet eum et vivificet eum et beatum faciat eum in terra et non tradat eum in animam inimicorum eius
Pro rege nostro
℣. Domine salvum fac regem et exaudi nos in die qua invocaverimus te

[8] CAMBRIDGE, Corpus Christi College 272, f. 171ᵛ—172ʳ, datant de peu avant 882. Cette pièce est aussi éditée par S. Bäumer, *Histoire du bréviaire*, t. 2, Paris, 1905, p. 440—441, sous le titre: «Les Orationes maiores s. Preces.»

[9] Aux huit manuscrits cités par Bäumer, p. 439, on peut ajouter:

1. BRUXELLES, Bibl. Roy. IV, 41, f. 24ʳ—27ʳ. Processionnal de Liège, 1574. «Preces maiores» après la litanie des saints.
2. Ibid., IV 112, f. 13ᵛ—14ᵛ. Processionnal de Liège, XIIIᵉ—XIVᵉ; au mercredi des Cendres.
3. CAMBRAI, Bibl. Mun. 55, f. 103. Psautier, XVᵉs.; après la litanie des saints.
4. CHANTILLY, Musée Condé 103 (non folioté). Livre de prières, XVIᵉ s.; «preces et orationes dicendae post litanias».
5. LONDRES, Brit. Mus. Harl. 863, f. 111—112, à la fin d'un Psautier du XIIe s., après la litanie des saints; éd. E. S. Dewick, *The Leofric Collectar*, t. 1, Londres, 1914, Appendice, col. 444—445.
6. MONTPELLIER, Bibl. Fac. Médecine Ms 409, au dernier folio (346) du Psautier de Mondsee, après les litanies (vers 800); éd. F. Unterkircher, *Die Glossen des Psalters von Mondsee*, Fribourg, 1974, p. 515. Après les trois premières intentions, il ne comporte plus que «pro senioribus nostris» et «pro defunctis»; il ne donne aucun verset biblique. Ce doit être un des plus anciens témoins.
7. PARIS, B.N. lat. 1154, f. 21ʳ—22. «Liber precum», IXe ex; «Capitula», après la litanie des saints.
8. Ibid., 9467, f. 26—27. Processionnal clunisien, XVIIe; après la litanie des saints.
9. REIMS, Bibl. Mun. 304, f. 26ʳ⁻ᵛ, Rituel de Saint-Thierry, 1e moitié Xe; «preces de quadragesima et adventu».
10. Ibid., 305, f. 91ᵛ—92ʳ, Rituel de Saint-Bertin (Nord France), XIe; même titre.
11. VALENCIENNES, Bibl. Mun. 510, f. 88ᵛ (page de garde). Recueil de *Vitae* de l'abbaye de Saint-Amand, Xe. Sans répons.
12. VERDUN, Bibl. Mun. 132 (1—2—3), Processionnaux du XIVe, respectivement aux f. 6, 4 et 6.
13. Ibid., 132, 3, f. 25—26 (pages de garde).

A quoi l'on peut encore ajouter le *Processionnal* imprimé à COUTANCE en 1839, p. LXXVIII ss, où manque cependant la première demande «pro omni gradu ecclesiae».

Pro liberis eius (*demande rare*)

    ℣. Salvos fac servos tuos, Deus meus, sperantes in te

Pro antistite nostro (*dans les monastères*: Pro abbate nostro)

    ℣. Dominus conservet eum et vivificet eum et beatum faciat eum in terra

Pro cuncto populo christiano (pro omni populo catholico)

    ℣. Salvum fac populum tuum, Domine, et benedic hereditati tuae (et rege eos et extolle illos usque in aeternum)

Pro pace (et unitate ecclesiae)

    ℣. Fiat pax in virtute tua et abundantia in turribus tuis

Pro fratribus et sororibus nostris

    ℣. Propter fratres meos et proximos meos loquebar pacem de te

Pro iter agentibus

    ℣. O Domine salvos fac eos; o Domine beneprosperare (Benedictus qui venturus est in nomine Domini)

Pro (fidelibus) navigantibus

    ℣. Exaudi nos, Deus salutaris noster,

        — et propter gloriam nominis tui, Domine, libera nos

        — spes omnium finium terrae et in mari longe

Pro adversantibus (persequentibus) et calumniantibus nos

    ℣. Domine (Jesu Christe), ne statuas illis hoc peccatum, quia nesciunt quid faciunt

Pro discordantibus

    ℣. Pax Dei, quae exsuperat omnem sensum, custodiat corda eorum (et intelligentias eorum in pace)

Pro paenitentibus

    ℣. Convertere Domine usquequo et deprecabilis esto super servos tuos

Pro omnibus (nobis) eleemosynas facientibus (nobis bona facientibus)

    ℣. 1. Dispersit, dedit pauperibus, iustitia eorum maneat in saeculum saeculi

       2. Retributor omnium bonorum, Deus, retribuere dignare omnibus nobis bona facientibus propter nomen tuum vitam aeternam

Pro infirmis

    ℣. 1. Et clamaverunt ad Dominum, cum tribularentur, et desiderium eorum attulit eis

       2. Mitte eis verbum tuum et sana eos de interitionibus eorum

Pro captivis (carceratis) et afflictis

    ℣. Libera eos, Deus Israel, ex omnibus tribulationibus suis

Pro peccatis et neglegentiis nostris

    ℣. 1. Domine, ne memineris iniquitatum nostrarum antiquarum, cito anticipent nos misericordiae tuae (quia pauperes facti sumus nimis)

2. Adiuva nos, Deus salutaris noster, et propter gloriam nominis tui, Domine, libera nos et propitius esto peccatis nostris
   propter nomen tuum

Pro fidelibus defunctis

℣. Requiem aeternam dona eis Domine, et lux perpetua luceat
   eis

Pro fratribus nostris absentibus

℣. Salvos fac servos tuos, Deus meus, sperantes in te

(Pro nobismetipsis

℣. Fiat misericordia tua Domine super nos, quemadmodum spe-
   ravimus in te).

On le voit, ces prières reprennent une fois encore les expressions chères
aux anciennes litanies; des influences se sont exercées! Nous sommes tout
près des *preces feriales* de l'Office romain.

Selon le professeur Fischer[10], l'évolution se serait faite de la manière
suivante. La Gaule aurait institué la coutume de conclure les Heures par
des versets de psaumes; l'Irlande lui aurait emprunté cette habitude et
aurait dès lors transformé les anciennes litanies en remplaçant le répons
par un verset psalmique; c'est le stade attesté vers 600 par la Règle de
saint Colomban, et par les textes que nous venons de citer, qui ont dû se
répandre sur le continent au cours du VIIe siècle. Ces considérations lui
permettent de distinguer dans les *preces feriales* de l'Office romain des
demandes gallicanes et des demandes irlandaises (p. 58, note 21).

Bientôt s'attachera à ces prières un caractère pénitentiel; c'est ce dont
témoigne Amalaire (vers 775—850)[11].

B. LES «PRECES» QUADRAGESIMALES HISPANIQUES

Une autre forme dans laquelle ce vieux fond des litanies s'est développé et s'est conservé est celle que les manuscrits appellent d'une manière
imprécise les *preces*. Ils désignent sous ce titre autant les anciennes litanies que des compositions qui en dérivent, mais qui présentent un genre
littéraire différent.

Ainsi par exemple le *Missale mixtum* offre-t-il aux cinq premiers
dimanches de Carême, entre les deux premières lectures (A. T.) et les
deux dernières (Apôtre et évangile), des litanies dont voici le relevé:

— 1er dimanche: *Indulgentiam postulamus, Christe exaudi*

℟. *Placare et miserere* (PL 85, 298)

— 2e dimanche: *Miserere et parce clementissime Domine populo tuo*

℟. *Quia peccavimus tibi* (*Ibid.,* 318)

— 3e dimanche: *Rogamus te rex saeculorum Deus sancte*

℟. *Jam miserere peccavimus tibi* (*Ibid.,* 336).

Cette première phrase se retrouve dans les *preces* des manuscrits aquitains et hispaniques; les demandes ne sont pas identiques, mais c'est

---

[10] B. FISCHER, *Litania ad Laudes et Vesperas*, p. 57.
[11] AMALAIRE, *Liber officialis* IV, 4, 6 ss; éd. HANSSENS, t. 2, p. 424—425.

fondamentalement le même texte. Il a été édité et commenté par M. Huglo[12].

— 4e dimanche: *Vide Domine humilitatem meam, quia erectus est inimicus*
   ℞. *Miserere pater iuste, et omnibus indulgentiam dona* (*Ibid.*, 354—355).

Ce texte figure, quelque peu écourté, dans le *Missel de Bobbio*, au samedi saint, sans répons, sous le titre: *Item alia de eodem die*[13]. Le répons se retrouve également, avec la même fonction, dans les manuscrits aquitains, mais les demandes sont différentes[14].

— 5e dimanche: *Insidiati sunt mihi adversarii mei gratis*
   ℞. *Tu pater sancte miserere et libera me* (*Ibid.*, 372—373).

Cette pièce figure également dans le *Missel de Bobbio*, au même samedi saint, sous le titre: *Incipit precis de eodem die*[15].

Les trois premiers formulaires sont de vraies litanies, dont les demandes puisent d'ailleurs leur vocabulaire dans l'arsenal traditionnel; mais leur forme littéraire est presque hymnique et annonce les *preces* sangalliennes du Xe siècle.

Les deux derniers textes sont fort différents; ils ne se composent plus de demandes, mais de plaintes mises dans la bouche du Christ, à la première personne, comme les Impropères. Meyer, et De Bruyne à sa suite[16] ont étudié ces deux formulaires; à l'encontre du premier, le second estime que l'*Insidiati* fut composé en Espagne pas plus tard que le VIIe siècle, et qu'il fut adopté par le Missel de Bobbio[17]; l'autre texte lui paraît du même auteur.

Nous croirions volontiers que l'évolution se sera faite de la manière suivante. On utilisa jadis en Espagne les anciennes litanies; du moins y furent-elles connues. Elles y subirent deux mutations:

— la première les transforma en lities, que nous livrent les *orationes paschales* commentées plus haut;
— la seconde tendit à en faire des hymnes; ce genre fera fortune et trou-

---

[12] M. HUGLO, *Les preces des graduels aquitains empruntées à la liturgie hispanique*, dans *Hispania sacra*, t. 8 (1955), p. 374—375; commentaire philologique et musical aux p. 378—381. Aux manuscrits cités, on peut ajouter le PARIS, B.N. nv. acq. lat. 3001, Processionnal monastique du Sud-Ouest de la France (Saint-Michel-de Gaillac?), XIIIe s., f. 36ᵛ—37ᵛ. On en trouve la musique dans les *Variae preces*, Solesmes, 1896, p. 255—257.

[13] *Missel de Bobbio*, éd. LOWE, p. 66—67.

[14] Cfr. M. HUGLO, *Les preces...*, p. 365 et 376—377. Y ajouter le même manuscrit 3001, f. 24ᵛ—26ʳ.

[15] *Missel de Bobbio*, éd. LOWE, p. 66.

[16] W. MEYER, *Über die rythmischen Preces der mozarabischen Liturgie*, dans les *Nachrichten* de Göttingen, 1913, p. 177—222.
D. DE BRUYNE, *De l'origine de quelques textes liturgiques mozarabes*, RB, t. 30 (1913), p. 421—436.

[17] A. WILMART, art. *Bobbio (Missel de)*, DACL 2, 939—962, croit pouvoir «admettre que le Bobiense a reçu d'Espagne ses *Preces*» (c. 947).

vera plus tard des interprètes de talent parmi les moines de Saint-Gall. Dans les processionnaux médiévaux, on trouve aux Rogations de nombreuses compositions hymniques (*Ardua spes, Clamemus omnes, Humili prece,* etc) où l'on rencontre encore parfois des bribes provenant des anciennes litanies[18]. Mais ceci n'a plus rien à voir avec la prière universelle.

C. LA LITANIE DES SAINTS[19]

Outre le *Kyrie eleison* qui l'introduit, la litanie des saints a conservé, dans sa quatrième partie, des demandes introduites par *ut* où l'on reconnaît encore parfois un lointain écho des litanies anciennes. Elles se situent en tout cas dans le même courant que ces dernières, ou du moins que les transformations qu'elles ont subies; une fois l'*oratio fidelium* supprimée, ce besoin d'intercession a rejailli ailleurs, en des expressions variées[19a].

Ses origines

Les origines de la litanie des saints sont encore obscures. Certains la projettent déjà dans le rituel des Ordinations du Gélasien ancien (entre 628 et 715); lors de l'élection[20], après l'introït et l'oraison, l'évêque s'adresse aux participants, puis «incipiunt omnes Kyrie eleison cum laetania»[21].

[18] A propos de ces hymnes, on peut lire P. STOTZ, *Ardua spes mundi. Studien zu lateinischen Gedichten aus Sankt Gallen,* Berne, 1972.

[19] On trouvera les principaux renseignements dans:
A. BAUMSTARK, *Eine syrisch-melchitische Allerheiligenlitanei,* dans *Oriens Christianus,* t. 4 (1904), p. 98—120.
E. BISHOP, *The Litany of Saints of the Stowe Missal,* dans *Liturgica historica,* Oxford, 1918, p. 137—163. Id., *Angilbert's Ritual Order for St.-Riquier, Ibid.,* p. 314—332.
F. J. BADCOCK, *A Portion of an Early Anatolian Prayer Book,* JTS, t. 33 (1932), p. 167—180.
E. MOELLER, *Litanies majeures et Rogations,* QLP, t. 23 (1938), p. 80—86.
P. ALFONSO, *Una redazione arcaica della litania romana,* EL, t. 54 (1940), p. 206—213.
B. OPFERMANN, *Litania italica. Ein Beitrag zur Litaneigeschichte,* EL, t. 72 (1958), p. 306—319.
M. COENS, *Anciennes litanies des saints,* dans *Recueil d'études bollandiennes,* Bruxelles, 1963, p. 131—322.
G. KNOPP, *Sanctorum nomina seriatim. Die Anfänge der Allerheiligenlitanei und ihre Verbindung mit den «Laudes regiae»,* dans *Römische Quartalschrift,* t. 65 (1970), p. 185—231.
Le P. GY a étudié la question de près et prépare un article à ce sujet; ce que nous écrivons ici provient en bonne partie des échanges que nous avons pu avoir avec lui.

[19a] Témoin encore une traduction (adaptée) de la grande prière de Clément de Rome retrouvée dans un manuscrit de Troyes édité par Wilmart, cfr. L. EIZENHÖFER, *Das Gemeindegebet aus dem ersten Klemensbrief in einem karolingischen Gebetbuch,* dans *Sacris Erudiri* 21 (1972—1973), p. 223—240.

[20] Cet *Ordo* de l'élection fut ajouté en Gaule, cfr. A. CHAVASSE, *Le sacramentaire gélasien,* Tournai, 1958, p. 22—27.

[21] Sacramentaire gélasien, éd. MOHLBERG, n° 142, p. 24.

Quel formulaire cette «laetania» désigne-t-elle? La question nous laisse perplexe. Le Gélasien ancien, dont le manuscrit lui-même date de 750 environ, ne peut évidemment faire allusion à la litanie des saints telle qu'on la trouve partout dès le IXe siècle. Mais cela ne veut pas dire que cette rubrique n'ait pas en vue un stade antérieur de la litanie, avant qu'elle ait atteint son plein développement. Comme ultérieurement dans le rituel des Ordinations on ne trouve jamais que la litanie des saints, il y a peu de chance que «laetania» vise une des anciennes litanies, du moins dans sa forme originelle. Peut-être d'ailleurs ne faut-il pas tellement opposer les deux formes de litanies, car elles comportent de nombreux éléments communs; génétiquement, la litanie des saints est une litanie qui commence par invoquer les saints. Si le caractère spécifique de cette prière est l'invocation des saints, quand celle-ci apparaît-elle donc?

Le Psautier d'Athelstan[22] est le premier document à en fournir des traces; au dernier folio, ce manuscrit contient une «litanie des saints» en langue grecque, qui figure encore dans un manuscrit du XIIe[23]. On pense généralement que ce Psautier arriva en Angleterre vers 690 et nous offre le canevas d'une litanie utilisée à Rome; peut-être est-ce la traduction d'un original latin. Ces deux formulaires grecs correspondent aux premières traces latines que nous livrent un manuscrit anglais de la première moitié du VIIIe siècle[24], le Missel de Stowe et son correspondant de Fulda[25]. Sur base de ces cinq manuscrits, E. Bishop a édité en colonnes parallèles les textes grec et latin de ce schéma des litanies des saints, tandis que G. Knopp donne un tableau synoptique de toutes les sources[26].

Selon Bishop, les litanies des saints passeront bien vite des Iles Britanniques sur le continent, où on les trouve pour la première fois dans le rituel du baptême du Sacramentaire de Gellone[27] et dans l'OR 21 («ordo letaniae maioris»)[28], tous deux de la fin du VIIIe siècle; la voie est dès

[22] LONDRES, Brit. Mus., Cotton MS Galba A XVIII, f. 200; le manuscrit date du IXe s. selon BISHOP, et du milieu du Xe selon BADCOCK et KNOPP.

[23] Ibid., Cotton MS Titus D XVIII, f. 12v; XIIe s.

[24] Ibid., Royal MS 2 A XX, f. 26; 1e moitié VIIIe s. Cette litanie a été éditée par F. E. WARREN, *The Antiphonary of Bangor*, t. 2, Londres, 1895, p. 89—90; et par E. BISHOP dans son Commentaire du *Book of Cerne*, éd. KUYPERS, Cambridge, 1902, p. 211—212.

[25] *Missel de Stowe*, éd. WARNER, p. 3. A cette documentation fournie par BISHOP, BADCOCK ajoute le manuscrit SAINT-GALL, Stiftsbibl. 1359, f. 426—427; fin VIIIe ou début IXe s.; il s'agit d'un fragment de manuscrit irlandais, édité par F. E. WARREN, *The Liturgy and Ritual of the Celtic Church*, Oxford, 1881, p. 179—181.

[26] E. BISHOP, *The Litany of Saints...*, p. 142—143; G. KNOPP, *Sanctorum nomina seriatim*, p. 203.

[27] PARIS, B.N. lat. 12048, f. 173v ss (Clavis 1905c — Bourque 22 — Gamber 855). En attendant l'édition promise par Dom Dumas, on peut lire la litanie dans MARTENE, *De antiquis Ecclesiae ritibus*, I, 1, XVIII, Venise, 1788, p. 66—67.

[28] Ed. ANDRIEU, t. 3, p. 249.

lors ouverte au gonflement de la litanie par la multiplication des noms
de saints (le sacramentaire de Gellone n'en donne que treize) et l'introduction d'invocatoires, nouveaux ou puisés dans le fond commun des
anciennes formules d'intercession.

Bishop note (p. 148) que si la litanie des saints arriva en Angleterre
vers la fin du VIIe siècle, sa diffusion rapide n'a rien d'étonnant, vu le
type d'esprit religieux qui régnait à l'époque, vu aussi la souplesse de
cette nouvelle dévotion qui allie la variété et la liberté dans le choix des
saints à un genre eucologique essentiellement populaire.

D'après Badcock, la patrie de l'original grec serait la Galatie ou la
Cappadoce; il remonterait à la fin du IVe ou au début du Ve siècle. Ce
manuscrit serait passé par Rome, et aurait gagné la Gaule où on en aurait
fait une copie, utilisée par le rédacteur de l'OR 21 et par Moelcaich. Au
milieu du VIIIe siècle le manuscrit se trouve en Angleterre, où la litanie
est d'une part traduite en latin, comme dans le Royal 2 A XX, et d'autre
part raccourcie dans une copie qui servira de modèle à Galba A XVIII
au Xe s. et à Titus D XVIII au XIIe s. Au début du IXe siècle, le manuscrit original est en Irlande, ce qui explique la présence de la litanie dans
le Missel de Stowe, le manuscrit de Fulda et le Saint-Gall 1359. Cette
reconstitution hardie n'est pas en tous points convaincante.

La variété des formulaires

Le caractère très populaire de la litanie des saints explique sans doute
qu'il n'en existe pas de formulaire unique et rigide. Un document nous
décrit la variété existant pour les litanies à l'abbaye de Saint-Riquier
vers l'an 800; il s'agit de l'*Ordo d'Angilbert*[29]; il ne nous donne malheureusement pas les textes. Au cours de la messe pascale, on chante d'abord
la *letania septenaria*, puis la *quinaria*, enfin la *ternaria*; nous ne pouvons
pas savoir exactement de quoi il s'agit, car dans les manuscrits postérieurs ces titres introduisent des formulaires assez divers. Cependant le
mystère est peut-être éclairci par le Psautier de Corbie du IXe s.[30] où
après la *Letania maior* figurent les litanies de la vigile pascale, qui portent les mêmes titres! les voici:

— *prima septima*: 7 noms de saints précédés du *Kyrie eleison* et du
  Christe, audi nos;
  suivis d'*Omnes sancti, orate pro nobis*;

— *secunda quina*: 5 noms de saints se terminant de la même manière
  que ci-dessus;

— *tertia terna*: 3 noms de saints,

[29] ROME, Bibl. Vat. Reg. lat. 235, f. 77v—82r; les f. 74—84, relatifs à Saint-
Riquier, datent (du moins jusqu'au f. 82r) du XIe s., et n'ont rien à voir avec
le début du manuscrit, qui comporte des œuvres de Guibert de Nogent et date
du XIIe s. On en trouve le texte et la bibliographie dans E. Bishop, *Angilbert's
Ritual Order...*, p. 321—329.

[30] ZURICH, Zentralbibl. Car. C. 161, Psautier de Corbie, IXe s., f. 180 ss;
éd. M. Coens, *Recueil...*, p. 314—318.

Omnes sancti, orate pro nobis,
Propitius esto, parce nobis Domine.

Après une lacune, cet *Ordo d'Angilbert* décrit les Rogations, au cours desquelles la *scola* chante les trois jours une *letania generalis*, les *Laudes* («Christus vincit ...») puis «letanias ... primo Gallicam, secundo Italicam, novissime vero Romanam». Ici aussi, on aimerait en lire le formulaire immédiatement sous ces titres! Il faut chercher plus loin. Heureusement, un célèbre manuscrit de la Nationale nous conserve un Psautier provenant de la même abbaye de Saint-Riquier[31] et datant exactement de la même époque (800); après les psaumes et les cantiques bibliques, on y lit les *Laudes* (f. 163—164), puis:

> *letania ‹romana›*[32], f. 164v—165;
> *letania gallica,* f. 165r-v;
> *letania italica,* f. 166r-v.

Les trois traditions

1. letania romana

Angilbert la mentionne sans en donner le contenu. Nous n'avons trouvé celui-ci que dans deux manuscrits:
— le Psautier de Saint-Riquier, dont le copiste a commis une erreur dans le titre de cette litanie,
— et le Sacramentaire de Senlis[33].

Cette litanie commence par *Kyrie eleison, Christe eleison,* («Christe audi nos» *add* Senlis); puis elle passe directement à *Sancta Maria* ...; elle ne comporte donc pas d'invocation trinitaire. Elle s'adresse au Christ; le Psautier de Saint-Riquier ajoute d'ailleurs l'invocation *Filius Dei, te rogamus audi nos* avant l'*Agnus Dei* final. Le *Kyrie eleison* achève l'ensemble.

Notons que l'actuelle litanie brève conservée par le Rituel Romain pour la *Commendatio animae* a le même incipit.

[31] PARIS, B.N. lat. 13159, Psautier de Saint-Riquier, an 800; dans l'abondante bibliographie relative à ce manuscrit, on retiendra V. Leroquais, *Les psautiers manuscrits latins des bibliothèques publiques de France,* t. 2, Mâcon, 1941, p. 112—115, et M. Huglo, *Un tonaire du graduel de la fin du VIIIe s.,* Revue grégorienne, t. 31 (1952), p. 176—186 et 224—233.

[32] En fait, le manuscrit porte *letania gallica*; les deux premières litanies reçoivent donc le même titre. Les litanies de Lobbes (BRUXELLES, Bibl. Roy. 7524—55 (3558), Xe ex, f. 79v ss; éd. M. Coens, *Recueil ...,* p. 251 ss) nous aident à résoudre la difficulté, car elles comportent trois formulaires:
letaniae, f. 79v;
letania gallica, f. 83v;
letania italica, f. 84r.
La seconde commence comme celle du Psautier de Saint-Riquier par «Pater de caelis Deus, miserere nobis». Nous pensons donc que le copiste de ce Psautier a commis une erreur dans le titre de la première litanie; dans son modèle, le mot *letania* n'était sans doute pas déterminé; ou peut-être l'était-il par l'adjectif *romana*: dans ce cas nous retrouverions les trois pièces indiquées par l'*Ordo* de l'abbé Angilbert.

2. letania gallica[34]

Elle débute par *Pater de caelis,* suivi des invocations au Fils et à l'Esprit-Saint et de trois invocations trinitaires; ceci correspond parfaitement au génie gallican.

La finale est toute différente de la litanie précédente; les demandes se terminent par des répons variés; on y trouve encore des réminiscences des anciennes litanies, par exemple «Aeris temperiem bonam, concede nobis domine», à rapprocher d'Irl[2] III, manuscrit F.

3. letania italica

Celle-ci est mieux connue depuis l'étude que lui a consacrée B. Opfermann[35]; il en édite douze témoins: nous en avons découvert encore bien d'autres; tous les manuscrits que nous venons de citer la contiennent, sauf le second. Elle commence normalement par *Exaudi Deus (Christe-Deus)* ℟. *Voces nostras*; souvent s'y joint un *Agnus Dei*; suivent les invocations aux saints. Elle se termine par des acclamations semblables à celles des *Laudes*; ceci a disparu complètement de l'usage actuel.

Bref, les litanies des saints se situent dans la ligne des prières litaniques nées au Ve siècle; grâce à la trouvaille que constitue l'invocation des saints, la thématique des anciennes litanies se coula en une nouvelle forme liturgique. C'est toujours le même besoin d'intercession qui s'exprime, et c'est à ce titre-là que nous avons présenté ces quelques éléments.

Les litanies que nous utilisons aujourd'hui proviennent principalement de la *letania romana* dont elles empruntent la structure; elles ont cepen-

---

[33] PARIS, Bibl. Sainte-Geneviève lat. BB 20, entre 877 et 882, f. 23v ss; éd. L. Delisle, *Mémoire sur d'anciens sacramentaires,* Paris, 1886, p. 363—366.

[34] La *letania gallica* figure en de nombreux manuscrits; parmi les principaux et les plus anciens, citons:
PARIS, B.N. lat. 13159, f. 165r-v, Psautier de Saint-Riquier, 800;
MONTPELLIER, Bibl. Fac. Médecine Ms 409, f. 344v (sans titre), dans les appendices du Psautier de Mondsee, vers 800; éd. F. Unterkircher, *Die Glossen des Psalters von Mondsee,* Fribourg, 1974, p. 512; photographie table XI. Ou éd. Coens, *Recueil . . .,* p. 288;
BRUXELLES, Bibl. Roy. 7524—55 (3558), f. 83v, Litanies de Lobbes, Xe s.; éd. Coens, *Ibid.,* p. 256;
les manuscrits de l'OR 50, éd. Andrieu, t. 5, p. 334—335 (sans titre), Mayence vers 950;
VIENNE, Nationalbibl. lat. 1888, f. 110r—111r, Rituel de Mayence, Xe ex; éd. Gerbert, *Monumenta veteris liturgiae alemannicae,* t. 2, Saint-Blaise, 1779, p. 90 (= PL 138, 1086).
G. Knopp, *Sanctorum nomina seriatim,* dans *Römische Quartalschrift,* t. 65 (1970), p. 215, signale encore le manuscrit BERLIN, theol. lat. f. 452 (IXe s.), de Corvey.

[35] B. Opfermann, *Litania italica. Ein Beitrag zur Litaneigeschichte,* EL, t. 72 (1958), p. 306—319.

[36] La récente révision des litanies des saints, faite à l'occasion du Nouveau Calendrier liturgique, a éliminé cet apport gallican, ou plutôt l'a considéré

dant subi l'influence, en leur début, de la *letania gallica,* d'où proviennent le *Pater de caelis* et les invocations trinitaires[36].

D. LES «LAUDES REGIAE»

Nous avons noté, en fin de la *letania italica,* la présence d'acclamations analogues à celles des *Laudes (Christus vincit ...).* Celles-ci n'ont absolument plus rien de commun avec l'*oratio fidelium.* Il s'agit d'une louange adressée aux grands personnages (pape, empereur, officiers ...) et d'une invocation des saints en leur faveur, le tout étant ponctué à plusieurs reprises par le chant «Christus vincit, Christus regnat, Christus imperat». Leur histoire semble mêlée de près à celle des litanies des saints; plusieurs des manuscrits que nous venons de citer les comportent. Elles ont fait l'objet d'une étude remarquable et très fouillée due à E. Kantorowicz[37]. On les nomme tantôt *Laudes regiae,* tantôt *Laudes regales,* ou encore *Laudes* carolines, *regale carmen, laudes imperatoriae, triumphus.* Leur origine franque paraît hors de doute.

CONCLUSION

Les anciennes litanies, ou plus précisément les expressions dont elles se servaient, ont eu une survie étonnamment longue; elles ont subi toutes sortes de vicissitudes et de transformations. Il n'est pas rare, en consultant les sources liturgiques médiévales, de tomber sur une tournure qui en provient. Un seul exemple: dans le manuscrit 123 de la Bibl. Angelica (qui contient la DG milanaise), on lit au f. 175^{v}, sous le titre *Pro quacumque tribulatione,* des prières à réminiscences traditionnelles, comme: «... deprecamur te ut pacem aeris temperies bona (sic) celique serenitatem et fructus terrae largiaris nobis».

Il y a encore un gros travail de recherche à faire si l'on veut pouvoir suivre un jour pas à pas l'évolution subie par les formulaires des anciennes litanies. Nous avons quelque peu déblayé le terrain dans les sources les plus anciennes; le P. Molin a publié de nombreux textes de «prières du prône» du bas moyen âge[38]; entre les deux, c'est le maquis. Son étude serait susceptible d'apporter quelques surprises, comme celle que nous avons eue en trouvant par hasard dans un manuscrit du Xe siècle une *oratio communis* comportant quinze invitatoires qui reprennent pêle-mêle tous les matériaux dont nous avons fait état[39]; mais on entre ici dans un autre domaine.

comme un doublet du *Kyrie, Christe, Kyrie;* il faut désormais choisir la formule romaine ou la formule gallicane. Cfr. EL, t. 83 (1969), p. 224, et le commentaire de P. JOUNEL, p. 232.

[37] E. H. KANTOROWICZ, *Laudes regiae. A Study in Liturgical Acclamations and Mediaeval Ruler Worship,* Berkeley-Los Angeles, 1946. Cfr. aussi B. OPFERMANN, *Die liturgischen Herrscherakklamationen im Sacrum Imperium des Mittelalters,* Weimar, 1953.

[38] J.-B. MOLIN, *L'oratio communis fidelium au moyen âge en Occident du Xe au XVe siècle,* dans les *Miscellanea Lercaro,* t. 2, Rome, 1967, p. 313—468.

[39] SALISBURY, Cath. Library 180, f. 172^{r}—174, à la fin d'un Psautier du

Xe s., après la litanie des saints; éd. DEWICK-FRERE, *The Leofric Collectar,*
t. 2, Londres 1921, p. 631—633.

Le *Missel de Leofric,* éd. WARREN, p. 8, contient un formulaire analogue, mais
beaucoup plus court; il a été édité sous le n⁰ 1 par MOLIN, *L'oratio communis
fidelium . . .,* p. 330.

On pourrait encore citer deux formules de *Hanc igitur* développés cités par
A. EBNER dans son *Iter italicum,* Fribourg, 1896, p. 415 et 417. Le premier provient d'un sacramentaire de Brescia, de la seconde moitié du IXe s.; à la fin
du Canon, on y lit: «Hanc Domnus Paulinus in canone addidit. Hanc igitur
oblationem servitutis nostrae sed et cunctae familiae tuae, quaesumus Domine,
ut placatus accipias, quam tibi offerimus

   pro pace et unitate sanctae ecclesiae,
   pro pace et caritate et unitate omnium christianorum,
   pro fide catholica, ut eam inviolatam in meo pectore peccatori et in omnium
      fidelium tuorum iubeas conservare,
   pro sancta tua scriptura, ut eam nobis per inluminationem sancti Spiritus
      et eius dona gratiae facias recte intelligere vel docere,
   pro sacerdotibus tuis et omni grado ecclesiae,
   pro regibus et ducibus et omnibus, qui in sublim[it]ate sunt constituti,
   pro pauperibus, orfanis, viduis, captivis, penitentibus, it[in]erantibus, lan-
      guidis, defunctis, qui de hac luce in recta fide et in tuo nomine confi-
      dentes migraverunt et pro omni populo catholico,
   pro dissidentibus et discordantibus, ut ad caritatem et concordiam omnes
      revocentur (. . .).»

Ce texte est cité également par F. CABROL, art. *Aquilée (liturgie),* dans DACL
1,2, 2690. La tournure «in sublimitate» ne se trouve qu'en Irl[1] VI et dans une
variante de M[1] IV (cfr. p. 152). «Dux» ne figure que dans des manuscrits du
Nord de l'Italie. La liste des nécessiteux n'est semblable à aucune de celles des
litanies connues.

Le second formulaire provient d'un sacramentaire de ROUEN, Cod. A 566, Xe
s., dont EBNER reprend le texte à L. DELISLE, *Mémoire sur d'anciens sacramentaires,* Paris, 1886, p. 295: «Hanc igitur oblationem servitutis nostrae, sed et
cunctae familiae tuae, quaesumus Domine, placatus accipias, quam tibi devoto
offerimus corde

   pro pace et caritate et unitate s. Dei ecclesiae,
   pro fide catholica, ut eam inviolatam in meo pectori peccatore et in omnium
      fidelium tuorum iubeas conservari,
   pro sacerdotibus Restoldo, Albuino, Tedo', Val. et omnium fidelium tuorum
      et omni gradu ecclesiae,
   pro regibus et ducibus et omnibus, qui in sublimitate sunt constituti,
   pro familiaribus et consanguineis et omnibus nobis commendatis,
   pro omnibus viventibus ac defunctis famulis et famulabus tuis, qui mihi
      propter nomen tuum bona fecerunt et mihi in tuo nomine confessi
      fuerunt; propitius sis illis Deus,
   pro pauperibus, orfanis, viduis, captivis, it[in]erantibus, languidis, defunctis
      (11 noms) qui de hac luce in recta fide et in tuo nomine confitentes
      migraverunt, etc.»

Manifestement, ces deux textes sont apparentés.

PRIERE UNIVERSELLE,
KYRIE ELEISON ET ORATIO SUPER SINDONEM

Après avoir analysé méthodiquement les textes, nous voici en mesure d'en tirer les conséquences pour l'histoire de la messe. Les renseignements accumulés jusqu'ici l'éclairent en effet de manière quelque peu nouvelle, surtout quant à la permanence de l'*oratio fidelium* après la fin du Ve siècle et à l'apparition du *Kyrie eleison*. Voyons d'abord quelles sont les positions actuelles à propos de ce dernier élément.

1. Etat de la question

C'est Edmund Bishop qui écrivit l'article qui sert de base à quiconque veut parler du *Kyrie eleison*[1]; nous l'avons déjà cité à plusieurs reprises. L'utilisation de cette invocation dans la culture antique sera développée après lui par le grand Dölger[2]. L'opinion dominante des liturgistes, avant les travaux de Dom Capelle, était que le *Kyrie eleison* du début de la messe romaine était le vestige d'une litanie inconnue, située à cette place par imitation des usages grecs[3]. Selon L. Eisenhofer, cette litanie initiale était très probablement en usage dans la messe romaine dès le IVe siècle; originellement, l'invocation *Kyrie eleison* n'en faisait pas partie; elle y entra au cours du Ve, non pas comme répons à des demandes, mais comme élément autonome. D'après ces auteurs, cette litanie tomba en désuétude pour différentes raisons, notamment la tendance à abréger la célébration, la concurrence de l'Introït ou d'une litanie stationnale.

L'apport de Dom Capelle

C'est en 1934 que Capelle édite la *Deprecatio Gelasii* (DG); malencontreusement à notre avis, il lui attribue le répons *Kyrie eleison,* sur base d'un manuscrit altéré[4]. D'après lui, «la *Deprecatio* serait un texte

---

[1] E. Bishop, *Kyrie eleison,* dans *Liturgica historica,* Oxford, 1918, p. 116—136.
[2] F. J. Dölger, *Sol salutis,* Munster, 1920, p. 50—80.
[3] L. Duchesne, *Origines . . .,* p. 174; E. Bishop, *Kyrie,* p. 124; L. Eisenhofer, *Handbuch der katholischen Liturgik,* t. 2, Fribourg B., 1933, p. 87—88.
[4] B. Capelle, *Le Kyrie . . .* Sur le lien du *Kyrie* avec la DG, cfr. supra, IIIe section, 1.

de *Kyrie eleison* romain» (p. 129). Aussitôt le professeur Klauser[5] répliqua qu'il est impensable que la messe romaine ait un jour comporté, côte à côte, deux prières d'intercession (à savoir la DG et les OS) aussi prolixes et apparentées. Cette critique permettra au liturgiste de Louvain de préciser la fonction liturgique de DG[6].

Frappé par les nombreux témoignages en faveur de l'*oratio fidelium* jusqu'au pape Félix III (483—492), et par le silence qui suit, l'Abbé du Mont César en vint à penser que pour introduire sa *Deprecatio*, Gélase supprima l'*oratio fidelium* romaine (identifiée à l'époque avec les seules OS); le pape introduisit la DG en lieu et place de notre *Kyrie* actuel, avant les lectures. Durant le VIe siècle, la messe aurait donc comporté, avant les lectures, la DG avec le répons *Kyrie eleison* et n'aurait plus connu de prière universelle après l'évangile. Un siècle plus tard, saint Grégoire supprima au *Kyrie eleison* des messes quotidiennes les «alia quae dici solent», *alia* que Capelle identifie aux invitatoires de la DG; il reste donc uniquement le répons *Kyrie eleison,* comme aujourd'hui! Mais cette explication, claire, rejoint-elle la réalité? A vrai dire, le savant Bénédictin n'apporte aucune preuve du transfert de la prière d'intercession de sa place ancienne (après l'évangile) à son lieu ultérieur, en début de célébration; il se réfère uniquement aux usages grecs.

Dom Capelle complétera cette hypothèse. Dans une contribution ultérieure[7], il estime que Gélase a remédié au trouble profond causé par l'ablation de l'*oratio fidelium* en introduisant à sa place l'*oratio super sindonem* que l'on trouve dans une grande partie du Sacramentaire de Vérone et dans la plupart des formulaires du Gélasien. Maigre compensation, que Grégoire écartera un siècle plus tard.

Nous tenons ainsi les trois éléments contenus dans le titre de cette sixième section; on comprend maintenant leurs relations.

Les travaux de A. Chavasse

Aux yeux de l'abbé Chavasse[8], cette thèse suppose plus qu'il n'est nécessaire, à savoir le transfert de la prière d'intercession d'après l'évangile au début de la messe. Profitant de travaux sur l'*oratio super sindonem* dans la liturgie de Milan[9], le professeur de Strasbourg estime que cette oraison n'aurait pas été primitivement une pièce isolée, destinée à remplacer à elle seule l'*oratio fidelium,* mais bien la conclusion sacerdotale de la litanie remplaçant les OS. Litanie et *oratio super sindonem* auraient formé les deux parties d'un même tout, situé après l'évangile.

[5] TH. KLAUSER, dans JLW, t. 14 (1934), p. 443—444.

[6] B. CAPELLE, *Le pape Gélase et la messe romaine,* dans RHE, t. 35 (1939), p. 22—34; Tr. Lit., t. 2, p. 135—145.

[7] B. CAPELLE, *L'œuvre liturgique de S. Gélase,* dans JTS, t. 52 (1951), p. 129—144; Tr. Lit., t. 2, p. 146—160.

[8] A. CHAVASSE, *L'oraison «super sindonem» dans la liturgie romaine,* dans RB, t. 70 (1960), p. 313—323.

[9] P. BORELLA, *«L'oratio super sindonem»,* dans *Ambrosius,* t. 34 (1958), p. 173—176.

Dans la liturgie papale cependant, la «deprecatio» aurait été déplacée et introduite au début de la messe pour faire pendant à la litanie processionnelle que les OR nous décrivent à certains jours, avant l'Introït; à cette nouvelle place, l'oraison de conclusion aura rapidement disparu, vu la proximité de la collecte. Dans la liturgie presbytérale par contre, un tel transfert n'eût pas été possible, puisque la place aurait été occupée habituellement par une litanie d'entrée. Ainsi s'expliquerait qu'à l'opposé de la liturgie grégorienne, le Gélasien ait généralement gardé l'*oratio super sindonem,* sauf dans les formulaires de type grégorien qu'il s'est tardivement incorporés.

Quant au *Kyrie* actuel, il est un reste de la «deprecatio» de la liturgie papale; saint Grégoire l'abrégea, si bien qu'il ne nous reste plus aujourd'hui que cette seule invocation.

Qu'en penser? La construction de M. Chavasse est subtile, mais repose sur des bases fort précaires; l'existence d'une litanie habituelle d'entrée dans la liturgie gélasienne, par exemple, il la déduit de sa présence à cette place dans la vigile pascale, alors que la rubrique du vendredi saint y prescrit de faire l'entrée en silence, «mettant dans cette prescription une insistance qui pourrait suggérer que l'exception était unique» (p. 319); de tels arguments invitent à la prudence. De plus, l'auteur lie, tout comme Capelle, le *Kyrie* à la «deprecatio», lien qu'on aimerait voir prouvé.

Bref, cette histoire est embrouillée. L'apport des deux derniers auteurs est sujet à caution. Aussi sommes-nous contraint de reprendre l'enquête à frais nouveaux. Voyons les textes.

2. Etude des textes

De quels éléments sûrs disposons-nous?

a) Le triple Kyrie eleison de M¹

Si le triple *Kyrie eleison* qui conclut M¹ fait partie de cette litanie dès l'origine, et si la datation que nous avons proposée s'avère exacte, cette triple invocation date de la deuxième moitié du Ve siècle et constitue le plus ancien témoin occidental du *Kyrie.* Or comment se présente-t-il à nous? Non pas comme le répons de la litanie, nous l'avons noté lors de l'analyse, mais bien comme une supplication indépendante; on dirait que le rédacteur a voulu conclure sa prière par une insistance particulière.

Ce fait, d'apparence bénigne, se révélera important; il pose en tout cas une question aux liturgistes qui voient «évidemment» dans le *Kyrie eleison* le répons d'une litanie. Rappelons que nous ne sommes pas certain que M¹ provient de Rome.

b) Le canon 3 du Concile de Vaison (529)

Ce Concile régional, réuni sous la présidence de Césaire d'Arles, a introduit dans les Eglises de Provence l'usage du *Kyrie eleison.* Voici le texte intégral du c. 3:

«Et quia tam in sede apostolica, quam etiam per totas Orientales adque Italiae provincias dulces et nimium salubres consuetudo est intromissa, ut Quirieleison frequentius cum grandi affectu et conpunctione dicatur, placuit etiam nobis, ut in omnibus ecclesiis nostris ista tam sancta consuetudo et ad matutinos et ad missas et ad vesperam Deo propitio intromittatur. Et in omnibus missis seu in matutinis seu in quadragensimalibus seu in illis, quae pro defunctorum commemorationibus fiunt, semper: «Sanctus, Sanctus, Sanctus» eo ordine, quomodo ad missas publicas dicitur, dici debeat, quia tam sancta, tam dulces et desideralilis vox, etiam si die noctuque possit dici, fastidium non poterit generare»[10].

Quelle réalité les Pères de ce Concile avaient-ils en vue en parlant du *Kyrie eleison*?

— Elle existait tant au Saint-Siège qu'en Orient et en Italie (que beaucoup d'auteurs identifient avec Milan). Ceci ne nous apprend pas grand-chose; ce pourrait désigner tant une litanie avec répons *Kyrie eleison* comme on en connaissait en Orient qu'une simple répétition de l'invocation, comme en finale de M[1].

— Cependant, cette habitude est qualifiée d'*intromissa*; pour autant que l'on puisse s'appuyer sur cette détermination, on est orienté vers un usage assez récent, introduit il n'y a pas tellement longtemps; or, en Orient, les litanies étaient en usage depuis au moins un siècle et demi.

— Cette *consuetudo* est dite *dulcis*, ce qui paraît bizarre pour qualifier le répons d'une litanie! Cet adjectif nous oriente vers quelque chose d'enchanteur, d'harmonieux; remarquons que déjà dans la langue classique, il pouvait qualifier un son, un discours, un chant[11].

— *frequentius* est imprécis; le terme veut-il dire que les répétitions du *Kyrie eleison* étaient nombreuses, ou qu'il était utilisé plusieurs fois le même jour, à différents offices?
Cependant, ce mot est peut-être bien la «pointe» de la prescription. Car si «dire le *Kyrie frequentius*» signifie l'utiliser comme répons, on peut difficilement affirmer que cet usage, du moins en Orient, vient d'être introduit! Mais peut-être est-ce nouveau, en Orient comme à Rome et en Italie, de le répéter pour lui-même, comme un chant de supplication.

— *cum grandi affectu et conpunctione*: conçoit-on que cette description quelque peu romantique s'applique à une litanie avec répons *Kyrie eleison*? Ne fait-elle pas davantage songer à une pièce de chant autonome, telle qu'on la trouve notamment en finale de M[1]? Bishop notait

---

[10] Concile de Vaison, c. 3, éd. C. de CLERCQ (CC 148A), p. 79; MANSI, t. 8, c. 727.
[11] Thesaurus, t. 5, 1, c. 2191—2192, *dulcis* II, b, β.

déjà que l'expression semblait indiquer que le *Kyrie eleison* était chanté par l'assemblée des fidèles (p. 121).

— L'innovation est introduite à Laudes, à la messe et à Vêpres; mais on ne précise pas à quelle place.

— La deuxième partie du canon traite de la généralisation du Trisagion («Aius») à toutes les messes. Raison de plus pour estimer que ce canon décrète l'introduction dans la messe provençale de deux pièces de chant.

— le verbe *dicere* ne peut être considéré comme une objection à cette hypothèse; il est utilisé par facilité, même pour les «messes publiques» où le «Sanctus» était certainement chanté.

Bref, ce canon se comprend mieux si, au lieu de voir derrière l'expression *Kyrie eleison* une litanie pareille à DG avec le répons *Kyrie eleison*, on y lit plutôt une pièce de chant, qui semble fort appréciée à l'époque.

c) La Règle de saint Benoît

Saint Benoît, dont on date la Règle des environs de 529, fait terminer les Laudes dominicales (ch. 12, 4) et fériales (ch. 13, 11), ainsi que les Vêpres (ch. 17, 8) par une *litania*; les Matines finissent par *supplicatio litaniae, id est quirie eleison* (ch. 9, 10), tandis que les Primes (ch. 17, 4), les Petites Heures (ch. 17, 5) et les Complies (ch. 17, 10) s'achèvent par «*quirie eleison*»[12].

Les auteurs ont beaucoup discuté pour savoir si ces trois expressions étaient synonymes, ou si, vu la précision de saint Benoît, il fallait y voir des réalités différentes. Qu'en penser?

Primes, les Petites Heures et Complies s'achèvent par *Kyrie eleison*; nous ne pensons pas qu'il faille sous-entendre ici toute une litanie, avec le répons *Kyrie eleison,* mais bien une pièce de chant indépendante, analogue à celle qui précède le Notre Père dans la tradition de l'Office bénédictin. Ceci peut être corroboré par l'ordonnance des Matines: elles se terminent par «la supplication que comporte la litanie», c'est-à-dire par le *Kyrie eleison*. Autrement dit, nous estimons que l'expression *supplicatio litaniae* n'est pas synonyme de *litania*, mais bien de *Kyrie eleison*; elle ne désigne qu'une partie de la litanie, à savoir cette instante supplication du *Kyrie eleison* telle qu'on la trouve par exemple en finale de M[1]. Quant aux Laudes et aux Vêpres, elles s'achèvent par une *litania*, où il faut voir sans doute une litanie complète[13].

---

[12] *Regula monasteriorum*, éd. A. DE VOGÜE, (SC 182), p. 512—529.

[13] C'est l'interprétation donnée aussi par A. DE VOGÜE dans son grand commentaire sur *La Règle de saint Benoît*, t. 2, (SC 182), Paris, 1972, p. 513, note 10 (à propos du ch. 9, 10): «Litanie réduite à la ‹supplication›, c'est-à-dire à la réponse *Kyrie eleison* (cfr. 17, 4): usage romain» (avec renvoi à la lettre 9 de Grégoire le Grand); cfr. aussi le t. 5, (SC 185), Paris, 1971, p. 451.
Connaissons-nous cette litanie complète qui achève Laudes et Vêpres? Faut-il y voir un formulaire du type de ceux que nous avons analysés plus haut, qui

Les expressions *supplicatio litaniae, id est Kyrie eleison* et *Kyrie eleison* ne désignent donc pas un simple répons à des demandes, mais une supplication particulière, probablement chantée. Cette interprétation est commandée par l'existence du triple *Kyrie eleison* final de M[1] et par la tradition bénédictine ultérieure; nous pensons cependant que ces deux repères ne nous égarent pas.

Bien sûr, il ne s'agit pas ici de la Messe, mais de l'Office; nous ne pouvons cependant négliger aucun renseignement lorsque la documentation est si rare. Si ce *Kyrie eleison* est bien, comme nous le soutenons, une pièce de chant apparue (en Occident) vers la fin du Ve siècle pour en appeler avec insistance à la miséricorde divine, nous estimons que cette «mode» a pu gagner aussi bien l'Eucharistie que l'Office.

d) La Règle d'Aurélien d'Arles († 551)

La fin de la *Regula ad monachos* de l'évêque d'Arles est constituée par un *Ordo psallendi* qui commence ainsi:

«... ad tertiam ter *Kyrie eleison*, psalmi duodecim: ...
Sic in omni opere Dei tertia vice *Kyrie eleison* dicite,
antequam incipiatis,
et psalmis perdictis,
et capitello perdicto»[14].

Ceci confirme solidement notre hypothèse: le *Kyrie eleison* se dit (se chante) trois fois d'affilée, sans qu'on ne parle plus de litanie; et l'expression ne désigne certainement plus une litanie entière, comme on pourrait encore le soutenir chez saint Benoît: on imagine mal qu'une litanie soit répétée trois fois au cours d'une seule prière chorale! Et même davantage, puisqu'aux Laudes fériales, le *Kyrie eleison* est répété douze fois[15]! Nous sommes au début des kyrielles!

e) Le témoignage de saint Grégoire

On connaît le célèbre passage de la lettre du Pape à Jean de Syracuse, datée de 598; pour mieux le situer, nous en donnons aussi le contexte:

«Veniens quidam de Sicilia mihi dixit quod aliqui amici ejus, vel Graeci vel Latini, nescio, quasi sub zelo sanctae Romanae

n'aurait donc pas servi d'*oratio fidelium* proprement dite à la messe, mais aurait exercé une fonction semblable à l'office? de Vogüe ne se pose pas la question. Faute de documentation, nous ne pouvons faire mieux que de supposer que cette litanie devait avoir la forme liturgique de celles que nous avons étudiées; ce genre d'intercession sera passé de la messe à l'office.
Peut-être cette litanie s'est-elle ultérieurement réduite à la «supplication» du *Kyrie eleison*, à l'exemple de ce qui se faisait aux autres Heures; ainsi en serait-on venu à l'usage actuel.

[14] Aurelien d'Arles, *Regula ad monachos*, PL 68, c. 393 (Clavis 1844).
[15] *Ibid.*, c. 395: «capitellum et *Kyrie eleison* duodecim vicibus».

Ecclesiae, de meis dispositionibus murmurarent, dicentes: Quomodo Ecclesiam Constantinopolitanam disponit comprimere, qui ejus consuetudinem per omnia sequitur? Cui cum dicerem: Quas consuetudines ejus sequimur? respondit: Quia ... Kyrie eleison dici ...

I. Kyrieleison autem nos neque diximus neque dicimus sicut a Graecis dicitur, quia in Graecis omnes simul dicunt, apud nos autem a clericis dicitur, a populo respondetur

II. et totidem vicibus (vocibus) etiam Christe eleison dicitur, quod apud Graecos nullo modo dicitur.

III. In cotidianis autem missis alia quae dici solent tacemus, tantum modo kyrieleison et Christe eleison dicimus, ut in his deprecationis vocibus paulo diutius occupemur»[16].

Le contexte n'est pas fort éclairant; Grégoire y répond point par point à l'accusation d'imiter les usages grecs. On voit cependant qu'il s'agit de la Messe, non de l'Office.

Habituellement, on estime que le pape a en vue une litanie; depuis Capelle, on n'hésite même plus à dire: la DG. Cette interprétation se base sur III, où Grégoire distingue le *Kyrie eleison* et les *alia quae dici solent*: cette dernière expression désignerait les invitatoires de DG; en les supprimant aux messes quotidiennes, Grégoire ne conserve plus que le répons *Kyrie eleison*.

Mais cette interprétation ne peut convenir à I; si le premier mot, *Kyrie eleison,* désigne une litanie, le reste de la phrase n'offre guère de sens; on ne voit vraiment pas comment chez les Grecs, une litanie pourrait être dite (chantée) par tous les fidèles ensemble. De même en II, qu'il faille lire *vocibus* (insistance sur le nombre de personnes, suite à I) ou *vicibus* (insistance sur la répétition)[17], le texte se comprend mieux s'il s'agit d'un chant indépendant; sinon il signifierait sans doute l'alternance des répons *Kyrie eleison* et *Christe eleison* aux invitatoires de la litanie, ce qui pastoralement ne s'avère d'ailleurs pas pratique. De plus l'expression *Christe eleison,* mise en parallèle avec la tournure *Kyrie eleison* au début de I, pourrait bien suggérer que celle-ci n'est pas un terme technique pour désigner la litanie, comme on le suppose généralement.

Mais si le pape a en vue une pièce où l'on chante alternativement *Kyrie eleison* et *Christe eleison,* comment comprendre le III? que signifient ces «alia quae dici solent»? C'est ici le nœud de la question!

Nous pensons que les liturgistes ont été jusqu'à présent trop vite en besogne, assimilant à priori le *Kyrie eleison* à une litanie ou, éventuelle-

---

[16] GREGOIRE LE GRAND, *Ep.*, 9, 26, éd. HARTMANN, MGH, *Ep.*, 2, Berlin, 1899; ou PL, 77, 956. Sur l'interprétation de ce passage, on peut consulter: L. DUCHESNE, *Origines* . . ., p. 174—175; E. BISHOP, *Kyrie,* p. 123—124; C. CALLEWAERT, *Les étapes de l'histoire du Kyrie,* RHE, t. 38 (1942), p. 35—40.
[17] Sur cette variante, cfr. C. CALLEWAERT, *Les étapes* . . ., p. 37.

ment, au répons de celle-ci. Or nous avons trouvé en M[1] un triple *Kyrie eleison* qui ne se range dans aucun de ces deux modèles; et les premiers témoignages se comprennent aussi bien, sinon mieux, dès que l'on suppose qu'en Occident le *Kyrie eleison* s'introduisit comme une pièce de chant indépendante[18].

Peu après, ce chant a pu se lier à d'autres formulaires, comme nous le constatons en M[1] et M[2] où il termine la litanie. Et de fait, nous le trouvons:

. en Occident — au début et à la fin des litanies des saints, dès les anciens manuscrits,
  — à la fin des *Laudes regiae*;

. en Orient, dans la liturgie grecque de saint Jacques par exemple, à la fin de la litanie avant l'évangile[19].

Bien sûr, les données que nous mentionnons ici pour l'Occident sont bien postérieures, mais elles nous orientent vers la même réalité.

Aussi pensons-nous que saint Grégoire n'utilise pas l'expression *Kyrie eleison* dans le même sens tout au long de sa réponse à Jean de Syracuse; en I et II, il a en vue un *Kyrie eleison* chanté pour lui-même et alternant avec *Christe eleison*; il s'agit d'invocations à la miséricorde divine, et non de répons.

Mais en III, le pape distingue les solennités, où ce chant devait commencer ou conclure une litanie d'introduction à la messe, et les messes quotidiennes, où il figurait seul, sans litanie, comme ultérieurement dans la messe romaine[20]. On ne serait d'ailleurs probablement pas loin de la réalité en estimant que cette dernière ordonnance provient de Grégoire lui-même. C'était l'avis de Bishop; un lecteur non prévenu, écrivait-il, doit comprendre que Grégoire a lui-même introduit le *Kyrie eleison* dans la messe romaine[21].

Ainsi, nous sommes ramené assez près de la position de Capelle. Mais tandis qu'il estimait que l'actuel *Kyrie* provenait du répons de la DG transférée au début de la messe où elle avait perdu ses invitatoires («alia quae dici solent tacemus»), nous pensons que le *Kyrie* s'est maintenu dans la forme où il s'était introduit en Occident, à savoir comme chant supplicatif; à peine a-t-il été transformé par l'adjonction du *Christe eleison*, due peut-être bien à saint Grégoire lui-même.

---

[18] Cette trouvaille est due au P. Botte, qui nous a permis d'en faire état; qu'il en soit remercié! Nous n'avons fait qu'éprouver la solidité de cette intuition en en apportant la justification scientifique.

[19] Br 38, l. 2—3; pour plus de détails concernant l'Orient, cfr. A. M. Ceriani, *Notitia liturgiae ambrosianae*, dans le *Missale ambrosianum*, Milan, 1913, p. 426.

[20] C'est en ce sens également que s'oriente A. de Vogüe, qui écrit: «Grégoire appelle ici *deprecatio* ce que Benoît nommait *supplicatio*» (*La Règle de saint Benoît*, t. 5 (SC 185), Paris, 1971, p. 451, note 41).

[21] E. Bishop, *Kyrie*, p. 123.

3. L'introduction du Kyrie en Occident

Résumons nos acquisitions et ordonnons-les, de manière à présenter un tableau de l'introduction progressive du *Kyrie*.

Lors de son apparition en Occident, à la fin du Ve ou au début du VIe s., le *Kyrie* est une pièce de chant indépendante. Nous entendons par là que le *Kyrie* ne constitue pas une partie organique d'un ensemble plus vaste, comme le répons d'une litanie par exemple. Il s'introduit dans les liturgies occidentales (au moins romaine, milanaise et provençale) comme un chant invoquant avec insistance la miséricorde divine. Mais, trop ténu peut-être pour rester isolé, il se trouve souvent joint à des ensembles plus stables, comme les litanies.

Si nous estimons que le *Kyrie* n'appartient pas à la litanie dès son apparition, mais a une origine indépendante, c'est sur la base des arguments suivants:

a) nous connaissons plusieurs litanies qui ne comportent pas de *Kyrie*;
b) le Concile de Vaison ne paraît pas supposer que le *Kyrie* soit joint à une litanie;
c) nous le voyons rapidement mener une existence indépendante: dès la Règle de saint Benoît et certainement dans celle d'Aurélien d'Arles;
d) les n⁰ I et II du texte de saint Grégoire ne se comprennent qu'à propos d'un chant isolé[22].

D'autre part, le *Kyrie* fut utilisé également en liaison avec la litanie; le type invocatif de ces deux pièces les prédisposait à se rencontrer. En M¹, le *Kyrie* conclut la litanie. Saint Benoît, s'il connaît pour les Petites Heures un *Kyrie* isolé, n'ignore pas sa liaison avec la litanie puisqu'il parle de *supplicatio litaniae, id est Kyrie eleison*: de quelque manière que l'on interprète cette expression, nos deux éléments s'y trouvent rapprochés. Dans la lettre de saint Grégoire, ces «autres choses qu'on a coutume de dire» en liaison avec le *Kyrie* ne peuvent être qu'une litanie. Enfin une rubrique du rituel des Ordinations du Gélasien ancien, quels que soient les avatars qu'ait subis cet *Ordo* de l'élection[23], prescrit qu'après la monition du pontife, «mox incipiunt omnes *Kyrie eleison* cum laetania». Ce passage éclaire bien, nous semble-t-il, celui de Grégoire; en effet, aux messes quotidiennes on ne chantait plus que la seule invocation *Kyrie*; mais en des circonstances plus solennelles, comme par exemple les Ordinations, on relie le *Kyrie* à la litanie, comme le n⁰ III du texte de Grégoire le fait supposer. Le rédacteur du Gélasien le précise bien: *Kyrie*

---

[22] En estimant que le *Kyrie* a consisté originellement dans la simple répétition de cette invocation, nous rejoignons le jugement d'anciens liturgistes comme P. Alfonso, *La litania «Dicamus omnes»*, dans Ambrosius, t. 1 (1925), p. 89—91 et A. Gastoue, *Les chants de la messe. Le Kyrie*, dans *Revue Sainte-Cécile*, t. 28 (1936), p. 109—111.

[23] A. Chavasse, *Le sacramentaire gélasien*, Tournai, 1958, p. 22—27. Cet *Ordo* a été ajouté en Gaule.

eleison cum laetania. On saisit là les deux manières dont fut utilisé le *Kyrie.*

Dans la suite de l'histoire, ces deux utilisations se conservèrent; le *Kyrie* isolé est chanté à la Messe, et à l'Office bénédictin avant le Notre Père; mais il introduit ou conclut de très nombreuses litanies également.

Il faut signaler encore une troisième utilisation, car ce chant en vint aussi à servir de répons aux litanies, comme en Orient; on le trouve avec cette fonction en M² et FG². Ainsi ce répons oriental, que les Latins avaient traduit auparavant par *Domine miserere,* en arriva-t-il, par cette voie détournée, à figurer en langue grecque dans les litanies occidentales elles-mêmes[24].

Nous avons assisté à l'apparition du *Kyrie* en Occident. Mais plusieurs questions restent encore sans solution: pourquoi a-t-il pris place ainsi au début de la messe? Quelle relation entretient-il avec la prière universelle? Quand celle-ci a-t-elle été supprimée? Envisageons-les systématiquement.

4. LA SUPPRESSION DE LA PRIERE UNIVERSELLE

Après les travaux de Capelle et de Chavasse, on pensait que les OS, considérées comme le formulaire habituel de prière universelle de l'Eglise romaine, étaient tombées en désuétude après le Pape Félix III (483—492), et que son successeur Gélase les avait remplacées par la DG, introduite au début de la messe par Gélase lui-même selon Capelle, peu après lui selon Chavasse.

Cette position doit être revue, puisque nous pensons avoir trouvé, outre les OS, d'autres formulaires de prière universelle utilisés à Rome; la DG fait partie en effet de tout un courant d'adaptation de textes latins pour l'*oratio fidelium.* Ce n'est donc pas parce que l'on ne trouve plus trace des OS que celle-ci a disparu.

Il n'empêche qu'aucun de nos sacramentaires n'a gardé le souvenir de la prière universelle à sa place traditionnelle; elle a donc dû être supprimée[25]. Quand? par qui? pour quelles raisons? nous n'en savons rien. Risquons-nous cependant à quelques essais de précision.

[24] J. A. JUNGMANN, *Das Kyrie eleison in den Preces,* dans *Liturgisches Erbe und pastorale Gegenwart,* Innsbruck, 1960, p. 239—252, établit un parallélisme (p. 248) entre le *Kyrie eleison* et l'agenouillement; tous deux ont la même signification pénitentielle.

[25] Bien sûr, on pourrait imaginer que la prière universelle ait existé sans qu'elle ait laissé de trace dans les sacramentaires; si son formulaire était de type litanique, il pouvait revenir au diacre; le célébrant n'ayant pas à intervenir, son livre n'en parle pas. En ce sens, la présence des OS dans les sacramentaires romains et gallicans n'est pas un argument, puisque celles-ci reviennent au célébrant.

Cependant, nous ne croyons pas que des ensembles aussi importants que les sacramentaires romains puissent ne comporter aucune allusion à l'*oratio fidelium* si elle constituait un rite ordinaire de la messe à leur époque.

La date de sa suppression doit se situer au cours du VIe siècle. En effet, le recueil de *libelli missarum* que l'on appelle Sacramentaire de Vérone et que l'on s'accorde à situer vers le milieu ou la fin du VIe siècle, ne porte aucune trace de l'*oratio fidelium*. Elle a donc dû être supprimée avant saint Grégoire, que l'on accuse cependant souvent de ce crime liturgique. Par ailleurs son ablation ne peut être située trop haut dans le VIe siècle; la *Deprecatio* de Gélase (492—496) étant nouvelle, il faut normalement lui accorder quelques années au moins d'utilisation.

Peut-être est-ce au pape Vigile (537—555) qu'il faut imputer la responsabilité de cette réforme. En la situant au milieu du VIe siècle, on s'expliquerait bien que les sacramentaires ne connaissent plus la prière universelle et n'aient pas conservé le texte de la DG.

Quelles furent les raisons de sa suppression?

De nombreux auteurs, dont Willis et Klauser[26], avancent comme motif la longueur du formulaire (entendez des OS). D'autres, comme Denis-Boulet, Hanon de Louvet et Kennedy[27] insistent sur la disparition du catéchuménat: puisque tout le monde, dès lors, participe à l'ensemble de la messe, il n'est plus nécessaire d'avoir une prière réservée aux seuls «fidèles». Enfin, ces deux derniers auteurs, ainsi que Callewaert, Jungmann et Bouman[28] estiment que la messe romaine a renoncé à l'*oratio fidelium* parce qu'elle en a introduit l'équivalent dans le Canon lui-même. Ce rapport entre la prière universelle et les intercessions anaphoriques, sur lequel nous reviendrons, mériterait d'être étudié de plus près.

Nous pensons que, parmi les causes de la suppression de la prière universelle, il faut ranger également le développement des litanies; leur caractère populaire a rencontré les aspirations de la piété, leur succès a provoqué leur multiplication; une litanie s'instaura de plus en plus souvent avant la messe. Tout cela fit perdre le sens de la spécificité de l'*oratio fidelium*, et elle tomba en désuétude.

5. L'oratio super sindonem

On désigne ainsi, rappelons-le, grâce au titre qu'elle porte dans la liturgique milanaise, l'oraison qui précède celle sur les oblats dans les formulaires de type gélasien. Pour Capelle, nous l'avons dit, sa fonction

En tout cas, la description précise de l'OR 1 (première partie du VIIIe siècle) n'en souffle plus mot.

[26] G. G. Willis, *Essays in Early Roman Liturgy,* Londres, 1964, p. 25; Th. Klauser, *Petite histoire de la liturgie occidentale,* Paris, 1956, p. 49.

[27] N. M. Denis-Boulet, dans Martimort, p. 343; R. Hanon de Louvet, *En marge du missel romain,* Wetteren, 1929, p. 241; V. L. Kennedy, *The Saints of the Canon of the Mass,* Rome, 1963, p. 35.

[28] C. Callewaert, *Les étapes de l'histoire du Kyrie,* RHE, t. 38 (1942), p. 24; J. A. Jungmann, MS, t. 1, p. 509; C. Bouman, *Communis oratio,* Utrecht-Anvers, 1959, p. 19—20.

fut de remplacer la prière universelle après que celle-ci eût été transférée au début de la messe; cet «ersatz» disparut rapidement[29]. Selon Chavasse, au contraire, elle servait à conclure la prière des fidèles; dans la liturgie papale, elle l'a suivie dans son déplacement au début de la messe, où elle tomba rapidement vu sa proximité avec la collecte; dans la liturgie gélasienne par contre, elle se maintient avec l'*oratio fidelium* à sa place traditionnelle, le déplacement étant impossible puisque cette liturgie presbytérale s'ouvrait probablement par une litanie[30].

Nous n'avons pas pu envisager la question de front, et nos recherches ne nous ont pas permis d'y voir plus clair. Contentons-nous de quelques remarques à propos de ces deux positions.

L'hypothèse de Capelle doit être revue à la lumière des travaux de M. Chavasse et de la distinction des deux liturgies qui se célébraient à Rome. De plus, l'abbé du Mont César identifie toujours *oratio fidelium* et OS, ce que nous contestons. Enfin, si le *Kyrie eleison* ne faisait pas partie de la DG, il n'est pas nécessaire d'imaginer le transfert de celle-ci au début de la messe.

L'hypothèse de l'abbé Chavasse, nous l'avons déjà dit, repose sur des bases fragiles; les déductions qu'il fait pour reconstituer les rites d'entrée dans les liturgies papale et presbytérale sont délicates; elles doivent cependant être prises en considération vu l'immense érudition de ce maître.

Que l'*oratio super sindonem* ait été la conclusion d'une litanie de prière universelle, c'est possible; les quelques rapprochements apportés par l'auteur peuvent y faire songer, mais il faudrait poursuivre la recherche. De plus, nous n'avons trouvé aucune rubrique qui lie ces deux pièces, ni aucune trace externe d'une relation quelconque. La construction du professeur de Strasbourg explique bien l'absence de l'*oratio super sindonem* dans le Grégorien, et sa présence dans le Gélasien. Logiquement ce dernier devait donc avoir maintenu la prière universelle que concluait l'oraison problématique; comment expliquer que ce livre n'en souffle mot, pas plus d'ailleurs que le vieux «Léonien»?

Aussi pensons-nous que la question reste ouverte. Il faudrait poursuivre l'étude du contenu de ces oraisons, commencée par M. Chavasse en fin de son article; elle seule pourrait nous en apprendre davantage.

6. La litanie initiale et le Kyrie eleison

Venons-en enfin à l'ordonnance du début de la messe. Primitivement la liturgie commençait par les lectures. Puis on ajouta la collecte: c'est le stade dont témoigne le rite d'entrée du vendredi saint. Ensuite on accompagna d'un chant la longue procession par laquelle le clergé se rendait de la sacristie, située au fond de l'église, vers le sanctuaire. Les

---

[29] B. Capelle, *L'œuvre liturgique de S. Gélase*, Tr. Lit., t. 2, p. 158—159.

[30] A. Chavasse, *L'oraison «super sindonem» dans la liturgie romaine*, RB, t. 70 (1960), p. 316—319.

dates de ces diverses ajoutes sont assez floues; on les situe aux Ve et VIe siècles. Le *Gloria in excelsis,* d'abord chanté au seul jour de Noël, s'étendit sous Symmaque (498—514) aux dimanches et fêtes de martyrs[31]; encore bien était-il réservé à l'évêque. Mais comment le *Kyrie* vint-il s'intercaler dans ce rite d'entrée?

Capelle estime que Gélase supprima les OS et ordonna de chanter la DG à l'entrée de la messe, imitant ainsi les usages grecs; le répons de cette litanie, *Kyrie eleison,* resta seul lorsque Grégoire en supprima les invitatoires. Chavasse pense plutôt que le transfert de la litanie de prière universelle eut lieu, dans la liturgie papale, pour faire pendant à la litanie processionnelle que les OR nous décrivent à certains jours, avant l'Introït; dans la liturgie presbytérale, ce transfert n'eût été ni nécessaire, ni possible, car il existait normalement une litanie d'entrée.

Nous avons rejeté l'explication de Dom Capelle, mais jusqu'ici nous n'en avons pas fourni de plus satisfaisante. Celle de Chavasse est-elle plus convaincante? Nous en avons déjà souligné les faiblesses. Remarquons encore que si la litanie du *Kyrie* a été située au début de la messe par analogie avec la litanie stationnale décrite pour certains jours dans les OR, le *Kyrie* qui en est le résidu devrait se trouver avant l'Introït, et non après, comme c'est le cas aujourd'hui.

En tout cas, le grand liturgiste a eu le mérite, à nos yeux, d'attirer l'attention sur les processions d'entrée à la messe. Il est un fait que les processions rencontrèrent un succès croissant, puisque l'on ne se contenta plus de celle qu'accompagnait l'Introït et qu'on éprouva le besoin de venir à l'église en procession: les OR en témoignent. Les litanies accompagnant ces cortèges religieux rencontrèrent la faveur du peuple, ce qui mènera au VIIIe siècle à la litanie des saints.

Grégoire de Tours († 594), par exemple, nous raconte la procession de pénitence ordonnée par Grégoire le Grand en 590, lors d'une épidémie de peste. Sept basiliques furent désignées comme lieux de rassemblement (*collecta*); de là, sept processions, avec chacune un groupe de prêtres, se dirigèrent vers Sainte-Marie-Majeure pour implorer les faveurs divines. C'est ce qu'on a appelé la *litania septiformis*; on y chantait le *Kyrie eleison*[32].

L'abbé Chavasse a distingué, avec raison, la liturgie papale et la liturgie presbytérale de Rome. Si la lumière n'a pas encore été faite sur ce rite d'entrée, peut-être est-ce parce qu'on a voulu harmoniser trop rapidement des éléments appartenant en fait à des célébrations différentes.

Ici aussi, une monographie serait bienvenue; nous n'avons pu étudier la question pour elle-même. La grosse difficulté réside dans le manque de sources. Celles que nous possédons sont rares, peu loquaces, et diffi-

---

[31] LP, t. 1, p. 263.

[32] Grégoire de Tours, *Libri historiarum decem,* 10,1, éd. B. Krusch - W. Levison, (MGH, Script. r. merov., 1,1), Hanovre, 1951, p. 481 (PL 71, 529 B): «Veniebant utrique chori psallentium ad eclesiam, clamantes per plateas urbis *Kyrie eleison*».

ciles à dater. Les seuls renseignements que nous avons sur cette litanie avant la messe proviennent, pour la liturgie papale, des OR XX à XXIV, qui datent tous de la fin du VIIIe siècle, et pour la liturgie presbytérale, de deux rubriques du sacramentaire gélasien que l'on situe au cours du VIIe siècle. Que tirer de sûr de pareille documentation?

7. Essai de solution

Risquons-nous cependant à présenter des hypothèses. Nous avons vu que la prière universelle a dû disparaître au cours du VIe siècle. C'est aussi l'époque où les litanies rencontrent du succès; nées sans doute encore pour servir à la prière universelle, elles auront trouvé bientôt une autre fonction, celle d'accompagner les processions. Le *Kyrie*, introduit en Occident vers la fin du Ve ou au début du VIe siècle comme pièce de chant autonome, se joignit aux litanies; il finira même par servir de répons à certaines d'entre elles.

Nous ne pensons donc pas que le formulaire de prière universelle ait été «transféré», comme le dit Dom Capelle, de sa place traditionnelle vers le début de la messe, ni, comme le croit M. Chavasse, que la litanie stationnale, faite à certaines occasions, ait attiré avant la messe, les jours où elle manquait, la litanie de prière universelle. Nous croyons plutôt que cette dernière est tombée en désuétude, pour les raisons que nous avons dites, et que ses formulaires, coulés dans une forme de plus en plus populaire, ont rempli une nouvelle fonction, celle d'accompagner les processions, notamment celle qui se déroulait avant la messe.

Le *Kyrie* qui la clôturait en restera comme organe témoin, d'abord aux jours où il n'y avait pas de litanie (lorsqu'il y a litanie avant la messe, les OR cités plus haut précisent qu'on ne chante pas le *Kyrie*), puis tous les jours, lorsque la litanie disparut.

On ne s'explique cependant pas pourquoi, s'il en est ainsi, le *Kyrie eleison* suit l'Introït au lieu de le précéder. A moins que, ce dernier accompagnant la procession du clergé de la sacristie vers le chœur, on en soit venu à le conclure par le *Kyrie*, ainsi qu'on l'avait fait pour les litanies. Mais cette hypothèse est peu probable, le *Gloria Patri* servant déjà à terminer l'Introït.

Conclusion

Toute la lumière n'est pas encore faite sur l'évolution du rite d'entrée, la suppression de la prière universelle et l'*oratio super sindonem*. Après avoir étudié les litanies anciennes, nous constatons que les solutions auxquelles nous arrivons se rapprochent assez bien de celles des liturgistes du début du siècle, notamment de celle d'Eisenhofer que nous rappelions en commençant cette section; mis à part la datation que cet auteur proposait, sa vision des choses nous paraît assez juste. C'est dire qu'à nos yeux les hypothèses de Capelle et de Chavasse ne sont pas du tout certaines, ce qui n'enlève aucunement à ces auteurs le mérite de leurs patientes explorations.

Conclusions de la deuxième partie

Après cette longue randonnée à travers les textes liturgiques anciens, il nous faut tirer quelques conclusions à propos de la prière universelle et de son histoire.

A. LA THESE

La première chose à rappeler, c'est qu'aucun des textes étudiés dans cette deuxième partie (sauf les OS) n'est présenté dans les sources comme un formulaire de prière universelle. L'affirmation la plus importante de notre travail est bien de soutenir qu'ils remplirent cette fonction-là. Les arguments ne manquent pas, il est vrai, pour étayer cette thèse:

— si l'*oratio fidelium* a existé, ce que notre première partie a montré (avec certaines nuances, faut-il le rappeler?), il n'y a pas lieu de s'étonner que des textes nous en ont été conservés, même si les sources ne nous les présentent plus dans leur fonction originelle; ce dernier fait tient à la disparition de la prière universelle au VIe siècle;

— le contenu des pièces en question répond exactement à celui de la prière universelle telle que nous l'avons définie dans l'introduction de cette étude;

— les litanies sont fort proches des OS, même si elles s'expriment en une forme liturgique différente. Or ces dernières ont servi à la prière universelle, nous en sommes certains;

— l'absence de thèmes pénitentiels nous indique que la destination première de ces textes ne devait pas être les processions de pénitence ou les Rogations.

Cependant, l'affirmation reste une thèse, dont la critique devra apprécier la valeur. Pour la mettre en doute, on pourrait s'appuyer notamment sur le manque d'indication dans la tradition manuscrite et sur la place qu'occupent ces litanies dans les sources; la présence de versets bibliques dans certaines d'entre elles (dès Irl[1] b/) pourrait aussi mener sur d'autres pistes.

B. L'évolution de la priere universelle durant les six premiers siecles

Résumons l'histoire de notre prière telle qu'elle nous apparaît en fin de cette étude.

Nous ne reprendrons pas ici ce que nous avons écrit en finale de la première partie; rappelons seulement qu'à partir des témoignages littéraires, on peut affirmer l'existence de la prière des fidèles durant les cinq premiers siècles, mais peut-être pas partout, ni toujours, comme on le répète trop aisément. Il est difficile d'en cerner l'origine précise; on ne peut prétendre que les conseils de *I Tm* II,1—2 l'«instituent» formellement, même si ultérieurement de nombreux textes renvoient à ce passage comme au fondement de la pratique. Des influences juives ne sont pas à exclure, mais on ne peut établir de relation littéraire directe entre une prière juive comme les Dix-huit Bénédictions et la prière universelle.

En des expressions qui n'étaient pas fixées, on y priait surtout pour l'empereur et la paix du monde, pour la situation actuelle de l'Eglise, pour la conversion des incroyants et la foi des croyants, pour tous les hommes et surtout les nécessiteux, enfin pour les ennemis.

Le premier formulaire latin dont nous disposons n'est autre que les OS; en sa forme primitive, il ne comportait que les invitatoires, qui apparaissent à Rome entre 250 et 320 environ. Peut-être étaient-ils à l'époque proposés par le diacre; aucun témoignage externe ne nous renseigne. Vers la fin du IVe siècle eut lieu sans doute une révision de ces invitatoires; on leur adjoignit des oraisons, et la pièce fut réservée au célébrant. C'est la première et la plus «solennelle» des prières que nous avons baptisées «lities»: son influence sera énorme, proportionnelle d'ailleurs à ses qualités théologiques et littéraires.

C'est à la même époque, ou au début du Ve siècle, qu'apparaît en Occident une forme liturgique importée d'Orient: la litanie. En Occident, disons-nous de manière assez vague, car la grande difficulté est de savoir quelle Eglise utilisa ces textes; ceci nous empêche de décrire avec précision l'histoire de la prière universelle dans les liturgies anciennes.

Dans cet apport de textes orientaux, nous discernons deux phases. La première, dont la durée couvre grosso modo les trois premiers quarts du Ve siècle, a consisté à traduire les formules orientales. Irl[1] et M[1] en sont des exemples; si l'une ou (et?) l'autre de ces deux pièces était romaine, et pour M[1] certains indices vont dans ce sens, on devrait réviser l'opinion habituelle des liturgistes qui estiment que c'est Gélase (492—496) qui introduisit cette forme liturgique à Rome.

Durant la deuxième phase, qui commence pendant le quatrième quart du Ve siècle, on adapte ces premiers textes latins aux circonstances nouvelles et on les coule en une forme littéraire correspondant mieux au génie latin. Le joyau de cette série est la DG, que nous devons à la plume du pape Gélase. Nous y avons rangé en outre FG[1], M[2], FG[2] et Irl[2]. Toutes ces pièces sont apparentées: on y trouve toujours les mêmes thèmes, que

nous détaillerons ci-dessous. A la suite de Dom Capelle, on attribue
généralement à Gélase le fait d'avoir supprimé la prière universelle (ou
du moins les OS); mais cette thèse doit être au moins remise en question.
Plus sérieuse à nos yeux est l'absence de toute allusion à la prière universelle dans le sacramentaire de Vérone ainsi que dans les autres sacramentaires romains. Aussi pensons-nous que c'est vers le milieu du VIe
siècle que l'*oratio fidelium* tomba en désuétude, du moins à Rome. Les
raisons de cette suppression ne sont pas claires; on cite entre autres la
disparition du catéchuménat, la longueur du formulaire (entendez: des
OS), le fait qu'elle constituait un doublet des intercessions anaphoriques,
et, raison importante à nos yeux, l'évolution des litanies.

En effet, celles-ci adoptèrent une tournure de plus en plus populaire,
et obtinrent dès lors un vif succès. Déjà M[1] et M[2] avaient joint la triple
invocation *Kyrie eleison* à la fin de leurs invocatoires. On constate aussi
que la mode des versets bibliques envahit les textes, comme M[2] et FG[2].
Cette évolution mènera de manière presque homogène aux *preces* de
l'Office et à la litanie des saints, constituée à la fin du VIIIe siècle.

Entretemps, les litanies, qui avaient gagné l'Espagne et la Gaule, se
transformèrent en lities, probablement sous l'influence des prestigieuses OS.

On sait par les travaux du P. Molin[1] qu'au moyen âge toute cette thématique, et en un certain sens la réalité elle-même de la prière universelle, se conservèrent sous différentes formes que l'on appela en Alle-
magne *allgemeines Gebet,* en France *prières du prône,* en Espagne *ple-
garia,* et en Angleterre *Bidding Prayers.* Mais ceci est une autre histoire.

C. Le contenu des formulaires

Comme nous l'avons fait précédemment pour la préhistoire de l'*oratio
fidelium,* nous détaillerons ici le contenu des demandes qu'on y exprime.
Nous ne reprenons que les textes étudiés dans les trois premières sections
de cette seconde partie, les autres n'étant plus comme tels des fomulaires
de prière universelle; vu son antiquité nous y joignons pourtant ce qui
reste du texte hispanique tel que nous l'avons présenté en appendice dans
la quatrième section; Irl[2] comportant deux parties, cela nous fait un total
de dix textes.

Avant d'examiner le tableau ci-dessous, il convient d'en souligner la
relativité. D'abord il faut remarquer que l'échantillonnage est très réduit;
si d'autres textes nous étaient conservés, le tableau serait certainement
différent. Ensuite toute classification de ce genre représente un certain
découpage de la réalité, mais on pourrait en faire d'autres; en effet, s'il
est simple de classer les demandes de litanies telles que «pro rege nostro»,
il s'avère beaucoup plus délicat de réduire en schéma un formulaire aussi

---

[1] cfr. notamment J.-B. Molin, *L'oratio communis fidelium au moyen âge en
Occident du Xe au XVe siècle,* dans *Miscellanea Lercaro,* t. 2, Rome, 1967,
p. 313—468.

riche que les OS où de nombreux thèmes apparaissent; contrairement à la litanie, la litie explicite et détaille, dans l'invitation autant que dans l'oraison, les grâces qui sont implorées. De plus, on ne connaît pas toujours avec précision la signification de certains mots (p. ex. *papa*, *senior*, ...); la paix est parfois envisagée comme un cessez-le-feu, parfois comme la paix intérieure de l'âme. Ce tableau ne représente donc pas une photographie exacte de nos matériaux; il ne peut fournir qu'une indication; le recours aux textes reste indispensable.

Pour juger de l'importance accordée à telle ou telle demande, il faut aussi tenir compte de la place qu'elle occupe à l'intérieur des formulaires; aussi avons-nous indiqué chaque fois son numéro d'ordre. On constate d'ailleurs que les demandes les plus fréquentes sont aussi celles qui se situent au début des textes, tandis qu'à la fin de ceux-ci figurent les intentions particulières, qui varient facilement d'une pièce à l'autre.

Le premier tableau donne une synopse des dix formulaires étudiés, classés d'après la liste alphabétique des thèmes qu'ils contiennent. Le second offre un classement des demandes d'après leur fréquence.

1. Tableau des thèmes

	OS	Irl¹	M¹	DG	FG¹	M²	FG²	Irl²A	Irl²B	Esp
bé (et son monastère)				IV			[VI]			
olytes	III									
amés	VI									
mée		V	III	V	V	IV	[IV]			
rètes				IV, XV?						
emblée liturgique				XII				VI		
enfaiteurs		X	X	XI						
téchumènes	V	IX		VII						
arité		XIII		XVI						+
é		IV	V		[VI]	V	VII			
rgé, les ordres	III	III	II	II	III	III	III	I	X	
nfesseurs	III									
funts				XIV	X			VIII	XIV	
acres	III	III								
lise (universelle)	I	II	I	I	II	I	I			+
apereurs et rois	IV	V	III	V	V	IV	IV	V	XI	
êques	III	III	II	II	III	III	III		X	
pérance										+
ulés			VIII							
orcistes	III									
condité de la terre			VI		VII	VI		III		
et persévérance	I	XIV		XV						+
rétiques	VII			X						
fs	VIII			X						

	OS	Irl¹	M¹	DG	FG¹	M²	FG²	Irl²A	Irl²B	E
lapsi										
lecteurs	III									
malades	VI		IX		VIII				XV	
mémoire des saints		XI		XVIII				VI		
mort chrétienne		XII		XVII						
navigateurs	VI	VIII	VIII							
orphelins		VII	VII							
païens	IX		IV							
paix	IV	I	IV		I		V	IV,V		
pape	II		II			II	II		X	
peuple chrétien (≠ clergé)	III			II		III				
pénitents		IX	VII		X					
portiers	III									
possédés			IX							
prédicateurs				III						
prêtres	III	III						I	X	
prisonniers	VI		VII-VIII					V		
proches										XII
rémission des péchés		XI		XIII	IX		VIII	VII		
responsables		VI								
sainteté		XIV								
schismatiques	VII									
sous-diacres	III									
temps favorable			VI	VI	VII	VI		III		
unité de l'Eglise	I									
veuves	III	VII	VII					II		
vierges	III	VII	VII					II		
voyageurs (terre)	VI	VIII	VIII	IX				IX	XIII	

2. Tableau des fréquences

TOTAL: 10 formulaires

		manque en:
9 fois	les «ordres» ecclésiaux ou le clergé	Espagne
	l'empereur ou le roi	Espagne
8 fois	l'Eglise universelle	Espagne et Irl²A-B
	les évêques	Espagne et Irl²A(?)
7 fois	les voyageurs (sur terre)	FGᴵ,M²et FG²
6 fois	l'armée	OS,Irl²A-B, Espagne
	la paix	DG,M²,Irl²B,Espagne
5 fois	la cité	OS,DG,Irl²A-B,Espagne
	les malades	Irlᴵ,DG,M²,FG²,Irl²A
	le pape	Irlᴵ,DG,FGᴵ,Irl²A,Esp.
	la rémission des péchés	OS,Mᴵ,M²,Irl²B,Esp.
	le temps favorable	OS,Irlᴵ,FG²,Irl²B,Esp.

figure en:

4 fois	les défunts	DG,FG^I,Irl^{2}A-B
	la fécondité de la terre	M^I,FG^I,M^2,Irl^{2}A
	la foi, sa pureté	OS,Irl^I,DG,Esp.
	les prêtres	OS,Irl^I,Irl^{2}A(?)Irl^{2}B
	les prisonniers	OS,Irl^{2}A,M^I,Esp.
	les veuves	OS,Irl^I,M^I,Irl^{2}A
	les vierges	OS,Irl^I,M^I,Irl^{2}A
3 fois	les bienfaiteurs	Irl^I,M^I,DG
	les catéchumènes	OS,Irl^I,DG
	la charité	Irl^I,DG,Esp
	la mémoire des saints	Irl^I,DG,Irl^{2}A
	les navigateurs	OS,Irl^I,M^I
	les pénitents	Irl^I,M^I,FG^I
	le peuple chrétien ($\neq$ clergé)	OS,DG,M^2
2 fois	l'abbé (et son monastère)	FG^I,FG^2
	l'assemblée liturgique	DG,Irl^{2}A
	les diacres	OS,Irl^I
	les hérétiques	OS,DG
	les juifs	OS,DG
	une mort chrétienne	Irl^I,DG
	les orphelins	Irl^I,M^I
	les païens	OS,M^I
1 fois	les acolytes	OS
	les affamés	OS
	les ascètes	DG
	les confesseurs	OS
	les exorcistes	OS
	les exilés	M^I
	l'espérance	Esp
	les *lapsi*	Esp
	les lecteurs	OS
	les portiers	OS
	les prédicateurs	DG
	les possédés	M^I
	les proches	Irl^{2}B
	les responsables	Irl^I
	la sainteté	Irl^I
	les schismatiques	OS
	les sous-diacres	OS
	l'unité de l'Eglise	OS

Cette analyse nous montre que les chrétiens du IVe au VIe siècle priaient d'abord pour l'Eglise, «répandue ici et par tout l'univers» et pour ses ministres. La prière pour les autorités civiles est attestée aussi fréquemment, mais, nous l'avons fait remarquer dans la conclusion de la première partie, la prière pour l'empereur ou le roi (et leur armée) est tout autant une prière pour la paix; celle-ci y est d'ailleurs jointe parfois.

Notons que la prière pour les défunts ne figure que dans les textes récents; le premier à l'attester est DG XIV. La communauté rassemblée n'est mentionnée que deux fois, en DG XII et Irl[2] VI.

On constate aussi, plus on avance dans le temps, un rétrécissement des perspectives. Alors que les témoignages patristiques recueillis dans la première partie étaient très universalistes, suite à *I Tm* II,1 d'ailleurs, les formulaires tardifs reflètent un monde clos; à peine y trouve-t-on encore mention de l'Eglise universelle; la formulation franco-gallicane «pro ... nostro» est typique à cet égard. On perçoit l'effondrement culturel de l'époque.

D. Forme liturgique

Dans tous ces matériaux, on ne compte que deux formes liturgiques différentes: la litie et la litanie.

Seules les OS constituent une litie; leur qualité influencera plus tard les liturgistes gaulois et espagnols qui donneront cette forme à leurs *orationes paschales*. Mais rappelons-nous que primitivement les OS ne devaient comporter que des invitatoires, et se présenter de manière analogue aux oraisons pascales de Bo où une seule *collectio* clôture onze invitatoires. Sans doute la prière était-elle alors silencieuse. S'il en est ainsi, nous nous trouverions en présence d'une troisième forme liturgique, la plus ancienne en Occident, et qui ne serait d'ailleurs pas sans accointances avec certains formulaires orientaux[2].

Tous les autres textes ont forme de litanie; la plupart sont du type invocatif (Irl[1], M[1], FG[1], M[2], FG[2]), seules DG et Irl[2] se composent d'invitatoires. Remarquons cependant qu'Irl[1] et DG mêlent les deux types eucologiques; la première partie d'Irl[1] est invocative, la seconde est invitative (XII—XIV, avec une charnière malhabile en XI) et DG achève une série d'invitatoires par quatre invocations (XV—XVIII). L'Orient connaît les deux types; dans les CAp par exemple, les litanies diaconales sont invitatives, les intercessions anaphoriques sont invocatives; de même dans la liturgie grecque de saint Jacques, où les litanies diaconales comportent deux parties, comme Irl[1] et DG, mais sans passer d'un type à l'autre; ainsi pareillement dans les liturgies byzantines.

La différence entre ces deux types eucologiques est minime; il faut souvent y regarder de près pour la déceler. Au niveau théologique, ils sont équivalents. Seuls leurs destinataires les différencient. Aussi pensons-nous que l'origine de ces deux types s'explique clairement par le rapprochement que nous venons de faire avec les sources grecques. On y voit bien que les formulaires diaconaux se composent d'invitatoires, puisque c'est la fonction du diacre dans la liturgie d'inviter les participants à prier. Tandis que le prêtre, lui, formule directement la prière, au nom du peuple, pour l'adresser à Dieu.

---

[2] cfr. liturgie nestorienne, Br 263—266.

Bien que nous ayons trouvé fort peu d'indications à propos du diacre (cfr. conclusions de la première partie), nous pensons donc que les formulaires invitatifs étaient prononcés par des diacres tandis que les invocatoires étaient réservés aux prêtres. L'évolution s'est faite en faveur de ces derniers. Les OS elles-mêmes, en leur stade primitif, furent peut-être un formulaire diaconal; leur révision, à la fin du quatrième siècle, s'est faite dans un sens sacerdotaliste, nous l'avons déjà noté, par l'addition des collectes et la réservation au célébrant. Seule la DG (et la tardive Irl[2]) a maintenu des invitatoires; est-ce par archaïsme, ou par influence orientale, ou par souci de répartition plus équitable des ministères?

E. Rapport avec les sources orientales

Il est indéniable que la majorité des thèmes que nous offrent ces textes viennent d'Orient; les parallèles que nous avons apportés, à la suite d'autres auteurs, ne permettent pas d'en douter. Les formulaires latins ne paraissent pas traduire chacun un texte oriental unique, du moins dans l'état où nous connaissons aujourd'hui ces derniers; ils puisent au contraire leur inspiration à différentes sources: les CAp, les liturgies de Jacques grec et de Jean Chrysostome, et d'autres encore que nous avons signalées au passage; ils citent autant les litanies diaconales que les intercessions anaphoriques. On jurerait qu'ils avaient le Brightman ouvert devant eux!

Nous avons dû renoncer à étudier tout le domaine oriental, vu son étendue. Nous nous sommes limité à citer les parallèles orientaux, bien que le nœud de la question, nous en sommes conscient, se trouve en Orient.

Mais avant de se livrer à des comparaisons faciles entre textes litaniques du Couchant et du Levant, il faut les étudier pour eux-mêmes. Nous avons tenté de le faire pour les premiers. Reste le domaine oriental. Celui qui s'y lancera devra veiller à plusieurs points. D'abord, en Orient, la prière des fidèles est enchâssée dans toute une structure liturgique; elle est notamment liée, de manière plus stricte qu'en Occident, aux renvois des catéchumènes et autres «indignes» et à la prière faite sur eux. Elle appartient ainsi à un système eucologique différent.

Il faudrait aussi mieux connaître les relations entre les litanies et les intercessions sacerdotales, à l'intérieur d'une même liturgie; ainsi que les liens entre les prières des diverses liturgies d'Orient. Cela seul nous permettra de situer l'origine de la forme liturgique qu'est la litanie, et de savoir où les Latins ont cherché leur inspiration et leurs matériaux; Bishop estimait que c'était à Constantinople[3], Capelle penchait plutôt vers

---

[3] E. Bishop, *Liturgical Comments and Memoranda* VII, c, dans JTS, t. 12 (1911), p. 409.

une source hiérosolymitaine[4] et Baumstark relevait (sans grande probabilité à nos yeux) les influences égyptiennes[5].

Enfin, il serait indispensable de préciser l'âge et l'histoire des formulaires orientaux que l'on cite comme parallèles; se présentaient-ils aux IVe—Ve siècles tels que nous les connaissons aujourd'hui?

Ce n'est qu'alors qu'on pourrait se demander par quelles voies se sont faits les échanges entre les deux pôles de la Méditerranée. Question complexe que nous n'avons pu étudier en détail. Elle peut se répartir en deux sous-questions: celle des sources, et celle des canaux d'influence.

a) Faut-il supposer l'existence d'une source commune aux formulaires orientaux et occidentaux, source qui aurait été utilisée par exemple par le rédacteur des CAp et par le réviseur des OS? Nous hésitons à nous prononcer sur une telle question; ici aussi, une sérieuse étude préalable des textes orientaux s'avère nécessaire.

b) Quant aux canaux d'influence, nous nous bornerons à une remarque. Duchesne soutenait naguère que ce qu'il appelait la liturgie gallicane (c'est-à-dire pour lui tous les rites latins non-romains) avait subi très tôt l'influence orientale; le lieu de cette influence, il le situait à Milan surtout, grâce au cappadocien Auxence I, l'évêque arien (355—374) prédécesseur d'Ambroise. Cette thèse a été combattue par des liturgistes et historiens de qualité comme Wilmart, Brou et Griffe, qui estiment l'influence orientale beaucoup plus tardive. Mais il nous semble que ces auteurs traitent, contrairement à Duchesne, de la liturgie gallicane au sens strict, et que donc une faille s'introduit dans leur réfutation.

On sait que récemment, M. Meslin a repris la thèse du grand historien de l'Eglise[6]. Même si l'auteur n'est pas liturgiste de métier, il nous semble qu'il y aurait avantage à reprendre la question avec lui. Il faut en effet que l'influence des textes orientaux se soit exercée avant la fin du IVe siècle pour expliquer des rapprochements parfois littéraux entre eux et les OS ou Irl[1]. D'autre part, il n'est pas impossible que M[1] et M[2], voire même Irl[1], soient nées à Milan; il faut au moins envisager cette possibilité.

Rappelons aussi les conclusions auxquelles arrivait de son côté W. Bousset[7]. Il estimait que l'influence orientale s'était exercée en deux vagues. La première a dû se placer entre la fin des persécutions et la séparation définitive de l'Empire, c'est-à-dire dans le courant du IVe siècle; l'existence d'une seconde vague, plus tardive, lui semble requise pour expliquer les rapprochements entre les litanies latines et les grandes liturgies orientales comme celle de saint Jacques et de saint Jean Chrysostome.

---

[4] B. Capelle, Le Kyrie ..., p. 124.
[5] A. Baumstark, Liturgie comparée, Chevetogne, 1953, p. 83—90.
[6] M. Meslin, Les Ariens d'Occident. 335—430, Paris, 1967, troisième partie.
[7] W. Bousset, Zur sogenannten Deprecatio Gelasii, dans les Nachrichten de Göttingen, Berlin, 1916, p. 162—163.

En commentant Irl[1], nous citions parmi les autres canaux d'influence
possibles des personnages comme Hilaire de Poitiers (mort vers 367) et
Jean Cassien (vers 360—434).

F. PRIERE UNIVERSELLE, INTERCESSIONS ANAPHORIQUES ET DIPTYQUES

Ce sont là trois réalités différentes. La première, nous en avons assez
parlé, se situe à la charnière entre la liturgie de la Parole et la liturgie
eucharistique. Les intercessions anaphoriques sont les prières de demande
que le prêtre prononce à l'intérieur même de la prière eucharistique; la
Tradition apostolique les ignore, les CAp les développent assez longuement, et les liturgies de Jacques grec et de Jean Chrysostome les introduisent par Μνήσθητι. Quant aux diptyques (appelés aussi *nomina*), ce
sont les listes de personnes, vivantes ou défuntes, que l'on citait dans la
liturgie; on les lisait originellement à l'offertoire, puis ils furent situés
parfois dans l'anaphore elle-même.

Le Canon romain nous offre la succession de ces deux derniers éléments; dans le *Te igitur*, le prêtre énonce les intentions de l'offrande:
«quae tibi offerimus

— pro Ecclesia tua sancta catholica, quam pacificare, custodire, adunare
et regere digneris toto orbe terrarum,

— una cum famulo tuo papa nostro N.,

— et antistite nostro N.,

— et omnibus orthodoxis atque catholicae et apostolicae fidei cultoribus».

Vient ensuite la lecture des *nomina vivorum* introduite par *Memento*.

Nous ne nous sommes pas aventuré dans l'étude des diptyques ni des
intercessions anaphoriques, mais nous y avons touché çà et là en passant;
on se trouve toujours dans le même domaine de l'intercession.

— La différence apparaît nettement entre l'*oratio fidelium* et les diptyques; ceux-ci sont de simples listes de noms, ils ne formulent pas de
prière; celle-là au contraire consiste essentiellement en une demande,
et en indique généralement le bénéficiaire et l'objet. Observons que
dans les témoignages littéraires et dans les textes de prière universelle
étudiés, nous n'avons jamais trouvé mention du nom d'un personnage:
ils désignent bien des fonctions (l'évêque, le roi), mais jamais nommément un tel.

— La distinction est beaucoup moins claire entre la prière universelle
et les intercessions anaphoriques. En Orient, la première est prononcée
par le diacre, les secondes par le célébrant; mais nous ne percevons
aucun critère qui permette de distinguer les demandes exprimées dans
ces deux pièces; parfois même elles sont identiques.

En Occident les quatre intentions du *Te igitur* romain figurent toutes,
et en très bonne place, dans les textes de prière universelle; la première
se rencontre même presque littéralement en OS I, en M¹ I, et en M² I.

Qui plus est, un formulaire comme Irl[2], que nous pensons avoir été composé initialement pour servir à la prière des fidèles, a même été situé
ensuite à l'intérieur du «canon papae gilasi», comme si ces deux fonctions
étaient interchangeables[8].

On objectera que nos ancêtres n'étaient pas cartésiens, les liturgistes
encore moins que les autres sans doute; ces doublets ne les gênaient pas
autant que nous qui, déformés par la réforme liturgique, ne supportons
pas d'entendre prier à une intention déjà exprimée auparavant dans la
même célébration.

Nous n'en sommes pas si sûr; à nos yeux le problème des relations
entre l'*oratio fidelium* et les intercessions de la prière eucharistique se pose
inévitablement; l'existence de ce doublet pourrait bien nous révéler des
choses importantes en ce qui concerne l'histoire de la liturgie. Nous
n'avons pas étudié les intercessions anaphoriques pour elles-mêmes, mais
après l'étude de l'*oratio fidelium* ancienne, nous pensons pouvoir faire
quelques remarques.

La prière eucharistique d'Hippolyte ne contient pas d'intercession;
comme nous estimons que la Tr. Ap. connaissait la prière universelle,
cette situation nous paraît, à nous modernes, plus satisfaisante: l'anaphore
exprime les idées d'offrande et de louange, elle n'est pas alourdie de
demandes. Si les vues de Dom Capelle[9] sont exactes, dès 416 sous Innocent Ier, le début du Canon romain avait déjà la structure actuelle; *oratio
fidelium* et intercessions anaphoriques ont donc coexisté pendant plus
d'un siècle. Comment en est-on venu là? Plusieurs auteurs estiment que
les intercessions ont envahi le canon parce que l'on croyait à l'époque
que les prières étaient d'autant plus efficaces qu'elles étaient plus proches
de la consécration. Cette explication nous semble relever d'une (mauvaise)
théologie moderne plutôt que de la réalité historique. Il faut pourtant
reconnaître que c'est la prière universelle qui a disparu; les intercessions
n'ont pas été rayées du Canon.

D'autres affirment qu'*oratio fidelium* et intercessions anaphoriques sont
des réalités bien différentes; la première énonce des demandes, les secondes citent les intentions pour lesquelles on offre l'Eucharistie. Les deux

---

[8] Dans son article intitulé *De intercessiegebeden in het eucharistisch gebed*,
dans *Tijdschrift voor liturgie*, t. 56 (1972), p. 298—320, F. SOTTOCORNOLA pense
cependant que la différence entre la prière universelle et les intercessions
anaphoriques réside dans leur contenu. La prière eucharistique comporte nécessairement, d'après son enquête historique, un moment déprécatif, qui est une
prière pour l'Eglise et son unité, dans une perspective eschatologique; les autres
intentions, historiquement postérieures, ne lui sont pas essentielles. Les demandes
de la prière universelle, quant à elles, sont beaucoup plus diverses.
Voir aussi W. J. GRISBROOKE, *Intercession at the Eucharist*. II. *The Intercession
at the Eucharist Proper*, dans *Studia liturgica*, t. 5 (1966), p. 20—44 et 87—103.

[9] B. CAPELLE, *Innocent Ier et le canon de la messe*, RTAM, t. 19 (1952),
p. 5—16; Tr. lit., t. 2, p. 236—247; cfr. aussi *L'intercession dans la messe
romaine*, RB, t. 65 (1955), p. 181—191; Tr. lit., t. 2, p. 248—257.

prières ont donc pu coexister sans poser de problèmes[10]. Nous avouons ne pas bien percevoir la distinction; l'offrande du sacrifice est-elle autre chose qu'une prière?

Nous nous demandons s'il ne faudrait pas examiner sérieusement l'hypothèse suivante[11]. Liturgie de la Parole et liturgie eucharistique étaient autrefois distinctes, du moins pouvaient-elles en certains cas être séparées. Nous le savons par Justin (T 5 et T 6), par Hippolyte (Rome, T 1); certains passages du Gélasien ancien y font encore allusion. Peut-être chacune de ces parties comportait-elle une intercession, et le doublet n'aura-t-il paru gênant que lorsque lectures et eucharistie devinrent définitivement indissociables.

Cette hypothèse présuppose que la prière des fidèles appartienne à la première partie de la messe, comme c'est le cas aujourd'hui. Mais la description de Justin montre clairement que pour lui, la prière universelle ouvre l'eucharistie. De même chez Hippolyte et en Orient où, après tous les renvois, l'*oratio fidelium* est réservée aux seuls fidèles et commence donc la seconde partie de la messe.

Mais nous pensons que cette remarque, pour exacte qu'elle soit, ne constitue pas une objection sérieuse à notre hypothèse; les Anciens en effet ne se posaient guère ces questions de structure.

Nous croyons donc que ces deux formulaires d'intercession ont pu coexister parce qu'ils appartenaient chacun à une fonction liturgique jugée plus ou moins indépendante de l'autre. Lorsqu'elles furent définitivement unies l'une à l'autre, c'est la prière universelle qui tomba en désuétude, pour tous les motifs que nous avons rappelés plus haut, et notamment le succès croissant des processions dans lesquelles ses formulaires trouvèrent une utilisation nouvelle.

Nous avons fait observer plus haut que le mouvement presbytéraliste qui se développe à la fin du IVe siècle est probablement responsable de la transformation des invitatoires en textes invocatifs, et de leur réservation aux prêtres aux dépens des diacres. Peut-être cette mutation a-t-elle nui également à la prière universelle, lui ôtant le caractère diaconal qui pouvait lui paraître spécifique.

[10] C'est l'avis de Dom A. NOCENT, qui écrit: «La restauration de l'*oratio fidelium* n'entraîne pas de soi la suppression des prières d'intercession. Prier pour l'Eglise, le pape, les évêques, à la fin de la liturgie de la Parole est une chose; offrir le sacrifice pour eux et insérer leur nom dans l'offrande du Christ et le rappel des ‹mirabilia Dei› en est une autre.» *La prière commune des fidèles,* dans NRT, t. 86 (1964), p. 948—964; la citation est extraite de la p. 963.

[11] Nous devons l'essentiel de ceci aux échanges que nous avons eus avec M. le chanoine HOUSSIAU, professeur à l'Université catholique de Louvain.

Conclusions générales

Après cette longue étude de la prière universelle durant les six premiers siècles, tentons de faire le point.

1. LES PROBLEMES THEOLOGIQUES DE LA PRIERE

Malgré l'intérêt de l'entreprise, nous ne procéderons pas à une relecture théologique des matériaux accumulés. Il serait passionnant de rechercher par exemple quelle conception de Dieu et du monde reflètent ces formules, quelle notion de la prière elles incarnent. Que penser, ainsi, de l'affirmation de Tertullien en T 7, selon laquelle «seule la prière peut vaincre Dieu»; est-ce le but de la prière de le harceler, Lui qui sait ce dont nous avons besoin avant même que nous le Lui demandions (*Mt* VI, 8)? Ou comment comprendre les prescriptions canoniques enjoignant à certains pénitents d'assister à toute la messe, mais sans y communier?

Il est incontestable que les Anciens demandaient à Dieu des choses objectives, comme le retard de la fin du monde (Tertullien T 1) ou le beau temps (*pro aeris temperie,* dans les litanies); Aristide écrivait que c'est grâce à la prière des chrétiens que le monde subsiste. Ils n'attribuaient donc pas seulement à la prière le rôle subjectif de transformer le coeur de l'homme pour le rendre plus conforme à l'Evangile. Cette conception objectiviste de la prière pose problème à la mentalité chrétienne contemporaine; il serait nécessaire d'en étudier les fondements bibliques et théologiques.

Notons aussi que dans la spiritualité orientale, les litanies et surtout les nombreuses répétitions du *Kyrie eleison,* à l'apparition duquel nous avons assisté, ne sont pas sans relation avec l'usage de la «prière de Jésus», qui consiste à reprendre sans cesse la formule «Seigneur Jésus, ayez pitié de moi»; elle est mentionnée dès le VIe siècle par saint Jean Climaque. Il y aurait avantage à scruter les racines historiques de cette dévotion, et à en juger la valeur; c'est la même démarche spirituelle qui s'exprime en elle et dans la multiplication des litanies.

2. «ORATIO FIDELIUM» OU PRIERE UNIVERSELLE?

Les liturgistes modernes utilisent l'expression *oratio fidelium* comme terme technique pour désigner la prière d'intercession située, à la messe, entre les lectures et l'eucharistie. On l'a traduite par *prière des fidèles*. Cette dénomination tient pour une bonne part dans le succès qu'a rencontré initialement la restauration de cette prière par le deuxième Concile du Vatican. Les fidèles se sont sentis concernés.

Il faut pourtant reconnaître que cette tournure est fort ambiguë; examinons-en l'origine.

a) En Occident

Les auteurs ont trouvé les termes *oratio fidelium* dans la lettre de Félix III que nous avons analysée et dont nous avons déployé l'arrière-fond canonique. On y lisait, rappelons-le, que les clercs rebaptisés «nec orationi non modo fidelium, sed ne catechumenorum omnimodis interesse» (Rome, T 18). Or nous avons montré, avec un degré raisonnable de certitude, que dans le contexte «participer à la prière des fidèles» ne signifiait nullement prendre part à la prière universelle, mais bien avoir le droit de prier avec les fidèles. On fait donc erreur en croyant lire ici une dénomination technique.

Ceci est corroboré par le fait que nulle part en Occident nous n'avons trouvé de titre qui appartienne en propre à notre prière. Les témoignages patristiques sont très flous à cet égard; seul Augustin nous livre quelques renseignements, utilisant les expressions *orationes Ecclesiae, orationes credentium* et *orationes fidelium*; il emploie une fois la tournure *oratio fidelium*, mais elle désigne le Notre Père[1]; bref, lui non plus ne connaît pas de dénomination spécifique. Plus tard, les livres liturgiques utiliseront les termes *orationes*, vocable peut-être réservé aux lities (OS, *orationes paschales*), *deprecatio, preces*.

b) En Orient

L'expression *oratio fidelium* a cependant une signification précise et adéquate. En Orient en effet, nous l'avons rappelé, la prière est intimement liée au renvoi des «indignes»; dans les CAp, on voit clairement qu'avant le départ des catéchumènes, des pénitents, etc., on fait une prière pour eux; quand il ne reste plus que les fidèles a lieu l'εὐχὴ τῶν πιστῶν. Comprenons bien: ce titre ne signifie pas que les fidèles aient composé la prière ou la prononcent, il désigne seulement ceux qui sont autorisés à prier. Nous atteignons ici l'origine de l'expression «prière des fidèles» et son sens originel[2].

---

[1] Sur ceci voir première partie, Section II, Augustin § 2.

[2] Nous rejoignons ainsi les remarques faites naguère par E. Bishop, *Kyrie*, p. 122; les OS ne peuvent être appelées prières *des* fidèles, écrivait-il; ce sont des prières *pour* les fidèles, ce qui est tout différent. Sa prudence n'a pas été suivie, sinon par A. Wilmart qui notait: «. . . si les fidèles y prennent part en leur coeur, par leur attitude et par un bref *Amen*, elle est faite, prononcée par l'évêque en leur nom»; art. *Germain de Paris (lettres attribuées à saint)*, DACL 6, col. 1075.

Cette signification première prévaut encore en Orient, où les renvois et les prières qui les accompagnent existent toujours. En Occident, elle s'applique bien à la réalité décrite par Justin et Hippolyte; ce dernier note explicitement que cette prière est réservée aux fidèles (Rome T 1)[3]. Mais ultérieurement nous ne trouvons plus en Occident cette opposition; Rome ne semble jamais avoir connu d'*oratio catechumenorum*, puisque un litique des OS leur est consacré et que l'interprétation habituelle du texte de Félix III n'est pas correcte. Les textes que nous avons étudiés prient pour les besoins de l'Eglise et de la société; la part des fidèles n'y est pas plus importante que dans les «prières sacerdotales», sauf dans les litanies, construites expressément pour favoriser la participation du peuple.

Personnellement, nous estimons que l'expression *prière des fidèles* doit être rayée du vocabulaire courant; elle ne se comprend qu'à l'aide d'une culture historique, et ne circonscrit pas bien la réalité actuelle. Que les liturgistes utilisent *oratio fidelium* en un sens technique, soit, pourvu qu'ils en saisissent bien la signification et n'en tirent pas de conséquences aberrantes. Pour notre part, nous préférons la tournure *prière universelle*, qui nous paraît la plus adéquate. L'objet propre de ce rite est de prier pour les besoins de tous; les formulaires étudiés commencent même par les demandes les plus universelles (l'Eglise, la paix) pour se terminer par les intentions plus particulières: celles-ci ne sont pas exclues, mais doivent se maintenir en de justes proportions.

Dans la terminologie actuelle, on parle encore de *prière commune*; ceci nous semble moins adéquat, car une prière sacerdotale se fait également au nom des participants, en commun avec eux. Dans ce travail, nous avons réservé l'expression pour désigner le genre liturgique d'une prière destinée à favoriser la participation du peuple. La tournure est aussi moins évocatrice, moins suggestive.

La Constitution *De sacra liturgia* du Concile Vatican II, restaurant au n° 53 la prière universelle, la nommait *oratio communis seu fidelium*. Nous avons été heureux de constater que l'*Institutio generalis missalis romani* du 6 avril 1969 modifie la terminologie officielle et parle d'*oratio universalis seu oratio fidelium* (n° 99 — cfr. *Ordo Missae* n° 16).

3. LE CONTENU — PROBLEME DES FORMULAIRES FIXES

Le problème du contenu de la prière universelle se pose aujourd'hui avec une certaine acuité. Nous ne pensons pas que l'histoire, ici comme

---

Ce n'est pas la première fois dans l'histoire que le génitif, cas grammatical le plus ambigu qui soit, a joué de vilains tours ...

[3] Cette prescription peut paraître juridique et attribuer des privilèges dont on ne perçoit pas la signification. Peut-être est-elle susceptible d'une interprétation plus riche; elle pourrait suggérer que la prière chrétienne est une activité *sui generis*, exigeant l'attitude filiale prônée par le Nouveau Testament;

ailleurs, puisse nous imposer des solutions toutes faites, qualifiées, un peu rapidement, de traditionnelles, au sens théologique du mot. Nous avons pourtant quelques remarques à présenter.

a) Absence de lien avec les lectures

Nous n'avons constaté aucune liaison entre les lectures proclamées et la prière universelle. Ceci est évident, objectera-t-on, dès qu'on a affaire à des formulaires fixes. Mais, même auparavant, les témoignages littéraires ne nous mènent pas du tout dans le sens d'un rapport étroit avec la liturgie de la Parole.

b) Prière, et non catéchèse

On pourrait affirmer, avec presque autant de certitude, l'absence de relation entre l'homélie et la prière universelle; on ne perçoit pas de lien organique entre elles. Chez Augustin, il est vrai, la formule *Conversi ad Dominum* constitue au minimum un lien entre les deux réalités. Mais si elles se suivent, elles ne se ressemblent pas. Les litanies ne prennent jamais la forme d'un petit sermon; leurs invocatoires ou invitatoires sont très nettement des prières ou des invitations à prier, non des catéchèses.

La densité de contenu est évidemment plus forte dans les lities, dont les invitatoires et les oraisons sont plus développés et comportent presque toujours une proposition finale précisant les grâces demandées; mais le but premier est de prier, non d'instruire.

c) Le problème des formulaires

Nous avons détaillé le contenu des demandes dans les conclusions de nos deux parties. Les formulaires fixes posent problème car ils ne permettent pas de reprendre dans la prière les préoccupations de l'actualité[4]. En fait, ces textes expriment de manière stéréotypée les besoins de l'Eglise et du monde, rédigés de manière suffisamment générale pour être constamment valables. On notera ici que les litanies se sont facilité la tâche en indiquant le bénéficiaire de la prière, mais en ne précisant jamais la grâce demandée; cette astuce évite de devoir concrétiser la demande, comme on aime à le faire aujourd'hui.

d) Essais d'explication

Nous nous risquons à proposer ici deux explications de l'apparition et du maintien de formulaires; la première allègue un fait, la seconde n'est qu'une piste de réflexion.

---

si elle ne peut se faire qu' «en esprit et en vérité» (*Jn* IV, 23), elle requiert donc qu'on ait reçu l'Esprit Saint et qu'on connaisse la Révélation.

[4] Mais existait-il à l'époque une actualité? ou du moins ce mot revêtait-il la même signification qu'aujourd'hui? Nous pensons que l'existence des moyens de communication sociale nous place à cet égard en une situation radicalement différente.

1) La décadence culturelle

Le Ve siècle voit les Germains s'établir sur le territoire de l'Empire. En 410 déjà, Rome est pillée par Alaric et ses Goths. Les événements se précipiteront jusqu'à la chute de l'Empire en 476. Cette débâcle eut une répercussion au niveau culturel; dès le VIe siècle, on entre dans un autre monde; l'Antiquité est terminée. Les grandes visions des Pères cèdent la place à un souci moralisateur (cfr. Césaire d'Arles), les perspectives se rétrécissent, le monde se ferme.

Cet effondrement culturel n'est pas sans avoir exercé d'influence sur la liturgie. On n'a pas pesé suffisamment jusqu'ici le fait que les textes liturgiques que nous utilisons encore aujourd'hui sont nés ou furent compilés à une époque de décadence culturelle. Notre hypothèse explicative est celle-ci: ne faut-il pas mettre un lien entre cette chute du niveau culturel et la fixation des formulaires? Autrement dit, n'a-t-on pas rassemblé des textes parce qu'on n'était plus capable d'en créer et qu'on se trouvait déjà tout heureux d'être en possession d'un formulaire valable?

Ceci pourrait expliquer que les litanies du Ve siècle ont été conservées; leurs rédacteurs n'avaient probablement pas l'intention de léguer leurs œuvres aux siècles futurs; il leur suffisait d'aider leurs contemporains à prier. L'hypothèse pourrait expliquer, plus radicalement, la composition même des formulaires; ou du moins leur multiplication, car il ne faudrait pas croire non plus qu'avant le Ve siècle aucun texte liturgique n'avait été mis par écrit! Même en ce qui concerne la prière universelle, les OS sont là pour nous le rappeler: leur première rédaction remonte au IIIe siècle.

En tout cas nous constatons, et ceci est certain, que les formules stéréotypées, suffisamment générales pour être applicables en d'autres temps et sous d'autres cieux, ont été au cours des âges modifiées de diverses manières, et surtout simplifiées, sans qu'on en crée d'autres ou qu'on les actualise; si on a adapté leur forme liturgique, on n'a pas enrichi leur contenu.

2) Les formules et le génie de la langue latine

Nous avons été frappé, en suivant l'évolution de ces pièces, de constater comment des formules, nées en Occident au Ve siècle, avaient, après un certain polissage stylistique (qui donna lieu à la deuxième vague de litanies), traversé les âges sans s'altérer, si bien qu'on les retrouve, identiques, quinze siècles plus tard.

Par contre, dès que ces textes furent traduits en langues véhiculaires, dès le XIIe—XIIIe siècle, on constate une variété d'expressions, qui se diversifient selon les lieux et les circonstances, voire le talent des rédacteurs.

En réfléchissant à ces faits, nous nous sommes demandé si la fixité des formules latines ne tenait pas au génie propre de cette langue. Le latin aime la concision, et parvient à transmettre une grande richesse de sens en fort peu de mots; certains de ceux-ci, comme *pietas, devotio,* en deviennent intraduisibles en français sans recourir à une périphrase. De plus, la langue de Cicéron affectionne le rythme, les formules balancées; celles-ci une fois constituées, il n'est plus possible d'y rien changer, ni d'y ajouter ni d'y retrancher un mot; tout s'y tient et est nécessaire à l'équilibre de la formule.

Le français procède tout autrement. Il a beaucoup moins le sens des formules stéréotypées; ceci provient surtout du manque d'accent: cette absence lui imprime beaucoup moins de rythme qu'au latin.

Bref, ne qualifions pas trop vite de «traditionnel» l'usage de formulaires pour la prière universelle. Décelons les causes qui ont amené nos ancêtres à en utiliser, et prenons acte du fait que nous vivons une autre époque et que nous parlons une autre langue.

4. Bilan

A. *Apport de cette étude*

1) Dossier de la prière universelle en Occident durant les six premiers siècles

La première utilité de ce travail est de rassembler la documentation: d'abord les témoignages patristiques, puis les formulaires eux-mêmes, édités et analysés.

Ils permettent de constater que

— les chrétiens ont toujours eu le souci de prier pour les besoins de l'Eglise et du monde;

— dès saint Justin cette préoccupation prend forme dans la prière universelle;

— celle-ci a donc bien existé dans l'Eglise ancienne, mais peut-être pas dès l'origine, ni partout, ni toujours.

Grâce à ces textes nous pouvons en connaître le contenu et la forme liturgique, repris en grande partie à l'Orient, et reconstituer son histoire.

2) Histoire de la prière universelle

Sa préhistoire prend des contours plus précis grâce à l'étude critique des témoignages patristiques. Son histoire se trouve ensuite éclairée sur différents points; sans pouvoir les reprendre ici avec toutes les nuances apportées au cours de l'exposé, citons notamment:

— l'apparition à Rome des OS, constituées d'abord des seuls invitatoires, entre 250 et 320 environ;

— l'existence en Occident, dès le début du Ve siècle (et donc avant le pape Gélase), de litanies traduites librement des textes orientaux, et retravaillées à la fin de ce siècle;

— la permanence de la prière universelle après Gélase;

— sa disparition vers le milieu du VIe siècle;
— la survie de ses formulaires, adaptés à leurs utilisations nouvelles, dans les *orationes paschales* gallicanes et hispaniques, les litanies processionnelles, les *preces* et les litanies des saints.

3) Outil d'analyse

Notre étude met en oeuvre un outil qui permet de classer systématiquement les formes liturgiques, les éléments dont elles se composent, et leurs modalités. Grâce à cette méthode, on peut analyser les textes et les comparer entre eux.

4) Terminologie

L'expression *oratio fidelium* ne revêt tout son sens que dans les liturgies orientales, où la prière des fidèles se fait après le renvoi des «indignes». Les réalités liturgiques d'Occident étant différentes, et vu l'ambiguïté de la tournure pour nos contemporains, il faut préférer l'expression *prière universelle*.

B. *Problèmes historiques en suspens*

Plusieurs questions restent à élucider; outre l'intérêt historique qu'elle aurait, leur étude pourrait jeter quelque lumière sur les problèmes pastoraux actuels:

1) Rapports avec l'Orient
Il faudrait:
— rechercher l'origine du genre litanique en Orient;
— et étudier le développement des formulaires à travers les différentes liturgies.

Alors seulement on pourra comparer effectivement les textes orientaux et latins et juger des influences subies.

2) Relation entre la prière universelle et les intercessions anaphoriques.

3) Ordonnance du début de la messe romaine: litanie processionnelle, introït, Kyrie ...

4) Relations entre les liturgies latines.

C. *Perspectives*

En plus de l'incidence pastorale qu'aurait une recherche consacrée aux problèmes signalés ci-dessus, nous pensons qu'une des conditions nécessaires à la maturation harmonieuse de la prière universelle est actuellement l'étude théologique de la prière de demande. Les hommes d'aujourd'hui ont besoin d'en retrouver, grâce aux fondements néotestamentaires et traditionnels, la justification et les conditions de légitimité.

Ils seront heureux de croire alors au Seigneur Jésus qui leur dit: «Jusqu'ici vous n'avez rien demandé en mon nom. Demandez et vous recevrez, et votre joie sera parfaite» (*Jn* XVI, 24).

BIBLIOGRAPHIE

Cette liste comporte trois parties:

— la première renseigne par ordre alphabétique les *sigles et abréviations* des publications couramment utilisées, de quelque nature qu'elles soient;

— la deuxième cite les *sources* utilisées; d'abord les sources h i s t o r i q u e s e t l i t t é r a i r e s, classées alphabétiquement; puis les sources l i t u r g i q u e s. Parmi les dernières, celles qui sont éditées sont rangées dans un ordre systématique. Les manuscrits dont nous nous sommes servi et qui ne sont pas publiés sont cités dans l'ordre alphabétique des villes où ils se trouvent;

— la troisième partie donne la liste des *études et instruments de travail* que nous avons utilisés. Parmi les ouvrages ou articles de pastorale liturgique parus lors de la restauration de la prière universelle, nous n'avons retenu que les plus importants. Les différentes contributions d'un même auteur sont classées par ordre alphabétique du premier mot significatif.

1. S i g l e s e t a b r é v i a t i o n s

ALTANER	=	B. ALTANER, *Précis de patrologie*, Mulhouse, 1961.
BISHOP, *Kyrie*	=	E. BISHOP, *Kyrie eleison*, dans *Downside Review*, 1899 et 1900; repris dans *Liturgica historica. Papers on the Liturgy and Religious Life of the Western Church*, Oxford, 1918, p. 116—136, d'après lequel nous citons.
BLAISE-CHIRAT	=	A. BLAISE — H. CHIRAT, *Dictionnaire Latin-Français des auteurs chrétiens*, Strasbourg, 1954.
Bo	=	Missel de Bobbio.
BOURQUE	=	E. BOURQUE, *Etude sur les sacramentaires romains*, 3 vol., Rome et Québec, 1948—1958. Le nombre qui suit renvoie à sa numérotation des manuscrits.
Br	=	F. E. BRIGHTMAN, *Liturgies Eastern and Western. I. Eastern Liturgies*, Oxford, 1896.
BRUNS	=	H. TH. BRUNS, *Canones apostolorum et conciliorum saeculorum IV—VII. T. 1: Saeculum IV*, Berlin, 1839.
CAPELLE, *Le Kyrie...*	=	B. CAPELLE, *Le Kyrie de la messe et le pape Gélase*, dans RB, t. 46 (1934), p. 126—144: repris dans *Travaux liturgiques*, t. 2, *Histoire. La messe*, Louvain, 1962, p. 116—134, édition d'après laquelle nous citons.

CAp	=	Constitutions apostoliques, éd. F. X. Funk, *Didascalia et Constitutiones apostolorum*, Paderborn, 1905.
CC	=	*Corpus christianorum, series latina.* Turnhout, 1953 ss.
Clavis	=	E. Dekkers — A. Gaar, *Clavis patrum latinorum. Editio altera*, Bruges, 1961.
COD	=	*Conciliorum oecumenicorum decreta. (Istituto per le scienze religiose, Bologna)*, Fribourg B., 1962.
CSEL	=	*Corpus scriptorum ecclesiasticorum latinorum*, Vienne, 1866 ss.
DACL	=	*Dictionnaire d'archéologie chrétienne et de liturgie*, Paris, 1907—1953.
Denzinger-Schönmetzer	=	*Enchiridion symbolorum, definitionum et declarationum de rebus fidei et morum*, 32e éd., Barcelone, 1963.
DG	=	*Deprecatio Gelasii.*
DHEE	=	*Diccionario de historia eclesiástica de España*, Madrid, 1972.
Diaz	=	M. C. Diaz y Diaz, *Index scriptorum latinorum medii aevi hispanorum, (Consejo Superior de Investigaciones científicas)*, Madrid, 1959. Le nombre qui suit renvoie à sa numérotation des manuscrits.
Du Cange	=	C. Du Cange, *Glossarium ad scriptores mediae et infimae latinitatis*, 6 vol., Paris, 1733—1736.
Duchesne, *Origines* ...	=	L. Duchesne, *Origines du culte chrétien. Etude sur la liturgie latine avant Charlemagne*, 6e édition, Paris, 1925 (1e édition 1889).
EL	=	*Ephemerides liturgicae* ..., Rome, 1887 ss.
FG¹	=	*Dicamus omnes* franco-gallican.
FG²	=	*Kyrie eleison. Domine Deus omnipotens patrum nostrorum* franco-gallican.
Gamber	=	K. Gamber, *Codices liturgici latini antiquiores*, 2 vol., Fribourg S., 1968. Le nombre qui suit renvoie à sa numérotation des manuscrits.
Go	=	*Missale Gothicum.*
Ha	=	*Orationes paschales* hispaniques, tradition A.
Hb	=	*Orationes paschales* hispaniques, tradition B.
HBS	=	Henry Bradshaw Society for Editing Rare Liturgical Texts, Londres, 1891 ss.
Irl¹	=	*Dicamus omnes* du Missel de Stowe.
Irl²	=	intercessions anaphoriques du Missel de Stowe.
JLW	=	*Jahrbuch für Liturgiewissenschaft* ... hrsg von O. Casel, Munster, 1921—1941.

JTS	=	*Journal of Theological Studies,* Londres puis Oxford, 1900 ss.
Jungmann, MS	=	J. A. Jungmann, *Missarum Sollemnia. Eine genetische Erklärung der römischen Messe,* 2 vol., 5e édition, Vienne, 1962.
Lampe	=	G. W. H. Lampe, *A Patristic Greek Lexicon,* Oxford, 1961 ss.
Leroquais — Sacramentaires	=	V. Leroquais, *Les sacramentaires et les missels manuscrits des bibliothèques publiques de France,* 3 vol., Paris, 1924.
Psautiers	=	*Les psautiers manuscrits latins des bibliothèques publiques de France,* 2 vol., Mâcon, 1940— 1941.
Liddell-Scott	=	H. G. Liddell — R. Scott — H. Stuart Jones, *A Greek-English Lexicon,* 2 vol., Oxford, 1940, et 1 vol. de *Supplement,* par E. A. Barber, Oxford, 1968.
LMD	=	*La Maison-Dieu, Revue de pastorale liturgique,* Paris, 1945 ss.
LMS	=	M. Ferotin, *Liber mozarabicus sacramentorum,* Paris, 1912.
LOrd.	=	M. Ferotin, *Le Liber ordinum,* Paris, 1904.
LP	=	L. Duchesne, *Le Liber pontificalis. Texte, introduction et commentaire,* 3 vol., 2e édition par C. Vogel, Paris, 1955—1957.
LQF	=	*Liturgiegeschichtliche* (puis *Liturgiewissenschaftliche*) *Quellen und Forschungen,* Munster, 1919 ss.
LTK	=	*Lexikon für Theologie und Kirche,* 2e édition, 10 vol., Fribourg B., 1958—1965.
LW	=	*Liturgisch woordenboek,* 2 vol., Roermond, 1958—1968.
M¹	=	*Divinae pacis* dit milanais.
M²	=	*Dicamus omnes* dit milanais.
Mansi	=	J. D. Mansi, *Sacrorum conciliorum nova et amplissima collectio,* Florence, 1759 ss.
Martimort	=	A. G. Martimort et collaborateurs, *L'Église en prière. Introduction à la liturgie,* 3e édition, Paris, 1965.
MGG	=	*Die Musik in Geschichte und Gegenwart. Allgemeine Enzyklopädie der Musik,* 14 vol., Cassel, 1949—1968.
MGH	=	*Monumenta Germaniae historica...* Hanovre-Berlin, 1826 ss.
MGV	=	*Missale Gallicanum vetus.*

NRT	=	*Nouvelle revue théologique*, Louvain, 1868 ss.
OR	=	*Ordines romani*, édition M. ANDRIEU, *Les Ordines romani du haut moyen âge*, (*Spicilegium sacrum lovaniense* 11, 23, 24, 28, 29), 5 vol., Louvain, 1931—1961.
OS	=	*Orationes sollemnes* du vendredi saint.
PG	=	J. P. MIGNE, *Patrologiae cursus completus, Series graeca*, 161 vol., Paris, 1857—1866.
PL	=	J. P. MIGNE, *Patrologiae cursus completus, Series latina*, 221 vol., Paris, 1844—1864.
Prex eucharistica	=	A. HÄNGGI — I. PAHL, *Prex eucharistica. Textus e variis liturgiis antiquioribus selecti*, (*Spicilegium friburgense* 12), Fribourg S., 1968.
PRG	=	C. VOGEL — R. ELZE, *Le Pontifical romanogermanique de Xe siècle*, (*Studi e Testi* 226, 227, 269), 3 vol., Cité du Vatican, 1963—1972.
QLP	=	*Questions liturgiques et paroissiales*, Louvain, 1910—1969.
RB	=	*Revue bénédictine*, Maredsous, 1884 ss.
RHE	=	*Revue d'histoire ecclésiastique*, Louvain, 1900 ss.
RTAM	=	*Recherches de théologie ancienne et médiévale*, Louvain, 1929 ss.
SC	=	*Sources chrétiennes*, Paris, 1942 ss.
TA	=	*Texte und Arbeiten. Beiträge zur Ergründung des lateinischen christlichen Schrifttums und Gottesdienstes*, hrsg. von der Erzabtei Beuron, 1917 ss.
Thesaurus	=	*Thesaurus linguae latinae. Editus auctoritate et consilio Academiarum quinque germanicarum* ... Leipzig, 1900 ss.
Thomasius-Vezzosi	=	*Venerabilis viri J. M. Thomasii Opera omnia*, éd. A. VEZZOSI, 7 vol., Rome, 1747—1754.
Tr.Ap.	=	Tradition apostolique, éd. B. BOTTE, *La tradition apostolique de saint Hippolyte. Essai de reconstitution*, (LQF 39), Munster, 1963.
Tr.lit.	=	B. CAPELLE, *Travaux liturgiques de doctrine et d'histoire*, 3 vol., Louvain, 1955—1967.
TU	=	*Texte und Untersuchungen zur Geschichte der altchristlichen Literatur*, Leipzig puis Berlin, 1882 ss.
Vogel	=	C. VOGEL, *Introduction aux sources de l'histoire du culte chrétien au moyen âge*, (*Biblioteca degli Studi Medievali*, 1), Spolète, 1966.
WILLIS, *Essays* ...	=	G. G. WILLIS, *Essays in Early Roman Liturgy*, (*Alcuin Club Collections*, 46), Londres, 1964.

2. Les sources

A. Sources historiques et litteraires

Amalaire de Metz; *Amalarii episcopi opera liturgica omnia*, éd. J. M. Hanssens, 3 vol., (*Studi e testi* 138—140), Cité du Vatican, 1948—1950.

Ambroise de Milan; *De Cain et Abel*, éd. C. Schenkl, (CSEL 32,1), Vienne, 1897.
Expositio evangelii secundum Lucam, éd. C. et H. Schenkl, (CSEL 32, 4), Vienne, 1902.
Expositio psalmi 118, éd. M. Petschenig, (CSEL 62), Vienne, 1913.
De fide, éd. O. Faller, (CSEL 78), Vienne, 1962.
De obitu Valentiniani, éd. O. Faller, (CSEL 73), Vienne, 1955.
De sacramentis, éd. O. Faller, (CSEL 73), Vienne, 1955; éd. B. Botte, (SC 25bis), Paris, 1961; éd. Thompson-Srawley, Londres, 1950.
De virginibus, éd. O. Faller, (*Florilegium patristicum* 31), Bonn, 1933.
Opera, éd. J. du Frische et N. le Nourry, 2 vol., Paris, 1686—1690 (= PL 14—16).

Ambrosiaster; *Ambrosiastri qui dicitur Commentarius in epistulas paulinas*, éd. H. J. Vogels, (CSEL 81, 3 vol.), Vienne, 1966—1969.

Apollonius de Rome; *Der Process und die Acta S. Apollonii*, éd. T. Klette, (TU 15, 2), Leipzig, 1897.

Aristide d'Athenes; *Die Apologie des Aristides. Recension und Rekonstruktion des Textes*, éd. E. Hennecke, (TU 4, 3), Leipzig, 1893.

Arnobe l'Ancien; *Arnobii adversus nationes libri VII*, éd. A. Reifferscheid, (CSEL 4), Vienne, 1875.

Athanase d'Alexandrie; *Apologie à Constance*, éd. J. M. Szymusiak, (SC 56), Paris, 1958.

Athenagore d'Athenes; *La supplica per i cristiani. Testo critico e commento*, éd. P. Ubaldi, (*Scrittori greci commentati* 3), Turin, 1921, 2e éd. 1933.
Supplique au sujet des chrétiens. Introduction et traduction, éd. G. Bardy (SC 3), Paris, 1943.

Augustin d'Hippone; *Enarrationes in psalmos*, éd. Dekkers-Fraipont, (CC 38—40), Turnhout, 1956.
Augustins Enchiridion, éd. O. Scheel, (*Sammlung ausgewählter Kirchen- und Dogmengeschichtlicher Quellenschriften* 2, 4), Tübingen, 1930.
Epistulae, éd. A. Goldbacher, (CSEL 34, 1—2; 44; 57; 58), Vienne, 1895—1923.
Sermons pour la Pâque, éd. S. Poque, (SC 116), Paris, 1966.
S. Augustini sermones post Maurinos reperti, éd. G. Morin, (*Miscellanea agostiniana* 1), Rome, 1930.
Sermones de vetere testamento, éd. C. Lambot, (CC 41), Turnhout, 1961.
Opera, éd. des Mauristes, Paris, 1679—1700 (PL 32—47).

Aurelien d'Arles; *Regula ad monachos*, dans PL 68, 393 ss.

Basile de Cesaree; *Saint Basile. Lettres*, éd. Y. Courtonne (*Collection des Universités de France — Les Belles Lettres*), 3 vol., Paris, 1957—1966.

Benoit de Nursie; *Regula monasteriorum*, éd. A. de Vogüe - J. Neufville, 2 vol. (SC 181—182), Paris, 1972.

Boniface de Rome; *Epître 7 à Honorius*, dans PL 20, 767 ss.

BURCHARD DE WORMS; *Decretorum libri XX*, dans PL 140.

CASSIEN JEAN; *Collationes*, éd. M. PETSCHENIG, (CSEL 13), Vienne, 1886; éd. E. PICHERY, (SC 42, 54, 64), Paris, 1955—1959.
De institutis coenobiorum, éd. M. PETSCHENIG, (CSEL 17), Vienne, 1888; éd. J. C. GUY, (SC 109), Paris, 1965.

CELESTIN DE ROME; *Epître 23 à l'empereur Théodose II*, dans PL 50, 544 ss.

CESAIRE D'ARLES; *Sancti Caesarii arelatensis sermones*, éd. G. MORIN - C. LAMBOT, (CC 103—104), Turnhout, 1953.

CHRYSOSTOME JEAN; *Homélie 3 sur l'épître aux Ephésiens*, dans PG 62, 1 ss.

CLEMENT DE ROME; *Epître aux Corinthiens*, éd. F. X. FUNK, *Patres apostolici*, t. 1, Tübingen, 1901; éd. A. JAUBERT, (SC 167), Paris, 1971.

COLOMBAN; *Regula monachorum, dans Sancti Columbani opera*, éd. G. S. M. WALKER, *(Scriptores latini Hiberniae*, 2), Dublin, 1957.

Concilia Galliae; a. 314 — a. 506, éd. C. MUNIER, (CC 148), Turnhout, 1963. a. 511 — a. 695, éd. C. DE CLERCQ, (CC 148A), Turnhout, 1963.

CYPRIEN DE CARTHAGE; *Saint Cyprien. Correspondance*, éd. L. BAYARD *(Collection des Universités de France — Les Belles Lettres)*, 2e éd., 2 vol., Paris, 1961—1962.
Saint Cyprien. L'oraison dominicale, éd. M. REVEILLAUD, *(Etudes d'histoire et de philosophie religieuses)*, Paris, 1964.
Sancti Cypriani opera omnia, éd. G. HARTEL, (CSEL 3), 3 vol., Vienne, 1868—1871.

Didachè; dans F. X. FUNK, *Patres apostolici*, t. 1, Tübingen, 1901.

EGERIE; *Itinerarium Egeriae*, éd. A. FRANCESCHINI - R. WEBER, (CC 175), Turnhout, 1965.

EUSEBE DE CESAREE; *Histoire ecclésiastique. Texte grec, traduction et annotations*, éd. G. BARDY (SC 31, 41, 55, 73), Paris, 1952—1960.

FELIX III DE ROME; *Epître 7*, dans PL 58, 925 ss.

FRUCTUOSUS DE TARRAGONE; *Acta Fructuosi*, dans *Acta Martyrum*, éd. T. RUINART, Ratisbonne, 1859.

FULGENCE DE RUSPE; *Sermones*, éd. J. FRAIPONT, (CC 91 A), Turnhout, 1968.

GAUDENCE DE BRAGA; *Sermons*, éd. A. GLUECK (CSEL 68), Vienne, 1936.

GENNADE DE MARSEILLE; *De ecclesiasticis dogmatibus*, dans PL 58, 979 ss.

GREGOIRE LE GRAND; *Gregorii I papae registrum epistolarum*, éd. P. EWALD - L. HARTMANN, (MGH *Ep.* 2), 2 vol., Berlin, 1891—1899.

GREGOIRE DE NYSSE; *Epistola canonica*, dans PG 45, 221 ss.

GREGOIRE LE THAUMATURGE; *Epistola canonica*, dans PG 10, 1020—1021.

GREGOIRE DE TOURS; *Libri historiarum X*, éd. B. KRUSCH et W. LEVISON, (MGH, Scriptores rerum merovingicarum, t. 1, pars 1), Hanovre, 1951.

HILAIRE DE POITIERS; *Ad Constantium imperatorem*, éd. A. FEDER (CSEL 65), Vienne, 1916.
Tractatus super psalmos, éd. A. ZINGERLE, (CSEL 22), Vienne, 1891.

INNOCENT DE ROME; *Epître 20*, éd. R. CABIE, *La lettre du pape Innocent Ier à Decentius de Gubbio*, *(Bibliothèque de la RHE*, 58), Louvain, 1973.

ISIDORE DE SÉVILLE; *De ecclesiasticis officiis*, dans PL 83.

JEROME; *Commentarium in Ezechielem*, éd. F. GLORIE, (CC 75), Turnhout, 1964.
Commentarium in Ieremiam, éd. S. REITER, (CC 74), Turnhout, 1960.
Commentarium in Titum, dans PL 26.

Justin martyr; *Apologies*, éd. L. Pautigny, (*Textes et documents pour l'étude historique du christianisme*), Paris, 1904.

    Dialogue avec Tryphon, éd. G. Archambault, (*Textes et documents pour l'étude historique du christianisme*), 2 vol., Paris, 1909.

Leon le Grand; *Épître 167 à Rusticus de Narbonne*, dans PL 54, 1203 ss.

Liber pontificalis; L. Duchesne, *Le Liber pontificalis. Texte, introduction et commentaire*, 2e éd. par C. Vogel, 3 vol., Paris, 1955—1957.

Marius Victorinus; *Commentarium in epistolam ad Ephesios*, dans PL 8.

Polycarpe de Smyrne; *Ignace d'Antioche — Polycarpe de Smyrne. Lettres — Martyre de Polycarpe*, éd. T. Camelot, (SC 10), 3e éd., Paris, 1958.

Prosper d'Aquitaine; *Contra Collatorem*, dans PL 51, 213—276.

    Praeteritorum sedis apostolicae auctoritates de gratia Dei et libero voluntatis arbitrio, dans PL 51, 205—212.

    Pro Augustino responsiones, dans PL 51, 170 s.

    De vocatione omnium gentium, dans PL 51, 647—722.

Reginon de Prüm; *Reginonis De synodalibus causis et disciplinis ecclesiasticis*, éd. F. G. A. Wasserschleben, Leipzig, 1840, Graz, 1964 (reprod. anast.).

Sidoine Apollinaire; *Épîtres*, éd. J. Sirmond, dans PL 58, 443—640.

Sirice de Rome; *Lettre à Himerius de Tarragone*, dans PL 13.

Tertullien; *De anima*, éd. J. H. Waszink, (CC 1), Turnhout, 1954.

    Apologeticum, éd. E. Dekkers, *ibid.*

    De oratione, éd. G. F. Diercks, *ibid.*

    De praescriptione haereticorum, éd. R. F. Refoule, (CC 1), Turnhout, 1954.

    Ad Scapulam, éd. E. Dekkers, (CC 2), Turnhout, 1954.

Timothee d'Alexandrie; *Responsa canonica*, dans PG 33, 1295 ss.

Vincent de Lerins; *Commonitorium*, dans PL 50, 635 ss.

Yves de Chartres; *Decretum*, dans PL 140.

B. Sources liturgiques

1. Sources éditées

a) Liturgies orientales

Didascalie des Apôtres; F. X. Funk, *Didascalia et Constitutiones apostolorum*, 2 vol., Paderborn, 1905.

Constitutions apostoliques; *idem.*

Testamentum Domini; I. Rahmani, *Testamentum Domini nostri Jesu Christi...*, Mayence, 1899.

Eucologe de Sérapion; F. X. Funk, *id.*, t. 2, p. 158—195.

Les autres sources orientales que nous utilisons sont toutes reprises à F. E. Brightman, *Liturgies Eastern and Western. I Eastern Liturgies*, Oxford, 1896.

b) Liturgies occidentales

1. Liturgie romaine

Tradition apostolique; B. Botte, *La tradition apostolique de saint Hippolyte. Essai de reconstitution*, (LQF 39), Munster, 1963.

SACRAMENTAIRES:

— «léonien»; L. C. Mohlberg - L. Eizenhöfer - P. Siffrin, *Sacramentarium Veronense*, (*Rerum ecclesiasticarum documenta, Series maior, Fontes* 1), Rome, 1956.

— gélasien ancien; id., *Liber sacramentorum romanae aeclesiae ordinis anni circuli*, (*ibid.*, 4), Rome, 1960.

322   Bibliographie

— gélasiens du VIIIe s.
— Saint-Gall 348, éd. L. C. MOHLBERG, *Das fränkische Sacramentarium Gela-sianum in alamannischer Überlieferung*, (LQF 1—2), 2e éd., Munster, 1939.
— Rheinau 30, éd. A. HÄNGGI - A. SCHÖNHERR, *Sacramentarium Rhenau-giense, Handschrift Rh 30 der Zentralbibliothek Zürich*, (*Spicilegium friburgense*, 15), Fribourg S., 1970.
— Angoulême, éd. P. CAGIN, *Le sacramentaire d'Angoulême*, Angoulême, 1918.
— grégoriens; J. DESHUSSES, *Le sacramentaire grégorien. Ses principales for-mes d'après les plus anciens manuscrits. Edition comparative. T. 1: Le sacramentaire, le supplément d'Aniane*, (*Spicilegium friburgense*, 16), Fri-bourg S., 1971.
Hadrianum; H. LIETZMANN, *Das Sacramentarium Gregorianum nach dem Aachener Urexemplar*, (LQF 3), Munster, 1921.
Alcuinianum; H. A. WILSON, *The Gregorian Sacramentary under Charles the Great*, (HBS 49), Londres, 1915.
ORDINES; M. ANDRIEU, *Les Ordines romani du haut moyen âge*, (*Spicilegium sacrum lovaniense, Etudes et documents*, 11, 23, 24, 28, 29), 5 vol., Louvain, 1931—1961.
PONTIFICAL; C. VOGEL - R. ELZE, *Le Pontifical romano-germanique du dixième siècle*, (*Studi e Testi* 226, 227, 269), 3 vol., Cité du Vatican, 1963—1972.
ANTIPHONAIRE; R. J. HESBERT, *Antiphonale missarum sextuplex*, Bruxelles, 1935.

2. Liturgie milanaise
SACRAMENTAIRES:
Biasca; O. HEIMING, *Das ambrosianische Sakramentar von Biasca. Die Hand-schrift Mailand Ambrosiana A 24 bis inf. 1 Teil: Text*, (*Corpus ambrosiano liturgicum* 2, LQF 51), Munster, 1969.
Triplex; id., *Das Sacramentarium Triplex. Die Handschrift Zürich Zentralbibl. C 43. 1 Teil: Text*, (*ibid.*, 1, LQF 49), Munster, 1968.
Bergame; A. PAREDI, *Sacramentarium Bergomense*, (*Monumenta bergomensia* 6), Bergame, 1962.
Aribert; id., *Il Sacramentario di Ariberto*, (*Miscellanea A. Bernareggi*), Ber-game, 1958.
S. Simpliciano; J. FREI, *Das ambrosianische Sakramentar D 3—3 aus dem mai-ländischen Metropolitankapitel. Eine textkritische und redaktionsgeschichtliche Untersuchung der mailändischen Sakramentartradition*, (*Corpus ambrosiano liturgicum* 3, LQF 56), Munster, 1974.
MISSEL; A. RATTI - M. MAGISTRETTI, *Missale ambrosianum duplex. Ed. Puteo-bonellianae et typicae*, (*Monumenta sacra et profana* 4), Milan, 1913.
ANTIPHONAIRE; *Antiphonale missarum juxta ritum sanctae Ecclesiae medio-lanensis*, Rome, 1935.

3. Liturgie gallicane
SACRAMENTAIRES:
Gothicum; H. M. BANNISTER, *Missale Gothicum*, (HBS 52 et 54), 2 vol., Londres, 1917—1919.
L. C. MOHLBERG, *Missale Gothicum*, (*Rerum ecclesiasticarum documenta, Series maior, Fontes* 5), Rome, 1961.

Gall. Vetus; L. C. Mohlberg, *Missale Gallicanum vetus*, (*ibid.*, 3), Rome, 1958.
Mone; *ibid.*, Appendice I.
Bobbio; E. A. Lowe, *The Bobbio Missal. A Gallican Mass-book*, (HBS 53, 58, 61), 3 vol., Londres, 1917—1923.
M 12; A. Dold, *Das Sakramentar im Schabcodex M 12 Sup. der Bibliotheca Ambrosiana mit hauptsächlich altspanischem Formelgut in gallischem Rahmenwerk*, (TA 43), Beuron, 1952.
Pseudo-Germain; E. C. Ratcliff, *Expositio antiquae liturgiae gallicanae*, (HBS 98), Londres, 1971.

4. Liturgie celtique

SACRAMENTAIRES:
Stowe; G. F. Warner, *The Stowe Missal*, (HBS 31—32), 2 vol., Londres, 1906—1915.
(Fulda); G. Witzel, *Exercitamenta sincerae pietatis*, Mayence, 1555.
Mon; A. Dold - L. Eizenhöfer - D. H. Wright, *Das irische Palimpsestsakramentar in Clm 14 429 der Staatsbibliothek München*, (TA 43/54), Beuron, 1964.
ANTIPHONAIRE; F. E. Warren, *The Antiphonary of Bangor*, (HBS 9—10), 2 vol., Londres, 1893—1895.

5. Liturgie hispanique

SACRAMENTAIRES:
— M. Ferotin, *Liber mozarabicus sacramentorum*, (*Monumenta ecclesiae liturgica*, 6), Paris, 1912.
— id., *Le Liber ordinum en usage dans l'Eglise wisigothique et mozarabe d'Espagne du cinquième au onzième siècle*, (*ibid.*, 5), Paris, 1904.
— A. Lesley, *Missale mixtum secundum regulam B. Isidori dictum mozarabes*, Rome, 1755 (PL 85).
ANTIPHONAIRE; L. Brou - J. Vives, *Antifonario visigótico mozárabe de la Catedral de León*, (*Monumenta Hispaniae sacra, Series liturgica*, V, 1—2), 2 vol., Barcelone-Madrid, 1953—1959.
Varia; J. Vives, *Oracional visigótico*, (*ibid.*, I), Barcelone, 1946.
   F. Lorenzana, *Breviarium gothicum secundum regulam B. Isidori*, Madrid, 1804 (PL 86).

6. Sources diverses ou postérieures

Bénédictins de Solesmes; *Paléographie musicale. Les principaux manuscrits de chant grégorien, ambrosien, mozarabe, gallican publiés en fac-similés phototypiques*, Solesmes, 1889 ss.
   Variae preces e liturgia tum hodierna tum antiqua collectae aut usu receptae, Solesmes, 1896.
Bishop, E.; *Angilbert's Ritual Order for St-Riquier*, dans *Liturgica historica*, Oxford, 1918, p. 314—332.
Brou, L.; *The Monastic Ordinale of St-Vedast's Abbey Arras*, (HBS 86—87), 2 vol., Bedford, 1957.
Cabrol, F. - Leclercq, H.; *Relliquiae liturgicae vetustissimae*, (*Monumenta Ecclesiae liturgica* I, 1—2), 2 vol., Paris, 1900—1913.
Dewick, E. S.; *The Leofric Collectar*, (HBS 45 et 56), 2 vol., Londres, 1914—1921.
Diehl, E.; *Inscriptiones latinae christianae veteres*, 3 vol., Berlin, 1961.

DOLD, A.; *Die Zürcher und Peterlinger Messbuch-Fragmente aus der Zeit der Jahrtausendwende im Bari-Schrifttyp mit eigenständiger Liturgie*, (TA I, 25), Beuron, 1934.

KUYPERS, A. B.; *The Prayer Book of Aedeluald the Bishop, commonly called The Book of Cerne*, Cambridge, 1902.

MUNIER, CH.; *Les Statuta Ecclesiae antiqua. Edition, études critiques*, (Bibliothèque de l'Institut de droit canonique de l'Université de Strasbourg, 5), Paris, 1960.

WARREN, F. E.; *The Leofric Missal as used in the Cathedral of Exeter 1050— 1072*, Oxford, 1883.

WILMART, A.; *Precum libelli quattuor aevi carolini. Prior pars*, Rome, 1940.

2. Sources manuscrites

Nous indiquons, en regard de la cote des manuscrits, le formulaire dont ils sont les témoins, ou l'endroit où nous en parlons.

AUTUN, Bibl. Mun.,	S 12		FG^1—FG^2
	S 98		FG^1
	S 181		p. 117 note 11
	S 183		FG^1—FG^2
	S 188		FG^1—FG^2
BERGAME, Bibl. Civica, Γ III 18			M^1
BESANÇON, Bibl. Mun.,	79		p. 117 note 11
	119		FG^1
	131		p. 117 note 11
	140		p. 117 note 11
BRUXELLES, Bibl. Roy.,	4836 (Cat. 641)		FG^1—FG^2
	7524—55 (Cat. 3558)		litanie des saints
	IV 41		p. 271 note 9
	IV 112		p. 271 note 9
CAMBRAI, Bibl. Mun.,	55		p. 117 note 11
			p. 271 note 9
	60		FG^1—FG^2
	67		p. 117 note 11
	68		FG^1—FG^2
	70		p. 117 note 11
	71		FG^1—FG^2
	72 à 76		p. 117 note 11
	77		FG^1—FG^2
	78		FG^1—FG^2
	79		p. 117 note 11
	80		FG^1—FG^2
	82		p. 117 note 11
	83		p. 117 note 11
	131		FG^1—FG^2
	164 (olim 159)		OS—Irl^2
CAMBRIDGE, Corpus Christi College, 272			p. 271 note 8
CARLSRUHE, Bad. Landesbibl., App. Aug. CLXVII			Irl^2
CHANTILLY, Musée Condé, 103			p. 271 note 9
HAUTECOMBE, Abbaye Sainte-Madeleine, Graduel de Valence			p. 117 note 11
LANGRES, Grand Séminaire, 312			FG^1

LONDRES, Brit. Mus.,	Add. 34.209	M¹—M²
	Cotton MS Galba A XVIII	litanie des saints
	Titus D XVIII	litanie des saints
	Harl. 863	p. 271 note 9
	4951	FG¹—FG²
	Royal MS 2 A XX	litanie des saints
MADRID, Academia de la Historia,	18	p. 117 note 11
	45	FG¹—FG²
	51	FG¹—FG²
B.N., 136		FG¹
B.N., 1361		p. 117 note 11
Palacio Nacional, II. D. 3		p. 117 note 11
MILAN, Bibl. Ambr.,	A 24 Inf.	M¹—M²
	D 87 Sup.	M¹—M²
	I 127 Sup.	M¹—M²
	Trotti 251	M¹—M²
MONTPELLIER, Bibl. Fac. Médecine,	H 409	p. 271 note 9 et litanie des saints
PARIS. Bibl. Mazarine,	512	DG
	541	FG¹
B.N. lat.,	776	FG¹—FG²
	780	FG²
	903	FG¹—FG²
	909	FG¹—FG²
	931	p. 117 note 11
	1086	p. 117 note 11
	1118	FG²
	1120	FG¹—FG²
	1121	FG¹—FG²
	1122 à 1124	p. 117 note 11
	1132	p. 117 note 11
	1136	p. 117 note 11
	1153	DG
	1154	p. 271 note 9
	1210	p. 117 note 11
	1248	DG
	1331	p. 117 note 11
	1336	p. 117 note 11
	9467	p. 117 note 11
		p. 271 note 9
	9478	p. 117 note 11
	10517	p. 117 note 11
	10518	p. 117 note 11
	10581	p. 117 note 11
	12584	p. 117 note 11
	13159	p. 117 note 11
		litanie des saints
	13256 à 13258	p. 117 note 11
	18050	p. 117 note 11

PARIS, B. N., nv. acq. lat., 387   p. 117 note 11
          422   p. 117 note 11
          3001   FG¹—FG²
   Bibl. Sainte-Geneviève, lat. BB 20,   p. 279 note 33
REIMS, Bibl. Mun., 304   p. 271 note 9
          305   p. 271 note 9
ROME, Bibl. Angelica lat. 123 (olim B. 3.18)   DG et M²
   Bibl. Vat. Palat. lat., 489   p. 117 note 11
          506   M¹—M²
     Reg. lat., 235   litanie des saints
ROUEN, Bibl. Mun., 222   p. 117 note 11
          223   p. 117 note 11
          224   p. 117 note 11
          242   p. 117 note 11
          253   p. 117 note 11
          255   p. 117 note 11
          773   p. 117 note 11
          3030   p. 117 note 11
SAINT-GALL, Stiftsbibl., 15   p. 117 note 11
          97   p. 117 note 11
          339   p. 117 note 11
          349   p. 117 note 11
          360   p. 117 note 11
          395   p. 117 note 11
          443   p. 117 note 11
          473   p. 117 note 11
          1359   p. 276 note 25
VALENCIENNES, Bibl. Mun., 510   p. 271 note 9
VERCEIL, Arch. Capit., 136   M¹—M²
VERDUN, Bibl. Mun., 12   p. 117 note 11
          127   p. 117 note 11
          130   p. 117 note 11
          131   p. 117 note 11
          132, 1 — 2 — 3   p. 271 note 9
          149 à 151   p. 117 note 11
          153   p. 117 note 11
VIENNE, Nationalbibl. lat., 1888   FG¹ et litanie des saints
ZURICH, Bibl. Centr., Car. C. 161   litanie des saints

3. Etudes et instruments de travail

ALFONSO, P.; *Liturgia romana e liturgia ambrosiana: La litania «Dicamus omnes»*, dans Ambrosius 1 (1925), p. 89—91;
— *Oratio fidelium. Origine e sviluppo eucologico della prece dei fedeli*, Finalpia, 1928.
— *Una redazione arcaica della litania romana*, dans EL 54 (1940), p. 206—213.
— *Sallenda e salmodia*, dans *Ambrosius* 2 (1926), p. 87—89.
— *San Prospero di Aquitania e le Orationes solemnes*, dans *Rivista liturgica* 17 (1930), p. 199—203.

— *Verso le origini delle preci dell'Ufficio*, dans *Rivista liturgica* 12 (1925), p. 216 et 274.

Allard, P.; *Histoire des persécutions du premier au quatrième siècle*, 3 vol., Paris, 1911—1924.

Andrieu, M.; *A propos de quelques sacramentaires récemment édités*, dans *Revue des sciences religieuses* 2 (1922), p. 190—210.

Aucher, G.; *La versione armena della liturgia di S. Giovanni Crisostomo*, dans *Chrysostomica*, Rome, 1908, p. 359—404.

Audet, J.-P.; *La Didachè. Instructions des Apôtres*, (*Etudes bibliques*), Paris, 1958.

Bacha, C.; *Notions générales sur les versions arabes de la liturgie de S. Jean Chrysostome, suivies d'une ancienne version inédite*, dans *Chrysostomica*, Rome, 1908, p. 405—471.

Badcock, F. J.; *A Portion of an Early Anatolian Prayer Book*, dans JTS 33 (1932), p. 167—180.

Bannister, H. M.; *Some Recently Discovered Fragments of Irish Sacramentaries*, dans JTS 5 (1904), p. 49—75.

Baronius, C.; *Annales ecclesiastici*, éd. A. Theiner, 37 vol., Bar-le-Duc, 1864 ss.

Bastiaensen, A. A. R.; *Le cérémonial épistolaire des chrétiens latins. Origine et premiers développements*, (*Graecitas et latinitas christianorum primaeva, Suppl. 2*), Nimègue, 1964.

Bäumer, S.; *Beiträge zur Erklärung von «Litaniae» und «Missae» in der «Regel des H. Benedikt»*, (*Studien und Mitteilungen aus dem Benediktinerorden, fasc. 4*), Raigern, 1881.

— *Histoire du bréviaire* (traduit par R. Biron), 2 vol., Paris, 1905 (Ed. allemande 1895).

Baumstark, A.; *Das Gesetz der Erhaltung des Alten in liturgisch hochwertiger Zeit*, dans JLW 7 (1927), p. 1—23.

— *Liturgie comparée. Principes et méthodes pour l'étude historique des liturgies chrétiennes*, 3e éd. revue par Dom Bernard Botte, Chevetogne, 1953 (1e éd. 1939).

— *Liturgischer Nachhall der Verfolgungszeit*, dans *Beiträge zur Geschichte des christlichen Altertums und der byzantinischen Literatur*, (Festgabe A. Ehrhard), Bonn-Leipzig, 1922, Amsterdam, 1969, p. 53—72.

— *Missale romanum. Seine Entwicklung, ihre wichtigsten Urkunden und Probleme*, Eindhoven-Nimègue, 1929.

— *Nocturna laus. Typen frühchristlicher Vigilienfeier und ihr Fortleben vor allem im römischen und monastischen Ritus. Aus dem Nachlaß herausgegeben von* O. Heiming, (LQF 32), Munster, 1957.

— *Eine syrisch-melchitische Allerheiligenlitanei. Herausgegeben mit einleitenden Bemerkungen über orientalische Parallelen der «Litaniae omnium sanctorum»*, dans *Oriens Christianus* 4 (1904), p. 98—120.

Beck, H.; *The Pastoral Care of Souls in South-East France during the Sixth Century*, (*Analecta Gregoriana* 51), Rome, 1950.

Beran, J.; *De ordine missae secundum Tertulliani «Apologeticum»*, dans *Miscellanea liturgica Mohlberg* 2, Rome, 1949, p. 7—32.

Berger, R.; *Die Wendung «offerre pro» in der römischen Liturgie*, (LQF 41), Munster, 1965.

Bernal, J. R.; *Los sistemas de lecturas y oraciones en la vigilia pascual hispana*, dans *Hispania sacra* 17 (1964), p. 283—347.

BIEHL, L.; *Das liturgische Gebet für Kaiser und Reich. Ein Beitrag zur Geschichte des Verhältnisses von Kirche und Staat*, Paderborn, 1937.

BINGHAM, J.; *Origines sive Antiquitates ecclesiasticae* (traduit par GRISCHOVIUS), 10 vol., Halle, 1724 s.

BISHOP, E.; *Kyrie eleison*, dans *Downside Review*, 1899 et 1900; repris dans *Liturgica historica*, Oxford, 1918, p. 116—136.

— *The Litany of Saints in the Stowe Missal*, dans *Liturgica historica*, Oxford, 1918, p. 137—164.

— *Liturgical Comments and Memoranda III—IX*, dans JTS 11 (1910), p. 67—73; 12 (1911), p. 384—413; 14 (1913), p. 23—62.

— *Some Notes on the Litany*, dans *Downside Review* 39 (1921), p. 91—97.

— Appendice à CONNOLLY, R. H., *The Liturgical Homilies of Narsai*, (*Texts and Studies*, 8,1), Cambridge, 1909, p. 117—121.

BISHOP, W. C.; *The African Rite*, dans JTS 13 (1912), p. 250—277.

— *The Mozarabic and Ambrosian Rites*, Londres, 1924.

BLANCHINI, J.; *Vindiciae canonicarum scripturarum vulgatae latinae editionis*, Rome, 1740.

BONSIRVEN, J.; *Textes rabbiniques des deux premiers siècles chrétiens pour servir à l'intelligence du Nouveau Testament*, (*Pontificio Istituto Biblico*), Rome, 1955.

BORELLA, P.; *Cenni storici sulla liturgia ambrosiana. La messa*, Milan, 1949.

— *Kyrie eleison e prece litanica nel rito ambrosiano*, dans *Jucunda laudatio* 2 (1964), p. 66—79.

— *La «missa» o «dimissio catechumenorum» nelle liturgie occidentali*, dans EL 53 (1939), p. 60—110.

— *Oratio fidelium e dittici nelle segrete dell'offertorio*, dans *Ambrosius* 36 (1960), suppl. au n 3, p. [1]—[21].

— *L'oratio fidelium nelle sue varie forme strutturali*, dans *Ambrosius* 41 (1965), p. 9—23.

— *L'«oratio super sindonem»*, dans *Ambrosius* 34 (1958), p. 173—176.

— *La prece universale*, dans *Ambrosius* 21 (1945), p. 70—74.

— *Il rito ambrosiano*, (*Biblioteca di scienze religiose* III, 10), Brescia, 1964.

BOTTE, B.; *Le rituel d'ordination des Statuta Ecclesiae antiqua*, dans RTAM 11 (1939), p. 223—241.

— *Confessor*, dans *Archivum latinitatis medii aevi* 16 (1941), p. 137—148.

BOTTE, B. et MOHRMANN, C.; *L'Ordinaire de la messe. Texte critique, traduction et études*, (*Etudes liturgiques* 2), Paris-Louvain, 1953.

BOUMAN, C. A.; *Communis oratio. Problemen betreffende de vroegste geschiedenis van het christelijke smeekgebed*, Utrecht-Anvers, 1959.

BOUSSET, W.; *Zur sogenannten Deprecatio Gelasii*, dans *Nachrichten von der Königlichen Gesellschaft der Wissenschaften zu Göttingen, Philologisch-historische Klasse*, Berlin, 1916, p. 135—163.

BOUYER, L.; *Eucharistie. Théologie et spiritualité de la prière eucharistique*, Tournai, 1966.

BRUYLANTS, P.; *Concordance verbale du sacramentaire léonien*, Louvain [1948].

CABROL, F.; *Afrique (Liturgie anténicéenne de l')*, dans DACL 1, 591—619.

— *Afrique (Liturgie postnicéenne de l')*, ib. 620—657.

— *Diptyques (Liturgie)*, dans DACL 4,1, 1045—1094.

— *Litanies*, dans DACL 9, 1540—1571.

CALLEWAERT, C.; *Les étapes de l'histoire du Kyrie. Gélase, Benoît, Grégoire*, dans RHE 38 (1942), p. 20—45.

Capelle, B.; *Autorité de la liturgie chez les Pères*, dans RTAM 21 (1954), p. 5—22.
— *Innocent Ier et le canon de la messe*, dans RTAM 19 (1952), p. 5—16; Tr. lit., t. 2, p. 236—247.
— *L'intercession dans la messe romaine*, dans RB 65 (1955), p. 181—191; Tr. lit., t. 2, p. 248—257.
— *Le Kyrie de la messe et le pape Gélase*, dans RB 46 (1934), p. 126—144; Tr. lit., t. 2, p. 116—134. Cité en abrégé: *Le Kyrie* . . .
— *Méditation sur les Orationes sollemnes du vendredi saint*, dans LMD 45 (1956), p. 69—75.
— *L'œuvre liturgique de s. Gélase*, dans JTS 52 (1951), p. 129—144; Tr. lit., t. 2, p. 146—160.
— *Le pape Gélase et la messe romaine*, dans RHE 35 (1939), p. 22—34; Tr. lit., t. 2, p. 135—145.
Cappuyns, M.; *L'auteur du «De vocatione omnium gentium»*, dans RB 39 (1927), p. 198—226.
— *Les «orationes sollemnes» du vendredi saint*, dans QLP 23 (1938), p. 18—31.
— *L'origine des Capitula pseudo-célestiniens contre le semipélagianisme*, dans RB 41 (1929), p. 156—170.
Ceriani, A. M.; *Notitia liturgiae ambrosianae*, Milan, 1895; repris dans Ratti-Magistretti, *Missale ambrosianum*, Milan, 1913, p. 413 ss.
Chailley, J.; *Les anciens tropaires et séquentiaires de l'école de Saint-Martial de Limoges (Xe—XIe s.)*, dans Etudes grégoriennes 2 (1957), p. 163—188.
Chavasse, A.; *L'oraison «super sindonem» dans la liturgie romaine*, dans RB 70 (1960), p. 313—323.
— *A Rome, le jeudi saint, au VIIe s., d'après un vieil Ordo*, dans RHE 50 (1955), p. 21—35.
— *Le sacramentaire gélasien (Vat. Reg. 316). Sacramentaire presbytéral en usage dans les titres romains au VIIe s.*, (Bibliothèque de théologie 4,1), Tournai, 1958.
Chazelas, J.; *Les livrets de prières privées du IXe s.*, (Mémoire dactylographié de l'Ecole nationale des Chartes), Paris, 1959.
Clerici, L.; *Einsammlung der Zerstreuten. Liturgiegeschichtliche Untersuchung zur Vor- und Nachgeschichte der Fürbitte für die Kirche in Didachè 9,4 und 10,5*, (LQF 44), Munster, 1966.
Cneude, P.; *Que faisons-nous à la messe?* Paris-Fribourg, 1969.
Coens, M.; *Recueil d'études bollandiennes*, (Subsidia hagiographica 37), Bruxelles, 1963.
Congar, Y.-M.; *L'ecclésiologie du haut Moyen-Age. De saint Grégoire le Grand à la désunion entre Byzance et Rome*, Paris, 1968.
Connolly, H.; *Liturgical Prayers of Intercession. The Good Friday «Orationes sollemnes»*, dans JTS 21 (1920), p. 219—232.
Consilium ad exsequendam Constitutionem de sacra liturgia. De oratione communi seu fidelium. Eius natura, momentum ac structura. Criteria atque specimina ad experimentum coetibus territorialibus episcoporum proposita, Vatican, 1965; 2e éd. 1966.
Danneels, G.; *De voorbede of het algemene kerkgebed*, dans Getuigenis 2 (1966), p. 103—126.
Daras, M.; *Le «Kyrie eleison»*, dans Cours et conférences des semaines liturgiques, 6, Louvain, 1928, p. 67—79.

DE BRUYNE, D.; *L'origine des processions de la Chandeleur et des Rogations.*
A propos d'un sermon inédit, dans RB 34 (1922), p. 14—26.
— *De l'origine de quelques textes liturgiques mozarabes,* dans RB 30 (1913),
p. 421—436.
DE CLERCK, P.; *L'oratio fidelium dans les liturgies latines anciennes. Etat de la*
question. Sondage patristique, Louvain, 1967 (dactylographié).
DEKKERS, E.; *Tertullianus en de geschiedenis der liturgie,* Bruxelles-Amsterdam,
1947.
DELEHAYE, H.; *Sanctus. Essai sur le culte des saints dans l'Antiquité,* Bruxelles,
1927.
DELISLE, L.; *Mémoire sur d'anciens sacramentaires, (Mémoires de l'Institut*
National de France, Académie des Inscriptions et Belles Lettres, t. 32,1),
Paris, 1886, p. 57—423.
DELLE TORRE, L.; *L'«oratio fidelium», una preghiera dell'assemblea,* dans *Rivista*
liturgica 51 (1964), p. 214—224, et 52 (1965), p. 49—66.
DENIS, H.; *La prière universelle,* dans LMD 84 (1965), p. 140—165.
DESHUSSES, J.; *Le sacramentaire de Gellone dans son contexte historique,* dans
EL 75 (1961), p. 193—210.
DEWAILLY, L.-M.; *Mission de l'Eglise et apostolicité,* dans *Revue des sciences*
philosophiques et théologiques 32 (1948), p. 2—37.
— *Note sur l'histoire de l'adjectif «apostolique»,* dans *Mélanges de science*
religieuse 5 (1948), p. 141—152.
DIETZ, O.; *Das allgemeine Kirchengebet,* dans *Leiturgia, (Handbuch des Evange-*
lischen Gottesdienstes), t. 2, Cassel, 1955, p. 417—451.
DIX, G.; *The Shape of the Liturgy,* Westminster, 1945.
DÖLGER, F. J.; *Sol salutis. Gebet und Gesang im christlichen Altertum. Mit*
besonderer Rücksicht auf die Ostung in Gebet und Liturgie, (LQF 16/17), Mun-
ster, 1920.
— *Die Sonne der Gerechtigkeit und der Schwarze. Eine religionsgeschichtliche*
Studie zum Taufgelöbnis, (LQF 14), Munster, 1919; 2e éd. augmentée, 1971.
— *Das ungefähre Alter des Ite, missa est. Zu Dominica sollemnia bei Tertul-*
lianus, dans *Antike und Christentum* 6 (1940), p. 108—117.
EBNER, A.; *Quellen und Forschungen zur Geschichte und Kunstgeschichte des*
Missale Romanum im Mittelalter. Iter italicum, Fribourg B., 1896.
EHRENSBERGER, H.; *Libri liturgici Bibliothecae Vaticanae manuscripti,* Fribourg
B., 1897.
EISENHOFER, L.; *Handbuch der katholischen Liturgik,* 2 vol., Fribourg B., 1932—
1933.
EIZENHÖFER, L.; *Canon Missae romanae. Pars altera: Textus propinqui, (Rerum*
ecclesiasticarum documenta, Series minor: subsidia studiorum 7), Rome,
1966.
— *Das Gemeindegebet aus dem ersten Klemensbrief in einem karolingischen*
Gebetbuch, dans *Sacris Erudiri* 21 (1972—1973), p. 223—240.
FEDERER, K.; *Liturgie und Glaube. Eine theologiegeschichtliche Untersuchung,*
(Paradosis 4), Fribourg S., 1950.
FISCHER, B.; *Litania ad Laudes et Vesperas. Ein Vorschlag zur Neugestaltung*
der Ferialpreces in Laudes und Vesper des Römischen Breviers, dans *Litur-*
gisches Jahrbuch 1 (1951), p. 55—74.
FONTAINE, J.; *Martin v. Tours,* dans LTK 7, 118—119.
FORTESCUE, A.; *The Mass. A Study of the Roman Liturgy,* Londres, 1912. Trad.
franç. A. BOUDINHON, Paris, 1921.

Fransen, G.; *La tradition manuscrite du Décret de Burchard de Worms. Une première orientation*, dans A. Scheuermann - G. May, *Ius sacrum, (Festgabe K. Mörsdorf)*, Munich, 1969, p. 111—118.

Funk, F. X.; *Kirchengeschichtliche Abhandlungen und Untersuchungen*, 2 vol., Paderborn, 1897—1899.

Gamber, K.; *Conversi ad Dominum. Die Hinweisung von Priester und Volk nach Osten bei der Messfeier im 4. und 5. Jahrhundert*, dans *Römische Quartalschrift* 67 (1972), p. 49—64.

— *Die irischen Messlibelli als Zeugnis für die frühe römische Liturgie*, ib. 62 (1967), p. 214—221.

— *Liturgie übermorgen. Gedanken zur Geschichte und Zukunft des Gottesdienstes*, Fribourg B., 1966.

Gastoue, A.; *Le chant gallican*, dans *Revue du chant grégorien*, 41 (1937), p. 101—106, 131—133, 167—176; 42 (1938), p. 5, 57, 107, 146, 171; 43 (1939), p. 7, 44.

— *Les chants de la messe. Le Kyrie*, dans *Revue Sainte-Cécile* 28 (1936), p. 109—111.

— *Cours théorique et pratique de plain-chant romain grégorien d'après les travaux les plus récents*, Paris, 1904.

Gerbert, M.; *De cantu et musica sacra a prima ecclesiae aetate usque ad praesens tempus*, 2 vol., Saint-Blaise, 1774. Ed. O. Wessely, Graz, 1968.

— *Monumenta veteris liturgiae alemannicae*, 2 vol., Saint-Blaise, 1777—1779.

Göller, E.; *Papsttum und Bußgewalt in spätrömischer und frühmittelalterlicher Zeit*, Fribourg B., 1933.

Gougaud, L.; *Celtiques (liturgies)*, dans DACL 2,2, 2969—3032.

Griffe, E.; *La Gaule chrétienne à l'époque romaine*, 3 vol., 2e éd., Paris, 1964.

— *Aux origines de la liturgie gallicane*, dans *Bulletin de littérature ecclésiastique* 52 (1951), p. 17—43.

Grisbrooke, W. J.; *Intercession at the Eucharist. II. The Intercession at the Eucharist Proper*, dans *Studia liturgica* 5 (1966), p. 20—44 et 87—103.

Grotz, J.; *Die Entwicklung des Bußstufenwesens in der vornicänischen Kirche*, Fribourg B., 1955.

Gryson, R.; *Le Prêtre selon saint Ambroise, (Dissertatio ad gradum magistri in Facultate theologica lovaniensi*, Series III, 11), Louvain, 1968.

Gülden, J.; *Das allgemeine Kirchengebet in der Sicht des Seelsorgers*, dans F. X. Arnold - B. Fischer, *Die Messe in der Glaubensverkündigung*, Fribourg B., 1953, p. 337—353.

Gy, P.-M.; *Collectaire, rituel, processionnal*, dans *Revue des sciences philosophiques et théologiques* 44 (1960), p. 441—469.

— *Collectaires, rituels, processionnaux manuscrits des bibliothèques publiques de France*, (thèse dactylographiée), Le Saulchoir, 1960.

— *Remarques sur le vocabulaire antique du sacerdoce chrétien*, dans *Etudes sur le sacrement de l'Ordre*, (Lex orandi 22), Paris, 1957, p. 125—145.

— *Signification pastorale des prières du prône*, dans LMD 30 (1952), p. 125—136.

Hanon de Louvet, R.; *En marge du missel romain. Commentaire historico-liturgique du propre du temps*, Wetteren, 1929.

Hanssens, J.-M.; *Institutiones liturgicae de ritibus orientalibus*, t. 2—3, Rome, 1930—1932.

HIERZEGGER, R.; *Collecta und Statio. Die römischen Stationsprozessionen im frühen Mittelalter*, dans *Zeitschrift für katholische Theologie* 60 (1936), p. 511—554.

HOPPENBROUWERS, H.; *Conversatio. Une étude sémasiologique, (Graecitas et latinitas christianorum primaeva, suppl.* 1), Nimègue, 1964, p. 45—95.

HUGLO, M.; *Litany*, dans GROVE, *Dictionary of Music and Musicians*, 6e éd., Londres (sous presse).

— *Les preces des graduels aquitains empruntées à la liturgie hispanique*, dans *Hispania sacra* 8 (1955), p. 361—383.

— *Un tonaire du Graduel de la fin du VIIIe s. (Paris, BN lat. 13159)*, dans *Revue grégorienne* 31 (1952), p. 176—186 et 224—233.

— *Les tonaires. Inventaire, analyse, comparaison*, (Thèse de doctorat de 3e cycle), Paris, 1971.

JOHANNY, R.; *L'Eucharistie, centre de l'histoire du salut chez saint Ambroise de Milan*, (*Théologie historique* 9), Paris, 1968.

JUNGMANN, J.A.; *Das Kyrie eleison in den Preces*, dans *Liturgisches Erbe und pastorale Gegenwart*, Innsbruck, 1960, p. 239—252.

— *Die lateinischen Bußriten in ihrer geschichtlichen Entwicklung*, (*Forschungen zur Geschichte des innerkirchlichen Lebens* 3—4), Innsbruck, 1932.

KANNENGIESSER, CH.; *Enarratio in psalmum CXVIII: Science de la révélation et progrès spirituel*, dans *Recherches augustiniennes* (Hommage au R.P.F. Cayré), t. 2, Paris, 1962, p. 359—381.

KANTOROWICZ, E.H.; *Laudes regiae. A Study in Liturgical Acclamations and Mediaeval Ruler Worship*, 2e éd., Berkeley-Los Angeles, 1958.

KENNEDY, V.L.; *The Saints of the Canon of the Mass*, (*Studi di Antichità cristiana*, 14), 2e éd., Rome, 1963.

KLAUSER, TH.; *Abendländische Liturgiegeschichte*, 5e éd., Bonn, 1965.

— *Petite histoire de la liturgie occidentale*, Paris, 1956.

KNOCH, O.; *Eigenart und Bedeutung der Eschatologie im theologischen Aufriß des ersten Clemensbriefes. Eine auslegungsgeschichtliche Untersuchung*, (*Theophaneia* 17), Bonn, 1964.

KNOPF, R.; *Der erste Clemensbrief untersucht und herausgegeben*, (TU 20,1), Leipzig, 1899.

— *Die Lehre der zwölf Apostel. Die zwei Clemensbriefe*, Tübingen, 1920.

KNOPP, G.; *Sanctorum nomina seriatim. Die Anfänge der Allerheiligenlitanei und ihre Verbindung mit den «Laudes regiae»*, dans *Römische Quartalschrift* 65 (1970), p. 185—231.

KOCH, H.; *Die Büßerentlassung in der alten abendländischen Kirche*, dans *Theologische Quartalschrift* 82 (1900), p. 481—534.

LAVOREL, L.; *La doctrine eucharistique selon saint Ambroise*, 2 vol. (thèse dactylographiée), Lyon, 1956.

LECLERCQ, H.; *Génuflexion*, dans DACL, 6,1, 1017—1021.

— *Papa*, dans DACL 13,1, 1097—1111.

— *Pape, ibid.*, 1111—1345.

— *Pénitents (renvoi des)*, dans DACL 14,1, 251—258.

MANZ, G.; *Ausdrucksformen der lateinischen Liturgiesprache bis ins elfte Jahrhundert*, (TA, I, 1), Beuron, 1941.

MAROT, H.; *La collégialité et le vocabulaire épiscopal du Ve au VIIe siècle*, dans *La collégialité épiscopale*, (*Unam Sanctam* 52), Paris, 1965, p. 59—98.

MARTENE, E.; *De antiquis Ecclesiae ritibus*, 4 vol., Bassano-Venise, 1788.

MARTIMORT, A.-G.; *La liturgie de la messe en Gaule,* dans *Bulletin du comité des études de Saint-Sulpice* 22 (1958), p. 204—222.

MATEOS, J.; *La célébration de la parole dans la liturgie byzantine. Etude historique, (Orientalia christiana analecta,* 191), Rome, 1971.

MESLIN, M.; *Les Ariens d'Occident. 335—430, (Patristica Sorbonensia,* 8), Paris, 1967.

MEYER, W.; *Gesammelte Abhandlungen zur mittellateinischen Rhythmik,* t. 1—2, Berlin, 1905; t. 3, Berlin, 1936.

— *Gildae Oratio rythmica,* dans *Nachrichten von der Königlichen Gesellschaft der Wissenschaften zu Göttingen. Philologisch-historische Klasse,* Berlin, 1912, p. 48—108.

— *Ueber die rythmischen Preces der mozarabischen Liturgie,* ibid. 1913, p. 177—222.

— *Die Preces der mozarabischen Liturgie,* Berlin, 1914.

MIKAT, P.; *Zur Fürbitte der Christen für Kaiser und Reich im Gebet des 1. Clemensbriefes,* dans *Festschrift für U. Scheuner,* Berlin, 1973, p. 455—471.

MOELLER, E.; *Litanies majeures et Rogations,* dans QLP 23 (1938), p. 75—91.

MOHRMANN, CHR.; *Quelques observations sur l'évolution stylistique du Canon de la messe romaine,* dans *Vigiliae christianae* 4 (1950), p. 1—19.

MOLIN, J.-B.; *Comment redonner pleine valeur aux prières du prône?* dans *Paroisse et Liturgie* 42 (1960), p. 285—300.

— *Les manuscrits de la «Deprecatio Gelasii». Usage privé des psaumes et dévotion aux litanies,* dans EL 90 (1976), p. 113—148.

— *L'oratio communis fidelium au moyen âge en Occident du Xe au XVe siècle,* dans *Miscellanea liturgica in onore di S.E. il cardinale G. Lercaro,* t. 2, Rome, 1967, p. 313—468.

— *L'«oratio fidelium», ses survivances,* dans EL 73 (1959), p. 310—317.

— *La prière universelle,* dans J. GELINEAU, *Dans vos assemblées. Sens et pratique de la célébration liturgique,* Paris, 1971, t. 1, p. 243—257.

MOLIN, J.-B. et MAERTENS, TH.; *Pour un renouveau des prières du prône, (Collection Paroisse et Liturgie,* 53), Bruges, 1961.

MORIN, G.; *Que faut-il entendre par les confessores auxquels était adressé le traité de Macrobe le donastiste? (Notes d'ancienne littérature chrétienne* 1), dans RB 29 (1912), p. 82—84.

MORIN, J.; *Commentarius historicus de disciplina in administratione sacramenti paenitentiae,* Venise, 1702.

MOURET, R.; *Les fonctions liturgiques des diacres en Gaule avant la réforme carolingienne* (thèse dactylographiée), Paris, 1965.

— *La prière universelle en Gaule. La disparition et le remplacement de l'oratio fidelium,* (à paraître).

MUNIER, C.; *Les Statuta Ecclesia antiqua. Edition. Etudes critiques, (Bibliothèque de l'Institut de droit canonique de l'université de Strasbourg* 5), Paris, 1960.

NOCENT, A.; *La prière commune des fidèles,* dans NRT 86 (1964), p. 948—964.

OESTERLEY, W. O. E.; *The Jewish Background of the Christian Liturgy,* Oxford, 1925.

OPFERMANN, B.; *Um die Erneuerung des Fürbittengebetes in der Meßfeier,* dans *Bibel und Liturgie* 18 (1951), p. 243—248.

— *Litania italica. Ein Beitrag zur Litaneigeschichte,* dans EL 72 (1958), p. 306—319.

— *Die liturgischen Herrscherakklamationen im Sacrum Imperium des Mittelalters,* Weimar, 1953.

PAREDI, A.; *La liturgia di sant'Ambrogio,* dans *Sant'Ambrogio nel XVI. centenario della nascità,* Milan, 1940, p. 89—157.

PINELL, J.; *Liturgia hispánica,* dans DHEE, t. 2, p. 1303—1320.

POMARES, G.; *Gélase Ier. Lettre contre les Lupercales. 18 messes du sacramentaire léonien,* (SC 65), Paris, 1959.

PORTER, W. S.; *The Gallican Rite, (Studies in Eucharistic Faith and Practice),* Londres, 1958.

POSCHMANN, B.; *Die abendländische Kirchenbuße im Ausgang des christlichen Altertums, (Münchener Studien zur historischen Theologie* 7), Munich, 1928.

— *Die abendländische Kirchenbuße im frühen Mittelalter, (Breslauer Studien zur historischen Theologie* 16), Breslau, 1930.

POTHIER, J.; *Prières litaniales ou processionnelles,* dans *Revue du chant grégorien* 9 (1900—1901), p. 113—120.

PROBST, F.; *Liturgie der drei ersten christlichen Jahrhunderte,* Tübingen, 1870.

— *Liturgie des vierten Jahrhunderts und deren Reform,* Munster, 1893.

— *Die abendländische Messe vom fünften bis zum achten Jahrhundert,* Munster, 1896.

QUASTEN, J.; *Oriental Influence in the Gallican Liturgy,* dans *Traditio* 1 (1943), p. 55—78.

RAMOS, M.; *Oratio admonitionis. Contribución al estudio de la antigua Misa española,* Grenade, 1964.

— *Rasgos de la «Oratio communis» según la «oratio admonitionis» hispánica,* dans *Hispania sacra* 17 (1964), p. 31—45.

RAUSCHEN, G.; *Eucharistie und Bußsakrament in den ersten sechs Jahrhunderten der Kirche,* 2e éd., Fribourg B., 1910; réimpression, Amsterdam, 1971. Traduction française: *L'eucharistie et la pénitence durant les six premiers siècles de l'Eglise,* Paris, 1910.

RENAUD, B.; *Eucharistie et culte eucharistique selon saint Cyprien* (thèse dactylographiée), Louvain, 1967.

RIGHETTI, M.; *Manuale di storia liturgica,* 4 vol., Milan-Gênes, 1950—1956.

ROETZER, W.; *Des heiligen Augustinus Schriften als liturgiegeschichtliche Quelle. Eine liturgiegeschichtliche Studie,* Munich, 1930.

SAXER, V.; *Vie liturgique et quotidienne à Carthage vers le milieu du IIIe s. Le témoignage de saint Cyprien et de ses contemporains d'Afrique, (Studi di Antichità cristiana,* 29), Rome, 1969.

SCHERMANN, T.; *Die allgemeine Kirchenordnung, frühchristliche Liturgien und kirchliche Überlieferung, (Studien zur Geschichte und Kultur des Altertums* 3), 3 vol., Paderborn, 1914—1916.

SCHMIDT, H.; *Introductio in liturgiam occidentalem,* Rome, 1960.

SCHWARTZ, E.; *Bußstufen und Katechumenatsklassen,* dans *Schriften der wissenschaftlichen Gesellschaft in Straßburg* 6 (1910), repris dans *Gesammelte Schriften,* t. 5, Berlin, 1963, p. 274—362.

SEJOURNE, P.; *Le dernier Père de l'Eglise: Saint Isidore de Séville. Son rôle dans l'histoire du droit canonique,* Paris, 1929.

— *Saint Isidore de Séville et la liturgie wisigothique,* dans *Miscellanea isidoriana,* Rome, 1936, p. 221—251.

SIFFRIN, P.; *Konkordanztabellen zu den lateinischen Sakramentarien.*
   II *Liber sacramentorum romanae aecclesiae — Sacramentarium Gelasianum, (Rerum ecclesiasticarum documenta, Series minor* 5), Rome, 1959.
   III *Missale Gothicum, (id.,* 6), Rome, 1961.

von Soden, H.; *Das lateinische Neue Testament in Afrika zur Zeit Cyprians* (TU 33), Berlin, 1901.

Sottocornola, F.; *De intercessiegebeden in het eucharistisch gebed*, dans *Tijdschrift voor liturgie* 56 (1972), p. 298—320.

Stäblein, B.; *Gallikanische Liturgie*, dans MGG 3 (1955), 1299—1325.

— *Saint-Martial*, ibid. 11 (1963), 1262—1272.

Stiegler, A.; *Laienkommunion*, dans LTK 6, 746.

Stotz, P.; *Ardua spes mundi. Studien zu lateinischen Gedichten aus Sankt Gallen*, Berne, 1972.

Strittmatter, A.; *Notes on the Byzantine Synapte*, dans *Traditio* 10 (1954), p. 51—108.

Stuiber, A.; *Die Diptychen-Formel für die nomina offerentium im römischen Meßkanon*, dans EL 68 (1954), p. 127—146.

Traube, L.; *Peronna Scottorum. Ein Beitrag zur Überlieferungsgeschichte und zur Paläographie des Mittelalters*, dans *Vorlesungen und Abhandlungen*, t. 3, Munich, 1930, p. 95—119.

Van de Paverd, F.; *Zur Geschichte der Meßliturgie in Antiocheia und Konstantinopel gegen Ende des vierten Jahrhunderts. Analyse der Quellen bei Johannes Chrysostomos*, (Orientalia christiana analecta, 187), Rome, 1970.

Vismans, Th. A.; *Oud-gallicaanse liturgie*, dans LW 2, c. 2084—2094.

Vogel, C.; *L'orientation vers l'Est du célébrant et des fidèles pendant la célébration eucharistique*, dans *L'Orient syrien* 9 (1964), p. 3—37.

— *La discipline pénitentielle en Gaule des origines à la fin du VIIe siècle*, Paris, 1952.

von der Goltz, E.; *Das Gebet in der ältesten Christenheit. Eine geschichtliche Untersuchung*, Leipzig, 1901.

Warren, F. E.; *The Liturgy and Ritual of the Celtic Church*, Oxford, 1881.

Wilmart, A.; *Bobbio (missel de)*, dans DACL 2, 939—962.

— *Germain de Paris (lettres attribuées à saint)*, dans DACL 6,1, 1049—1102.

— *Le manuel de prières de saint Jean Gualbert*, dans RB 48 (1936), p. 259—299.

Wissowa, G.; *Religion und Kultus der Römer*, (Handbuch der klassischen Altertumswissenschaft von Iwan von Müller, V, 4), Munich, 1912.

Wolfram, G.; *Der Einfluß des Orients auf die Kultur und Christianisierung Lothringens im frühen Mittelalter*, dans *Jahrbuch der Gesellschaft für lothringische Geschichte und Altertumskunde*, 17 (1905), p. 318—352.

Avertissement

Sauf avis contraire, nous portons la responsabilité des traductions présentées. Les textes bibliques français sont cités d'après *La Bible de Jérusalem*, Paris, 1955.

TABLE DES INCIPIT

Sont rangés ici, par ordre alphabétique, les *incipit* des textes reproduits ou cités dans ce livre. Pour les litanies, nous ne donnons pas le début de chaque demande; le tableau des thèmes, p. 299, peut y pourvoir. Pour les lities, nous indiquons l'*initium* de chaque invitatoire et de chaque oraison.

2*

TABLE DES NOMS D'AUTEURS

On repérera facilement par la Table des matières les pages qui traitent des auteurs anciens; aussi limitons-nous cette liste aux noms de personnes ayant vécu après la Renaissance. Nous citons les auteurs d'études et de travaux, à l'exclusion des éditeurs de textes.

STÄBLEIN B., p. 188.
STIEGLER A., p. 84.
STOTZ P., p. 275.
STUIBER A., p. 110.

THOMASIUS J. M., p. 114, 169, 181, 187, 206.
TRAUBE L., p. 222.

VAN DE PAVERD F., p. 75, 78.
VEZIN J., p. 169.

VISMANS TH. A., p. 105.
VOGEL C., p. 51, 53, 78, 84, 196, 222.
VON DER GOLTZ E., p. 1, 9.

WARREN F. E., p. 153, 209, 270, 276.
WASSERSCHLEBEN F., p. 107.
WILLIS G. G., p. 1, 46, 92, 126, 132, 134, 136, 139, 141, 144, 176, 181, 231, 292.
WILMART A., p. 167, 168, 274, 304, 309.
WILSON H. A., p. 139.
WISSOWA G., p. 110.

TABLE DES MANUSCRITS

On voudra bien se reporter à la deuxième partie de la bibliographie, p. 324, où les manuscrits utilisés dans ce travail sont cités par ordre alphabétique des villes où ils sont conservés.